KU-677-287

DENISE MINA

BLINDE WUT

Thriller

Aus dem Englischen
von Conny Lösch

WILHELM HEYNE VERLAG
MÜNCHEN

Die Originalausgabe
THE END OF THE WASP SEASON
erschien 2011 bei Orion Books,
an imprint of the Orion Publishing Group Ltd, London

Verlagsgruppe Random House FSC-DEU-0100
Das für dieses Buch verwendete FSC®-zertifizierte Papier
Holmen Book Cream
liefert Holmen Paper, Hallstavik, Schweden.

Vollständige deutsche Erstausgabe 12/2011
Copyright © 2011 by Denise Mina
Copyright © 2011 der deutschsprachigen Ausgabe
by Wilhelm Heyne Verlag, München
in der Verlagsgruppe Random House GmbH
Printed in Germany 2011
Redaktion: Katja Bendels
Umschlaggestaltung: Eisele Grafik-Design, München unter Verwendung
von Motiven von © Renee Keith/iStock; © OGphoto/iStock
Satz: Buch-Werkstatt GmbH, Bad Aibling
Druck und Bindung: GGP Media GmbH, Pößneck
ISBN: 978-3-453-43491-2

www.heyne.de

1

Die Stille riss Sarah aus dem Schlaf. Sie schlug die Augen auf und wurde vom roten Blinken des Digitalweckers auf ihrem Nachttisch geblendet: 16 Uhr 32.

Von einem der Gärten weiter unten drang das helle Jaulen kleiner Hunde herüber, prallte von der Decke und hallte durch den hohen Raum.

Stille. Wenn sie hier war, ließ Sarah aus Gewohnheit das Radio in der Küche an, auf Radio 4 eingestellt. Das Geplapper nahm der Leere etwas von ihrem Schrecken. In den anderen Räumen ließ es den Eindruck entstehen, als sei das Haus voller charmanter, gesprächiger Menschen aus Hampshire. In Glasgow würden Einbrecher so etwas vielleicht bescheuert finden, in einem exklusiven Dorf wie Thorntonhall aber wirkte es durchaus plausibel. Sarah ließ auch das Licht strategisch in allen Räumen, die sich von außen nicht einsehen ließen, eingeschaltet. Sie hatte eine Begabung dafür, Dinge anders erscheinen zu lassen, als sie in Wirklichkeit waren.

Stille. Jetzt war keine Einbrecherstunde. Das Haus stand oben auf dem Hügel, gut sichtbar bei Tageslicht, besonders um diese Uhrzeit, wenn die Nachbarn alle draußen waren, die Arbeit des Gärtners kritisch in Augenschein nahmen oder ihre dicken Rassehunde über den Rasen scheuchten. Ein Dieb musste schon sehr viel Selbstvertrauen besitzen oder sehr dumm sein, um gerade jetzt einzubrechen.

Da sie erschöpft war und sich nach Schlaf sehnte, zog sie eine harmlose Erklärung in Erwägung: Entweder war in der Küche eine Sicherung durchgebrannt oder das alte Radio hatte endgültig den Geist aufgegeben. Alles im Haus war alt und reparaturbedürftig.

Also entschied sie, dass es das Radio gewesen sein musste, lächelte und schloss die Augen, rollte sich unter der frischen Daunendecke zusammen und freute sich fast darüber, aufgewacht zu sein, weil sie nun wieder in wunderbaren Schlaf sinken konnte.

Ihre Gedanken glitten sanft in die dunkle Wärme.

Plötzlich das Knirschen einer Diele oben an der Treppe. Erschrocken riss sie die Augen auf.

Sie hob den Kopf vom Kissen, um besser zu hören.

Ein Schuh schlurfte über den Teppich, ein Geräusch, das durch das hallende Treppenhaus noch verstärkt wurde. Dann flüsterte jemand einen kurzen Befehl. Eine hohe Stimme. Die Stimme einer Frau. »*Geh weiter.*«

Noch immer vom Schlaf benebelt, setzte Sarah sich auf. Vor ihrem inneren Auge sah sie, wie ihre Mutter auf dem Treppenlift unaufhaltsam surrend nach oben fuhr. Streng und gebieterisch. Ihre Mutter forderte Antworten: Warum hatte sie dem Pflegeplan zugestimmt? Warum kam Sarah nie vorbei, um sie zu baden? Warum hatte nicht Cardinal Geoffrey den Trauergottesdienst gehalten?

Unsinn.

Sie warf die Daunendecke von sich und schwang die Füße auf den Boden, versuchte aufzustehen, doch ihre schlaftrunkenen Knie versagten ihr den Dienst, und sie plumpste zurück, landete unwürdig schaukelnd auf dem Bett.

Sie ärgerte sich über sich selbst, und ihr wurde bewusst,

dass sie völlig schutzlos war, denn sie befand sich zu Hause. Sarah war an seltsamen Orten gewesen, unheimlichen Orten, und hatte es trotzdem immer geschafft, ruhig und wachsam zu bleiben. Sobald sie einen unbekannten Raum betrat, merkte sie sich sämtliche Notausgänge, war stets von Anfang an Herrin der Lage und blieb es auch, doch jetzt war sie schutzlos.

Hier war es anders, denn hier war sie eine normale Bewohnerin. Sie konnte die Polizei rufen, sie bitten zu kommen und ihr zu helfen.

Erleichtert beugte sie sich vor und griff in ihre Handtasche neben dem Bett. Mit nervösen Fingern tastete sie sich an Taschentüchern, Kassenbons und ihrem Reisepass vorbei an die kalte metallene Rückseite ihres iPhones. Beim Herausziehen drückte sie auf die entsprechende Taste und sah voller Freude, dass das Display leuchtete. Sie hatte das Handy wieder eingeschaltet, als sie in der ersten Klasse im Gang gestanden und am Flughafen von Glasgow darauf gewartet hatte, das Flugzeug verlassen zu können. Das machte sie nicht immer so. Manchmal blieb es vierundzwanzig Stunden lang ausgeschaltet, bis sie geschlafen hatte. Jetzt hielt sie es, um sich besser konzentrieren zu können, in beiden Händen, wählte 999 und drückte genau in dem Moment auf »Anrufen«, als sie vor ihrer Schlafzimmertür erneut ein Geräusch hörte.

Es war mehr ein Gefühl als ein Geräusch, ein Lufthauch auf dem Treppenabsatz. Ein Körper, der an der Wand neben der Tür entlangstrich, tief unten, wie kalte Finger im Kreuz eines nackten Rückens.

Sie schob das iPhone in eine kleine Vertiefung der Daunendecke und stand auf.

Die Tür ächzte leise, als sie geöffnet wurde.

Doch nicht der Geist ihrer Mutter, sondern zwei Teenager kamen herein, schlaksig und unbeholfen. Sie trugen weite schwarze Jogginghosen und dazu passende T-Shirts – auf links, man konnte die Nähte an Beinen und Armen sehen. Sie trugen sogar dieselben schwarzen Turnschuhe. Durch ihre seltsame Uniform wirkten sie wie Angehörige einer Sekte.

Die beiden Jungs bauten sich zunächst zögerlich im Türrahmen auf. Weniger selbstbewusst als wild entschlossen, wie bei einer Mutprobe.

Fast hätte sie vor Erleichterung gelacht: »Was macht ihr denn hier?«

Der eine der beiden war groß und hatte die Haare abrasiert. Er brachte es nicht fertig, sie anzusehen, und zuckte beim Klang ihrer Stimme fast ein bisschen zusammen. Er stand seitlich in der Tür, seine Schulter draußen im Flur, als würde er eigentlich lieber wieder gehen.

»Hört mal«, sagte sie. »Verschwindet aus meinem Haus. Es steht nicht leer, das Haus ist …«

Der andere Junge hatte längere Haare, pechschwarz und dicht, aber er wirkte nicht zögerlich. Er war wütend, stand breitbeinig im Türrahmen und sah sie direkt an, musterte ihr Gesicht.

Sarah wusste, dass sie nicht sehr hübsch war, aber sie hatte das Beste draus gemacht, sie war schlank und immer gut frisiert. Bei vorteilhaftem Licht konnte man sie für attraktiv halten. Dieser Junge hier sah das allerdings anders. Ganz offensichtlich widerte sie ihn an.

Der Größere stupste den anderen mit dem Ellbogen. Ohne den Blick von ihr zu wenden, antwortete sein wütender Freund, indem er sein Kinn nach vorn schob und so seinem Begleiter befahl einzutreten. Der Große schrak zurück, schüttelte zurückhaltend den Kopf. Sie setzten ihre Unterhaltung mit angedeuteten Gesten fort, während der wütende Junge sie weiterhin fixierte, sie hasste.

»Meine Mutter ist gestorben«, sagte sie noch einmal, wobei ihr die Stimme versagte, als ihr bewusst wurde, dass die beiden gar nicht überrascht schienen, sie hier anzutreffen. »Ich wohne noch …«

»Wo sind Ihre Kinder?«, fragte der wütende Junge.

»Kinder?«

»Sie haben Kinder«, sagte er mit voller Überzeugung.

»Nein …«, sagte sie. »Ich habe keine Kinder.«

»Doch, verfluchte Scheiße, haben Sie.« Er sah sich im Zimmer um, als hätte sie ihre Kinder möglicherweise unter der Daunendecke, im Kleiderschrank oder unter dem Bett versteckt.

Seine Stimme war hoch, die Stimme von der Treppe. Vor allem aber fiel ihr sein Akzent auf: nicht Glasgow, überhaupt nicht von der Westküste. Es war nicht mal das gemäßigte, unbestimmbare Schottisch der Kinder hier im Ort. Er klang nach Ostküste, aber gleichzeitig englisch, vielleicht Edinburgh oder London. Sie waren hierhergekommen, nicht zufällig in dieses Haus geraten, sondern extra angereist. Plötzlich hatte sie keine Ahnung mehr, was das sollte.

Sarah versuchte es noch einmal: »Ihr seid im falschen Haus.«

Aber er sah sie an und sagte bestimmt: »Nein, sind wir nicht.«

Das Geld. Sie mussten wegen des Geldes gekommen sein. Es war das Einzige im ganzen Haus, weswegen sie hier sein konnten. Aber das Geld lag in der Küche, und um in dieses Zimmer hier zu kommen, musste man eine Tür öffnen, einen Flur durchqueren und über die Treppe nach oben gehen. Sie hatten nach ihr gesucht.

Mit etwas mehr Selbstbewusstsein sah sie die beiden nun erneut an. Das Geld würden sie nicht bekommen. Sie würde alles leugnen, unschuldig tun, denn bald würde die Polizei eintreffen und die Jungs mitnehmen, um sie zu verhören, und sie musste ganz unschuldig wirken.

»Passt auf«, sagte sie und versuchte vernünftig zu klingen, »ihr geht jetzt besser. Vor einer Minute hab ich die Polizei gerufen, die sind wahrscheinlich längst unterwegs … ihr bekommt einen Riesenärger …«

Der wütende Junge verlagerte sein Gewicht von einem Bein aufs andere und schob seinen Fuß ins Zimmer. Er berührte den Saum des hellbraunen Perserteppichs mit den Zehen, drang auf diese Weise in den heiligen neutralen Raum zwischen ihnen ein. Er sah ihr aufwallendes Entsetzen, und ein Funken von Mitgefühl zuckte über sein Gesicht, bevor es sich wieder verhärtete. Trotzig schob er das Kinn vor und bewegte seinen Fuß erneut, nur wenig mehr als einen Zentimeter, bis er über den Fransenrand reichte, womit er ihr bewies, dass er zu ihr kommen konnte, zu ihr kommen würde.

Verärgerung ließ sie nun hellwach werden: »Ich weiß, warum ihr hier seid!« Sie machte einen Schritt auf ihn zu und fuchtelte mit der Hand Richtung Treppe: »Ihr wisst nicht, mit wem ihr euch anlegt, ihr macht einen schweren Fehler …«

»HALT.« Der wütende Junge bleckte die Zähne. »Bleib verdammt noch mal, wo du bist.« Er machte einen entschiedenen Schritt auf sie zu, lächelte jetzt. Seine Zähne wirkten ungewöhnlich trocken, und sie bekam es mit der Angst zu tun.

Sarah wich einen Schritt zurück Richtung Bett. Unter der Daunendecke lugte eine Ecke ihres Handys hervor. Sie krümmte und streckte die Finger, eine Revolverheldin beim Trockentraining.

Sein Blick wanderte weg von ihrem Gesicht, glitt über ihre Brust und runter zu ihren Schenkeln. Dann sah er plötzlich angewidert weg, und ihr wurde jäh bewusst, dass sie keinen Slip trug. Sie war so müde gewesen, als sie nach Hause gekommen war, dass sie noch im Flur ihre Schuhe abgestreift hatte, die Treppe hinaufgestapft war und ihr Kleid und ihre Unterhose auf den Schlafzimmerboden hatte fallen lassen. Das alte T-Shirt, in dem sie geschlafen hatte, reichte ihr nur bis zu den Schenkeln, bedeckte sie kaum. Sie hatte seit vierundzwanzig Stunden nicht mehr geschlafen und fühlte sich nicht gut. Ihre Mum war gestorben. Sie hatte Schlaf verdient.

Sie schrie so laut sie konnte: »RAUS HIER, ABER SOFORT!«

Der Große erschrak, aber der Wütende zuckte nicht einmal mit der Wimper. Wieder schob er den Kiefer vor, diesmal als wollte er sie beißen. Es war Zorn, ein Anflug von einer tiefsitzenden Verbitterung, die ihr nicht fremd war, und plötzlich erkannte sie sein Gesicht.

»Wer bist du?«, fragte sie. »Ich *kenne* dich.«

Der Große geriet aus dem Gleichgewicht und sah seinen wütenden Freund ängstlich an.

»Ich kenne dich ganz bestimmt.« Obwohl sie nicht sicher war: Es war eine verschwommene Erinnerung, als wäre er im Fernsehen oder in der Zeitung gewesen. »Ich habe ein Foto von dir gesehen.«

Im Gesicht des wütenden Jungen zeigten sich rosa Flecken, und er stotterte: »Foto? Sie haben ein *Foto* gesehen?«

Sie zuckte unbeholfen mit den Schultern und sah, dass er die Fäuste ballte.

Er hob eine Faust und schlug sich damit fest auf die Brust: »... hat Ihnen ein scheiß Foto von mir gezeigt?«

Seine Stimme überschlug sich bei den hohen Tönen. Sein Freund trat vor, nahm seine Faust von der Brust und zog ihn zurück. »Hör auf. Hör auf, Mann. Atme. Atme tief durch.«

Auf der Suche nach einem Hoffnungsschimmer warf Sarah einen verstohlenen Blick auf ihr iPhone, konnte aber nichts sehen.

Noch immer stotterte er: »Scheiß Handtasche! Nimm ihr das scheiß Handy ab!«

Der wütende Junge wechselte die Farbe, wurde bleich, sah auf den Boden zu ihren Füßen. Sein Freund folgte seinem Blick und ließ ihn los, machte zwei achtlose Schritte mit seinen langen Beinen und überwand den so kostbaren Abstand zwischen ihnen. Er ging direkt vor ihr in die Knie und wühlte grob in ihrer Lieblingshandtasche. Er befand sich weniger als dreißig Zentimeter von ihrem Oberschenkel entfernt, und Sarah stellte sich breitbeinig hin, entblößte ihr Geschlecht vor ihm, ließ ihn vor Schreck erstarren.

Doch der wütende Junge blieb bei ihrem Anblick ungerührt. »Squeak, verdammt noch mal, beeil dich.«

Der kniende Junge wendete den Blick ab, zog die Hand aus der Handtasche. Ein Handy. Ein Backstein, die Art Telefon, wie sie Rentner benutzen. Rotes Plastik mit großen Tasten, einem kleinen Display und dem Bild einer Palme darauf. Bei näherer Betrachtung wirkte es seltsam, weil das Display nicht aufleuchtete; es war nur eine Telefonattrappe. Bestürzt wurde Sarah bewusst, dass sie es vergessen hatte. Ständig vergaß sie es, dabei hätte sie es benutzen sollen.

Der Junge hielt das Handy über seinen Kopf, um es seinem Freund an der Tür zu zeigen. Das Gesicht des wütenden Jungen zuckte: »Was ist sonst noch da drin?«

Der kniende Junge schob sich das Backsteinhandy in die Hosentasche und griff erneut in die Handtasche, zog erfreut ihr Portemonnaie heraus. Er stand auf und hielt es triumphierend hoch.

Sarah hätte vor Erleichterung fast gelacht. »Wollt ihr Geld?«

Aber sie hatten nur Augen für das Portemonnaie. Der große Finder ging wieder zu seinem Freund zurück, die Geldbörse hoch erhoben. Sie waren nur kleine Ganoven, dumme Jungs, die ihre Klamotten verkehrt herum anzogen, wobei ihr jetzt klar wurde, dass sie damit ein Schulabzeichen versteckten.

Sie beobachtete den wütenden Jungen, der am Reißverschluss ihres Portemonnaies herumfingerte. Sie kannte diese Nase mit dem kurzen Rücken, die breiten, runden Nasenflügel. Sogar sehr gut. Sie riet:

»Ich kenne deinen Dad …«

Und sie hatte recht. Er zögerte beim Öffnen des Reißverschlusses, weshalb sie es noch einmal sagte, diesmal lauter: *»Ich kenne deinen Dad.«*

Der dünne Junge wandte den Blick von ihr ab und dem wütenden Jungen zu, geriet in Panik. Sie hob ihre Stimme: »Ihr verschwindet jetzt besser. Was glaubt ihr wohl, was er sagen wird, wenn ich ihm erzähle, dass du hier eingebrochen bist?«

Ein Dad. Das konnte jeder sein. Ein Dad, voller Autorität oder ein jämmerlicher Säufer. Vielleicht war Lars zu dem Schluss gekommen, dass er ihr nicht traute und es zurückhaben wollte. Lars. Das war die Nase von Lars.

»Lars!«, platzte es aus ihr heraus. Der wütende Junge wirkte irgendwie verletzt.

Einen Moment lang erwartete sie, dass er das Portemonnaie fallen ließ, es ihr zurückgab, sich entschuldigte und den Rückzug antrat. Einen Moment lang stockte ihr das Blut in den Adern und sie schnappte nach Luft. Der verbitterte Lars, der verletzte, wild um sich schlagende Lars, der sie verachtete, sie aber brauchte, obwohl er noch nie jemanden gebraucht hatte. Lars würde nicht davor zurückschrecken, sie zu töten, wenn es ihm in den Kram passte. Aber es passte ihm nicht in den Kram. Lars hatte diese Jungs nicht geschickt.

Der wütende Junge sah sie an, dieselbe tiefe Verletztheit in den Augen, hasserfüllt senkte er die Lider. Er sah sie an, während er mit seinen derben Fingern in ihrem Portemonnaie kramte, zwei große Scheine und eine Taxiquittung zwischen zwei Fingern herauszog.

Sarah nutzte die Chance und griff nach ihrem iPhone. Sie ließ sich auf die Seite fallen, die Finger fanden das kalte Metall, umschlossen es fest, denn sie wusste, wie leicht es ihr entgleiten konnte. Sie hielt es hoch, stocherte auf dem Display herum, versuchte die Sperre zu lösen und verfehlte zweimal die Tasten:

»HILFE, POLIZEI! BEI MIR SIND ZWEI JUGENDLICHE INS HAUS EINGEDRUNGEN!«

Der wütende Junge war sofort an ihrer Seite. Er packte unsanft ihre Hand und zog sie hoch, doch Sarah schrie weiter: »SIE SIND IN MEINEM SCHLAFZIMMER: EINEN DAVON KENNE ICH …«

Alle drei erstarrten, sahen auf das Handy, stellten sich vor, gehört worden zu sein, waren sich plötzlich bewusst, dass ihre Inszenierung ein Publikum hatte. Der wütende

Junge durchbrach die Erstarrung zuerst: Langsam hob er das Handy ans Ohr und lauschte.

Ein spöttisches Grinsen machte sich auf seinem Gesicht breit. Er tippte mit dem Finger auf das Display und warf es aufs Bett.

Sie standen dicht beieinander am Fußende des Bettes, eine Konzentration von Feindseligkeit in den weitläufigen Mauern des Hauses.

Hinter ihr scharrte der große Junge mit dem Fuß, kam näher, bis sein Atem auf ihr Haar traf. Sie spürte, wie sich Feuchtigkeit auf ihr Ohr setzte. Der wütende Junge sah die Trostlosigkeit in ihrem Gesicht, und sie sah, wie der Zorn darüber seinen Blick erfüllte.

Der Atem des Jungen direkt hinter ihr wurde schneller und flacher.

Einmal hatte sich Sarah in einem Hotel in Dubai mit einem Kunden zum Abendessen verabredet. Ein dicker Mann war das gewesen. Sie erinnerte sich an die Traurigkeit, die ihm anhaftete, verzweifelt, unnahbar. Und obwohl sie sich bemühte, Konversation zu treiben, blieb er während des gesamten Essens schweigsam und trank ziemlich viel, was kaum geholfen haben konnte. Im Fahrstuhl hinauf in ihr Zimmer hatte sie schon ihren Spruch geübt: Das passiert jedem mal, ist doch auch schön, sich einfach nur zu unterhalten und zu berühren, das nächste Mal könnten Sie's ja mit einer Pille versuchen. Auf dem Bett liegend, das Gesicht im Kissen vergraben, wie er es ihr befohlen hatte, hatte sie dasselbe Atmen hinter sich gehört, schnell, plötzlich animalisch, und als sie sich umdrehte, hatte sie etwas Metallenes in seiner Hand aufblitzen sehen. Sie hatte ihn vom Bett getreten, ihre Kleider geschnappt und war gerannt, war ihm nur entkommen, weil er zu fett war, um sie zu verfolgen.

»Ich habe Geld …«, sagte sie zu niemand Bestimmtem.

»Geld?«, fragte der wütende Junge ruhig, »Sie glauben, hier geht's um Geld?«

»Worum denn?«, schrie sie so laut sie konnte und hoffte, die beiden damit zu vertreiben. »Was zum Teufel wollt ihr hier? Das ist verdammt noch mal mein Haus …«

Aber keiner der beiden machte einen Rückzieher. Der wütende Junge sah sie direkt an.

Jetzt weinte sie, hatte die Hände flehend ausgestreckt: »Hab ich euch was getan? Ich geb's zu, ehrlich, das mache ich.«

Er wandte den Blick von ihr ab, sah sich unbekümmert im Raum um.

Plötzlich verstand Sarah: Er hatte keine Angst davor, dass sie sich an sein Gesicht erinnern würde, weil er gekommen war, um sie zu töten. Sie würde dieses Haus nicht mehr lebend verlassen. Hier kam sie nicht mehr raus.

Aber sie durfte hier nicht sterben, in dem kalten heruntergekommenen Haus, dem zu entkommen sie sich ihr ganzes Leben lang bemüht hatte, mit blankem Hintern und zwei dreisten Jungs, die einfach in ihr ehemaliges Kinderzimmer eingebrochen waren.

Durch den Schleier ihrer Tränen sah sie den Abstand zwischen sich und den anderen und die geöffnete Tür dahinter.

Sarah senkte den Kopf und rannte los.

2

Kay saß am Fenster, betrachtete die Schale und lächelte. Sie war eine Menge wert, da war sie sicher. Wenn sie damit zur Antiques Roadshow ginge, wäre sie der Höhepunkt der Sendung. Es würde den Zuschauern vor Überraschung glatt den Atem verschlagen, wenn der Experte bei der Auktion den Preis bekannt gab.

Sie seufzte und blickte hinaus über die graue Stadt. Castlemilk lag auf einem Hügel, von dem aus man ganz Glasgow überblicken konnte. In jeder anderen Stadt wäre ein solcher Ausblick den Reichen vorbehalten geblieben, die Anhöhe von Cathkin wäre von großen Häusern und schicken Gärten gesprenkelt. Aber nicht hier. Sie hatte es nie so richtig verstanden. Vielleicht lag es einfach zu weit außerhalb.

Vom Fenster aus wirkte die Stadt grau. Die ersten Straßenlaternen gingen an und verbreiteten ein schmutzig gelbes Licht. Aber vielleicht war es gar nicht die Stadt, die so grau war. Auf der Außenseite des Küchenfensters lag eine Schmutzschicht, die sich nicht abwaschen ließ, weil man das Fenster gar nicht weit genug öffnen konnte. Wenn sie von der Bushaltestelle aus den Hügel hinaufeilte, blickte sie oft zu den Fenstern hoch und sah den stumpfen Grauschleier auf den Scheiben. Und dann schüttelte sie den Kopf über Fenster, die sich nicht putzen ließen. Wer zum Teufel hatte sich das ausgedacht? Wohlwollend betrachtet, war es ein Versehen der

Architekten. Weniger wohlwollend gesehen, mussten sie die zukünftigen Bewohner wohl gehasst haben, sie für Dreckschweine und sauberer Fensterscheiben für unwürdig gehalten haben. Wahrscheinlich hatten sie ihnen den schönsten Ausblick der Stadt missgönnt.

Sie tippte die Asche von ihrer Zigarette, langsam, tapp tapp tapp, Satzzeichen in einer Unterhaltung mit einem unsichtbaren Gegenüber auf der anderen Seite des Tisches. Zwei Plätze, einer auf jeder Seite. Sie waren zu fünft und hatten am Tisch nur Platz für zwei.

Sie nahm einen tiefen Zug von ihrer Zigarette, spürte, wie ihr der Rauch im Hals kratzte und ihre Lungen füllte, und lächelte, weil sie merkte, dass es der richtige war. Jeden Tag, zwanzig Zigaretten täglich, jeweils sechs, vielleicht sieben Züge, und dabei schmeckte ihr immer nur ein einziger wirklich. Ein Zug von insgesamt hundertzwanzig pro Tag. Das alles gehörte zum Vorgang des Abgewöhnens dazu, damit bewies sie sich, wie wenig Spaß ihr das Rauchen machte, wie sinnlos es war. Aber es funktionierte nicht. Dieser eine Zug schmeckte ihr umso besser, je bewusster ihr wurde, wie selten er war. Tapp tapp tapp. Sie lächelte den Aschenbecher an. Tapp tapp. Ein roter brennender Tabakkrümel fiel ab, und sie hörte auf, drehte die Spitze an dem vergoldeten Rand zu einem sauberen kleinen Kegel.

Die Türen des Küchenschranks hingen schief, die Arbeitsplatte aus Pressspan war uneben und aufgequollen, wo die Plastikschicht abgeplatzt und die Platte feucht geworden war. Man hatte ihnen eine neue Küche versprochen, sie waren beim Wohnungsamt gewesen und hatten eine neue Arbeitsplatte und neue Türen aus drei verschiedenen Angeboten ausgewählt, aber das war schon Monate her.

Kay hörte eine Schlafzimmertür. Marie trat in den Durchgang zur Küche, sah Kay aber nicht an, so als wäre sie nur zufällig vorbeigekommen. Mit dreizehn war Marie so schüchtern, dass sie sich kaum aus dem Haus traute. Trotzdem hatte sie sich wieder die Fingernägel lackiert, blau diesmal, und trug ein passendes Haarband dazu. Ihre Wangen glänzten, rosa Kreise auf ihrem speckigen Gesicht.

»Hast du dich geschminkt, Schatz?«

Plötzlich wurde Marie aus irgendeinem Grund verlegen: »Halt die Klappe.« Und stürmte in ihr Schlafzimmer zurück.

Kay biss sich auf die Lippe, um nicht lachen zu müssen. Einmal hatte Marie sich so geniert, dass sie in Tränen ausgebrochen war, nur weil Kay vor den Jungs in ihrer Klasse gesagt hatte, dass sie süßen Kindertraubensaft mochte.

»Schatz«, rief sie. »Wir haben Chips.«

Marie zögerte, kam mit gesenktem Kopf durch den Flur zurück, den Blick von ihrer Mutter abgewandt. Blind über die Arbeitsfläche tastend, fand sie irgendwie die Riesentüte mit den vielen verschiedenen Minitüten darin und nahm sich eine mit Salz-und-Essig-Geschmack heraus.

»Dein Nagellack gefällt mir.«

Marie funkelte sie wütend an: »Toll, mir nicht.«

Kay seufzte: »Können wir nicht mal Pause machen, Marie? Sonst will ich meine Chips wiederhaben.«

Marie widerstand dem Impuls zu lachen und schnaubte durch die Nase, wobei ein bisschen Rotz mit herauskam. Entsetzt fasste sie sich an die feuchte Oberlippe und sah ihre Mutter vorwurfsvoll an: »Oh verdammt!«

Sie zog wütend ab, vergaß aber nicht, ihre Chips mitzunehmen.

Kay nahm noch einen Zug. Einen schlechten. Bitter und

kratzig. Einen, der sie wünschen ließ, endlich mit dem Rauchen aufhören zu können.

»Wo sind meine Sportschuhe?« Joe stand in der Tür, seine dürre Gestalt nur als Umriss zu erkennen. »Sind das Chips?«

Ohne die Antwort abzuwarten, kam er in die düstere Küche getappt, kramte in der Riesentüte herum und zog zwei Tüten mit Käse-Zwiebel-Geschmack heraus.

»EINE.«

Er ließ eine Tüte auf die Anrichte fallen: »Wo sind meine Sportschuhe?«

»Hast doch selbst Augen im Kopf.«

»Ist aber einfacher, dich zu fragen«, er riss die Chipstüte auf, nahm ein paar heraus und stopfte sie sich in den Mund.

Joe war unglaublich charmant, und das war sein Problem. Er konnte andere Menschen dazu bringen, dass sie ständig alles Mögliche für ihn machten. Kay wollte ihn nicht darin ermutigen. »Schieb ab, ich mach Menopause.«

»Ernsthaft, wo sind meine Sportschuhe?«

Sie wandte sich wieder dem schmutzigen Fenster zu.

»Mum?«

Sie ließ den Oberkörper auf die Tischplatte sacken, gab sich geschlagen: »Wo hast du sie denn ausgezogen?«

»An der Tür.«

»Hast du da schon nachgesehen?«

»Nein. Sollte ich?«

Sie antwortete nicht.

Er drehte sich um und sah in den Wäschekorb, der an der Wohnungstür stand. Sie ließ ihn meistens dort stehen, damit sie den ganzen Mist, den ihre Kinder fallen ließen, einfach reinwerfen konnte. Der Korb war aus transparentem Plastik, und die Sportschuhe waren von außen deutlich zu erkennen.

Er hatte sie ebenfalls gesehen, brummte und schlurfte zum Korb.

Er würde rausgehen und stundenlang wegbleiben, denn er war in dem Alter, in dem es faszinierend war, mit seinen Kumpels an Straßenecken rumzustehen. Kay konnte sich selbst noch gut daran erinnern. So lange war das noch gar nicht her, vier Kinder, aber nicht so lange, dass sich das Aufregende daran ihrer Erinnerung entzogen hätte. Hormone. Jetzt hatte sie vier Kinder, wie die Orgelpfeifen, und alle gleichzeitig in der Pubertät. Da wackelten die Wände.

»Hey«, rief ihr Joe vom Flur aus zu. Sie sah nach und fand ihn breitbeinig auf dem Boden sitzen und die Schuhe anziehen.

»Was?«

»Du siehst aus, als wärst du genervt, so wie du da im Dunkeln sitzt.«

Von seinem Charme wieder einmal überrumpelt, hellte sich ihre Stimmung auf: »Mir geht's gut, Junge. Ich ruh mich nur aus.«

»Sicher? Ich kann dir Pommes mitbringen, wenn du magst.«

»Nein, mir geht's gut.«

Sie sah zu, wie er seine Jacke aus dem Wäschekorb zog. Mit einer seiner unerwartet eleganten Bewegungen schlüpfte er hinein, öffnete die Wohnungstür und trat hinaus in das gelbliche Zwielicht des Treppenhauses. Ein kalter Luftzug drang in die Wohnung.

Joe war ihr Liebling. Es war falsch, ein Kind den anderen vorzuziehen, aber so war es nun mal. Alle waren sie Teenager, doch er war der Einzige, dem auffiel, dass auch sie Gefühle hatte, und manchmal versuchte er, sie aufzumuntern.

Kay nahm noch einen Zug. Draußen wurde es dunkel, aber sie hatte einfach keine Lust aufzustehen und das Licht einzuschalten, also blieb sie in der wachsenden Düsternis sitzen und genoss ihre Pause, bevor sie mit dem Kochen anfangen und sich an die nächste Runde Hausarbeit machen musste. Unten auf der Straße hörte sie Jungen schreien und rennen, das lederne Klatschen eines Fußballs. Sie stellte sich die Mädchen vor, die dicht gedrängt in einem Grüppchen danebenstanden und zusahen. Dahinter sah sie die Stadt, die Wohnblocks in den Gorbals am Rand, das hell erleuchtete Stadtzentrum und den Turm der Universität mit seinen vielen Spitzen.

Das Licht aus dem Flur fiel seitlich auf den Aschenbecher, die roten Emailleblütenblätter glänzten und der gewundene Silberdraht, den meisterliche Handwerkerhände in Moskau in Form gebracht hatten, funkelte. Sie seufzte und betrachtete das Farbenspiel. Gustav Klingert, sie hatte das Gütesiegel im Internet nachgesehen. Um 1880.

Kay lehnte sich zurück, um die Schale besser betrachten zu können. Sie war nicht sehr groß. Das Innere bestand aus vergoldetem Silber mit leichten Gebrauchsspuren, sodass der wässrige Glanz des kalten Silbers durch das warme Glühen des Goldes hindurchschimmerte. Auf der Außenseite war der emaillierte Untergrund gelb, darauf rote Blüten sowie mit Draht umrandete weiße und blaue Blätter. Eine schmale Linie aus blauen Pünktchen betonte Rand und Boden.

Sie berührte die Schale mit den Fingerspitzen, spürte die Rillen des Drahts, der die kleinen glänzenden Emailleflächen umgrenzte. Das Rot faszinierte sie am meisten. Es war durchsichtig, fast transparent, wie Wackelpudding. Sie wusste nicht mal, wie man diesen Stil aussprach, Rosto-wer

Fin-ift. Ihr gefiel, dass es unaussprechlich war. Das hatte was, so als käme es aus einem anderen Universum, wie Obi-Wan Kenobi.

Für Leute wie sie waren solche Dinge nicht bestimmt. Dabei stammten die Muster der russischen Emaillekunst ursprünglich aus der Bauernstickerei. Arme Frauen hatten diese Muster und Farbzusammenstellungen entworfen, sie hatten damit ihre Tischdecken und die Säume ihrer Kleider bestickt, hatten hart gearbeitet, in kalten dunklen Häusern, sich die Finger aufgestochen. Sie waren arme Frauen gewesen, mit einer tief empfundenen Sehnsucht nach Schönheit, die sie über die Dunkelheit hinwegrettete, ihnen das Gefühl gab, lebendig zu sein.

Und dann, einige hundert Jahre später, waren Juweliere gekommen, hatten ihre Entwürfe genommen und teure Gegenstände daraus gemacht, wie diese Schale, Gürtelschnallen, Teedosen – als Tee noch ein Luxusgut war –, Gegenstände, die für die Näherinnen unerschwinglich waren. Sie war eine von diesen Frauen, jenen Näherinnen, die im Halbdunkel saßen, und die verschlungenen Muster erzählten ihr von der Schönheit, die aus dem Nichts entsteht, und wie wichtig es war, schöne Dinge wahrzunehmen und zu schätzen, auch wenn man sie nur durch eine schmutzige Fensterscheibe betrachten konnte.

Kay wusste, dass niemand von all den Leuten, die diese Schale in den vergangenen einhundertdreißig Jahren besessen oder gesehen hatten, sie so geliebt hatte wie sie selbst. In den langen dunklen Nächten, in denen sie nicht schlafen konnte, streichelte sie sie mit den Fingerspitzen, folgte dem Verlauf der zarten Silberdrahtspiralen, die sich um die strahlenden Farbflächen schlangen.

3

Im eiskalten Regen stand Alex Morrow am frühen Morgen an einem frisch ausgehobenen Grab, die Troddel am Ende eines goldenen Zierseils fest in der Hand.

Sie konnte das ganze Theater nicht leiden. In Wirklichkeit waren sie es nämlich gar nicht, die ihn an diesen Vorhangkordeln zweieinhalb Meter tief in die Erde hinabsenkten. Die eigentliche Arbeit wurde von den elektrisch angetriebenen Riemen unter dem Sarg geleistet. Aber der Bestattungsunternehmer hatte sie in gedämpftem Tonfall angewiesen, jeweils ein Seilende in die Hand zu nehmen: Sie und Danny, einen grauhaarigen Mann, der jahrelang mit ihrem Dad die Zelle geteilt hatte, zwei Cousins, einen alten Freund aus der Kindheit und einen Mitarbeiter des Bestattungsunternehmens. Sie standen um das Loch herum, in das sie ihren Vater legen würden, und fuhren fort mit dem Mummenschanz, während der andere Mitarbeiter die Maschine bediente, die die Holzkiste tatsächlich im Boden versenkte.

Als der Sarg im Schoß der Erde angelangt war, blickten alle ratsuchend auf. Der Mitarbeiter am Grab ließ traurig sein Seilende in das Loch plumpsen und wartete, bis das Seil verschwunden war und mit einem dumpfen Klonk unten auf dem Sarg aufkam. Er nickte feierlich in die Grube, als hätte er sich endlich mit dem Tod des Mannes abgefunden, von dessen Existenz er bis vor wenigen Tagen gar nichts gewusst hatte. Dann blickte er die anderen Sargträger an, sah, dass die sich fragten, was zum Teufel jetzt von ihnen erwartet wurde, und machte eine Handbewegung Richtung Grube, womit er ihnen sagen wollte, es ihm gleichzutun.

Einer der Cousins streckte den Arm und ließ seine Troddel ebenfalls hineinplumpsen, direkt in die Mitte. Mit leicht geöffnetem Mund blickte er ihr nach. Der Zellengenosse warf sein Seilende pflichtschuldigst hinterher, wandte sich aber schon ab, noch bevor es das Holz berührte. Danny schnickte seines aus dem Handgelenk, als würde er sich eines Bonbonpapiers entledigen, obwohl er wusste, dass es falsch war, Müll auf die Straße zu werfen. Morrow öffnete einfach die Finger und ließ die Kordel ins Loch fallen, versuchte die Geste so bedeutungslos wie möglich aussehen zu lassen, wobei ihr bewusst war, dass ihre angestrengte Unbekümmertheit vielsagend auf die Gefühle schließen ließ, die sie ihrem Vater entgegenbrachte.

Hinter ihr wimmerte Crystyl unüberhörbar. Sie trug einen riesigen schwarzen Hut, an dessen Krempe schwarze Seidenrosen befestigt waren, und geriet gelegentlich ins Wanken, wenn ihre Stilettos zu tief im matschigen Untergrund versanken. Danny war ihr Verhalten eindeutig peinlich. Sie hatte den Toten gar nicht gekannt.

Morrow wandte sich ab und wollte gehen, sah sich aber von einem lang gestreckten Haufen aufgeworfener loser Erde eingekesselt, der mit giftgrünem Kunstrasen abgedeckt war.

Es war eine kleine Trauergemeinde, jämmerlich, aber trotzdem mehr, als er verdient hatte. Sie waren nicht wegen ihm gekommen, die meisten von ihnen waren vor allem aus Loyalität gegenüber Danny erschienen. Alex verachtete seine Lakaien. Sie zogen sich an wie Danny, frisierten sich wie er, unterstützten denselben Fußballverein. Es war Loyalität aus Habgier und Eigennutz. Und natürlich teilten sie auch dieselben Feindschaften: Alle wussten, dass Morrow Polizistin war.

Danny holte sie ein, als sie sich vorsichtig durch den Matsch zum Fußweg kämpfte.

»Danke, dass du gekommen bist«, sagte er förmlich und passte sich ihrem Schritttempo an, obwohl sie schnell und bestimmt weiterging.

Morrow zog den Mantel enger um sich. »Er war auch mein Dad.«

»Ich weiß, ich wollte nur sagen – danke.«

»Na ja, danke, dass du's organisiert hast.«

»Kein Problem.« Schulter an Schulter ging er mit ihr den steilen Weg hinauf zu ihrem Wagen. Als wären sie ein Paar, eilten sie über einen mit schwarzem Granitschotter belegten Fußweg, der eigentlich eine langsamere Gangart verlangte. Danny wollte etwas von ihr.

»Was?«

Er sah sie mit diesem Blick an, dem Blick unter schweren Lidern, der sagte: Pass gefälligst auf, was du sagst. »Brian war gar nicht da.«

Danny hatte Brian nie kennengelernt, und so sollte es auch bleiben. »Er konnte sich nicht freinehmen.«

Danny nickte, lächelte in sich hinein. Anscheinend wusste er, dass Brian immer noch nicht wieder arbeitete. Sie hatte Brian gebeten, nicht zu kommen, hatte es getan, weil er ein guter Mensch war und dem trügerischen Zauber Dannys nicht würde widerstehen können. Zwei Minuten in seiner Gesellschaft, und Brian hätte sich verpflichtet gefühlt, ihm einen Gefallen zu tun, hätte sich von ihm in irgendetwas reinziehen lassen.

Sie erreichten ihren Wagen, einen klapprigen alten Honda, den Brian in einem nostalgisch romantischen Moment gekauft hatte, und Morrow kramte nach dem Schlüssel.

Hinter ihnen, weiter unten am Abhang, kämpfte Crystyl lautstark gegen ihre Verzweiflung an. Mit einer Armlänge Abstand zu ihr stand in einem dunklen Trainingsanzug einer von Dannys Handlangern und reichte ihr ein Päckchen Taschentücher.

»Crystyl hat's ja offensichtlich schwer getroffen.« Morrow erlaubte sich die kleine Stichelei, während sie ihre Schlüssel aus der Tasche zog.

Aus dem Augenwinkel heraus sah sie, wie sich Dannys Kiefer verkrampfte.

»Alex, eine Frau wird dich demnächst anrufen. Eine Psychologin. Wegen John.«

Morrow stockte und sah ihn an. John, nicht Johnny, nicht JJ, nicht Wee John. Sonntagsname. Todernst. »Du hast meinen Namen in Verbindung mit John weitergegeben?«

Danny sog Luft durch die Zähne und starrte auf den Granitschotter zu seinen Füßen. John war Dannys Sohn, er hatte ihn mit vierzehn bekommen. Die Mutter war achtzehn gewesen, ein Sexsymbol auf der South Side, eine Trophäe für einen jungen Rowdy. Alex erinnerte sich, dass sie in der Schule davon erfahren hatte und dabei seltsam stolz auf Danny gewesen war. Sie selbst war damals auch erst vierzehn gewesen, und dass jemand in ihrem Alter ein Baby bekommen sollte, war ihr lächerlich erwachsen erschienen. Allerdings sprach Johns Entwicklung nicht gerade für eine junge Elternschaft. Er war schnell und brutal groß geworden.

»Hat er's schwer im Knast?«, fragte sie und bemühte sich, Anteilnahme zu zeigen.

»Hmmm«, Danny knirschte so heftig mit den Zähnen, dass er Mühe hatte, zu sprechen. Er sah weg, und es gelang ihm, den Mund aufzumachen: »Die Sache … mit der Frau …«

»Mit fünfzehn ist man wohl kaum eine Frau, Danny.«

Er schaute sie direkt an, und sie sah den Hass in seinen Augen. Sein Atem ging kurz und schnell, als wollte er sie schlagen, wenn er könnte: »Du hörst nie auf, oder?«

Sie betrachtete ihre Wagenschlüssel.

»Er ist mein verdammter *Sohn.* Deshalb haben wir ihn doch beide so gehasst«, er zeigte zurück auf die dreckige Grube in der feuchten Erde, »weil wir ihm immer scheißegal waren. John ist mein Sohn, und ich will verdammt noch mal wenigstens versuchen, mich um ihn zu kümmern.«

Sein Nacken lief knallrosa an, und Morrow wandte den Blick ab, flehte ihn innerlich an, bat ihn, nicht zu weinen.

Danny räusperte sich und flüsterte: »Ich will's wenigstens *versuchen.*«

Versuchen, sich um einen Vergewaltigersohn zu kümmern, der eine Fünfzehnjährige mit einem Teppichmesser zwischen den milchweißen Schenkeln verstümmelt hatte. Auf einer Party. Dieser Teil der Geschichte war unablässig durch die Presse gegangen: dass draußen vor der Tür eine Party gefeiert wurde, während er ihr im Badezimmer, direkt neben dem Schlafzimmer ihrer Eltern, so etwas angetan hatte. Einem Mädchen aus der Mittelschicht, das eine Privatschule besuchte. Ein schlaues Mädchen, das zu viel getrunken und sich mit den schlimmen Jungs eingelassen hatte. Sie hatten die gesamte Skala sozialer Ängste durchlaufen: jugendlicher Alkoholismus, Banden, Messerstechereien, Teenagersex. Es schien, als würde die Geschichte ihren Reiz niemals verlieren, bis John endlich verhaftet wurde und sich die Berichterstattung negativ auf die Verhandlung ausgewirkt hätte.

Danny versuchte, John zu helfen, aber er selbst war ein großer Teil des Problems: Jedem in der Stadt war klar, dass John schuldig sein musste, schon weil Danny sein Vater war. Falls Danny auch nur den Hauch eines Zweifels an Johns Schuld gehabt hätte, wären die Jungs, die der Polizei seinen Namen verraten hatten, plötzlich spurlos verschwunden. Die Verurteilung war bereits im Vorfeld längst beschlossene Sache.

»Wird er Hilfe im Gefängnis bekommen?«

Danny zuckte mit den Schultern.

»Warum soll sie Kontakt mit mir aufnehmen? Ich werde nicht für ihn lügen, außerdem tauchen seine Vorstrafen sowieso in den Gerichtsakten auf.«

»Das hat nichts damit zu tun, dass du bei den Bullen bist, sondern damit, dass du zur Familie gehörst. Sie wollen seine Geschichte, nur Fakten.«

Morrow schüttelte den Kopf und steckte den Schlüssel ins Schloss der Fahrertür: »Danny, wir sind ja wohl kaum eine Familie.«

Er nickte: »Nein, aber ich hab nur dich.«

»Können die nicht mit seiner Mutter sprechen?«

Danny schüttelte den Kopf: »Die ist in der Klapse.«

»Was ist mit seiner Großmutter? Die lebt doch noch, oder?«

»Die ist … nicht gerade scharf drauf.«

»Hm.« Morrow hatte ebenso wenig Lust wie Danny, es auszusprechen: JJ hatte seine Großmutter verprügelt und deshalb schon einmal vor Gericht gestanden. Wenn sie eine Aussage machte, wäre das kaum zu seinem Vorteil.

Gemeinsam sahen sie erneut zu Crystyl hinüber, die immer noch weinte, als man sie vom Grab wegführte. Die versprengt herumstehenden Männer wandten verlegen ihre Blicke ab, dachten vielleicht, dass selbst tote Psychopathen etwas mehr Haltung verdient hatten.

»Wenn ich mit ihr spreche«, sagte Danny, »geht's zum Schluss wieder nur um mich. Ich versuche, mich möglichst rauszuhalten, auf Abstand zu gehen, sonst macht ihn irgendein kleines Arschloch hinter Gittern kalt. Das ist viel zu verworren. Die Frau will nur ein bisschen Hintergrundgeschichte.«

»Worüber will sie reden?«

»Johns Leben. Ein paar Informationen. Wo er gewohnt hat, mit wem, so was.« Danny schaukelte auf seinen Hacken, wandte sich von ihr ab, sein Atem war immer noch kurz und zögerlich. »Ich drücke mich nicht, Alex. Ich will nur das Richtige tun. Dich um einen Gefallen zu bitten, fällt mir viel schwerer.«

Sie würde bei der Psychologin über Danny herziehen. Das wollte er, es würde John helfen. Aber der Großteil der Informationen, die sie geben konnte, betraf sein Jugendstrafregister. Als er damals vor vielen Jahren wegen Körperverletzung angeklagt wurde, mussten auch Berichte geschrieben worden sein. Sie sah auf ihre Hand herunter. Der Schlüssel steckte in der Tür, sie hatte die Hand am Schlüssel, musste ihn nur umdrehen, sich ins Auto setzen und fortfahren. »Ich weiß gar nicht viel darüber, wie er aufgewachsen ist …«

»Es geht nicht ums Verfahren, sondern um das Urteil, wie wahrscheinlich es ist, dass er so was noch mal macht. Wir wollen nicht, dass er rauskommt, wenn …«

Morrow hielt inne und holte lange und tief Luft. Danny wusste, wie er sie anfassen musste: die Mädchen schützen,

JJ nicht abschreiben, wir machen's besser als unser Dad. Er kannte ihre Schwachstellen ganz genau und wusste, wie er sie aktivieren konnte. Einen Moment lang überlegte sie, dass sie dieses Mal vielleicht tatsächlich dasselbe Interesse hatten, dass es vernünftig war. Sie dachte darüber nach, bis ein seltsames Gefühl kindlicher Wärme alle Alarmglocken bei ihr schrillen ließ. Sie war dem Chaos nicht entronnen und hatte sich zum Polizeidienst gemeldet, weil sie so vernünftig war. Sie hatte sich von all dem nicht ferngehalten und einen so netten Mann wie Brian geheiratet, weil sie sich danach gerichtet hatte, was Danny für das Beste hielt.

Sie drehte den Schlüssel im Schloss, öffnete die Tür zu ihrer eigenen Welt und setzte einen Fuß in den Wagen.

»Nein. Ich mach's nicht. Und Danny, ab jetzt …« Sie öffnete die Hand, wiederholte die Geste am Grab und ließ die goldene Troddel unbekümmert fallen. Sie stieg ein und verriegelte die Tür.

Danny betrachtete sie einen Augenblick lang durch die Windschutzscheibe. Kräftig gebaut, rasierter Schädel und breite Schultern, sein Aussehen sollte einschüchternd wirken. Und jetzt stand er da, die unteren Schneidezähne gebleckt, das Kinn gesenkt, und funkelte sie wütend an.

Diesen Gesichtsausdruck hatte sie noch nie zuvor bei ihm gesehen, und nackte, kalte Angst durchzuckte sie, durchfuhr die Zwillinge in ihrem Bauch und den Innenraum ihres hübschen alten Autos. Danny brach anderen den Kiefer und zertrümmerte Hände zwischen Autotüren. Danny zerschnitt Männern das Gesicht mit einem abgebrochenen Flaschenhals. So was machte er immer, wenn er das Gefühl hatte, jemand schulde ihm etwas, oder wenn er etwas wollte. Alex hatte das sichere Gefühl, dass sie gerade zum letzten Mal freundlich miteinander gesprochen hatten, und ihr war bewusst, dass es ihre Entscheidung gewesen war, sich von ihm abzukehren.

Bemüht, möglichst gleichmäßig weiterzuatmen, startete sie den Motor und fuhr an ihm vorbei, wählte den oberen Weg ganz um den Friedhof herum und war erleichtert, als die Trauergesellschaft aus ihrem Rückspiegel verschwand.

Sie hatte gerade das Tor erreicht, als ihr Diensthandy eine unanständig fröhliche Melodie plärrte. Es war Bannerman. Sie betätigte eine Taste an der Freisprechanlage, und seine Stimme erklang knisternd im Wagen: »Wo sind Sie?«

Kein Hallo, keine Einleitung, einfach nur ein Bellen. Sie hatte noch nicht einmal mit ihm gesprochen, und schon klang er genervt: »Ich verlasse gerade den Friedhof.«

»Gut.«

»Sir, Sie müssen mich fragen, wie's war.«

»Muss ich das?« Das war keine Unverschämtheit, sondern eine ernst gemeinte Frage. Bannerman war zu ihrem Vorgesetzten befördert worden, und obwohl dies keinesfalls überraschend gekommen war, hatte der Karrieresprung bei ihm eine erstaunliche Wirkung gezeigt. Sie hatten sich monatelang ein Büro geteilt, und Morrow wusste, dass er unsicher war, das ließ sich unschwer an der aufgesetzten Persönlichkeit erkennen, die er ständig heraushängen ließ, dem verwuschelten Haar, dem sonnengebräunten Teint, dem schon schmerzhaften Bedürfnis, sich bei allen beliebt zu machen und von allen gemocht zu werden. Allerdings hatte sie nicht erwartet, dass ihm die Meinung seiner Untergebenen so rasch nur noch so wenig bedeuten würde. Erstaunlich schnell hatte er sich von all dem frei gemacht und suchte jetzt ein anderes Publikum. Er war ständig schlecht gelaunt, unbeholfen, schroff und belehrend. Die Männer im Team konnten ihn nicht ausstehen, ein Umstand, den er mit einem gewissen Stolz hinnahm. Bizarrerweise war sie selbst dafür plötzlich ausgesprochen beliebt geworden, möglicherweise weil ihre Ruppigkeit immerhin aufrichtig war.

»Warum muss ich Sie das fragen?«

»Weil es zum guten Ton gehört, wenigstens so zu tun, als würde man sich für die Trauerfälle in anderer Leute Familien interessieren.«

»Okay. Wie war die Beerdigung Ihrer Tante?«

»Schön.«

»Wie alt war sie?«

»Hm, ziemlich alt. Über achtzig, glaube ich.«

»Waren viele Leute da?«, fragte Bannerman.

»Ja«, sie blickte im Spiegel zurück und sah einen alten Knastbruder, die Hände tief in den Taschen vergraben, der auf dem Fußweg langsam hinter ihr herhumpelte. »Ziemlich viele.«

»Na gut …« Er stockte, als fiele es ihm schwer, sich abgedroschene Plattitüden über den Tod einfallen zu lassen. »Toll. Egal, wir haben einen Mordfall in Thorntonhall, wenn Sie da fertig sind.«

Sie sah erneut in den Rückspiegel und lächelte: »Ich bin hier fertig, Sir.«

4

Thomas setzte sich auf den Kies am Strand, wartete und hoffte, Squeak würde schlau genug sein, herzukommen. Eigentlich müsste er längst hier sein. Ein kalter Wind wehte vom Wasser heran. Thomas konnte weiter vorne Schafe auf den Hügeln sehen, kleine schmutzig-weiße Sprenkel auf dem Gras. Einmal, das war schon sehr lange her, hatten sie eine Farm besucht. Der jährliche Wandertag hatte sie außerdem zu einer Farmausstellung geführt. Das war noch ein Überbleibsel aus der Zeit, als die meisten Jungs in der Schule Grund und Boden erben und Schafe aufziehen sollten. Jetzt nicht mehr. Jetzt waren sie ganz anders drauf. Auf der Rückfahrt im Bus war es ausschließlich darum gegangen, ob man Schafe ficken konnte und ob die sehr stanken und schmierig waren.

Die Kiesel am Strand waren schwarz. Sie stammten nicht aus der Gegend hier, sondern waren von einem Laster der Landschaftspflege abgeladen worden. Er nahm einen und wollte ihn in das von Wellen leicht gekräuselte Wasser werfen, hielt aber inne. Kinder machten so was. Er war kein Kind mehr. Er ließ ihn wieder fallen und hörte Schritte hinter sich.

Squeak setzte sich neben ihn, hielt aber Abstand.

Beide hatten die Reißverschlüsse ihrer Jacken bis zum Kinn hochgezogen, die Hände steckten tief in den Taschen. Mittagessen im großen Saal, danach Zeit zur freien Gestaltung. Mindestens einundzwanzig Minuten, bis man sie vermissen würde. Sie hatten unterschiedliche Wege genommen, Squeak durch den Wald, weil er aus der Kirche gekommen war, und Thomas über den Friedhof, für den Fall, dass sie gesehen wurden. Dann konnten sie behaupten, sie wären sich zufällig begegnet.

Obwohl sie schon seit Ewigkeiten nicht mehr hier am Strand gewesen waren, hatte Thomas gewusst, dass Squeak ihn finden würde. Sie kannten sich gut.

Als sie mit acht Jahren zusammen eingeschult wurden, waren sie die einzigen beiden Jungs in ihrem Jahrgang gewesen. Die meisten Familien warteten, bis die Kinder alt genug waren, um ins Internat geschickt zu werden. Thomas' Dad hatte mit sechs Jahren angefangen, aber das galt heute als zu jung, als schädlich. Sie hatten mit acht angefangen, und alle hatten Mitleid mit ihnen gehabt, hatten gewusst, dass es zu Hause Ärger gab oder die Eltern nichts mit ihnen anzufangen wussten. Deshalb waren sie sich so nah, so miteinander verwachsen, hatten fast schon eine gemeinsame Sprache entwickelt, Zwinkern und Blicke, Namen für Kinder, die sie hänselten, und Bezeichnungen für die Gründe, weshalb sie von ihnen geärgert wurden. Spiele mit Regeln, die niemand außer ihnen verstand. Squeak seufzte Richtung Wasser, und Thomas sah ihn böse an. Sie hatten viel zu besprechen, aber keiner von beiden fand einen Anfang. Beide waren gefangen in ihrem eigenen überbordenden Gedankenfluss, suhlten sich im Groll gegeneinander, in geheimen Sorgen und Scham, weniger angesichts dessen, was sie getan hatten, als dessen, was sie übereinander dachten.

Sie hatten nicht mehr gesprochen, seit sie in Thorntonhall in den Wagen gestiegen waren. Squeak war gefahren und hatte dabei eine Zigarette nach der anderen geraucht, während Thomas sich auf der gesamten zweistündigen Fahrt mit feuchten Tüchern zu schaffen gemacht hatte. Er hatte zwei ganze Packungen verbraucht, und jetzt roch er wie das größte Riesenbaby der Welt, das süßliche Parfümöl klebte an seinem Gesicht, verschmierte ihm die Augen, klebte unter seinen Nägeln. Er würde erst in zwei Tagen baden können, und am liebsten hätte er gekotzt, der Geruch erinnerte ihn an Nanny Mary, und seine Abscheu war so stark, dass er das Gefühl hatte, innerlich zu verrotten.

»Da waren keine Kinder«, sagte Squeak.

Nach ihrer Rückkehr hatte Squeak im Dorf geparkt. Sie waren über die Schulmauer geklettert und hatten sich über das Gelände geschlichen, waren hinten herum über den Sportplatz gekommen, hatten sich ferngehalten von den Scheinwerfern hinten am Wohnhaus. Thomas war egal, ob sie erwischt wurden. Er wollte erwischt werden. Aber Squeak bestand darauf, durch Thomas' Zimmerfenster einzusteigen, das sie extra offen gelassen hatten, und dort hatten sie dann gestanden, nicht gewagt einander anzusehen, bis Squeak schließlich »Nacht« gemurmelt hatte und in sein Zimmer gegangen war.

Beim Frühstück heute Morgen hatten sie sich wiedergesehen, in unterschiedlichen Ecken des Speisesaals. Squeak hatte müde gewirkt, seine Augen waren rot, mechanisch hatte er sich Porridge in den Mund gelöffelt. Sein leerer Blick war durch den Raum gewandert, einen Augenblick lang auf Thomas' Gesicht hängen geblieben, dann weitergezogen.

Jetzt schwappte das Wasser sanft über die Steine. Squeak holte ein Blechdöschen aus der Tasche, öffnete es und nahm einen kleinen Joint heraus, zündete ihn an und genehmigte sich einen tiefen Zug. Er hielt die Luft an, verdrehte erleichtert die Augen und stieß den Rauch wieder aus, bevor er den Stummel weiterreichte.

Thomas nahm ihn, konnte nicht ablehnen. Er simulierte einen Zug, hielt die Luft lange genug an, sog auch ein wenig Rauch ein, aber nicht bis in die Lungen. Er reichte den Joint zurück.

»Stehst du nicht drauf?«, fragte Squeak und ließ ihn damit wissen, dass er es bemerkt hatte.

»Nein.« Thomas lehnte sich zurück und stützte sich auf die Ellbogen. Sein lauernder Blick auf Squeaks Rücken widersprach seiner scheinbar entspannten Körperhaltung. In der plötzlichen Überzeugung, dass Squeak ihn durchschaut hatte und wusste, dass er nur vorgab entspannt zu sein, setzte er sich wieder auf. »Hast du geschlafen?«

Squeak blickte über seine Schulter, von oben herab, auf eine Weise, die verächtlich wirkte, aber vielleicht lag es einfach nur an seiner Sitzposition. Er sagte: »Nicht schlecht.« Er sah weg und nahm noch einen Zug. Einen tiefen Zug, und als wollte er sich davon abhalten, etwas zu sagen, schluckte er den Rauch.

Thomas hielt es nicht mehr aus und fuhr ihn an: »Rede endlich mit mir!«

Squeak drehte sich langsam um. »Ich? Was hab *ich dir* schon zu sagen?«

Überrumpelt von der Heftigkeit seiner Reaktion zuckte Thomas zusammen. Squeak schnickte den Joint in den See: »Was zum Teufel willst du von mir hören? *Da waren keine Kinder.*«

Urplötzlich liefen Thomas die Augen über. Sein Kinn zuckte, und Squeak sprang ihn an, sein Fingernagel verfehlte seinen Augapfel nur um wenige Zentimeter: *»Fang bloß nicht* *an zu heulen.* Du hast mich da hingebracht. Du hast gesagt, dass sie's ist, du hast gesagt, du weißt es genau. Jetzt fang bloß nicht an zu heulen.«

Er ließ ihn los und lehnte sich zurück, starrte außer sich vor Wut aufs Wasser.

Thomas flüsterte: »Er hat mir gesagt ...«

»Hat er ihren Namen erwähnt? Oder das Haus?«

Hatte er nicht. Er hatte gar keinen Namen genannt. Thomas hatte ihre Nummer von seinem Dad, hatte ihre Adresse aus einer alten SMS.

Thomas atmete tief durch, und sein Tränenanfall verging. Sein Kinn entspannte sich wieder, und er rieb sich hastig mit einer groben Handbewegung die Feuchtigkeit aus den Augen, als er sich vorstellte, dass jemand am See entlangspazieren, sie sehen und ihre Auseinandersetzung für einen Streit unter Liebenden halten könnte.

So ein Gerücht würde einem ewig anhaften, einen das ganze Leben lang verfolgen, selbst wenn man es jeder Schlampe in ganz Fulham besorgte.

Einmal war er mit seinem Vater durch London gelaufen, letztes Jahr um die Weihnachtszeit. Es war kalt gewesen, und schon damals hatte alles angefangen schiefzulaufen.

Sein Vater wurde öffentlich erwähnt, zunächst im Internet und dann in den Zeitungen.

Sie hatten Geschenke kaufen wollen und waren zufällig einem Mann begegnet, der seinen Vater kannte.

Der Mann war beeindruckend, gut aussehend und für einen Fünfzigjährigen topfit. Er war arrogant. Thomas erinnerte sich, dass er ihnen einen Sportwagen gezeigt und gesagt hatte, das sei sein Geschenk an sich selbst. Aber sein Dad hatte ihn abweisend, herablassend, behandelt. Als sie weitergingen, hatte sein Vater gesagt, dass der Mann hier an der Schule im Jahrgang unter ihm gewesen sei und einmal aus Versehen nach dem Rugby eine Erektion in der Dusche bekommen hatte. Dabei hatte er gekichert und erzählt, dass sie ihn das nie hatten vergessen lassen. Seitdem habe er nur noch Ständer geheißen. Thomas lachte, weil sein Vater »Erektion« gesagt hatte, und es schien ja auch witzig zu sein, aber als er später darüber nachdachte, sich die Geschichte noch einmal genau durch den Kopf gehen ließ, merkte er, dass sie ihm Angst einjagte. Es war nicht die Vorstellung, er könnte ein Homo sein, vor der er sich fürchtete, das interessierte eigentlich niemanden, sondern eher seine Verletzbarkeit, den anderen so ungeschützt ausgeliefert zu sein, indem etwas Intimes öffentlich gemacht wurde. Jetzt nahm er möglichst nicht mehr an Spielen teil, wenn er nicht direkt davor wichsen konnte, weil er sich auf keinen Fall einen solchen Spitznamen einhandeln wollte.

Squeak griff wieder zu seiner Blechbüchse, nahm diesmal eine Zigarette heraus, zog fest daran, sog die Wangen ein, öffnete den Mund und blies den Rauch zunächst in seine Faust, bevor er ihn erneut einsog.

»Davon kriegst du Krebs, Kehlkopfkrebs«, sagte Thomas, das hatte er irgendwo gehört.

»Ach was?«

»Wenn du den Rauch im Mund lässt. Zigarettenraucher kriegen Lungenkrebs, aber Zigarrenraucher kriegen Krebs im Kehlkopf und im Rachen. Weil die das so machen. Hat mir mein Dad erzählt.«

Squeak wirkte wieder wütend. »Weiß er's schon?«

Thomas schüttelte den Kopf: »Er würde sowieso nicht vor heute Nachmittag anrufen. Er kennt die Regeln.«

»Gab wohl noch keine Handys, als er hier war.«

»Die haben immer auf den beiden großen schwarzen Telefonen hinten im Gang angerufen, und egal, wer gerade vorbeikam, ist drangegangen und dann wie ein Vollidiot losgerannt, um denjenigen zu suchen, für den das Gespräch war«, er lächelte, wusste, dass er wie sein Vater klang: »Manchmal musste man quer durch die ganze Schule, aber die haben das trotzdem gemacht.«

Squeak war das egal. »Schmeckt aber gut, wenn man ihn ausbläst und wieder einsaugt.«

Thomas lächelte zaghaft, traurig, aber ein Lächeln war es trotzdem. Squeak sprach mit dem Mund voller Rauch: »Du solltest rauchen. Du wärst dünner, wenn du rauchen würdest.«

»Hmmm«. Das war keine Stichelei. Thomas war es eigentlich egal, dass er ein paar Kilo zu viel drauf hatte. Squeak schämte sich eher dafür, dass er selbst so dünn war und seine Rippen hervorstachen. Sie wussten alles über einander. Thomas begriff plötzlich, dass die Ereignisse gestern sie gerade deshalb so aus der Bahn geworfen hatten. Zum ersten Mal, seitdem sie acht Jahre alt waren, hatten sie einander überrascht. Die Ereignisse hatten sie überrascht.

»Angst und Schrecken«, dachte er laut.

Squeak musste ihn ansehen, um zu entscheiden, ob er ihn verarschen oder etwas sagen wollte. Als er merkte, dass es keins von beidem war, lächelte er: »Angst und Schrecken?«

Thomas nickte traurig Richtung See: »Das war's doch, oder? Gestern.«

Squeak zog wieder an seiner Zigarette. Als er den Rauch ausblies, grinste er: »Das kannst du laut sagen.«

5

Alle Häuser in Thorntonhall waren groß und von der Außenwelt abgeschieden. Selbst die kleineren versteckten sich demonstrativ in großen Gärten oder standen auf riesigen, hinten anschließenden Grundstücken. Die Hecken zur Straße hin waren allesamt makellos gestutzt.

Morrow blickte auf der Beifahrerseite des Wagens aus dem Fenster. Die Anordnung der Häuser wollte ihr nicht einleuchten. Am Rand befanden sich hohe viktorianische Villen, doch zur Mitte hin verströmten die Gebäude mit ihren Dachschrägen und großen Panoramafenstern ein Siebziger-Jahre-Flair. Sie fragte sich, ob das Dorf im Krieg bombardiert worden war.

Ihre Fahrerin bog scharf links in eine von Bäumen gesäumte Allee und fuhr auf die angegebene Adresse zu.

Abseits der Hauptstraße waren die Häuser sogar noch neuer, beigefarbene Steinhäuser, die dem Stil der älteren Villen nachempfunden waren, aber über Doppelgaragen und doppelt verglaste Fenster verfügten. Überhaupt war alles an ihnen doppelt.

Das Ende der Allee gabelte sich in zwei Auffahrten; eine funkelnagelneue mit gelben Steinen gepflasterte Straße führte bergab zu einem modernen Anwesen, das einer amerikanischen Ranch nachempfunden war, die andere führte über ungesäumten Asphalt bergauf zu einem grauen Schieferlandhaus in sichtlich schlechtem Zustand.

»Ich kapier das hier nicht«, sagte sie. »Gibt's hier keine Geschäfte? Und wer baut sich ein Landhaus direkt unterhalb von so einer Ruine?«

»Wahrscheinlich war das früher das Haus des Gutsbesitzers.«

»Des Gutsbesitzers?«, Morrow richtete sich auf.

Die Polizistin wirkte plötzlich verlegen, und Morrow hatte Mühe sie zu verstehen: »Na ja, das hier, das Haus, wo wir hinfahren, das ist das älteste Haus, auf dem höchsten Punkt in der Umgebung. Sehen Sie? Die anderen älteren Häuser stehen deutlich weiter weg. Das ganze Land hat früher sicher mal komplett zu diesem Haus hier gehört. Es wurde Stück für Stück verkauft, zunächst die weiter entfernten Grundstücke, dann die näher gelegenen und schließlich auch die hier, wo die riesigen neuen Häuser draufstehen.«

Morrow betrachtete das Anwesen weiter unten und verstand, was ihre Fahrerin damit meinte. Es fiel ihr wie Schuppen von den Augen, und plötzlich sah sie die Entstehung des Dorfes deutlich vor sich.

»Woher wissen Sie so was?«

Aber ihre Kollegin wollte sich nicht in die Karten schauen lassen. »Ich sehe mir halt … öfter mal Sendungen über Architektur an … im Fernsehen.«

Beide beugten sich vor und reckten die Hälse, während der Wagen sich über den steilen Asphaltweg hinaufkämpfte. Morrow konnte es kaum abwarten anzukommen und ihre frisch gewonnene Erkenntnis an der Realität zu überprüfen. Das hier war nicht die ursprüngliche Auffahrt, dachte sie und versuchte die Schlussfolgerungen ihrer Kollegin zu ergänzen, denn eine von Pferden gezogene Kutsche hätte den steilen Anstieg nicht bewältigen können.

Man hatte eine neue Zufahrt gebaut, als die eigentliche Auffahrt mitsamt dem Grundstück, auf dem jetzt das moderne Anwesen stand, verkauft worden war. Zum ersten Mal betrachtete Morrow die Frau am Steuer genauer. Sie war erst kürzlich in den Polizeidienst getreten, allerdings war sie schon etwas älter, in ihren Dreißigern vielleicht, und hatte etwas sehr Förmliches an sich. Sie war hübsch und ein dunkler Typ mit einem wunderbaren persischen Profil. Und sie war Engländerin.

Morrow bedrängte sie nicht weiter. Oben angekommen wurde der Asphalt von Kies abgelöst, der Wagen verlor etwas an Zugkraft. Sie fuhren zur Vorderseite des Hauses und sahen DC Harris, der mit besorgtem Blick neben zwei Streifenwagen und einem großen Transporter von der Spurensicherung wartete.

Die Fassade war angenehm symmetrisch und aus solidem grauem Stein erbaut. Am Ende einer nicht sehr langen Treppe befanden sich kleine Fenster und eine große grüne Haustür.

»Was ist das wohl für ein Stil?«

Die Fahrerin sah auf: »Georgianisch.«

»Das können Sie erkennen?«

Ihre Begleiterin runzelte die Stirn und betrachtete das Haus. Sie wusste es ganz genau, das merkte Morrow, spürte jedoch, dass sie nicht zugeben wollte, woher. Eine breite Allgemeinbildung in Bezug auf architektonische Stile galt in der Kantine gewiss nicht als Pluspunkt, zumal sie sich als Frau, die außerdem etwas älter war und aus England stammte, sowieso schon meilenweit von den anderen unterschied. Im Polizeidienst ging's um das Zusammengehörigkeitsgefühl, um »uns« und »die anderen«.

Die Frau errötete leicht: »Äh, ja, alles ist irgendwie kantig, und die Fenster verraten einiges. Sehen Sie die drei im ersten Stock?« Morrow sah nach oben und entdeckte drei kleine Schieberahmenfenster, die sich in gleichmäßigem Abstand im ersten Stock über die Fassade verteilten. »Also das ist typisch, aber eher spätgeorgianisch.« Sie deutete auf die grüne Haustür unter einem eckigen Vorbau. »Das ist auch georgianisch. Solche Türen findet man in Bath und Dublin. Haben Sie die ovalen Räume hinten gesehen?«

»Wo?«

»Die mittleren Räume hinten bilden einen Halbkreis. Das ist auch georgianisch. Der Anbau dort«, sie zeigte auf einen Seitenflügel, der aus demselben Stein gebaut war, aber mit langen hohen Fenstern. »Das ist neoklassizistisch. Also später. Viktorianisch.«

Morrow sah sie an. Sie trug einen Anzug, der für eine Beamtin ihres Dienstgrades eigentlich zu teuer war.

»Wo kommen Sie noch mal her?«

»Surrey. East Molesey.«

»Was machen Sie hier oben?«

»Meine bessere Hälfte hat hier einen Job gefunden, und ich hab mich beworben. Auf dem zweiten Bildungsweg.«

Das merkte man. Sie ließ sich von Morrows Dienstgrad nicht einschüchtern, hatte nichts von alberner Schulhofstrategie an sich. »Was haben Sie vorher gemacht?«

»Hatte ein eigenes Unternehmen, Elektronik.«

Morrow entfuhr ein erstauntes Grunzgeräusch. Das hier kam einer gefälligen Unterhaltung gerade gefährlich nahe. Sie fragte sich, ob ihre Kollegin mit »bessere Hälfte« vielleicht »lesbische Partnerin« meinte. Sie wirkte nicht gerade wie ein Mannweib, aber das galt heutzutage für die wenigsten Lesben. »Behandelt man Sie okay?«

Sie zuckte mit der Schulter und sah weg, blinzelte. Kurz gesagt also Nein, taten sie nicht, aber sie wollte es nicht an sich heranlassen und auch niemanden verpetzen.

Morrow war beeindruckt. »Gut. Ehrgeizig?«

Sie sah Morrow an, nickte kurz und blickte vorsichtig hinter ihren Brillengläsern hervor. Heutzutage gab niemand mehr zu, ehrgeizig zu sein.

»Gut. Wenn sie über deren Köpfe hinweg befördert werden, werden die nämlich behaupten, das läge daran, dass Sie eine Frau sind. Sie sind schlau, das spricht außerdem gegen Sie und ebenso, dass Sie Engländerin sind und … na ja.«

Die Fahrerin tat, als hätte sie das Unausgesprochene nicht verstanden, aber als sie die Handbremse anzog, verzog sich ihr Mund zu einem schiefen Lächeln. Sie blieben gemeinsam im Wagen sitzen und beobachteten, wie Harris auf sie zukam. Schon an seiner Haut erkannte man den Schotten, es fehlte nicht viel und ein Karomuster hätte sich darauf abgezeichnet: Er war so weiß, dass er schon ins Bläuliche tendierte, dazu kleine Augen, schwarzes Haar und ein unglaublich kleiner Mund, der kaum breiter war als die Spanne seiner Nasenflügel.

»Hören Sie«, sagte Morrow, als Harris zum Wagen trat, »ich sag's keinem weiter, dass Sie zugegeben haben, ehrgeizig zu sein.«

»Danke, Chefin«, sagte sie rasch.

»Aber Sie sind schlau, deshalb sollten Sie dranbleiben und, äh …«, Morrow war sich plötzlich bewusst, wie wenig Zeit ihr blieb und dass sie schon bald nichts mehr zu sagen haben würde. Sie wollte gerne helfen, aber eigentlich hatte sie nichts Konkretes zu bieten. » … ich klaue Ihre Ideen und gebe sie als meine aus.«

Das war ein dummer Scherz, aber die Fahrerin dankte ihr erneut, ihre Stimmen prallten aufeinander.

Sie öffneten die Türen und stiegen gleichzeitig aus. Morrow war erleichtert, als Harris zu ihnen stieß, so dass sie nicht mehr unter sich waren.

»Okay«, Harris betrachtete die Fahrerin skeptisch, »Haustürbefragung. Hat jemand was gesehen? Wer kennt die Leute hier? Und war in letzter Zeit jemand von ihnen da? Wir müssen wissen, ob was gestohlen wurde. Wilder nimmt Sie mit.«

Sie nickte und ging rüber zu DC Wilder, der bei den anderen Fahrzeugen stand.

»Wer ist das?«, fragte sie ihn, als die Frau außer Hörweite war.

Harris sah auf: »DC Tamsin Leonard.«

»Hat sie was drauf?«

Harris brummte unbeteiligt. Sie hätte ihm eine runterhauen mögen. Seit der letzten Gehaltserhöhung bekamen DCs mehr Geld und durften sich für jede zusätzliche Minute, die sie über die vorgesehene Schichtlänge arbeiteten, Überstunden aufschreiben. Das war eine katastrophale Entscheidung gewesen. Dadurch verdienten sie im Schnitt mehr als ein Detective Sergeant und mussten dafür nicht einmal tagelang durcharbeiten, bis ein Fall gelöst war. Schlug man jetzt jemanden zur Beförderung vor, kam das einem Verrat gleich, und die Gewieften versteckten sich hinter den Trotteln. Aber die Verärgerung saß noch tiefer. Bannerman war so ungehobelt und unhöflich, dass es fast als Ehrensache galt, das eigene Licht unter den Scheffel zu stellen, als würde man, wenn man seinen Job gut machte, Bannerman dabei unterstützen, sich als Arschloch aufzuführen. Die Streitigkeiten wurden immer festgefahrener. Morrow hatte das Gefühl, praktisch zusehen zu können, wie sich diese unschönen Angewohnheiten zu einer eigenen Kultur verfestigten.

Morrow sah hinauf zum Dach des georgianischen Hauses und tat, als würde sie das Gebäude betrachten, tatsächlich aber war sie froh, den Rücken strecken zu können. »Warst du schon drin?«, fragte sie.

Harris nickte verlegen Richtung Boden: »Hmmm.«

»Was?«, fragte sie. »Schlimm?«

»Sehr schlimm«, sagte er leise.

»Wann ist es passiert?«

»In den vergangenen vierundzwanzig Stunden. Wahrscheinlich gestern Abend.«

Morrow sah auf. Die Dachziegel des Hauses saßen schief und waren verrutscht. Totes Laub lugte oben aus der Regenrinne. Seitlich am Haus stand gut sichtbar ein Faulbehälter auf einem rostigen Gestell. Weiter hinten an der Ecke, über einem Fenster, war in einem kleinen gelben Sechseck die Alarmanlage untergebracht, aber das Plastik war bereits sonnengebleicht und die blauen Buchstaben kaum noch lesbar.

»Das ist eins von diesen Häusern, die ein Vermögen wert sind, aber auch ein Vermögen kosten, oder?«

Harris nickte in seine Notizen. »Wie war die Beerdigung?«

»War ja nicht *meine.*«

»Nein, das weiß ich.«

»Die von meiner Tante.«

Sie musste lügen. Sie hatte schon behauptet, ihr Vater sei gestorben, als es in Wirklichkeit ihr Sohn gewesen war, weil sie es nicht über sich gebracht hatte, die Wahrheit auszusprechen. Lange Zeit war das so geblieben. Irgendwann hatte sie dann zugegeben, dass Geralds Tod sie depressiv gemacht hatte, aber sie war bei der Version geblieben, dass ihr Vater ebenfalls gestorben sei. Daraufhin hatte sie Sitzung um Sitzung für nichts und wieder nichts mit dem Berater von der Fürsorgeabteilung hinter sich bringen müssen. Sie hatte ihre Zeit abgesessen und gewusst, dass es nichts bringen würde, und mehr als ihre Stundenaufstellung hatten ihre Chefs davon sowieso nicht zu sehen bekommen. Der Tod ihres Vaters war eine Lüge gewesen, die sie nicht bereit war einzugestehen. Sie hatte sich dadurch befreit gefühlt, als wäre die Verbindung zu den berüchtigten McGraths gekappt worden, und sie hatte triumphiert, indem sie behauptet hatte, er sei tot, obwohl er es nicht war. Sie hatte das Gefühl, ihn getötet zu haben.

»Ja«, sagte Harris, »hatte ich vergessen.«

»Egal, war okay.«

»Ah, gut.«

Sie sah wieder hinauf. Das Haus war einmal sehr geliebt worden: Ein Apfelbaum vorne im Garten trug schwer, niemand hatte das Obst gepflückt, es fiel herunter und faulte auf dem überwucherten Rasen. Die Blumenbeete waren umgegraben, aber nicht neu bepflanzt worden.

Sie fand es deprimierend, es erinnerte sie an Danny und John und daran, wie zerbrechlich Familien waren, wie leicht alles, obwohl alle Einzelteile vorhanden waren, total aus dem Ruder laufen konnte.

»Wo liegt das Geld?«

Harris sah sie an, das kleine »o« seines Mundes wirkte wie ein verhinderter Kuss. »In der Küche.« Er zog die Augenbrauen hoch. »Es ist mehr als wir dachten. Euro.«

»Große Scheine?«

»Fünfhunderter.«

Sie grinsten. Fünfhundert-Euro-Scheine bedeuteten in der

Regel, dass Geldwäsche im Spiel war, und das ließ meist auf Drogen schließen. Es war die größte Einheit einer stabilen Währung und verbrauchte sehr viel weniger Platz als Hundert-Dollar-Noten. »Wie viel?«

»Gott, keine Ahnung, einige hunderttausend?« Er grinste. »Warte, bis du's gesehen hast.«

»Passt jemand drauf auf?«

»Ja klar, Gobby. Der ist froh, dass er mal sitzen darf.«

Langsam wurde sie warm mit dem Haus: »Sie hat es gehabt, aber nicht ausgegeben? Vielleicht hat es ihr gar nicht gehört? Vielleicht hat sie gar nicht gewusst, dass es da war.«

Harris zuckte mit den Schultern. »Möglich, aber nicht wahrscheinlich. Warte, bis du siehst, wo's liegt.«

Wenn es Drogengeld war, würde die Spur möglicherweise zu einer Bande führen, einem großen internationalen Ring. Das könnte ihnen einen richtig schönen, fetten Fall bescheren.

»Auf jeden Fall sind die gut organisiert, das sind keine losen Scheine. Die Bankbanderolen sind noch drum.«

»Kennst du dich in der Gegend aus?«

Er schüttelte den Kopf. »Bin 'ne Stunde oder so rumgefahren, hab aber außer Handwerkern und Gärtnern keine Menschenseele auf der Straße gesehen.«

»Ma'am?« Leonard kam von ihrem Platz herübergeeilt, wo sie mit Wilder gestanden hatte.

»Der Chef ist am Telefon. Sagt, Sie hätten Ihr Handy ausgeschaltet, deshalb hat er ihn angerufen«, sie zeigte auf Wilder, der ungefähr hundert Meter entfernt stand, sein Diensthandy in der Hand hielt und verschlagen guckte. Er war schlau genug gewesen, nicht mit den Neuigkeiten herauszuplatzen. »Er will mit Ihnen sprechen.«

»Will er das?«

Hinter ihr hüstelte Harris ironisch seinen Kommentar.

Leonard verstand nicht, was los war. »Nicht?«, fragte sie unsicher.

»Sagen Sie, dass Sie mich nicht finden konnten.« Sie wandte sich abrupt ab und fragte Harris: »Also, schieß los.«

»Weiblich, sechsundzwanzig Jahre alt. Ihre Mutter ist vor Kurzem hier gestorben …«

»War das für sie …?« Sie deutete auf eine Metallrampe, die über den Stufen zur Haustür lag.«

»Ja, die Mutter saß im Rollstuhl.«

»Ist Pflegepersonal ein und aus gegangen?«

Harris sah in seinen Aufzeichnungen nach: »Sie wurde rund um die Uhr betreut. Im Wohnzimmer lagen ein paar Abrechnungen.«

»Teuer?«

»Himmel, ja. Da will man jetzt schon einen Paracetamol-Vorrat für die eigene Mutter anlegen, wenn man so was sieht.«

»Vielleicht war das Geld dafür bestimmt.«

»Das hätte sie doch auf der Bank gehabt, oder? Wenn's legal wäre.«

Aus den Augenwinkeln sahen sie, wie sich Leonard davonstahl.

»Lass die Agentur überprüfen, von der die Pfleger kamen, finde heraus, wer hier war, wer Schlüssel hatte und so weiter.«

Sie sahen, wie Leonard wieder bei Wilder ankam und ihm mitteilte, dass sie Morrow nicht finden könne. Wilder hielt ihr das Telefon hin. Morrow freute sich, weil Leonard die Hände hob und ein paar Schritte zurückwich.

»Scheiße läuft immer den Berg runter«, bemerkte Harris gut gelaunt.

Morrow gestattete sich ein Lächeln: »Also, wie heißt das Opfer?«

»Sarah Erroll«, Harris wurde leicht blass.

»Du siehst krank aus, Harris.«

»Oh ...« Er nickte mit dem Kopf Richtung Treppe und Eingangstür, schauderte und senkte den Blick. »Weiß nicht ...«

Morrow schüttelte den Kopf: »Um Gottes willen, fang bloß nicht so an.«

Sie sah ihn direkt an. Harris war augenscheinlich nicht sicher, ob Morrow den Anblick ohne Weiteres würde wegstecken können. Es versprach schlimm zu werden, Harris war ziemlich abgehärtet.

Morrow sah die Treppe hinauf zur geöffneten Haustür. Ein Mann von der Spurensicherung im weißen Overall kniete dahinter und untersuchte gerade das Schloss, doch das Innere des Hauses gähnte schwarz dahinter.

»Wer hat sie gefunden?«

»Ihr Anwalt hat sie in seinem Büro erwartet, es ging um den Nachlass nach dem Tod ihrer Mutter. Sie ist nicht aufgetaucht, also kam er hierher ...«

Klang nicht ganz plausibel. »Ihm kam das gleich so komisch vor, dass er sich zum Hausbesuch entschloss?«

»Offensichtlich war das sehr untypisch für sie. Sie war sonst sehr zuverlässig, immer dort, wo man sie vermutete. Wichtige Unterlagen. Er wollte sie suchen, und er hat sie gefunden. Er ist noch drin.«

Sie waren schon fast eine Stunde da. Morrow war nicht nur wegen der Beerdigung zu spät gekommen, sie hatte zuerst ins Präsidium fahren müssen, um die Wagen zu tauschen. Beamten war es untersagt, im Dienst das eigene Auto zu verwenden, für den Fall, dass sie jemanden überfuhren oder bis nach Hause verfolgt wurden. »Noch da? Hol ihn raus. Bringt ihn aufs Präsidium, warum ist er noch hier?«

Harris holte hörbar Luft: »Die Eindringlinge kamen von hinten rein, da ist die Spurensicherung zugange, außerdem wollten wir ihn nicht noch mal an der Leiche vorbeiführen. Er sitzt sozusagen fest.« Er räusperte sich: »Die Männer nennen sie ›Schönbein‹.«

»Wen?«

»Sarah Erroll.«

»Ist was mit ihren Beinen?«

»Nein – aber man sagt doch: ›Schöne Beine, schade ums Gesicht.‹« Er sog Luft durch die Zähne, »… das ist übel zugerichtet.«

Morrow stöhnte. Es war nicht schön, wenn ein Opfer nur eine Stunde nach Beginn der Ermittlungen schon einen entwürdigenden Spitznamen bekam. Schwer genug, die Männer dazu zu bringen einzugestehen, dass es ihnen was ausmachte. Nur eines war schlimmer als ein gewaltsamer Tod, dachte sie, und das war ein demütigender, gewaltsamer Tod. Oder absurd und gewaltsam. Wenn es allen scheißegal war, hatte das Auswirkungen auf die Qualität der Ermittlungen.

Aber irgendwo musste es doch Mitleid geben: Harris sah blass aus, traurig, seine Augen suchten den Kies ab, als hätte er etwas Wichtiges verloren.

Morrow wandte den Blick ab und nuschelte: »War's was Sexuelles?«

Harris hielt inne, um durchzuatmen, und sie zuckte zusammen. Sie hasste Sexualmorde. Sie alle hassten sie, nicht nur aus Mitgefühl mit dem Opfer, sondern weil Sexualverbrechen zersetzend wirkten, sie führten an dunkle Orte in den eigenen Köpfen, ließen einen misstrauisch und ängstlich werden, und das nicht nur gegenüber anderen.

»Nein«, sagte er endlich mit unsicherer Stimme. »Auf den ersten Blick nicht. Keine sexuellen Übergriffe. Sie sah aber verdammt gut aus. Schlank … es gibt Fotos. Wir sollten es als mögliches Motiv trotzdem im Auge behalten.« Harris atmete tief durch und nickte seitlich Richtung Haus, die Augenbrauen fragend hochgezogen. »Kein Scheiß, Chefin, sieht wirklich übel aus.«

Plötzlich wurde sie wütend: »Das hast du bereits gesagt, Harris. Die Mitteilung ist angekommen.«

Er lächelte in sich hinein. »Okay.«

Sie klopfte ihm mit dem Handrücken auf den Arm. »Du weißt, wie man's spannend macht … Vielleicht solltest du Trailer für Spielfilme drehen.«

Als sie sich auf die Stufen zubewegten, konnte Morrow ihre Verärgerung kaum unter Kontrolle halten. Harris lächelte, er machte sich keine Sorgen mehr um sie.

Wut war ihre Trumpfkarte, die einzige Gefühlsregung, die Trauer verdrängte. Bleib wütend, bleib distanziert. Alle machten sich Sorgen um sie, weil sie weiterarbeitete, obwohl sie schwanger war. Sie spürte, wie sie in den Augen ihrer Vorgesetzten an Kontur verlor, sie wurde unsichtbar, starb vor deren Augen. Sie traten mit den lächerlichsten Vermutungen an Morrow heran, dass ihre Schwangerschaft sie vergesslich und emotional machte und sie der Lage einfach nicht mehr gewachsen war. Tatsächlich aber hatte die Schwangerschaft ihren Geist geschärft und sie wieder ins Leben zurückgeholt. Sie wünschte sich, dass sie niemals endete. Sicherlich lag ihre Angst teilweise im unerwarteten Tod ihres Sohnes begründet, aber sie hatte auch einmal als Polizistin auf einer Neugeborenenstation Wache gestanden und ein Baby beschützt, das zur Adoption freigegeben worden war. Die Mutter hatte versucht, es durch die eigene Bauchdecke zu erstechen, und man hatte befürchtet, sie könne ihr Zimmer verlassen und es noch einmal versuchen. Während Morrow dort wachte und wartete, hatte ihr die Krankenschwester etwas über Zwillingsstatistiken erzählt. Vorläufig lebte sie von einem Moment zum anderen, genoss es, solange sie konnte, den Geschmack des Essens, den tiefen Schlaf, die Bewegungen in ihrem Bauch. Sie hatte nie bewusster in der Gegenwart gelebt als jetzt.

Gemeinsam stiegen sie die Treppe zum Haus hinauf und suchten auf dem Boden nach Spuren. Flechten sprenkelten die Stufen, auf der Brüstung wuchs Moos. Ein kaputter schmiedeeiserner Rost war in die unterste Stufe eingelassen, auf beiden Seiten der Treppe wachten zwei Löwen, die Nasen und Ohren zu Stümpfen verwittert.

Die grüne Tür oben war schwer und solide, und der Mann von der Spurensicherung war immer noch damit beschäftigt, Kratzproben vom Messingschloss zu nehmen. Zwar waren die Eindringlinge nicht hier durch den Haupteingang ins Haus eingedrungen, aber die Polizei musste beweisen können, dass nicht noch an einer anderen Stelle ein Einbruchsversuch unternommen worden war. Erst kürzlich war ein Verfahren wegen Einbruchs total in die Hose gegangen, weil die Verteidigung begründete Zweifel an der Schuld der Täter hatte aufkommen lassen, indem sie erklärte, eine unbekannte zweite Bande könne an einer anderen Stelle eingestiegen sein. Sie folgten also einem Befehl von oben und verwendeten ihre begrenzten Kapazitäten dafür, alle Möglichkeiten auszuschließen, während Haare und Faserspuren munter durch den Hausflur wirbelten.

Harris folgte ihr, und als sie einen Augenblick an der Türschwelle schwankte, spürte sie seine Hand in ihrem Rücken. Sie war erst im vierten Monat, aber sie war schon riesig. Jedes Mal, wenn sich die Zwillinge bewegten, verlagerte sich ihr Schwerpunkt. Sie lächelte ihn an und hörte, wie er ein kleines schnaubendes Lachen ausstieß.

Der Eingangsbereich direkt hinter der Tür war mit schwarzen Steinfliesen belegt. Auf einer Seite stand eine abgenutzte Eichenbank unter einer Reihe von Garderobenhaken, die abgesehen von einer grauen Wolljacke auf einem Bügel leer waren. Sie war ungewöhnlich, schick, mit runden Aufschlägen, schmal tailliert, am Saum ausladend. Ein rotes Etikett mit goldener Schrift lugte hinter dem Bügel hervor. An einem der Türpfosten hing ein Weihwasserbecken, der kleine halbrunde Schwamm darin war ausgetrocknet und gelb.

»Papisten?«, fragte sie und überlegte im selben Moment, ob der Begriff nicht vielleicht anstößig war.

Harris zuckte mit den Schultern: »Denk ich mal.«

Sie hätte es nicht sagen sollen. Es *war* eine Beleidigung. »Das ist aber ungewöhnlich, oder? Ich wusste nicht, dass es unter den oberen Zehntausend auch Katholiken gibt.« Vorurteile. Hundert Meter weit entfernt telefonierte Wilder immer noch mit seinem Diensthandy.

»Vielleicht haben sie ja geerbt oder so.«

»Vielleicht sind sie konvertiert.«

Morrow erwartete eine Reihe schmutziger Gummistiefel hinter der Tür. Stattdessen lag dort ein Paar elegante schwarze Samtpumps mit hohen Absätzen, einer stand aufrecht, der andere war umgekippt. Die Schuhe waren neu: Ihre dunkelrote Sohle hatte kaum Kratzer. Daneben lag ein kleiner Samsonite-Rollkoffer, eine weiße Plastikschale mit eingeprägtem Krokodilledermuster, sehr neu und sauber. Am Griff klebte ein grünweißes Gepäckband von British Airways. Sie ging hin und betrachtete es. GLA aus Newark, Datum von gestern, auf den Namen Erroll. Für eine Reise nach New York war das ziemlich wenig Gepäck.

Sie zeigte auf den Griff: »Das ist Handgepäck, aber sie hat's trotzdem eingecheckt. Wieso hat sie das gemacht?«

»Vielleicht war's zu schwer?«

»Möglich. Hatte sie noch andere Taschen dabei?«

»Nicht so weit wir sehen konnten.«

Sie zeigte auf den Koffer: »Untersucht ihn auf Fingerabdrücke, und dann nehmt ihn mit, ich will wissen, was da drin ist. Ruft bei der amerikanischen Einreisebehörde an. Auf ihrem Visumsantrag muss vermerkt sein, in welchem Hotel sie abgestiegen ist und wie lange.«

Harris kritzelte in sein Notizbuch.

»Was wissen wir bis jetzt über sie?«

»Nicht viel. Die im Reisepass eingetragene nächste Verwandte ist ihre Mutter, und die ist tot. Wir haben ihre Versichertennummer gefunden, aber wie's aussieht, hat sie nie gearbeitet.«

»Hat sie vom Familienvermögen gelebt?«

»Und trotzdem Einkommensteuer bezahlt? Würdest du das machen? Auf die Zinsen?«

»Weiß nicht. Vielleicht hat sie im Ausland gearbeitet? Oder sie war verheiratet? Unter anderem Namen?«

Er zuckte mit den Schultern.

Morrow blickte in den dunklen Flur: »Das Geld in der Küche könnte ihre Erbschaft sein, vielleicht wollte sie die vor der Steuer verstecken.«

»In neuen Fünfhundert-Euro-Scheinen?«

»Stimmt, hast recht.« Sie unterhielten sich in knappen unvollständigen Sätzen, äußerten verschwommene und unausgegorene Gedanken, betrachteten den Fall mit denselben Augen. Wieder dachte sie, wie schade es war, dass Harris sich nicht um eine Beförderung bemühen wollte. Für ihn ging es nicht nur ums Geld, es war eine persönliche Sache: Er konnte Bannerman nicht ausstehen. Schon bei der Erwähnung seines Namens zuckte er zusammen, und jedes Mal, wenn Bannerman einen von ihnen zur Schnecke machte, sahen alle Harris an. Morrow hoffte, sie würde nicht mehr in der Abteilung sein, wenn es zum großen Knall kam.

Die Empfangshalle, die man durch eine weitere Tür betrat, war beeindruckend, aber fensterlos. Zwei große Eichentüren gingen davon ab, eine führte in ein riesiges leeres Wohnzimmer mit verblichener blauer Seidentapete, die andere in eine schäbige Bibliothek. Die Wand an der rechten Seite wurde von einem flachen Bogen durchbrochen und führte zur Treppe.

Die hüfthohe Holzvertäfelung und die schokoladenbraune Tapete mit den goldenen Tupfern machten den Raum noch dunkler. Das einzige Licht drang durch einen offenen Durchgang auf der rechten Seite, der in den hellen viktorianischen Anbau führte. Dort, wo die Sonne auf die linke Wand schien, hatte die Tapete sich auf einem diagonalen Streifen orange verfärbt, ein blasses Zeichen der Zeit.

Der schwarz-weiß geflieste Boden war schartig und schmutzig. Wie der Eingangsbereich war auch die Empfangshalle seltsam frei von Möbeln und anderen Gegenständen. Morrow sah die leeren Stellen – hellere Tapete –, wo Möbel entfernt und Bilder abgenommen worden waren. Sie zeigte darauf.

»Diebstahl?«, mutmaßte Harris.

Sie betrachtete eine helle, zwei Meter hohe, rechteckige Fläche an der Wand. Ein großer Schrank hatte lange dort gestanden. »Dafür hätte man einen Riesentransporter gebraucht.«

Es fiel ihr gleich ins Auge, weil es so klobig war: Hinter der Öffnung zur Treppe hin lag ein rotes Handy an der Wand. Ein unhandliches, unelegantes Ding. Sie blieb stehen und betrachtete es. Es passte nicht zu den Samtpumps hinter der Eingangstür.

»Was ist das? Das Telefon ihrer Mutter?«

»Das«, lächelte Harris, »ist eine als Handy getarnte Elektroschockpistole. 900 000 Volt.«

»Haben die das hiergelassen?«

Er zuckte mit der Schulter. »Entweder das oder es war ihres, wir sind nicht sicher. Die Dinger kann man in den Staaten kaufen«, er nickte zurück zum Koffer. »Sie war ziemlich oft drüben, laut Reisepass fast einmal pro Monat.«

Morrow staunte: »Kam das Geld von dort?«

»Zumindest scheint sie nie woanders gewesen zu sein.«

Das Taserhandy hätte auch von dem Eindringling stammen können. Solche Gegenstände fanden sich manchmal am Tatort versteckt unter Autositzen, unter schweren Möbelstücken, seitlich in der Sesselritze, manchmal lagen sie aber auch einfach sichtbar herum. Die meisten Menschen warfen noch einmal einen Blick in den Raum zurück, bevor sie gingen, aber trotz der extrem geschärften Wachsamkeit infolge eines begangenen Verbrechens dachten manche zwar daran, ihre Zigarettenstummel einzusammeln, ließen ihren Wagen aber draußen vor dem Haus stehen.

Sie trat zurück und blickte sich noch einmal im Eingangsbereich um, lenkte den Blick erneut auf das Handy. Sehr auffällig. Unwahrscheinlich, dass die Täter es fallen gelassen und beim Verlassen des Hauses übersehen hatten. Ein Blick zurück hätte genügt. Hier in der Empfangshalle war nichts, das davon abgelenkt hätte. »Ich glaube, es war ihres. Hat es eine Drohung gegeben, einen vorangegangenen Einbruch?«

»Ich find's raus.«

Sie speicherte es ab und war sich der wohltuenden Ruhe bewusst, die sie immer überkam, wenn sie eine Unstimmigkeit entdeckte. Dann nahm sie diese zur Kenntnis und wartete unaufgeregt ab, bis sich ihr deren Bedeutung erschloss. Auf den ersten Blick machte der Fall einen komplexen und verwirrenden Eindruck. Es war einer von der Sorte, über die sie in der Badewanne grübeln würde oder während sie sich abends den Bauch mit Babyöl einrieb und den Anrufen der Psychologin auswich, die das Gutachten für ihren Vergewaltigerneffen erstellen sollte. Sie freute sich darauf, so wie andere sich auf ein Fußballspiel, ein Konzert oder eine Sauftour mit Freunden freuten. Der Fall versprach absolute Konzentration.

Morrow ging auf den Durchgang zu, der in den Anbau führte. Der große Raum, den sie betrat, war so hell, dass das Licht nach der Dunkelheit in der Empfangshalle beinahe blendete.

Die Leute von der Spurensicherung waren immer noch am Tatort zugange, sie sah ihre Schatten an der Wand, hörte bereits ihre papierenen Schutzanzüge knistern. Gemeinsam mit Harris näherte sie sich der Leiche, sie spürte ihn im toten

Winkel hinter sich, er versuchte sich zu verstecken, stählte sich für den Anblick, der sie, wie er bereits wusste, hinter der Ecke erwartete.

Es war ein weiterer großer, leerer Raum, dieses Mal cremefarben tapeziert; aber auch hier war die Tapete vergilbt. Sie war mit blauen Streifen durchzogen und mit Vögeln verziert, die zu einem beinahe unsichtbaren Rosa verblichen waren. Als sie um die Ecke bogen, sahen sie den flach an das Treppengeländer geklappten weißen Plastikstuhl eines Treppenlifts. Er war neu und sauber, die Fernbedienung lag auf der Armlehne bereit.

»Achtung«, nuschelte Harris hinter ihr.

Sie wollte sich gerade umdrehen und ihn zusammenstauchen, als sie die Füße der Frau sah. Sie lagen weit auseinander, die Nägel waren scharlachrot lackiert. Morrow verlagerte ihr Gewicht ein wenig, und als sie sich mit dem gesamten Anblick konfrontiert sah, blieb ihr die Luft weg. Sie hatte mit Abscheu und Ekel gerechnet, dagegen war sie gewappnet, aber gegen blankes, erstickendes Mitleid war sie wehrlos.

Die Frau war die Treppe heruntergekommen, in Eile, hatte sich vielleicht am Geländer festgehalten. Sie musste rückwärtsgefallen und an der Stelle getötet worden sein, wo sie gelegen hatte. Ihre Beine waren weit gespreizt, sodass einem ihr Geschlecht förmlich ins Auge sprang. Ihr Hals war unversehrt, der Rest des Körpers offensichtlich unberührt. Ein schöner Körper. Schlanke braune Beine, schmale sonnenverwöhnte Schenkel.

Aber das Schlimmste für Morrow war, dass man sie eindeutig nicht so dorthin gelegt hatte: Ihre Füße waren verdreht. Sarah Erroll war hingefallen und dort gestorben. Man hatte sie einfach liegen lassen. Der Killer hatte sie nicht betrachtet und sich überlegt, wie er sie erniedrigen konnte, sie in eine entwürdigende Position gerückt. Sie war einfach so zurückgelassen worden, achtlos. Ihre Ungeschütztheit war unerträglich. Morrow verstand jetzt die distanzierende Funktion des Spruchs über ihre Beine: Es war lediglich eine Frage der Zeit, bis die Beamten Verachtung für Sarah Erroll empfinden würden, als hätte sie es sich ausgesucht, so gefunden zu werden. Die Wahrheit war zu erbärmlich.

Alex Morrow trat einen Schritt zur Seite, atmete tief durch und versuchte sich die Verletzungen anzusehen, betrachtete tatsächlich aber das Geländer: zarte Streben aus dunklem, warmem Holz. Leute von der SOCO in weißen Anzügen nahmen Proben von dem getrockneten Blut, das sich in Pfützen auf der Treppe ausgebreitet hatte. Die kleinen Koffer mit ihren Gerätschaften standen wie weiße Schminkköfferchen aus Plastik auf den Stufen herum.

Morrow versuchte es noch einmal, aber ihr Blick wollte nicht dort verharren, wohin sie ihn lenkte. Er glitt von der Fensterscheibe hoch zu einem Gemälde von einem Windhund an der Wand über der Treppe und von dort zu einem blutigen Fußabdruck auf der Stufe neben ihr.

Ihre Reaktion war ganz normal, das wusste sie: ein Bedürfnis nach Ordnung. Wenn Verletzungen derart verheerend waren, gab es nichts, woran sich der Blick festhalten konnte, die menschliche Landkarte besaß keinen Ausgangspunkt mehr. Es bedurfte eines Akts des Willens, die Augen darauf zu richten, und eiskalte Entschlossenheit, um sich zu orientieren.

Sie erinnerte sich an ein Foto von einem Hubschrauberabsturz in den Bergen der Western Isles. Die Front des Helikopters war abgetrennt worden, sodass der Leichnam des

Piloten deutlich und klar auf dem Bild zu erkennen war, das in einem abgedunkelten Raum im Tullyallan Police College auf die Leinwand projiziert wurde. Er saß aufrecht, seine rechte Hand ruhte noch auf dem Gashebel. Sie erinnerte sich an ihre Verwirrung, als sie ihm ins Gesicht sah: Rot, aber nicht blutig, keine Augen, keine Lippen, aber Zähne und eine seltsam verkürzte Nase. Sie erinnerte sich an ihre Orientierungslosigkeit, während ihre Augen über das Bild glitten, bis sie Munchs *Schrei* wie einen luftleeren Ballon neben dem Piloten hängen sah. Sein Gesicht war von einem der Rotorblätter abgeschnitten worden.

Morrow holte Luft und zwang sich, den roten Matsch zu ihren Füßen zu betrachten, zwang ihre Augen aus Respekt gegenüber der Frau, nicht wieder fortzugleiten, auch um mit gutem Beispiel voranzugehen. Das rechte Ohr war abgetrennt worden und lag unter der Schulter, ein fleischiges Komma mit rosa Tupfen.

Es war leichter, sich die Fotos im Präsidium anzusehen, und oft auch effektiver, wenn es darum ging, Muster oder Spuren zu erkennen, aber die Beamten in der Eingangshalle sollten sehen, dass Morrow sich die Frau genau ansah; sie würden es einander erzählen, und das würde die Stimmung vorgeben. Kein Blödsinn, kein hysterisches Theater, direkt hinschauen und sagen, was man sieht.

Die Anstrengung, die sie dies kostete, ließ sie flacher atmen, ihr Herz langsamer schlagen und das Blut aus ihren Extremitäten weichen. Sie stand so still, dass die Zwillinge in ihrem Bauch ihr Entsetzen mit Schlaf verwechselten und unheilvolle Purzelbäume umeinanderschlugen.

Sie betrachtete die mit einem stumpfen Gegenstand beigebrachten Verletzungen, spürte ihre Babys dabei ein dem

Drama angemessenes, langsames Ballett tanzen, als das Fleisch der Frau plötzlich pulsierte. Morrow wich jäh zurück, weil es aussah, als sei die Tote noch lebendig.

Sie sah auf. Eines der SOCO-Gespenster stand oben an der Treppe, das Gesicht verdeckt, der Blick schuldbewusst. Im ersten Stock war eine Tür aufgegangen und der Lichteinfall hatte sich verändert.

Es begann mit einem nervösen Kichern. Jemand in der Eingangshalle lachte, und sie drehte sich um.

Plötzlich lachten alle, ein wenig verlegen unter den gegebenen Umständen, aber das Gelächter hatte trotzdem etwas Erleichterndes, war ein Ausdruck von Abscheu und Schrecken, der wieder für Normalität sorgte. In kräftigen herzhaften Schüben hallte es durch den Vorraum, schlängelte sich die Treppe hinauf und durchbrach die bedrückende Stille in dem alten Haus.

Morrow schüttelte den Kopf: »Reg dich ab, verdammt noch mal. Als hättest du noch nie Blutwurst gesehen.«

6

Thomas sah gerade einer Wespe auf der Fensterbank beim Sterben zu, als Göring ihn holen kam. Die Sonne brannte durch die Scheibe, ein gelber Strahl, wie eine Bahn direkt in den Himmel, lag tief über der lang gestreckten Rasenfläche vor dem alten Haus und schien durch das Glas, das durch die Schwerkraft verzogen und zweihundert Jahre lang gelblich verfärbt worden war. Die Wespe versuchte sich auf den Bauch zu drehen, sie wackelte mit den Fühlern, ihr kleiner schmaler Körper zuckte, doch gerade seine Form war es, die ihr zum Verhängnis wurde.

Ende der Wespenzeit.

Sie starben jetzt alle, das war ganz natürlich. Zu dieser Jahreszeit war ihre Uhr abgelaufen, in jedem der vorderen Räume des alten Herrenhauses waren Wespen, sie schlichen sich durch verrottete Fensterrahmen, wühlten sich unter Steinen hindurch und zwängten sich durch Risse, gelangten irgendwie ins Hausinnere, um dort zu sterben.

Er beobachtete das mit dem Leben ringende Insekt und fragte sich, ob die Wespen wussten, dass der Tod kam. Vielleicht begriffen sie seine Unausweichlichkeit und zogen es vor, nicht zu ertrinken, sondern sich im Trockenen zusammenzukauern. Oder vielleicht gönnte ihnen die Evolution den Luxus der Selbsttäuschung, und sie dachten tatsächlich, sie könnten ihrem Ende hier drinnen entgehen.

Er beobachtete die sich krümmende Wespe. Sie kämpfte wie ein Kleinkind mit Bauchweh, das sich zusammenkauerte, und hoffte auf eine Zukunft. Thomas wollte aufstehen, ein Lineal holen und sie auf die Seite drehen, ihr eine weitere Minute lang die Illusion lassen, ihr ein letztes Mal ein Gefühl von Triumph bescheren, bevor sie starb. Aber Beany führte die Aufsicht in der Bibliothek, seine mageren Arme und Beine baumelten an seinem langen dünnen Körper herab, und er achtete darauf, dass alle Gesichter den Buchseiten, die die Schüler lesen sollten, zugewandt blieben. Mehr Kontrolle war nicht möglich. Sie zwangen einen, das Gesicht dem Altar zuzuwenden, dem Buch oder dem riesigen zornigen Jungen, der einem auf dem Rugbyplatz entgegenstürmte. Aber sie konnten nicht kontrollieren, was man dabei dachte. Es sei denn, man erzählte es jemandem und wurde verpetzt.

Beany, etwas über dreißig, aber immer noch jungshaft, lauerte zwischen den Bibliothekstischen. Er nickte seinen Lieblingsschülern zu, schnippte mit den Fingern nach den Unaufmerksamen, brachte sie dazu, so zu tun, als würden sie die Bücher lesen, die sie sich ausgesucht hatten. Lesestunde in der Bibliothek. Im Prospekt hatte es geheißen, dadurch entstünde ein lebenslanger Bildungshunger. Personalmangel. Damit war ein kleiner Teil der unzähligen Stillbeschäftigungsstunden ausgefüllt. Fernsehen durften sie nur einmal die Woche in einem riesigen Saal mit Hunderten anderer Jungen, und dann lief irgendeine verdammt lahme Sendung, die sowieso keiner gucken wollte, *X-Factor* oder so ein Scheiß.

Thomas mochte diesen Raum. Die Bibliothek befand sich dort, wo einst der Salon des Hauses gewesen sein musste. Die Decke war so hoch, dass die über zwei Meter hohen Bücherregale gerade mal die halbe Wandhöhe erreichten. Zwei hohe

Fenster eröffneten den Blick über den Rasen hinweg auf ein Rinnsal von einem Bach und die wogenden Hügel von Perthshire. Ein phantastischer Ausblick. Er stellte sich gerne vor, dass ihm das Haus gehörte, dies sein Salon sei und alle anderen sich verpissen müssten. Dann würde er sich um das Gesims kümmern, die Fenster reparieren und alleine sein.

Es war Pseudo-Adams: Der Stuck war im Sommer neu gestrichen worden, in unterschiedlichen Farben, um die Trauben und Blätter hervorzuheben. Das sah der Hausverwaltung ähnlich, dass sie's vermasselt hatten: Die Trauben waren grün und die Blätter, die sich drum herum wanden, gelb. Thomas stellte sich vor, dass den Malern der Fehler gleich am Anfang unterlaufen sein musste, sie hatten mit den Trauben angefangen und erst gemerkt, was los war, als sie den Eimer mit der gelben Farbe aufgemacht hatten. Niemandem sonst schien es aufgefallen zu sein.

Im Raum war es still, abgesehen von dem Gezappel und Gehampel einiger Jungen, den Pullovern, die aus- und wieder angezogen wurden, und vereinzeltem diskretem Schniefen. Seiten wurden befingert. Beany flüsterte *»Hör auf damit«*, und alle blickten auf, sahen Donald MacDonald grinsen. Er hatte sich wieder die Fingernägel mit der Kante einer Buchseite sauber gemacht.

Plötzlich ging die große schwarze Salontür auf, nicht leise, nicht wie von Geisterhand, vorsichtig und bemüht, nicht zu stören, so wie die Tür zur Bibliothek normalerweise geöffnet wurde. Sie wurde mit einem solchen Ruck aufgerissen, dass sie in ihren Scharnieren sprang. Hermann Göring fing die Tür mit der flachen Hand auf, schüchterte sie dermaßen ein, sodass sie regungslos stehen blieb. Er füllte den Rahmen aus. An Göring war alles groß und quadratisch, abgesehen von seinen breiten Rugbyschultern und seinem seltsam geometrisch geformten Schädel. Aufmerksame schwarze Augen suchten den Raum ab und blieben auf Thomas hängen. »Anderson«, sagte er, trat einen Schritt zurück und starrte Thomas direkt an, befahl ihm mitzukommen. Thomas stockte der Atem. Er nestelte an seinem Pullover herum, stopfte ihn in seine Tasche, immer tiefer rein, dass nur noch die Ärmel oben rausschauten wie Spaghetti über den Rand eines Nudelwassertopfs. Er wollte sich wieder seinen Büchern widmen, aber Göring hob erneut die Stimme, dieses Mal noch lauter: »Lass das liegen.«

»Ja, Sir, Mr Cooper.«

Thomas lief rot an, nicht weil es ihm peinlich war, sondern weil ihn Panik ergriff. Er wurde nicht so sehr gehasst wie einige andere noch viel unbeliebtere Jungen an der Schule, obwohl die anderen guten Grund dazu gehabt hätten. Wegen seines Vaters hatten drei Mitschüler aus Thomas' Jahrgang die Schule verlassen müssen. Dass sein alter Herr ständig in der Zeitung war, hatte dem Ganzen etwas von seiner Schmach genommen, er war so was wie ein Prominenter.

»Anderson.« Die Stimme war jetzt fordernder, und Thomas zuckte zusammen. Sie nannten ihn Göring, weil er Doyles Nummer zwei war. Göring selbst machte eigentlich gar nichts. Er war bloß hier, um Thomas zu Doyle ins Büro zu bringen.

Als er merkte, dass er rot wurde und an seinem Pulli herumfummelte, dass er beobachtet wurde und wie ein Vollidiot dastand, richtete Thomas sich auf, sah in die Runde seiner Klassenkameraden und wurde wütend. Scheiß auf die, dachte er, dann sollten sie's doch verdammt noch mal erfahren, ihm war es egal. Das war eine Sache zwischen seinem

Vater und ihm, mit ihnen hatte das nichts zu tun. Er stopfte sich nicht mal das Hemd in die Hose. Er ließ die Tasche unsanft fallen und umkippen, sodass die Bücher und Hefte herausfielen, dann ging er rüber zu Göring, ohne Beany anzusehen oder ihn zu fragen. Er ging einfach.

Beany, der unbedingt wissen wollte, was los war, folgte ihnen nach draußen, aber Göring fing ihn an der Tür ab: »Nein«, sagte er bestimmt. »Nur Anderson.« Dann schlug er mit einem eleganten Schwung seines fleischigen Knies die Tür zwischen Thomas und seinen Klassenkameraden zu und lauschte auf das Einrasten des schweren Schließmechanismus, bevor er sich umdrehte und Thomas in die Augen sah.

Bis vor Kurzem hätte Thomas nicht gedacht, dass Göring überhaupt seinen Namen kannte. Doch wahrscheinlich kannten ihn inzwischen alle Mitarbeiter der Schule. Wahrscheinlich lasen sie sich im Lehrerzimmer gegenseitig laut aus der Zeitung vor und freuten sich über die Missgeschicke ihrer Schüler.

»Thomas, Mr Doyle möchte dich in seinem Büro sehen.«

Möchte. Nicht *beweg dich.* Nicht *mach schnell.* Thomas hatte keine Ahnung, was das bedeutete. Dass Göring sich so respektvoll verhielt, war ihm fremd, und er war sicher, dass etwas sehr Schlimmes passiert sein musste. Sie hatten den Wagen gefunden. Sie waren sauer. Er und Squeak sollten weggeschickt werden.

Die Bibliothekstür führte auf die Galerie des mittleren Saals, überdacht von einer ovalen Glasfläche. Es war eiskalt. Unten am Fuß der Steinstufen befand sich die zugige Eingangstür, und die riesigen Flügeltüren auf beiden Seiten des Saals ließen noch mehr Kälte herein. Aber Thomas schwitzte immer noch. Er ballte die Fäuste und sagte sich, er würde die

Finger entspannen, sobald sie taub wurden. Das gab ihm etwas, woran er denken konnte, etwas anderes als daran, dass er ganz tief in der Scheiße saß und was der alte Doyle für ein Gesicht machen würde, wenn er sein Büro betrat, und wer noch bei ihm sein würde. Squeak wahrscheinlich und Polizisten. Seine Mutter. Nicht Nanny Mary. Bitte, lieber Gott, nicht Mary.

Cooper zeigte auf Thomas' Bauch und lächelte müde: »Stecken Sie das Hemd lieber in die Hose. Sie wollen doch keinen Ärger.«

Einen Augenblick lang starrte Thomas ihn völlig perplex an. Es gelang ihm, seine Faust zu entkrampfen und sich das Hemd vorne in die Hose zu stecken, auch das Ende seiner Krawatte. Das war ihr Stil, ein Zeichen des Trotzes, Hemd vorne aus der Hose, die Krawatte tief, aber Göring hatte ihm freundlich gesagt, dass er das in Ordnung bringen sollte, anstatt ihm einen Vortrag über bürgerliche Verantwortung und die Vorbildfunktion der älteren Schüler gegenüber den jüngeren zu halten. Er war ungewöhnlich nett, versuchte milde zu gucken, ansatzweise sogar zu lächeln. Es war unheimlich.

Bevor Thomas noch die Möglichkeit hatte, aufzublicken und Görings Gesichtsausdruck zu inspizieren, hatte ihm dieser schon den Rücken gekehrt und führte ihn jetzt durch den zugigen Saal in den Kapellgang, der zu Doyles Büro führte.

Thomas folgte ihm, war sich seines seltsam eiernden Gangs, dessentwegen er von den anderen Jungs gehänselt wurde, seiner fettigen Haare und dem Tintenfleck auf seiner grauen Flanellhose, wo ihm ein Füller ausgelaufen war, bewusst. Er stellte sich vor, wie Doyle ihn sah, er kannte jeden Fehler an seiner eigenen Person, jeden problematischen Aspekt seiner Erscheinung und seines Verhaltens.

Sie gingen vom eiskalten Saal durch einen Seitentrakt, am Krankenzimmer und dem Musikzimmer vorbei durch den Eingang zum Kapellgang, einem ruhigeren, nur schwach beleuchteten Bereich, in dem es streng verboten war, sich zu unterhalten oder zu rennen. Der Gang war lang und fensterlos, und es roch nach abgestandenem Weihrauch. Die einzige Tür führte auf einen Chorbalkon oben in der Kapelle, der nur selten benutzt wurde, weil man nicht wollte, dass irgendwelche bescheuerten Jungs sich gegenseitig herunterstießen. Also blieb der Balkon den christlichen Festtagen vorbehalten, wenn Eltern zu Besuch kamen.

Coopers Schritte waren leise und regelmäßig. Thomas schlurfte auf seinen Ledersohlen und hüpfte, um Schritt zu halten. Am hinteren Ende, hinter einer Flügeltür mit geschwungenem Rahmen, befand sich Doyles Büro.

Göring klopfte, hörte ein Rufen und öffnete die Tür gerade in dem Moment, in dem auch Thomas sie erreichte. Dieser ging direkt hindurch und trat auf den Nylonteppich. Er zögerte, überrascht, dass niemand sonst da war, nur Doyle. Der stand auf, um ihn zu begrüßen. Sein Gesichtsausdruck war undurchdringlich: Verärgerung oder Abscheu.

»Setz dich bitte, Anderson.«

Wachsam nach Hinweisen Ausschau haltend, setzte sich Thomas verlegen auf den viel zu stark gepolsterten Stuhl. Bestürzt sah er, wie Doyle hinter seinem Schreibtisch hervortrat und sich auf dem Stuhl neben ihm niederließ. Doyle war drahtig, schlank und hatte einen Hundeblick. Göring blieb hinter dem Schreibtisch stehen, die Hände hinter dem Rücken verschränkt.

Doyle beugte sich vor und sprach jetzt mit sanfterer Stimme. Thomas hörte ihn wie durch einen Tunnel: Etwas war passiert. Zu Hause. Unddeinemutterhatunsgebetenesdirmitzuteilen. Meinherzlichesbeileid. Deinvateristtot. Erhängt. Tragischerselbstmord. Geht es dir gut? Thomas, geht es dir gut?

Aber Thomas kam nicht gegen das immer lauter werdende Summen in seinen Ohren an, das Licht wurde trübe, als sich seine Lider senkten, um den Raum auszusperren. Ende der Wespensaison. Sie kamen aus der Kälte und aus dem Regen herein, ließen sich von gelangweilten, gefühlskalten Schuljungs beim Sterben zusehen. Jungen, die die sich windende, sterbende Wespen beobachteten.

Erhängt. Hängen. Mitgefühl durchzuckte ihn jäh und rüttelte ihn wach, er stellte sich den Körper seines Vaters in der Garage vor, und wie kalt er wohl gewesen war. »Ist er tot?«

Sie sahen einander an, Mr Doyle und Hermann Göring.

Mr Doyle sagte: »Ich fürchte, ja.«

Thomas nickte immer wieder, so häufig, dass es aussah, als wollte er bestätigen, was Doyle gesagt hatte: Ja, Sie haben recht, ja, ja, wie recht Sie haben. Es schien, als könnte er gar nicht mehr aufhören, mit dem Kopf zu wackeln, er sah auf den vor ihm auf und ab springenden Tisch, die Eichenbeine und die Schreibtischunterlage und die Stifte im Stifthalter und das Telefon. »Konnte sie telefonieren …?«

»Deine Mutter?«, fragte Doyle.

Thomas antwortete nicht.

»Deine Mutter hielt es für besser, wenn du es persönlich von jemandem erfährst, statt von ihr zu Hause am Telefon …« Er hatte diese Stimme aufgesetzt, die Stimme, die den Jungen signalisieren sollte, sich jetzt bloß nicht mit ihm anzulegen oder etwas zu hinterfragen, sondern einfach nur die Klappe zu halten, dann würde es auch keinen Ärger geben. Es war falsch von ihr, alle wussten, dass sie sich schäbig verhielt, aber Angehörige des Lehrkörpers durften nicht schlecht über ein Elternteil sprechen. Dafür war die Schule ja schließlich da, dass sie Elternpflichten übernahm, auf die diese keine Lust hatten.

»Ist er … *tot?*«

»Wir mussten es dir mitteilen, bevor du die Heimreise antrittst, weil die Presse bereits informiert ist und ab heute Abend darüber berichten wird. Deine Mutter schickt dir das Flugzeug deines Vaters …«

»Welches?«

Doyle war es nicht gewohnt, unterbrochen zu werden, »*Welches* was?«

Aber Thomas war so wütend, dass er sich nicht bremsen konnte: »Welches Flugzeug? Die Piper, oder?«

Göring schaltete sich ein: »Wir wissen nicht, welches Flugzeug deines Vaters sie schickt, aber es wird in einer Stunde landen. Bitte geh in dein Zimmer und pack eine Tasche.«

Bittere Tränen brannten in seinen Augen, Zorn rann ihm über das Gesicht: »Es ist die Piper. Sie hat die Piper geschickt.«

»Thomas.« Göring war mit seinem Mitleid am Ende, was sich an seinem scharfen Tonfall bemerkbar machte, »es spielt keine Rolle, welches Flugzeug sie geschickt hat …«

Abrupt wischte sich Thomas die Tränen aus dem Gesicht. Er stand auf und sah die beiden Männer an.

»Mein Vater war hier«, sagte er, mit herablassendem Blick, ohne ihnen dabei mitzuteilen, was er eigentlich meinte: Als mein Vater diese Schule hier besuchte, wurde sie von einer religiösen Bruderschaft geleitet, Mönche führten diese Schule, keine scheiß Lehrer, die woanders keinen Job bekommen hatten und für die Industrie ungeeignet waren. »Sie sind Lehrer.« Und mein Vater hat den scheiß Anbau mit den Sälen für die sechste Jahrgangsstufe und das Computerlabor bezahlt, und ihr könntet so was nie, weil ihr einfach nur verdammte scheiß Lehrer seid, also guckt bloß nicht auf mich runter und haltet mich für ein erbärmliches, verlorenes Kind, dessen eigene verfluchte Mutter sich nicht mal die Mühe macht anzurufen und stattdessen die scheiß *Piper* schickt. »Ella?«

»Deine Schwester, Ella?« Doyle stand auf, um ihn auf Augenhöhe zu treffen.

»Ella? Weiß sie's?«

»Ich denke, Ella wird sich gerade ebenfalls auf dem Weg nach Hause befinden.«

»In der ATR-42«, sagte Thomas. »Ich wette, sie fliegt mit der ATR-42 nach Hause.«

Doyle griff über den Tisch und tat etwas, das Thomas noch nie bei ihm gesehen hatte. Er berührte ihn, legte seine Hand auf Thomas' Schulter. Sie fühlte sich warm an, die Hitze kitzelte auf seiner Haut. Es war bedrohlich. Thomas erwartete von Doyle niedergedrückt, gedemütigt zu werden. Er zuckte zusammen, schauderte unter der Hand. Er sah Doyle an. Ein freundlicher, trauriger Gesichtsausdruck, ein wenig befremdet, weil der Junge sich von ihm zurückzog.

»Tut mir leid«, Thomas hatte ihn mal wieder falsch verstanden. Plötzlich traute er sich selbst nicht mehr über den Weg. »Tut mir leid. Tut mir leid.«

»Kein Problem«, sagte Doyle und ließ die Hand sinken.

Thomas starrte auf den Teppich. Er hatte immer versucht, seinen Dad dazu zu bewegen, ihn anzusehen, ihn überhaupt zu sehen, aber Lars hatte nur selten jemandem ins Gesicht geschaut. Thomas hatte im Firmenprospekt nach seinem Bild blättern müssen, wenn er seine Augen sehen wollte. Sein Vater sprach nur mit ihm, wenn sie aufrecht standen, dann sah er über Thomas' Kopf hinweg und stellte irgendwelche Behauptungen auf, mit einer Unterhaltung hatte das wenig zu tun: Du bist dumm, die Geschäftswelt ist ein Minenfeld, niemals nur auf ein Pferd setzen, keine Schwäche zeigen. Thomas hatte versucht, an ihn heranzukommen, vorbei an seiner Mutter und über Ella hinweg, durch Mary, aber nichts hatte funktioniert. Nichts. »Wann … ist er gestorben?«

»Dein Vater?«

»Heute?«

»Gestern. Um die Mittagszeit.«

Gestern um die Mittagszeit, als Thomas im Speisesaal schwammiges, sirupgetränktes Weißbrot gegessen hatte, als er einen halben Liter braunen Tee in sich hineingeschüttet hatte, als er Squeak über den Becherrand angesehen hatte, weil dieser ihn so lange fixiert hatte, bis er kapierte, dass er ihn später auf seinem Zimmer besuchen sollte. Er hatte Squeak gefragt, weil der einen Wagen besaß. Er dachte, er würde Squeak kennen, aber da hatte er sich geirrt. Sie hatten Suppe mit Karotten drin gegessen. Die Reste der Brühwürfel lagen am Boden der Suppenschale.

»Mr Cooper bringt dich auf dein Zimmer und hilft dir beim Packen.«

Thomas schlurfte zur Tür, glitt wieder hinein in den stumpfen Schimmer des Kapellgangs und in eine unwiderruflich veränderte Welt.

7

Morrow und Harris stiegen auf dem Weg nach oben vorsichtig über den Leichnam. Überall waren Blutspritzer, Fußabdrücke, frisch und dunkelrot, wie aus dem Stempelset eines Kindes.

Die Treppe war gerade und breit, aus wunderschönem Holz gefertigt und direkt an der Wand befestigt.

Die Stufen selbst waren tief, Morrows Füße in Größe 38 hätten zweimal darauf gepasst. Das war keine Treppe, die man einfach hinunterstieg, sie war zum Schreiten gemacht. Der dicke Teppich war mit Stangen befestigt und grob genug, sodass ein Ausrutschen mit anschließender Kopfverletzung ausgeschlossen werden konnte. Wäre die Frau gestürzt und daran gestorben, und hätte der Eindringling die Tote erst hinterher verstümmelt, dann hätten sie es mit einer völlig anderen Straftat zu tun, einem vollkommen anderen Täter.

Oben an der Treppe angekommen, blickte sie noch einmal zurück. Die Leiche lag fast komplett hinter der Biegung am unteren Ende versteckt, nur ihre nackten Knie waren zu sehen. Trotz des papierenen Knisterns der Leute von der Spurensicherung und des Gemurmels der Polizisten spürte sie, wie quälend die Stille auf dem Haus lastete und wie es von seiner Geschichte erdrückt zu werden drohte. Das war kein Haus, in dem junge Frauen freiwillig alleine wohnten. Zu groß, zu alt, zu schwer.

Oben an der Treppe, zwischen zwei Türen, stand ein kleiner Tisch mit einer Reihe von silbern gerahmten Fotografien, die sich gegenseitig die Plätze streitig machten, ein Theaterstück mit drei Hauptfiguren. Ein älterer Mann und eine etwas jüngere Frau auf Hochzeiten, in Gärten, auf einem Boot. In dem Stück gab es nur eine junge Person, man sah sie einmal als Mädchen und noch einmal als junge Frau.

Als Mädchen lächelte in einem rosa Kleid mit enger orangefarbener Schärpe angestrengt in die Kamera.

Als Frau war sie schlank und groß, stattlich, aber nicht unbedingt hübsch, mit schmalem Kiefer, einer Himmelfahrtsnase und kleinen Augen. Sie stand an einem sonnigen Tag draußen, möglicherweise auf den Stufen vor dem Haus, hielt ein Glas mit pissgelbem Wein in der Hand und lächelte verlegen. Angesichts der schicken Jacke und der Schuhe im Eingangsbereich ging Morrow davon aus, dass dies wahrscheinlich nicht Sarahs Lieblingsbild von sich war, und sie fand es bezeichnend, dass ausgerechnet dieses peinliche, hässliche Foto für die Familiengalerie ausgesucht worden war.

Sie drehte sich zu dem Mann von der Spurensicherung und sah ihn einen grünen Gegenstand auf dem Boden anstarren. Ein Lederwürfel mit drei breiten Reißverschlüssen an der Oberseite, an jedem war ein grüner Lederanhänger befestigt: einer mit einem silbernen Ring, einer mit einer großen rechteckigen Niete, einer mit einem gestanzten Loch. Auf der Vorderseite prangte das große D&G-Logo. Es war eine Handtasche, offen und leer, der Inhalt lag auf dem Boden verstreut.

»Fingerabdrücke genommen?«, fragte sie und fühlte sich von sich selbst ertappt. »Ich weiß, haben Sie schon, ich geh bloß die Checkliste durch …«

Er nickte dankbar. »Ist sie leer?«

»Ja.«

Sie wandte sich an Harris: »Karten?«

»Hab ich schon gecheckt«, sagte er, »wurden nicht benutzt.«

Morrow runzelte die Stirn: »Irgendwie glaube ich nicht, dass es hier um Geld ging.«

»Ja, viel zu heftig«, Harris rümpfte die Nase und nickte die Treppe hinunter in Richtung des blutverschmierten Leichnams.

Gemeinsam gingen sie zur Tür des Schlafzimmers, aus dem ein rosiges Glühen drang. Die Tür stand offen, und Morrow drückte sie möglichst dicht an den Scharnieren weiter auf, wobei sie es vermied, Stellen zu berühren, auf denen sich möglicherweise Fingerabdrücke befinden konnten.

Das oval geschnittene Zimmer hatte eine niedrige Decke und war gemütlich. Im gesamten Rund befanden sich kleine Fenster. Weiße Holzfensterläden, geschlossen, dazu eine rosa Blumentapete und ein winziger weißer Kamin mit schwarzem, schmiedeeisernem Gitter. Auf dem zerwühlten Doppelbett ihm gegenüber lag eine dicke weiße Daunendecke. Die Luft im Raum war stickig, als hätte nur wenige Momente zuvor noch jemand hier geschlafen und den gesamten Sauerstoff verbraucht.

Auf dem Boden lag ein schwarzes Kleid mit Ringerrücken, als hätte dessen Trägerin es sich einfach von den Schultern gestreift und achtlos liegen lassen. Daneben ein schockierend pinkfarbenes Spitzenunterhöschen mit blassblauer Schleife am Bund; die Beinausschnitte bildeten perfekte Kreise, wo sie allem Anschein nach an perfekten Schenkeln heruntergerutscht waren.

Diese Frau in diesem Haus, das ergab keinen Sinn. Morrow sah Harris an, und er schüttelte den Kopf, ebenfalls bestürzt, aber auch ein bisschen verzaubert von dem hübschen Höschen.

»Die ist … ganz schön nuttig, oder?«

»Was«, fragte sie, »die Unterhose?«

»Ja. Man könnte auf falsche Ideen kommen.« Er schien den Blick gar nicht mehr davon abwenden zu können. »Oder auch nicht.«

Morrow betrachtete sie. Sie hatte ähnliche Unterwäsche und trug sie, um sich an tristen Tagen gute Laune zu machen, ihrem Gang einen gewissen Kick zu verleihen, besonders wenn sie sich in die Enge getrieben fühlte. »Glaubst du, sie war …« Ihr fiel das Wort für Prostituierte nicht ein. Prostituierte war falsch, Sexarbeiterin auch irgendwie. Frustriert zeigte sie auf das Höschen: »… eine Professionelle?«

Er starrte das fragliche Kleidungsstück an, seine Augen umkreisten die Beinöffnungen: »Vielleicht. Vielleicht kam daher auch das Geld?«

Erneut betrachtete sie die farbenfrohe Unterhose. »Viele Frauen tragen sexy Unterwäsche, um die eigene Laune aufzupolieren.«

Harris wurde rot und sah schnell weg. »Okay, Ma'am.«

Sie hatte eine Andeutung gemacht, die ihre eigene Unterwäsche betraf und damit gegen das oberste Gebot der Sexlosigkeit im Dienst verstoßen. Falsch. Vielleicht lag es an den Hormonen – oder auch daran, dass ihr plötzlich klar wurde, wie dämlich es war, nicht laut aussprechen zu können, was sie über die am Tatort vorgefundene Unterwäsche dachte, ohne einen Skandal zu verursachen –, auf jeden Fall lächelte sie jetzt lediglich still in sich hinein, wohingegen sie früher stinksauer auf sich selbst gewesen wäre, weil sie einen Fehler gemacht hatte. »Oder es war die einzige frische Unterhose, die sie hier finden konnte. Kann alle möglichen Gründe haben, meine ich.«

Harris nickte und sah sich nervös im Zimmer um, wollte sie bewegen weiterzugehen. Sie mochte Harris, aber er schien wirklich überall sexuelle Anspielungen zu entdecken. Ihr war nicht ganz klar, ob er verklemmt war oder unter einer verkrüppelten Libido litt.

Als sie sich wieder zum Bett umdrehte, entdeckte sie die Falten im Laken, die anzeigten, wo ein Hintern auf die Seite gedreht und Füße auf den Boden gestellt worden waren. Sie betrachtete die Daunendecke. Der Bezug war sehr sauber und teuer, und als sie sich fragte, ob er aus einem dieser hochwertigen Leinenstoffe war und was diese eigentlich so hochwertig machte, sah sie plötzlich etwas Silbernes zwischen den Falten hervorlugen. Sie machte einen Schritt darauf zu, schnappte sich eine Ecke der Decke und zog sie zurück. Ein Handy, mit einer silberfarbenen Rückseite, breit, aber schlank, lag mit dem Display nach unten im Bett.

»Ein iPhone«, lächelte Harris, »da ist garantiert ihr ganzes Leben drauf.«

Morrow betrachtete das silberfarbene Gehäuse skeptisch: »Ich dachte, die wären immer schwarz oder weiß?«

»Ist ein Original«, er zog eine Plastiktüte heraus, überlegte es sich anders und rief die Spurensicherung, damit es zuerst auf Fingerabdrücke untersucht wurde.

Während diese sich daran zu schaffen machten und das Telefon auf dem Bett abpuderten, untersuchte Morrow die Handtasche auf dem Boden. Sie war aus gutem Leder, kräftig senffarben, sonderbar gestaltet, mit breiten Reißverschlüssen und übergroßen Schnallen. Morrow beugte sich unbeholfen herunter und klappte die Tasche mit Hilfe ihres Kugelschreibers auf. Sie freute sich über die vielen Kassenbons auf dem Boden. Meistens waren darauf auch Datum und Uhrzeit sowie die Adresse des Ladens angegeben. Anhand der Quittungen würden sie nachvollziehen können, wo Sarah gewesen war.

Außerdem lag noch ein Schlüsselbund unten in der Tasche: vier Schlüssel an einem schlichten silbernen Ring. Morrow stand auf und sah zu, während das iPhone sorgfältig eingepudert wurde, schwarzer Staub verteilte sich überall auf dem erschreckend weißen Leinen.

Sie sah zurück zur Tür, ging in Gedanken die Treppe hinunter in den Eingangsbereich und stellte sich vor, wie Sarah Erroll das leere Haus betrat. Ihr Gesicht war eine verschwommene Wolke aus Blut, ihr Körper schlank und zart in dem eng anliegenden schwarzen Kleid.

Sarah ließ den Koffer an der Wand stehen und die Schlüssel in die senffarbene Tasche fallen, zog sich die Schuhe an den Absätzen von den Füßen. Morrow stellte sich das stumpfe »Duff« vor, als die harten Absätze auf dem gefliesten Boden aufkamen. Sie sah, wie Sarah in die geräumige Handtasche griff, in dem Durcheinander darin nach dem Taserhandy suchte, den Eingangsbereich durchquerte und es achtlos an der anderen Wand fallen ließ. Oder hatte sie oben an der Treppe gestanden und es hinuntergeworfen?

Morrow fing noch einmal beim Taser an: Er lag ganz nah am Tatort. Sie hatte es holen wollen, oder jemand anders hatte es gehabt und dort fallen lassen. Vielleicht war es in ihrer Handtasche gewesen, und jemand anders hatte es genommen, es sich aber noch mal überlegt und auf dem Weg nach draußen fallen lassen. »Habt ihr Fingerabdrücke von dem Taser genommen?«

»Ja.«

»Sucht ihn auch nach anderen Spuren ab«, sagte sie. »Ich will wissen, ob er aus dieser Handtasche kam.«

Sie sah, wie die gesichtslose Frau ihre Schuhe fallen ließ und die Treppe hinaufging, stellte sich vor, wie sehr ihr die Glieder nach sieben Stunden im Flugzeug geschmerzt haben mussten und wie froh sie war, endlich aus ihrem Spitzenhöschen zu steigen, ein T-Shirt über den Kopf zu ziehen und in das große Bett zu sinken.

Sie gingen wieder hinunter, hielten sich an der Wand fest, als sie vorsichtig die Leiche passierten. Diesmal folgte sie Harris und sah, dass er einen Moment lang hinsah, ohne zusammenzuzucken, und sie hoffte, es läge daran, dass sie mit gutem Beispiel vorangegangen war. Auf Zehenspitzen bahnte er sich einen Weg zwischen den roten Fußabdrücken hindurch und blieb unten stehen, streckte ihr eine Hand entgegen, um ihr behilflich zu sein. Sie schob die Hand weg.

»Fußabdrücke?«

Harris neigte den Kopf und sah wieder hinauf. Sie stellte sich neben ihn. Die Fußabdrücke waren eine einzige rote Schweinerei, über die gesamten Stufen verschmiert; es gab einige saubere Abdrücke, andere waren bloß unvollständige Flecken, durch die das Grün des Teppichs hindurchschimmerte.

»Ist das ungefähr Größe 42?«, fragte Morrow.

Sie betrachteten die Abdrücke, neigten die Köpfe, traten hierhin und dahin, um das Muster besser erkennen zu können.

Endlich sagte Harris: »Zwei Paar Füße?«

»Meinst du?« Sie trat zu ihm und sah zwei perfekte Abdrücke direkt nebeneinander, beide Male ein rechter Fuß, der eine größer als der andere, aber mit demselben Sohlenprofil. »Verdammt, du hast recht. *Scheiße.*«

Zwei waren schlecht. Wenn es zwei waren, dann würde es nicht genügen, zu beweisen, dass die beiden Personen hier gewesen waren und sich mit Blut bespritzt hatten. Es bedeutete, sie würden den Geschworenen beweisen müssen, dass beide das Verbrechen gleichermaßen aktiv begangen hatten. Sie würden sie eines gemeinsam geplanten vorsätzlichen Mordes anklagen müssen, worauf eine weniger hohe Strafe stand als auf die Tat eines Einzelnen. Das war unbefriedigend, besonders, wenn einer von beiden danebengestanden und den anderen angeschrien hatte, er solle gefälligst aufhören. Wenn es der Verteidigung gelang, Zweifel anzumelden, würden beide freigesprochen werden. Morrow hatte das Gefühl, dass es auf einen langwierigen Prozess hinauslaufen würde. Meistens kam der Stärkere ungeschoren davon, nicht der Unschuldige. Sie konnte nur hoffen, dass sich handfeste Beweise fanden, anhand derer sie die Tat nachweisen konnten.

Mit zusammengekniffenen Augen betrachtete sie erneut die Fußabdrücke, »Scheiße, das sind die gleichen. Wir müssen irgendwas finden, Einkerbungen auf der Sohle oder so.«

»Aber es *sind* die gleichen. Ob das eine Uniform ist?«, fragte Harris.

»Möglich.« Sie winkte Richtung Treppe. »Können wir die Schritte einzeln verfolgen, die Bewegungen rekonstruieren?«

»Weiß nicht. Ich frag mal …«

Morrow schüttelte den Kopf und sah noch genauer hin.

Beide Schuhpaare hatten dasselbe Sohlenprofil: drei Kreise

auf den Druckpunkten und gerade Streifen, die darauf zuliefen. »Können wir die Sohlen zurückverfolgen?«

Harris schien nicht überzeugt: »Wir können ja mal in Schuhläden nachfragen.«

»Komm, ich will das Geld sehen.«

Harris führte sie weg von der Leiche, aus dem Hauptsaal hinaus, durch eine kleine Tür und eine Stufe hinunter in einen kalten Raum im Anbau. Ein schmiedeeiserner Herd stand in einer Kaminöffnung. Die Wände und die Decke waren aus Beton, und das große rückwärtige Fenster gab den Blick auf kahles Gestrüpp frei.

Ein Mann von der Spurensicherung schlurfte im weißen Anzug umher, klaubte Fasern vom Fensterbrett und aus der Spüle und verstaute alles in Tütchen. Gobby hatte sich in eine Ecke verzogen, um nicht im Weg zu stehen. Er begrüßte sie mit einem stummen Nicken, hielt den Blick aber starr auf den Tisch gerichtet.

»Alles klar, Gobby?«

Er sagte nichts. Gobby redete nie viel.

Morrow sah sich in der Küche um.

Es war ein großer Raum, größer als man ihn heute anlegen würde, aber überhaupt nicht herrschaftlich. Der Boden war mit blass-rotem Linoleum ausgelegt, die Risse mit silberfarbenem Klebeband repariert. Auch die Möbelstücke waren sehr alltäglich: eine solide Anrichte aus Kiefernholz, weiß gestrichen, aber stark angeschlagen, einer der Glaseinsätze war ebenfalls mit silbernem Klebeband geflickt. Ein altmodischer Kühlschrank gab ein hartes, hohes Brummen von sich. Der unscheinbare Elektroherd war tadellos in Schuss, aber das Ceranfeld war recht staubig. Hier kochte niemand. Ein alter Küchentisch aus Teakholz bildete das Zentrum des

Raums, ringförmige Flecken von Bechern oder Gläsern sowie Messerscharten waren darauf deutlich zu erkennen, und quer durch die Mitte zog sich eine Naht, entlang derer der Tisch ausgezogen werden konnte. Ein paar vereinzelte Stühle waren unter den Tisch geschoben, außer auf der Seite, wo sich die Spüle befand, dort hatte sie jemand herausgezogen.

Harris hustete trocken hinter ihr. Als sie sich umdrehte, sah sie ihn warnend in eine Ecke des Raums nicken.

Der Mann saß in einem Lehnstuhl an dem alten Herd, umklammerte seine Aktentasche und starrte ins Leere. Er war jung, in seinen Dreißigern, aber wie ein älterer Herr in einen dunklen Nadelstreifenanzug mit senffarbener Weste und roter Krawatte gekleidet. Sein Körper war unförmig, aber die Kleidung schmeichelte ihm, obwohl er beleibt und auch im Gesicht rund war. Er riss die Augen auf.

»Hallo«, sagte sie jetzt. Sie hätte ihn ohne Harris gar nicht bemerkt.

Er stand rasch auf, machte einen Schritt auf sie zu, streckte ihr die Hand entgegen und neigte sich ihr zu, als hinge sie über einer Klippe und wolle von ihm hinaufgezogen werden. »Donald Scott.«

Sie nahm seine Hand und schüttelte sie. »DS Alex Morrow. Sie haben einen Schock erlitten.«

Er keuchte ein Ja, blickte zur Eingangshalle, dann wieder zum Tisch hinter ihr, schüttelte pumpend ihre Hand, hielt sie ganz fest.

»Sie haben das Opfer gekannt?«

»Ja, ja. Ja«. Er dachte über die Frage nach und ergänzte: »Ja?«

»Sie waren ihr Anwalt?«

»Hmmm«, er blickte sich wie irre in der Küche um, schwer

atmend. Ein Gefühlsausbruch schien sich anzukündigen, den Morrow eigentlich nicht gebrauchen konnte. Sie griff ein: »Okay, wir werden Sie mit aufs Präsidium nehmen und dort mit Ihnen sprechen. Wenn wir dort ankommen, möchte ich, dass Sie ein paar Kekse essen, irgendwas mit Zucker, gegen den Schock. Haben Sie das verstanden?« Sie war gar nicht sicher, ob Zucker bei Schock half, aber sie wusste, dass es wichtig war, solchen Menschen eine Aufgabe zu geben, etwas, worauf sie sich konzentrieren konnten, irgendetwas Kleines, das es zu tun galt.

»Verstanden?«

»Ja.« Aber er starrte nur über ihre Schulter hinweg auf den Türeingang, fürchtete, man würde ihn zwingen, das Haus auf diesem Weg zu verlassen, noch einmal an der Toten vorbei.

»Hinten raus«, sagte sie zu Harris.

Harris führte den Mann am Ellbogen hinaus, achtete darauf, dass er nicht stolperte und zog die Tür hinter sich zu.

In der Küche machte sich Erleichterung darüber breit, sich endlich normal benehmen zu können. Das schiere Entsetzen über die Anwesenheit eines Außenstehenden hatte ihnen allen eine gewisse Ehrfurcht eingejagt. Ihnen war nicht wohl dabei gewesen, denn es erinnerte sie daran, wie abgehärtet sie alle waren. Morrow ließ den Kopf kreisen, war froh, etwas gegen die Anspannung in ihrem Nacken tun zu können. Seit sie um die Ecke gebogen war und die Sauerei am Fuß der Treppe gesehen hatte, hatte sie die Schulter an die Ohren gezogen und sich verkrampft.

Sie sah sich um. Ein Fenster über der Spüle war unsanft aufgehebelt worden, der Metallrahmen war nach außen gebogen und hing nun offen da. Nicht gerade die Arbeit eines Profis, sie war ohne jede Sorgfalt ausgeführt worden. Ein

Einbrecher mit Erfahrung hätte versucht, die Unordnung zu beseitigen und es – solange er sich noch im Haus aufhielt – aussehen zu lassen, als wäre das Fenster geschlossen. Draußen in dem überwucherten Garten sah Morrow den Kopf eines Polizisten, der vor dem Fenster nach Fußspuren suchte. Das war einer der Vorteile, mit Polizisten zu arbeiten, die nicht auf ihre Beförderung schielten: Sie waren schlauer, als es früher die Hängengebliebenen gewesen waren, und wussten, was zu tun war, bevor sie es gesagt bekamen.

Sie holte tief Luft und trat zurück zur Wand, betrachtete den Raum im Ganzen, stellte sich vor, welchen Weg die Eindringlinge genommen haben mussten: durch das Fenster, über die Spüle und die Abtropffläche, dann auf den Boden. Wenn sie das Haus gekannt hätten, wären sie direkt in die Eingangshalle gegangen, aber die Tür zur Speisekammer stand offen, und daneben war eine weitere Tür geöffnet worden, die in einen Haushaltsraum mit Waschmaschine, Trockner und rostiger alter Mangel führte. Auf der anderen Seite des Raums stand noch eine weitere Tür sperrangelweit offen, hinter der sich ein tiefer Schrank mit Regalen voller Konserven befand.

Morrow ging auf die Speisekammer zu und blieb vor dem Eingang stehen. Ein kalter Raum zur Lagerung von Lebensmitteln vor der Erfindung des Kühlschranks. Sie spürte einen heftigen kalten Zug an den Knöcheln. Wer hier wohnte, würde darauf achten, dass die Tür geschlossen blieb. Die Eindringlinge hatten die Tür gesucht, die aus der Küche ins Haus führte.

Auf der Arbeitsfläche neben dem Herd stand ein altes Radio. Der Stecker war aus der Dose gezogen, und das Netzkabel baumelte über der Kante der Arbeitsfläche, lag nicht direkt unter der Steckdose, wo es jemand hingelegt hätte, der es bald wieder hätte anschließen wollen. Das Radio war eingeschaltet gewesen; sie hatten es ausgeschaltet, um sich zu orientieren.

»Pudern Sie den Netzstecker ab«, sagte sie zu einem Mitarbeiter der Spurensicherung.

Fast schon ruppig, wandte sie sich an Gobby und fragte: »Und, wo ist es?«

Er grinste und zeigte auf den Tisch.

Morrow sah hin: »Da drunter?«

»Ja.«

»Scheiße«, Morrow betrachtete den Tisch, überlegte, wie sie es anstellen sollte. Ihr Körper veränderte sich so rasch, dass jede neue Position ein Experiment war.

Sie fragte den Mann von der Spurensicherung: »Kann ich …?« Sie hielt die Hand über der Tischplatte, fragte, ob es in Ordnung sei, sich drauf abzustützen.

»Nein, lieber so.« Er streckte ihr seine Hand entgegen, und Morrow ergriff sie widerwillig, stützte sich schwer auf ihn und ließ sich zuerst auf ein Knie herunter, dann auf das andere. Sie konnte sich nicht seitwärtsbeugen, ohne dass sich ihre Rippen in die der Babies bohrten, sondern musste sich auf alle viere herunterlassen und dann wie ein Hund, der um einen Keks bettelt, nach oben blicken.

Gerade als sie dachte, dass es demütigender nicht mehr ging, kehrte Harris in die Küche zurück, sie sah seine Füße hinter sich.

Der Lichtstrahl fiel zuerst auf eine grob gesägte Sperrholzplatte. Sie lag auf zwei Streben zwischen den Tischbeinen und wirkte wie eine schlecht ausgeführte Reparaturarbeit.

Aber es lag etwas darauf, eingeklemmt zwischen Tischplatte und Sperrholz, rosa wie eine Fleischwunde.

»Holen wir's raus.«

Sie schob sich zurück und wieder auf die Füße, während Gobby und Harris einen Schritt auf den Tisch zu machten, sich bückten und jeweils ein Ende der Platte anpackten, sie herausschoben, sodass Harris sie zu fassen bekam, bis Gobby um den Tisch herumlief und ihm half. Die Platte war schwer, und sie hatten Mühe, sie gerade zu halten, sodass sie nicht kippte oder das Geld darauf verrutschte.

Sie stellten die Platte auf einer Arbeitsfläche ab, die der Mann von der Spurensicherung freigegeben hatte, und betrachteten das Geld. Morrow lächelte: rosa, rosa, rosa, wie eine Patchworkdecke. Die Banknotenstapel parkten ordentlich nebeneinander, sodass sich das Muster viele Male wiederholte.

Das Geld war sorgfältig auf dem Brett ausgelegt worden. Sarah musste erst das Stück Sperrholz auf die Tischbeinsprossen gelegt und dann das Geld darauf verteilt haben, denn die Ecke weiter hinten sah weniger ordentlich aus als der Rest, so als hätte Sarah unter dem Tisch gekniet und die Geldscheinbündel draufgeschoben, ohne richtig zu sehen, was sie machte.

Ein schöner großer rosa Haufen Geld. Morrow merkte, dass ihr das Wasser im Mund zusammenlief und sie ihn kaum wieder zumachen konnte. Aufgrund der unvertrauten Währung schien es unendlich viel zu sein, und die Scheine waren groß, fast so groß wie ein Taschenbuch.

»Wer notiert die Wetten?«, bellte sie unbestimmt in die Runde.

Gobby grinste: »Bis jetzt noch niemand.«

Morrow überblickte das Brett. Es war ein Meter dreißig lang, die Bündel sauber in sechs Reihen zu je acht Packen angeordnet. Sie versuchte auszurechnen, wie viel es war, und sich zu erinnern, wie viele Nullen eine Million hatte.

»Gobby, du wirst nicht fürs Rumstehen bezahlt. Fang an aufzuschreiben. Ich bin mit zehn Pfund dabei.«

»Und was sagst du?«

»Könnte fast 'ne Million sein.«

Gobby leckte an der Spitze seines Bleistifts: »Euro oder Pfund?«

Plötzlich erwachte Harris zu neuem Leben: »Wir notieren's in Stirling und gehen nach dem Wechselkurs des Tages, an dem wir das Ergebnis der Auszählung bekommen.«

Morrow nickte, »Ja, ja, na gut, dann ändere ich meinen Tipp noch mal: Ich sag siebenhundertfünfzigtausend.«

Gobby schrieb die Zahl auf eine Quittung, die er aus seiner Tasche gezogen hatte, und Harris sah zu. »Ich setz auch zehn Pfund und sage sechshundertfünfzig.«

Gobby runzelte die Stirn: »Okay, ich bin mit sieben dabei.«

Harris lächelte: »Wann wird gezählt?«

Morrow hatte Harris nie so plötzlich aufblühen sehen, und sie erkannte den Spieler in ihm. »Morgen wahrscheinlich.«

»Morgen«, Harris nickte Gobby zu, »mal sehen, wer noch mitmacht.«

Auch Gobby war es aufgefallen. »Du wirst doch nicht rückfällig, oder?«

Harris wurde leicht rot. »Weiß nicht, wovon du sprichst.«

Gobby grinste, als hätte er eine Katze gefunden, die er quälen konnte.

Der Anblick des Geldes hatte sie dermaßen abgelenkt, dass Morrow noch mal von vorne anfangen musste: Sie waren durchs Fenster hereingekommen, über die Abtropffläche, hatten alle Türen ausprobiert. Die Türen schienen alle gleich groß zu sein, alle auf der Rückseite mit glatten Holzplatten versehen, eine Neuerung aus den Sechzigerjahren in alten Häusern, damit die Türen nicht so viel Staub fingen, hygienischer waren. Sie hatten den Stecker des Radios gezogen und gelauscht, hatten das Geld nicht gesehen …

»Ma'am«, das war Leonard an der Hintertür, »DCI Bannerman …« Sie hielt ihr das Telefon entgegen, und Morrow hörte, wie Harris bei der Erwähnung des Namens abfällig grunzte.

Morrow drehte sich um und warf ihm einen tadelnden Blick zu, woraufhin er die Augen niederschlug. Gobby zog unschuldig die Augenbrauen hoch, als hätte das alles nichts mit ihm zu tun.

Langsam nahm sie Leonard das Handy aus der Hand. »Sir?«

»Was ist da los?«

»Eine Tote, die Hauseigentümerin, ein Riesenhaufen Bargeld in der Küche. Jede Menge Merkwürdigkeiten …«

»Wie zum Beispiel?« Er klang aufgeregt. Hätte er die Frau am Fuß der Treppe gesehen, hätte er sicher anders geklungen.

»Zertrümmertes Gesicht, völlig unkenntlich, ungeschickter Einbruch, alles andere als professionell …«

»Dann war's jemand, der sie kannte.« Das lag auf der Hand. Laut Handbuch für Anfänger bedeuteten Verstümmelungen bis zur Unkenntlichkeit in der Regel, dass sich Angreifer und Opfer kannten, aber Bannerman wollte nicht vor ihr angeben, er übte vielmehr seine Schlussfolgerungen für das Gespräch mit den Chefs.

»Na ja«, sie beobachtete Harris, der Leonard gerade überredete, ebenfalls zu setzen, und ihr die Wechselkursvereinbarung erklärte. Leonard schien zu zögern. »Wir sind noch dabei, die Einzelteile zusammenzusetzen.«

»Dann war's ein Sexualmord?«

»Wir sammeln noch Beweise, Sir.« Ihr gefiel die Vorstellung, dass er neidisch auf sie war, weil sie sich an Ort und Stelle befand und mit eigenen Augen den Tatort begutachten konnte. »Hier liegt ein Riesenhaufen Geld. Bargeld. Euro. Ich weiß nicht, ob's echt ist, aber wir brauchen auf jeden Fall einen gepanzerten Wagen, um es abzutransportieren.«

»Wie viel?«, er klang desinteressiert, wollte andeuten, dass ein Betrag, der in ihren Augen eine Menge Geld darstellte, möglicherweise für ihn gar nicht so viel war.

Sie konnte Bannerman schon beim Fotopressetermin neben einem Tisch voller rosa Scheine sehen, ernst, aber adrett. »Ich bin nicht so gut in Mathe, Sir. Eine Million hat doch sechs Nullen, oder?«

»Ich komme. Mit einem gepanzerten Wagen.« Und er legte auf.

»Wiederhören«, sagte Morrow zu niemandem, sondern aus reiner Gewohnheit. Sie war selbst ein bisschen benommen. Als sie einem der Polizisten das Telefon übergab, begegnete sie Harris' Blick, der ihrem auch dann nicht auswich, als sie ihm die Neuigkeiten erzählte: »Bannerman kommt her.«

»Schön. Von mir aus«, sagte er und behielt dabei seinen neutralen Gesichtsausdruck. »Zockt er?«

8

Göring lauerte bedrohlich hinter Thomas, als sie gemeinsam durch die dunklen Korridore zum Wohnblock gingen. Er blieb stets in Thomas' totem Winkel, sein Gesicht verschwommen, während er ihn in einen Teil des Gebäudes begleitete, der den Jungen während der Unterrichtsstunden verboten war. Dass er mit ihm ging, war gut gemeint, dennoch wirkte er wie der Vorbote einer Katastrophe. Oder wie ein Leibwächter.

Thomas versuchte, nicht nachzudenken, einfach nur zu gehen, einen Fuß vor den anderen zu setzen, dann den nächsten, eine Tür zu öffnen, einen Fuß zu bewegen, dann hing sein Vater von einem Balken, die Vagina einer Frau, dunkelrotes Blut spritzte auf Squeaks Schienbein, um die Ecke gehen, Brandschutztüren öffnen, ein Schuh zertrümmert eine Nase, der weiße Knorpel und blutrote Sommersprossen. Er wollte damit aufhören, sich aufs Atmen konzentrieren, sich in eine kochend heiße Badewanne legen und den öligen Schmutz abwaschen, aber er musste immer wieder an Ständer denken. Ständer unter der Dusche, dabei sah er nicht seine Erektion, sondern sein Gesicht, sein junges, pickliges und bestürztes Gesicht. Ein einziger schwacher Moment, und man wird für immer abgestempelt. Thomas sollte einfach nur nach Hause fahren. Es runterschlucken und nicht drüber nachdenken, bis er zu Hause war.

Ein Verbindungsgang, der zu den Zimmern führte, ein langer kalter Abschnitt mit Betonfußboden und Fenstern auf beiden Seiten. Als er aufblickte, konnte er in die Chemielabore spähen, eine Gruppe von Schülern mit Schutzbrillen hatte sich um Mr Halshall versammelt. Einer der Jungen sah ihn mit offenem Mund an, die Augen durch die dicken Plastikgläser verzerrt. Toby war im Jahrgang unter ihnen, aber Messdiener wie Squeak. Tobys vergrößerte Augen wanderten hinter Thomas zu Göring: Es musste ausgesehen haben, als würde Thomas gewaltsam in sein Zimmer abgeführt.

Er passierte die Brandschutztüren, gab den Sicherheitscode ein und trat auf den Nylonteppich, auf dem seine Sohlen kleine Funken in der Dunkelheit schlugen. Drei Treppen rauf, vorbei an vier Zimmertüren und rein in sein Zimmer. Er machte die Tür auf.

Es roch komisch. Jedes Mal, wenn er die Tür öffnete, schlug er ihm entgegen, und ihm wurde bewusst, dass es sein eigener Geruch war, der seines Körpers, seiner Haare und Angewohnheiten. Normalerweise gefiel er ihm, aber jetzt, wo Göring dabei war, fand er ihn plötzlich abstoßend und erbärmlich. Die Putzfrau war noch nicht da gewesen, weshalb sein Mülleimer voller Taschentücher war, die aussahen, als hätte er reingewichst. Er sah sich beim Eintreten noch einmal um und knipste das Licht an. Göring verzog keine Miene, aber Thomas wusste, dass er alles genau zur Kenntnis nahm.

»Nur das Wichtigste, Thomas. In einer halben Stunde steht die Maschine abflugbereit.«

Göring hielt die Tür auf und schob den Türstopper aus Gummi darunter. Schulvorschrift: Wenn sich mehr als eine Person im Zimmer aufhielt, musste die Tür offen bleiben. Verstöße dagegen wurden mit sofortigem Schulverweis geahndet, und das galt für die Belegschaft ebenso wie für die Schüler. Nie war man unbeobachtet.

Das Zimmer war aufgeräumt, das Bett gemacht, nichts lag herum, das nicht hätte herumliegen dürfen, und trotzdem kam sich Thomas nackt vor. Er zog seinen Schreibtischstuhl hervor, stellte sich drauf, griff oben auf den Schrank, zerrte am Leinengriff seiner Reisetasche und zog sie über die Kante. Staub rieselte auf ihn hinunter. Er stieg vom Stuhl und warf die Tasche aufs Bett.

Göring beugte sich vor und öffnete den Reißverschluss, fast sanft zog er unter Thomas' Blicken die Tasche auf. Thomas sah ihn an, und Göring lächelte beinahe.

»Jetzt musst du nur noch deine Sachen reinwerfen«, sagte er.

Plötzlich konnte sich Thomas nicht mehr daran erinnern, was sie hier eigentlich machten, von welchen Sachen Göring sprach oder warum es im Wohntrakt so ruhig war. Er sah den Erwachsenen ratsuchend an.

»Hol deine Unterwäsche aus der Schublade.«

Thomas tat, wie ihm geheißen, und Göring zeigte auf die Tasche. Er packte einen Stapel Unterhosen und Unterhemden mit den kratzigen aufgebügelten Namensschildchen hinein, alles noch ganz steif von der Wäscherei.

»Jetzt die Toilettenartikel.«

Das Badezimmer befand sich am Fuß eines kurzen kastenförmigen Bettes. Thomas öffnete die Tür, tastete nach dem Lichtschalter und wurde von einem Schwall weißen Lichts aus der nackten Glühbirne an der Decke geblendet, als wäre er im Dunkeln aufgewacht und schlaftrunken zum Pinkeln ins Bad gegangen. Er machte die Augen zu und öffnete sie erst wieder, als er vor dem Spiegel stand. Ein wütender Junge mit großen Augen, knallrot im Gesicht. Verletzlich, Ständer. Heute Morgen hatte er sich nicht ansehen können. Das war nicht psychisch, er war vielmehr physisch einfach nicht in der Lage gewesen, den Kopf zu heben und sich anzuschauen. Aber jetzt war Lars tot, und er sah sich an. Er blinzelte, sah noch einmal hin und stellte fest, dass sich seine Haltung verbessert hatte: Er wirkte härter, kälter, der Mund fest geschlossen. Besser.

»Die Toilettenartikel.« Da war er wieder, der scharfe Ton in Görings Stimme.

Thomas griff zur Ablagefläche und nahm seine Zahnbürste, seine Seife, seine Pickelcreme und das Inhaliergerät, das er nie benutzte. Er verließ das Bad und warf alles in seine Tasche.

»Bücher?«

»Nein«, sagte Thomas bestimmt.

Göring war erstaunt, ob seiner Veränderung. »Spiele? Adressbuch?«

»Nein.«

Göring zögerte. »Okay. Sieh dich um, vielleicht willst du noch irgendwas anderes mitnehmen. Ich gehe und hole dein Handy vom Hausmeister.« Er verließ das Zimmer, zog sein eigenes Telefon aus der Tasche und ging telefonierend den Gang entlang. Er bestellte einen Wagen, veranlasste irgendwas. Thomas wünschte, er wäre nicht gegangen. Die Brandschutztür fiel hinter ihm ins Schloss, und Thomas blieb in der quälenden Stille alleine zurück. Er sah auf seine Tasche. Pullover.

Seine Klamotten für zu Hause waren im Schrank. Er hörte die Stimme seines Vaters, der ihn verärgert anwies, Freizeitkleidung und keine Schuluniform zu tragen. Thomas stand still, starrte auf den Boden. Lars hatte sich umgebracht. Der konnte niemandem mehr was befehlen.

Thomas sah zum Fenster hinauf, und seiner Kehle entwich ein sehr leiser Freudenschrei.

Auf der anderen Seite des grauen Vorplatzes stand Squeak in der sich verdichtenden Dunkelheit. Thomas legte seine Hand auf die Fensterscheibe, noch bevor sich seine Augen an die Lichtverhältnisse gewöhnt hatten, und erst jetzt sah er Squeak deutlich, den ernsten Ausdruck in seinem Gesicht, die geballten Fäuste.

Squeak musste Pause zwischen zwei Unterrichtsstunden haben. Er hatte sich von den anderen Jungs abgesetzt, die träge durch die Schule streiften, und würde zu spät kommen, aber er würde behaupten, er habe aus irgendeinem Grund irgendwohin gemusst, man würde ihn nicht vermissen. Er musste gehört haben, dass Thomas aus der Bibliothek geholt worden war. Mehr wusste er nicht, Thomas war aus der Bibliothek abgeführt und von Göring zum Wohntrakt gebracht worden. Er musste sich vor Angst in die Hose machen.

Ohne Vorwarnung beugte Squeak sich vor, rannte, hielt sich aber tief unter den Fenstern des langen Korridors, seine Finger berührten den Boden, und er galoppierte auf allen vieren wie ein schlaksiger Affe. Er rannte am Gebäude entlang, blieb dabei die ganze Zeit in Deckung, bis er unter Thomas' Fenster ankam.

Thomas sah Squeaks Scheitel am Rande des rechteckigen Lichtscheins auf dem Beton. Er blieb stehen und sah zu ihm hinauf. Thomas unterbrach den Blickkontakt sofort, griff aber nach dem Fensterriegel, löste ihn und drückte das Fenster einen kleinen Spalt weit auf, betätigte jedoch gleichzeitig auch die Sperre, um Squeak mitzuteilen, dass er nicht hereinkommen konnte.

»Göring ist da.«

Er griff unter das Fensterbrett in das Bücherregal, nahm die Bücher heraus und legte sie aufs Fensterbrett, teilte sie willkürlich in zwei Stapel und tat, als wolle er zwischen beiden wählen.

Thomas und Squeak sprachen jetzt gleichzeitig in demselben Nuschelton. »Mein Dad hat sich aufgehängt, ich fahre nach Hause.«

»Ich sag nicht, was du mit ihr gemacht hast.«

Entsetzt blickte Thomas auf.

Squeak hockte auf allen vieren unter dem Fenster, stützte sich auf den Fingerspitzen ab, blickte wie ein sprungbereiter Hund zu ihm auf. Seine Lippen waren feucht und leicht geöffnet. Er sah aus, als würde er lächeln.

Squeak war ihm vollkommen fremd. Thomas kannte ihn so gut, wie ein Mensch einen anderen nur kennen konnte, und doch kannte er ihn überhaupt nicht.

Jetzt stand Thomas mit einem Buch in jeder Hand da, stand zwischen den bedeutungslosen Stapeln bedeutungsloser Bücher und sah aus dem Fenster nach unten. Squeak, der es vermied, in den aus Thomas' Zimmer fallenden Lichtschein zu treten, reckte den Hals und sah ihm in die Augen.

Thomas blickte hinaus und entdeckte den Hund, an den er gebunden war und der ihn mit feuchten Lefzen lächelnd aus der Dunkelheit anstarrte.

9

Kay war fast fertig. Sie war mit Aufgaben beschäftigt, die nur zweimal im Jahr anstanden: das Glasgeschirr waschen und polieren, das eigentlich nie benutzt wurde. Ihres Wissens nach hatte Mrs Thalaine diese kleinen roten Vasen seit drei Jahren nicht mehr angefasst. Aber sie hatte sie von einem ihrer Kinder geschenkt bekommen und hing sehr an ihnen. Kay tauchte die Vasen ins heiße Wasser und sah zu, wie sich der Schmierfilm löste und das Glas seinen alten Glanz zurückerlangte. Ihre Hände waren bis zu den Handgelenken rosa vom heißen Wasser. Sie lächelte, weil sich der Dampf auf ihrem Gesicht verteilte wie künstlicher Schweiß und abkühlte, bevor ihr Körper Gelegenheit hatte, zu reagieren.

Die Türglocke hallte durchs Haus. Kay wandte sich um. Sie konnte die Vordertür vom Küchenfenster aus sehen.

Ein Mann und eine Frau standen davor. Beide trugen Anzüge, wirkten aber nicht schäbig, wie Vertreter. Sie schlenkerten nicht nervös mit ihren Aktentaschen oder setzten verkrampft ein eingeübtes Lächeln auf, sondern erschienen selbstbewusst.

Mrs Thalaine eilte mit damenhaften Trippelschritten zur Tür, und wenig später hörte man, wie sie die Tür aufschloss und öffnete. Kay widmete sich wieder der Spüle und ihrem Abwasch, nahm die Vasen aus dem Wasser, stellte sie auf das Abtropfgitter, Neugierde riss sie aus ihrer Versunkenheit. Sie spitzte die Ohren, um etwas von der gedämpften Unterhaltung am Hauseingang mitzubekommen.

Der Mann und die Frau stellten sich vor. Kay konnte keine Einzelheiten hören, aber Mrs Thalaine stellte einige Fragen, und dann hörte Kay Schritte näher kommen. Das ärgerte sie, denn sie hatte noch einiges zu tun und sich außerdem eine Zigarettenpause draußen auf der Bank versprochen, bevor sie zu den Campbells hinüberging.

Margery Thalaine klang nervös, ihre Stimme war hoch und ein bisschen zittrig. Wer auch immer diese Leute waren, wenn es sich um nervige Vertreter handelte, würde sie schlau genug sein, sie zu Kay hereinzuführen, damit die ihnen sagte, dass sie sich schleunigst verziehen sollten. Ständig tauchten sie in dieser Gegend auf, weil es hier viel Geld und höfliche alte Menschen gab. Meist war es Aufgabe der Hausangestellten, sie zum Teufel zu jagen.

Ganz eindeutig. Schritte im Flur, gedämpfte Stimmen, aber jetzt schien Mrs Thalaine wie in Plauderlaune, gar nicht mehr ärgerlich oder als versuchte man ihr etwas anzudrehen, was sie eigentlich gar nicht wollte.

Eine kurze Pause vor der Tür, dann wurde sie geöffnet. Mrs Thalaine blieb einen Augenblick stehen, die Anzugmenschen hinter ihr, und Kay suchte nach Hinweisen in ihrem Gesichtsausdruck. Ganz ruhig. Ein kleines bisschen aufgeregt. Dabei durfte sie sich doch nicht aufregen.

»Kay? Diese beiden Herrschaften hier sind von der Polizei.«

Daraufhin wandte Kay sich ihnen zu, musterte sie von oben bis unten, um sie besser einschätzen zu können. Der Mann erwiderte arrogant ihren Blick und hielt die Nase noch etwas höher. Die Frau beugte sich vor und streckte ihr die Hand entgegen.

»Ich bin DC Leonard.«

Kay hatte keine Lust, einer Polizeibeamtin die Hand zu geben. Sie hielt ihre nassen Hände hoch. Die Frau ließ ihre Hand sinken. Kay hatte nur vor wenigen Menschen Respekt, und Polizisten gehörten nicht dazu.

Spülwasser tropfte von ihren Händen auf den Boden, den sie gerade erst geputzt hatte. Noch eine Aufgabe mehr. »Soll ich ...« Sie klang barsch und wusste es, dabei wollte sie Mrs Thalaine nicht verärgern.

Mrs Thalaine lächelte bemüht. »Wenn es Ihnen nichts ausmacht ...«

Kay trocknete ihre Hände ab, wusste, dass sie ungehalten wirkte, und nahm sich vor, später auf dem Weg zum Bus noch mal reinzuschauen und zu erklären, dass sie für Polizisten nichts übrighatte, ihnen nicht über den Weg traute, weil sie schon eine Menge Ärger mit ihnen gehabt hatte.

Mit freundlicherer Stimme sagte sie: »Na gut, dann lass ich das für heute stehen, wenn Ihnen das recht ist.«

Mrs Thalaines Kinn zuckte nervös, sodass Kay sie auf dem Weg zur Tür am Unterarm berührte, um ihr zu versichern, dass sie ihr nicht böse war.

»Ach«, Kay drehte sich beim Klang von Margerys Stimme noch einmal um und sah, dass sie sich hatte beruhigen lassen, »könnten Sie wohl den Recyclingmüll mitnehmen?«

Plötzlich ärgerlich presste Kay die Lippen zusammen. »Wollten Sie das nicht selbst machen, Margery?«

Margery presste jetzt ebenfalls die Lippen zusammen. Sie konnte es nicht leiden, wenn Kay sie vor Besuchern beim Vornamen nannte. Einen Augenblick lang sahen sie einander ungehalten an, bis Margery wegsah und sich auf einen Küchenstuhl setzte. »Mir wär's lieber, Sie würden das erledigen.«

Kay ging aus dem Raum und knallte die Tür hinter sich zu. Sie stampfte durch das große Wohnzimmer. Grelle Sonnenstrahlen strömten durch die lange Wand mit den kleinen Fenstern und schmerzten in ihren Pupillen wie Peitschenhiebe.

Sie öffnete die Tür zur Abstellkammer im Flur. Da war die Tüte, die sie für Margery bereitgestellt hatte: Waitrose, damit sie nicht so verarmt wirkte. Kay hatte sie direkt an die Tür gestellt, Henkel nach oben, sodass man nur zuzugreifen brauchte.

Kay kam immer eine halbe Stunde früher, ganze dreißig Minuten, die sie nicht bezahlt haben wollte und in denen sie Margery zuhörte, die jammerte und heulte, weil sie sich einsam fühlte und weil so viel schiefgelaufen war und sie mit den Damen im Club nicht über ihre Sorgen reden konnte, schließlich hätte keine einzige von denen jemals zugegeben, dass sie ebenfalls Probleme hatte. Und heute Morgen hatte es sie bei einer Tasse Tee aus einem dieser blöden Tässchen, mit denen man nicht mal den Durst einer Maus hätte stillen können, zwanzig Minuten gekostet, bis Margery ihr endlich versprochen hatte, wenigstens einmal pro Tag das Haus zu verlassen, und heute hätte die Expedition sie zu den Recyclingtonnen führen sollen, die hundert Meter von der Haustür entfernt standen.

Kay kam sich albern und ausgetrickst vor, als wäre die Vertrautheit zwischen ihnen völlig bedeutungslos, als wäre sie mit einem Fußtritt wieder an den Platz befördert worden, der ihr zustand. Aber ihre Traurigkeit saß zu tief, und sie wusste, dass es ihr dabei eigentlich um Joy ging. Sie liebte Margery nicht. Sie versuchte nur, einen Ersatz für Joy zu finden, für die sanfte, freundliche Intimität, in der sie manchmal Mutter, manchmal Kind gewesen war. Sie betrachtete die Tüte mit dem Recyclingmüll und erinnerte sich an eine winzige, verschrumpelte Hand, die ihren Arm berührte. Sie musste sich räuspern, um die Tränen zurückzuhalten.

Wütend starrte sie auf die Flaschen in der dunklen Kammer, verfluchte sie insgeheim, und sich selbst gleich mit, weil sie eine solche Idiotin war. Sie wandte sich um und blickte durch eines der Wohnzimmerfenster in die Küche.

Durch die Fenstertüren sah sie die Polizistin ein Formular auf einem Klemmbrett ausfüllen. Wahrscheinlich irgendwas, damit sich die Nachbarn gegenseitig bespitzelten. Margery beherrschte dieses Spiel perfekt, sie konnte all ihre oberflächlichen blöden Freundinnen zu sich nach Hause einladen, ihnen feines Gebäck und bescheuerte Minisandwiches servieren und so tun, als sei sie nicht komplett und absolut pleite, als würde sie sich nicht davor fürchten, aus dem Haus zu gehen und als würde sie nicht nachts aufwachen und auf den Atem ihres Mannes horchen, nur um sich zu vergewissern, dass er noch nicht tot war.

Kay nahm ihren Mantel vom Haken und warf ihn sich über. Sie nahm ihre Handtasche, hob die Waitrosetüte und ihre eigene, und merkte dann, dass sie doch noch mal aufs Klo musste. Sie knallte die Kammertür zu, stellte die Tüten im Flur ab und ging ins Bad.

Während sie sich die Hände wusch, betrachtete sie sich im Spiegel. Ihre Kopfhaut schimmerte durch. Die grauen Stellen waren deutlich zu erkennen. Sie sah nicht einfach nur müde aus, sondern wirkte total erledigt. Als sie einen Schritt zurücktrat und sich ein wenig zur Seite drehte, sodass ihr das grelle Tageslicht nicht direkt ins Gesicht fiel, schaute sie sich einen Moment lang in die Augen und lächelte. Schon besser.

»Ich bin nett«, flüsterte sie und dachte daran, wie sie sich regelmäßig Margerys Gejammer anhörte. Sie nickte, wusste, dass sie recht hatte. »Der Schenkende ist der Beschenkte.«

Beruhigt wickelte sie etwas Toilettenpapier von der Rolle und wischte die Wasserflecken vom Becken, polierte es auf Hochglanz, warf das Papier in die Toilette, betätigte die Spülung und ging in den Flur. Auf dem Weg nach draußen nahm sie die Tüten mit.

Kay wusste, dass Mrs Thalaine sehen würde, wie sie über die Pflastersteine des Fußwegs balancierte, die in viel zu großen Abständen in den perfekt gerechten Kiesweg gesetzt worden waren. Kay drehte sich nicht noch einmal um, aber sie dachte, sie sollte nach Hause gehen und die Fotos von Joy herauskramen und sich nicht länger etwas vormachen. Morgen würde sie nicht früher herkommen. Sie würde pünktlich erscheinen. Und sie beschloss, auf dem Heimweg noch Haarfarbe zu kaufen und vielleicht auch noch etwas Handcreme.

Sie hielt den Kopf hoch erhoben, bis sie sicher war, dass sie vom Küchenfenster aus nicht mehr gesehen werden konnte, dann griff sie in ihre Handtasche und holte die Zigaretten heraus, zündete eine an und schlenderte um die Ecke, genoss es, denn sie wusste, dass sie für die Campbells früh dran war und sich nicht beeilen musste.

Es war windig, drohte zu regnen, eigentlich schon zu windig, um gemütlich draußen zu rauchen, aber sie genoss es trotzdem, weil sie diese Zeit ganz für sich hatte. Das war alles, was ihr heutzutage geblieben war, die Zeiten dazwischen, aber die genügten ihr.

Die Müllcontainer und Recyclingtonnen waren Anlass heftiger Auseinandersetzungen. Niemand wollte die Tonnen sehen oder sie in der Nähe des eigenen Hauses haben. Also hatte man sich auf einen Kompromiss geeinigt. Eine Fläche von zwei Autolängen war asphaltiert und mit einer hohen Hecke umgrenzt worden. Kay musste jedes Mal grinsen, weil das so verklemmt wirkte, als würden sich die Leute schämen, Mülltonnen nötig zu haben. Die Hecke bot einen natürlichen Windschutz. Kay beugte sich vor und zog noch einmal an ihrer Zigarette. Sehr gut. Sie spürte, wie sie ihre Wut auf Margery tief in ihre Lungen sog, und wie sie sich in ihrem Bauch auflöste.

Motorengeräusch drang über die Hecke, weshalb sie rasch einen letzten Zug nahm, einen scheußlich kratzigen, und die Zigarette auf den Boden warf, sie mit dem Absatz austrat und sich entfernte. Es hatte bereits Beschwerden wegen liegen gelassener Zigarettenstummel bei den Mülltonnen gegeben. Als sie die Waitrosetüte wieder nahm, dachte sie »scheiß auf Margery«, hob den Deckel der Tonne für den Hausmüll und warf die Tüte hinein, gerade als der Wagen vorüberfuhr.

Er hielt hinter ihr an, und sie drehte sich um in der Erwartung, einen Rüffel von einem der Anwohner zu bekommen, weil sie hier geraucht hatte. Aber es waren die beiden Polizisten, die eben mit Margery gesprochen hatten.

Der männliche Beamte saß am Steuer. Er ließ die Scheibe herunter, ein dümmliches breites Grinsen im Gesicht, und nickte langsam, als wäre sie ein bisschen dämlich.

»Hätte das nicht in die Recyclingtonne gehört?« Sein Grinsen war breit, der Mund offen, sie konnte seine glänzende Zunge zucken sehen.

»Wenn ihr die Umwelt so am Herzen liegt, kann sie ihren Müll selbst hertragen«, sagte Kay missmutig.

Er grinste immer noch unbeirrt und sprach dann langsam

weiter, wobei er seinen Akzent unterdrückte, als würde sie ihn sonst nicht verstehen. »Liegt Ihnen die Umwelt nicht am Herzen?«

Sie beobachtete, wie sein Blick zu ihren Titten wanderte und er nicht mal genug Respekt an den Tag legte, verlegen zu reagieren, als er sah, dass es ihr nicht entgangen war. Sie verschränkte die Arme vor der Brust.

»Haben Sie angehalten, um mich mit Ihrem Scharfsinn zu beeindrucken, oder kann ich was für Sie tun?«

Getroffen versank er in seinem Sitz. Die Beamtin, die ihr die Hand hatte geben wollen, beugte sich zum Fenster auf der Fahrerseite. »Sind Sie Kay Murray?«

»Ja.«

»Sie haben oben in Glenarvon gearbeitet?«

»Ja, klar, bis vor zwei Monaten, bis Mrs Erroll gestorben ist.«

»Würden Sie mit uns hinfahren und nachsehen, ob im Haus etwas fehlt?«

»Wurde eingebrochen?«

»Das wissen wir nicht. Wir wissen nicht, ob etwas gestohlen wurde.«

Kay runzelte die Stirn. »Fragen Sie doch Sarah Erroll. Ich glaube, sie ist zu Hause.«

»Sarah Erroll wurde gestern Nacht ermordet. Mrs Thalaine hat gesagt, Sarah habe einzelne Möbelstücke, Geschirr und dergleichen verkauft, daher wissen wir nicht, ob die Eindringlinge etwas mitgenommen haben. Würden Sie uns begleiten und uns mitteilen, ob Sie denken, dass etwas fehlt?«

»Ermordet? Sarah? Zu Hause?« Kay war sich bewusst, dass sie stammelte.

»Oh.« Die Frau schien plötzlich zu begreifen, dass die

Nachricht Kay zusetzte. »Ich fürchte, ja, tut mir leid, dass Sie es auf diese Weise erfahren mussten …«

»Wer hat sie umgebracht?«

Jetzt grinste der Mann nicht mehr. »Das wollen wir rausfinden.«

»Sie war vierundzwanzig …« Kay rechnete den Altersunterschied zu ihren eigenen Kindern aus, acht Jahre lagen zwischen Sarah und Joe.

Die Polizistin versuchte es erneut. »Tut mir leid. Standen Sie sich nahe?«

Kay wollte gerade noch eine Zigarette anzünden, als ihr klar wurde, dass Margery alleine zu Hause war und erneut Nachricht von einem plötzlichen Todesfall erhalten hatte. Ein weiterer Grund, sich zu fürchten.

»Sie haben ihr das aber doch nicht erzählt, oder?«

»Wem erzählt?«

»Marg… Thalaine, Mrs Thalaine?«

Sie sahen einander an, und Kay wusste, dass sie's getan hatten.

»Oh, verfluchte Scheiße.« Sie eilte um die Motorhaube des Wagens herum, berührte sie, stellte fest, dass sie noch warm war.

»Kommen Sie gleich mit?«, rief ihr die Frau durch ihr eigenes Fenster nach.

»Später«, rief Kay und rannte die Straße zurück. »Ich komme später.«

10

Thomas' Ohren unter den gepolsterten Schalen waren heiß und juckten, während die Piper durch graue Wolken hindurch nach Biggin Hill knatterte.

Sie war klein, kaum mehr als vier Sitzplätze und ein Motor, ein Go-Kart von einem Flugzeug. Er hatte die Landungen mit der Piper schon immer gehasst. Die Maschine war so klein, dass er stets ein Bild von brüchigem Balsaholz vor Augen sah, und wie das Flugzeug bei der Landung in sich zusammenfiel und ihn erdrückte, als wäre es aus feuchter Pappe. Er holte tief Luft, um sich zu beruhigen, sog den abgestandenen Geruch von Captain Jacks Schweiß ein. Zwischen ihnen lagen nur wenige Zentimeter. Thomas konnte sich nicht einmal die Zeit mit Lesen vertreiben, weil das Licht in der Kabine ausgeschaltet bleiben musste und das Flugzeug so sehr ruckelte, dass die Buchstaben wild durcheinanderhüpfen würden. Außer Nachdenken gab es nichts zu tun.

Jetzt war er alleine und unbeobachtet, ihn verfolgten keine Bilder der toten Frau oder der Geruch von Feuchttüchern mehr. Das Einzige, woran er im Moment denken konnte, waren seine Eltern.

Moira. Seine unterkühlte, dumme, längst nicht mehr hübsche Mutter. Wahrscheinlich fiel sie alle halbe Stunde in Ohnmacht, unfähig den Verlust eines Mannes zu verkraften, der schon seit Jahren ungeniert vom Frühstückstisch aus mit seinen Geliebten telefonierte. Thomas' Großmutter meinte, Moira würde aus allem ein Riesenaufhebens machen, weshalb sie auch so gut wie nichts wog und niemals etwas aß. Sie war ein erstickendes, leeres Vakuum. Und sie konnte Thomas nicht einmal leiden. Zuneigung blieb Ella vorbehalten.

Squeak hatte recht: Da waren keine Kinder gewesen. Nur eine einfache Frau in einem heruntergekommenen Haus. Sein Vater hätte so etwas niemals geduldet. Er hatte immer auf makellose Inneneinrichtung, perfekte Kleidung und angemessene Garderobe bestanden, immer. Es war ein Schock gewesen, aber sie waren im falschen Haus gelandet, und das war sein Fehler gewesen. Ein dummer Fehler. Es würde herauskommen und man würde ihn für einen Trottel halten.

In der holprigen Dunkelheit sprangen seine Gedanken zwischen dem unordentlichen alten Haus und dem Bild von Squeak auf allen vieren hin und her, Squeak, der sich im Dunkeln hielt und zu ihm aufsah. Er konnte Squeak nicht die Schuld zuschieben, die hatte er selbst zu tragen, so als wäre Squeak ein Geschwür in ihm, dem er gestattet hatte, unkontrolliert zu wachsen und zu eitern. Doch ein kleiner, rationaler Teil von ihm begriff durchaus, dass es falsch war, so loyal zu sein. Und er war schlau genug, um zu verstehen, dass er sich willkürlich für Squeak entschieden hatte, weil sie sich physisch schon sehr, sehr lange sehr nahestanden und auch seine Eltern nicht die Funktionen ausfüllten, die ihnen eigentlich zukamen und er sich an jemanden binden musste. Er selbst war Squeak. Es war irrational, wie sehr er Squeak war. Aber sie lebten auch nicht in einer rationalen Zeit. Jedes Mal, wenn er sich umsah, hatte sich alles schon wieder komplett verändert.

Das Polster der Kopfhörer juckte wirklich fürchterlich.

Er schob seinen Zeigefinger unter die Ledermanschette und kratzte sich fest an den Ohren. Moira würde ihn nicht vom Flughafen abholen. Wahrscheinlich versteckte sie sich im Haus, in ihren eigenen Räumlichkeiten, zusammen mit Ella.

Dann befanden sie sich auf einmal unter den Wolken, flogen tief genug, sodass Thomas sich vorstellen konnte, aus dem Flugzeug zu fallen und bei vollem Bewusstsein auf den Boden zuzurasen. Der Pilot nahm Anweisungen vom Tower entgegen, und plötzlich knisterte es in Thomas' juckendem Kopfhörer. Captain Jack hatte ihn schon viele Male geflogen, und er sprach mit jener seltsamen, betont ruhigen Stimme, derer sich Piloten auch bei normalen Passagierflügen bedienten. Er klang ein bisschen wie ein schlechter Radio-DJ.

Egal, was Doyle gesagt hatte, Thomas würde nicht nach St. Augustus zurückkehren. Er versuchte, sich sein Leben vorzustellen. Von nun an würde er in den Tag hineinleben, und er überlegte, womit er seine Zeit füllen sollte. Er fragte sich, ob der Tod seines Vaters bedeutete, dass ihnen die Gläubiger das Haus nicht mehr abnehmen konnten. Thomas würde seine Räume im Erdgeschoss, abseits des Haupthauses, behalten. Eigentlich war es eine Wohnung für eine Großmutter. Die Vorbesitzer hatten sie so genutzt. Zwei große Zimmer zum Garten raus, mit einer kleinen Küche und einem Badezimmer. Als sie eingezogen waren, hatte sein Dad Thomas die Räume überlassen, weil er ein bisschen geraucht hatte und dies im Haus nicht gestattet war. Es war schlecht für Ellas Asthma.

Er stellte sich vor, im Bett zu liegen, in der Dunkelheit, endlich ganz für sich allein, so dass er ungestört nachdenken konnte. Er spürte keine Trauer oder Traurigkeit, so wie man es von ihm hätte erwarten können. Vielmehr war er bestürzt und so wütend, dass er sich am liebsten auf Captain Jack gestürzt und ihn erwürgt hätte.

Über seine eigenen Gedanken erschrocken, verkrampfte er seine Hände im Schoß. Er sah aus dem Fenster.

Sein Vater war tot.

Er hatte immer jeden Raum komplett ausgefüllt.

»Guck dir an, wie die mich ansehen«, hatte er einmal beim Betreten eines Restaurants zu Thomas und Ella gesagt. Ella hatte ihren Vater umarmt und irgendwas Kitschiges gesagt. Aber Thomas hatte den Mann angesehen, sein weißes Haar, das durch das Haargel silbrig glänzte, und gewusst, dass ihn nur deshalb alle ansahen, weil er so sichtlich steinreich war. Auf sein Jackett hatte es niemals geregnet, sein Kragen war blütenweiß, er besuchte mit zwei Kindern ein Drei-Sterne-Restaurant, das voll besetzt war mit Bankiers in dunklen Anzügen. Das tat er nicht den Kindern zuliebe, um die Kinder ging es nie. Sie aßen dort, damit die Leute sahen, dass er es sich leisten konnte, zweihundert Pfund für ein Essen mit einem ungelenken Teenager und einem sentimentalen Kind zu verschwenden. Sein Vater war nichts Besonderes, er war nur reich. Und jetzt war er tot. Thomas dachte immer wieder, dass er ihn umgebracht hatte, dass er von ihrem Tod erfahren und sich erhängt hatte. Beinahe hoffte er es sogar. Er musste sich immer wieder ins Gedächtnis rufen, dass sein Vater längst gebaumelt hatte, als Squeak den Motor anließ.

Thomas sah aus dem Fenster. Er sollte sich ebenfalls erhängen. Er hätte sie gerne gesehen, die Gläubiger, die draußen vor der gesicherten Schutzmauer des Hauses protestierten, Eier und brennende Zeitungen auf das Grundstück warfen und damit jeden hätten treffen können, Ella, einen der Hunde oder sonst jemanden. Er hätte gerne die Schlagzeilen gesehen: Lars Andersons fünfzehnjähriger Sohn erhängt aufgefunden. Sie würden so tun, als sei es nur um Geld und den öffentlichen Druck gegangen. Sie würden sich schrecklich vorkommen. Die Zeitungen, die seinem Vater so zugesetzt hatten, würden schlagartig ihre Standpunkte ändern, andere wegen ihrer gnadenlosen Angriffe verurteilen und dazu aufrufen, Ruhe zu bewahren. Er lächelte vor sich hin.

Sie flogen allmählich tiefer, kreisten, reihten sich zur Landung ein. Thomas sah zum Horizont. Ganz rechts konnte er Bromley erkennen, möglicherweise sogar Blackheath, die beide immer tiefer sanken und, wie vom Erdboden verschluckt, plötzlich verschwanden. Das Flugzeug ging schnell runter.

Thomas atmete so laut, dass die Stimmfreischaltung aktiviert wurde und der Pilot ihn bat, das Gesagte noch einmal zu wiederholen.

»Nichts«, erwiderte Thomas mit sehr bestimmtem Unterton. »Hab nur geatmet.«

Sie befanden sich jetzt auf einer Linie mit den Lichtern der Landebahn, einfach geradeaus. Gerade drauf zu, Nase runter. Thomas verzichtete auf tiefe Atemzüge und klammerte sich stattdessen an das Sitzpolster.

Das Flugzeug kam auf und bremste ab, kippte ein kleines bisschen nach vorne, sodass sie spürten, wie sich das Gewicht bedrohlich Richtung Schnauze verlagerte.

Es fand jedoch selbst wieder die Balance, wurde immer langsamer, bis es schließlich nur noch kroch, und Captain Jack sprach mit seiner blöden Stimme ins Mikro, meldete dem Tower, dass sie gelandet waren.

Langsam rollte die Maschine auf das hell erleuchtete Tor des Hangars zu, ein Spalt trügerisch goldener Wärme. Die

Tore waren bereits weit geöffnet. Der Hangar war leer. Normalerweise standen auch noch andere Flugzeuge darin, und dann mussten sie warten, bis sie hineingeschleppt werden konnten, aber jetzt hatte der Pilot die Anweisung erhalten, direkt reinzufahren. Thomas suchte die ATR-42, konnte sie aber nicht entdecken. Captain Jack brachte die Maschine perfekt zum Stehen, kein Ruckeln, kein Holpern. Der Motor verstummte.

Er schaltete die Scheinwerfer aus, legte Schalter für Schalter um. Irgendwie unpassend bedankte er sich bei Thomas über Kopfhörer für dessen Gesellschaft an diesem Abend. Auf jeden Fall ein gescheiterter Verkehrspilot, dachte Thomas, wahrscheinlich hatten sie ihn besoffen im Dienst erwischt.

Thomas testete seine Knie auf Standfestigkeit, löste seinen Sicherheitsgurt und erhob sich vorsichtig, zog den Kopfhörer von den Ohren und ließ ihn auf den Sitz fallen. Draußen schob ein Mann in einem Arbeitsoverall eine Gangway an das Flugzeug. Thomas wartete, dass Captain Jack die Tür öffnete, herauskletterte und ihm beim Aussteigen half.

Dann sah er sie.

Sie stand in der eisigen Kälte des Hangar, auf einer Plattform vor der Bürotür. Sie kannte das Flugzeug, weil sie ihn schon oft abgeholt hatte, wenn er von der Schule nach Hause gekommen war. Sie hatte dunkles Haar und zog ihren grünen Schafspelzmantel fest um sich. Nanny Mary. Thomas spürte, wie ihn die Liebe zu ihr überwältigte, wie sehr er sie brauchte, aber immer war da auch die Gegenreaktion: ein Gefühl von Ekel und Selbsthass, schleimig, wie ihr Saft unter seinen Fingernägeln, wenn er nachts im Bett lag, ihren Geruch auf seiner Bettwäsche, ihren harten Läuferinnenkörper neben ihm, unnachgiebige Muskeln unter weicher Haut. Ihr Blick traf seinen, sie erahnte seine Stimmung und lächelte unsicher. Thomas sah weg.

Der Pilot öffnete die Tür, ließ die Eiseskälte herein und stieg aus.

Thomas ging die Treppe hinunter, ignorierte die ausgestreckte Hand des Piloten und vermied jeglichen Blickkontakt. Mary kam auf ihn zu. Auch sie streckte ihm eine Hand entgegen, und Thomas ignorierte sie.

»Wo steht der Wagen?«

»Tommy, du blutest.« Sie wollte an sein Ohr fassen, aber er zog den Kopf weg und legte die Hand darüber. Seine Handflächen waren kalt und feucht. Er hatte zu fest gekratzt.

»Wo ist dein Gepäck?«

Captain Jack kletterte noch einmal hinein und holte den Reisesack hinter den Sitzen hervor. Er reichte ihn herunter, und Mary nahm ihn demonstrativ für ihn entgegen. Thomas beobachtete, wie sie nach oben griff und Captain Jack ins Gesicht sah – dabei hatte sie oft hinter seinem Rücken Witze über ihn gemacht – und wie eine falsche Schlange dabei lächelte.

Sie trug ihm die Tasche zum Wagen, das Gewicht war kein Problem für sie, einmal warf sie sie sogar von einer Hand in die andere, was ihn erschreckte. Er fürchtete, sie wolle ihn an der Hand nehmen, und vergrub beide Hände tief in den Hosentaschen, bis er das Loch spürte, das sich ins Futter gebohrt hatte, und eine harte Stelle, wo ein Kugelschreiber ausgelaufen war.

Jamie, der Lieblingschauffeur seiner Mutter, stand am Wagen und rieb sich die Hände, um sie warm zu halten. Sie hatte Jamie geschickt, und einen Moment lang hoffte er, es sei aus Zuneigung geschehen, in dem Versuch, ihm ein herzliches Willkommen zu bereiten, aber so war es nicht. Jamie war nur hier, weil sie ihn sonst nicht brauchte. Sie war drinnen, im Warmen, mit Ella.

Jamie lächelte nervös, nickte und öffnete die Tür. Thomas sagte: »Alles klar?«, und stieg ein, bevor Jamie antworten konnte. Mary folgte ihm auf die Rückbank. Sie hörten das Knacken des Kofferraums, und Jamie stellte die Tasche hinein, knallte den Deckel zu, sprang wieder nach vorne und setzte sich ans Lenkrad.

Sie hatte alles bereitgestellt, bevor sie zum Hangar gekommen war: zwei Becher von Starbucks – Plastik, keine Pappe – warteten in den Halterungen zwischen den beiden Sitzen. Dampf stieg aus der Trinköffnung und der Geruch von Schokolade. Sie zeigte darauf, als Jamie den Wagen anließ und losfuhr.

»Heiße Schokolade.«

Thomas sah aus dem Fenster neben sich. »Nein.«

Sie lächelte und nahm ihren Becher, schlang ihre großen Hände darum. »Ich dachte, dir ist vielleicht kalt.«

»Mir geht's gut.« Er sah ihr Spiegelbild in der dunklen Scheibe und auch, wie ihre Blicke zu seinem Bauch und zwischen seine Beine wanderten. Ein schauderhaftes Verlangen nach ihr durchzuckte ihn, und ihm wurde schlecht. »Ich will nichts.«

Sie sah weg. »Du blutest immer noch.«

Jetzt fiel sein Blick auf sein eigenes Gesicht in der getönten Scheibe. »Halt verdammt noch mal die Klappe, Mary.«

11

Kalter Regen sprenkelte Morrows Gesicht. Die oberste Stufe war ungeschützt, und der sanfte Schauer wirbelte um sie herum; der Wind zerrte wie ein Kind am Saum ihres Mantels und ließ sie lächeln, obwohl Bannerman ihr durchs Telefon ins Ohr brüllte: »Machen Sie das aus! Machen Sie das aus und hören Sie mir zu!«

Das Telefon war wenige Zentimeter von ihrem Ohr entfernt, aber sie hörte trotzdem die weibliche Stimme im Hintergrund, die sehr langsam sprach, wie unter Drogen: »Der Straße lange folgen.«

Bannerman schrie: »Machen Sie das scheiß Ding aus!«

Eigentlich war fluchen gar nicht seine Art. Er wollte nur unbedingt schnell hier ankommen. Das war die Verlockung des Geldes, Geld unbekannten Ursprungs, in unbekannten Mengen, ein Meer an rosa Möglichkeiten.

»Wenden Sie, *sofort!*«

Genau dafür waren sie aber ausgebildet, die Fahrer der Panzerfahrzeuge, sie hatten gelernt, sich gegenüber Geschrei oder Drohungen unempfindlich zu zeigen, es einfach zu ignorieren, ruhig zu bleiben und den angegebenen Zielort anzusteuern. Einigen Beamten fiel dies leichter als anderen. Morrow konnte die einsilbigen Antworten des Fahrers hören, nein, ja, hier, nicht hier, während die GPS-Dame den Kurs vorgab und die Scheibenwischer über das Glas quietschten.

»Morrow? Morrow!«, brüllte Bannerman.

Sie überlegte, ob sie auflegen und hinterher behaupten sollte, die Verbindung sei plötzlich unterbrochen worden, aber er würde nur noch mal anrufen und schreiend weitere Wegbeschreibungen verlangen, an die sich der Fahrer sowieso nicht halten würde.

»Am Apparat, Sir.«

»Gut. Wir kommen. Langsam, aber wir kommen.«

Morrow stand auf der obersten Treppenstufe und dachte über Sarah Erroll nach. Sie war jünger gewesen als sie selbst und hatte hier alleine gelebt. Seltsam, immer an ein und demselben Ort gelebt zu haben. Das Haus musste ihr so vertraut gewesen sein, dass sie es schon gar nicht mehr wahrgenommen hatte. Die Steine, das Gras, die Stufen und Mauern, verdrängt von den gesammelten Erinnerungen ihres Lebens, von unbedeutenden Vorfällen, Eindrücken und Bildern, die sich ihr aus keinem ersichtlichen Grund bis ins kleinste Detail eingeprägt hatten. Morrow hoffte, dass die Wolke aus Eindrücken bis zum Schluss eine glückliche gewesen war. Sie sah einen schwarzen Schuh kräftig auftreten. Mehr hatten die Abdrücke nicht ergeben, schwarzes Wildleder. Die Sohle sah aus wie die eines Sportschuhs, mit tiefen Rillen, ohne Absatz. Zwei Paar in fast derselben Größe. »Fahren Sie weiter, halt, drehen Sie hier!«

Sie hielt das Telefon noch ein Stückchen weiter von sich weg.

Es war erst halb fünf, aber schon dunkel. So weit oben auf der Anhöhe gab es keine Straßenbeleuchtung mehr. Im Inneren des Hauses waren alle Lichter an, außerdem die grellweißen Scheinwerfer der Spurensicherung. Sechs Meter hinter der untersten Stufe war die Dunkelheit undurchdringlich.

Ihr Telefon piepte, ein weiterer Anruf, Nummer unbekannt. Zu Bannerman sagte sie: »Ich bekomme gerade noch einen Anruf«, und schaltete um. »Hallo?«

Die Stimme war zart, mädchenhaft. »Hallo? Spricht da Alexandra Morrow?« Der Anruf kam nicht von der Dienststelle, aber sonst hatte doch niemand diese Nummer.

»Ja?«

»Hallo, äh, mein Name ist Val MacLea. Ich bin Rechtspsychologin. Daniel McGrath hat mir Ihre Nummer gegeben.«

Morrow senkte Kinn und Stimme. »Danny hat Ihnen *diese* Nummer gegeben?« Sie fragte sich, woher er die Nummer ihres Diensthandys hatte. Sie war nirgendwo aufgeführt. Nicht mal Brian hatte diese Nummer.

»Ja.« Die Frau zögerte, merkte, dass etwas nicht stimmte. »Tut mir leid, sind Sie jetzt nicht im Präsidium in der London Road?«

Er hatte die Nummer nicht, der Anruf war umgeleitet worden.

»Entschuldigen Sie, nein, ich … Sie haben mich gerade auf meinem Diensthandy erreicht, der Anruf wurde umgeleitet.«

»Okay«, sagte die Frau geduldig. »Kann ich Sie zu einem anderen Zeitpunkt anrufen, wenn es Ihnen besser passt?«

Morrow sah die Straße hinunter, keine nahenden Scheinwerfer in Sicht. »Nein, eigentlich nicht.«

»Nun, ich hoffe, es ist in Ordnung, dass ich mich bei Ihnen melde, es geht um John McGrath, das ist doch Ihr Neffe?«

Sie wartete auf eine Antwort, und Morrow blickte weiter auf die Straße. »Hmmm.«

»Nun, ich erstelle eine Risikoeinschätzung im Auftrag des Gerichts und habe mich gefragt, ob ich mich ein bisschen mit Ihnen über die Hintergründe unterhalten könnte?«

»Eine Risikoeinschätzung?«

»Wir sehen uns Johns Vergangenheit an, um einschätzen zu können, ob er in Zukunft weitere Straftaten begehen wird.«

»Er *wird* es wieder tun.«

Sie stutzte. »Wäre es möglich, dass ich persönlich mit Ihnen spreche?«

Sie klang freundlich und vernünftig; Morrow hätte gerne mit jemandem über ihre Vergangenheit gesprochen, ohne sich selbst zensieren oder erklären zu müssen. Aber wenn sie sich darauf einließ, würde Danny davon erfahren. Er würde es als Gefallen verstehen.

»Ich will das nicht.«

Sich zu John zu bekennen, wäre verantwortungsbewusst gewesen. Sie hatte aus der Ferne mitbekommen, was mit ihm geschehen war, wie er von einem Irren zum nächsten gereicht wurde. Sie kannte das Chaos, in dem er aufgewachsen war, und sie hatte nichts dagegen unternommen. Einmal, als sie auf dem College und er noch ein kleiner Junge gewesen war, hatte sie ihn gesehen. Es war im Sommer gewesen, und er hatte in einem Buggy gesessen, festgezurrt und draußen vor einem Pub abgestellt, mutterseelenallein. Er hatte schlimm ausgesehen. Seine Zehen in den Sandalen waren schmutzig. Er kannte sie nicht, aber sie hätte ihn einfach mitnehmen können, jeder hätte ihn einfach mitnehmen können. Sie hatte fünfundzwanzig Minuten lang an der Ecke gestanden und den Buggy bewacht. Und während sie dastand, hatte sie mit dem Gedanken gespielt, John zu stehlen, ihn mit nach Hause zu nehmen, zu waschen und zu füttern. Aber sie war noch jung gewesen und hatte kein Geld und kein Zuhause gehabt, wohin sie ihn hätte mitnehmen können. Seine Mutter war irgendwann aus dem Pub gestürmt, hatte unsanft die Bremse des Kinderwagens gelöst, dabei das Kind, das sie anlächelte, nicht ein einziges Mal angesehen und auch nicht mit ihm gesprochen. Morrow hatte ihr nachgeschaut und gemerkt, wie sich ihre frühere Überzeugung, sie selbst würde sich verantwortungsvoller verhalten als ihre eigene Mutter, in Luft auflöste.

Zwischen den Bäumen am Ende der Straße sah sie das gelbliche Leuchten von Autoscheinwerfern. »Ich muss Schluss machen«, sagte sie.

»Wäre es möglich, dass wir uns treffen?«

»Sie wissen, dass ich Polizeibeamtin bin – niemand weiß über meine Vergangenheit Bescheid, und ich möchte damit auch nicht in Verbindung gebracht werden …«

»Das Gespräch kann bei Ihnen zu Hause stattfinden, wenn Sie möchten. Und es steht Ihnen selbstverständlich frei, in mein Büro zu kommen.«

Die Lichter kamen näher, bremsten an der Gabelung, entschieden sich für den Hang und bogen ab, durchstießen die dichte Dunkelheit, als der Wagen um die letzte Biegung kam.

»Nein.« Sie beendete beide Gespräche.

Schuldbewusst wie ein Schulmädchen, das mit einer Zigarette erwischt wurde, montierte sie ein verlegenes Lächeln auf ihr Gesicht und beobachtete, wie der gepanzerte Transporter vorfuhr.

Er war eigentlich ziemlich unscheinbar, ein kleiner schwarzer Transporter mit Kamera auf dem Dach. Im Inneren war das schon anders. Die Türen hinten gaben eine weitere Tür frei, eine gepanzerte Tür mit einer Zeitschaltuhr. Der Safe war mit dem Fahrzeugboden verschweißt, sodass Räuber den Transporter in der Mitte hätten auseinanderschneiden müssen, um ihn herauszuholen. Das Fahrzeug wurde für den Transport von beschlagnahmten Drogen und größeren Geldbeträgen benutzt. Selbst die Ausbildung der Fahrer war kostspielig.

Der Transporter buckelte, als die Handbremse gezogen wurde. Bannerman öffnete die Beifahrertür, stieg aus und schlug sie wütend hinter sich zu. Er stampfte zu ihr rüber, als hätte sie nicht längst gewusst, dass er stocksauer war, blieb unten am Fuß der Stufen stehen und beschimpfte den Fahrer in zornigem Nuschelton.

»Er hat mich zu einem Geschäft für Kaschmirpullover namens Glenarvon im Nachbardorf gefahren.«

Morrow war das scheißegal. »Verstehe.«

»Wo?«

»Die Leiche?«

»Nein, das Geld.« Typisch Bannerman, er würde über eine tote Frau steigen, nur um auf direktem Weg zu Ruhm zu gelangen. Selbst wenn das Geld nichts mit Drogen zu tun hatte, wäre ihm dadurch eine Erwähnung auf der ersten Seite des Strathclyde Police Newsletter sicher. Und Vorgesetzte lasen den Newsletter, sie waren die Einzigen, die ihn lasen, weil es ihnen das Gefühl gab, dadurch Kontakt mit den Männern zu halten. Bannerman sah sich gerne darin.

Sie hörten, wie eine Tür geöffnet wurde und der Fahrer vorsichtig ausstieg. Sein Visier war heruntergeklappt, er trug Handschuhe und suchte die Umgebung nach Räubern ab. Frisch aus der Ausbildung, vermutete Morrow, da nahm man alles noch sehr genau. Er tat ihr leid. Er sah sie an und zögerte, schien nicht herüberkommen zu wollen, so lange Bannerman noch bei ihr stand.

Morrow gab ihm ungeduldig ein Zeichen, herzukommen.

Sie konnte nicht ins Büro fahren, bevor sie die Verantwortung für das Geld nicht abgegeben hatte. Er machte langsame Schritte und blieb in gut drei Metern Entfernung wieder stehen. Bannerman funkelte ihn böse an, forderte ihn auf, näherzutreten.

Die beiden verschwendeten ihre Zeit mit Hahnenkämpfen, dabei wartete Sarahs Anwalt im Präsidium darauf, verhört zu werden, und vor Feierabend musste sie außerdem noch einige der vorläufigen Berichte lesen. Aus purer Bosheit überlegte sie einen Augenblick lang, ob sie alle beide ohne Vorwarnung an Sarah Erroll vorbeiführen sollte, aber sie riss sich zusammen: »Sie sollten hinten herum gehen – sie wird jetzt abtransportiert, das ist kein schöner Anblick. Da hinten ist eine Küchentür und dort sind die Täter auch durchs Fenster eingestiegen.«

»Wir sollen hintenrum gehen, weil da oben die Leiche liegt?«

Bannerman machte einen Schritt die Stufen hinauf. »Ich kann was vertragen, ich weiß, dass es schlimm ist …«

»Nein, darum geht's nicht, aber Sie könnten den Tatort kontaminieren. Das Geld ist in der Küche.« Sie sah über seinen Kopf hinweg. »Fahrer, Sie, wie heißen Sie?«

Er nannte ihr seinen Namen, aber seine Stimme war durch das Visier gedämpft. Morrow hörte sowieso nicht zu. Stattdessen lobte sie sich, weil sie Untergebenen mit so viel Freundlichkeit begegnete.

»Okay«, sagte sie. »Also, Sie gehen beide hintenrum und sehen sich das Geld an. Mir wär's recht, wenn Sie's so mitnehmen könnten, wie es ist, auf dem Brett.«

»Hier rum?« Seitlich vom Haus war es jetzt dunkel, und er schien nicht gerne dort entlangzugehen.

»Ja, bis ganz hinten. Das Licht brennt, Sie werden die offene Tür sehen.«

Er ging weiter, stapfte durch das lange feuchte Gras und verschwand hinter einem Baum.

Bannerman sah zu ihr auf. »Wie geht's? Alles in Ordnung?«, fragte er, was fast intim klang.

Morrow täuschte Verwirrung vor. »Äh … gut, ja.«

»Wird Ihnen das nicht zu viel?« Er nickte Richtung Haus.

»Nein, nein, mir geht's gut. Obwohl ich das Gefühl habe«, sagte sie und strich sich über den Bauch, während sie die Stufen herunter und ihm entgegenging, »dass es nicht schlecht wäre, wenn ich morgen mal ausschlafen könnte.«

Bannerman lachte freudlos. »Ah, ich glaube, schwanger gefallen Sie mir besser. Die Hormone machen Sie so sanft.« Er berührte sie, tätschelte ihr den Rücken auf eine Art, wie er es vorher nie gewagt hätte.

Sie hatte sich verändert, das wusste sie, aber mit Chemie hatte das nichts zu tun. Dass sie Zwillinge bekommen würde, stellte ihr Leben sowieso schon auf den Kopf, und er wusste, dass Gerald gestorben war. Er schien zu glauben, dass sie jetzt über ihre Gefühle sprechen, berührt und ein bisschen bevorzugt behandelt werden wollte. Um nichts Dummes zu sagen, wandte sie ihr Gesicht der offenen Tür zu.

»Den Männern ist der Mord hier scheißegal«, sagte sie leise.

»Wieso?«

Sie seufzte Richtung Haus. »Großes Haus, keine nahen Verwandten, die um sie weinen, ein Haufen Geld offensichtlich fragwürdiger Herkunft in der Küche. Und sie hat kein Gesicht mehr.«

»Die Geschichte wird unsere Leute schon noch einholen, wir werden Kinderbilder von ihr finden.«

»Chef, die reißen sogar schon Witze über sie.«

»Hab's gehört.« Er grinste dreckig. »Schönbein.«

Morrow wusste nicht, wie sie ihm sagen sollte, dass die Männer daran Anstoß nahmen, dass die Genitalien der toten Frau zu sehen waren. Sie waren altmodisch, hatten Mitgefühl mit Frauen, die ihre Unterhose an und die Knie zusammenhielten. Die zarteste Andeutung, dass die Frau möglicherweise mit mehreren Männern Verkehr gehabt haben könnte, würde jegliche Sympathien zunichtemachen. Morrow versuchte, möglichst nicht darüber nachzudenken, knöpfte ihre eigenen Hemden aber stets bis zum Hals zu.

»Leistungskrise«, sagte er laut. »Viele sind einfach nur scharf auf ihren Gehaltsscheck.«

Sie brummte unbestimmt. Was Bannermann da sagte, entsprach wohl kaum seinem eigenen Eindruck, er wiederholte lediglich, was während eines Gesprächs, das er empört mit einem seiner Golffreunde geführt hatte, geäußert worden war. Natürlich hatten die Männer das Recht, nur wegen des Geldes zu arbeiten. Aber das Problem saß tiefer: Mangelnde Leistungsbereitschaft war inzwischen gang und gäbe, galt sogar als ehrenhaft und als etwas, womit die Kollegen untereinander prahlten. Je weiter sich diese Einstellung verbreitete, desto weniger war noch von ihnen zu erwarten, und die Chefs verzweifelten, versuchten eines Problems der Herzen und des Stolzes mit Gerüchten über Zusatzprämien Herr zu werden.

Der Fahrer kam seitlich ums Haus herum zurück. Er hatte seinen Helm abgenommen und jetzt war sein großes hübsches Babyface zu sehen. »Chef, wir werden noch ein paar Transporter mehr brauchen. Das ist zu viel.«

Morrow sah den Wagen, mit dem er gekommen war. Darin war mehr als genug Platz für das, was unter dem Tisch lag. »Ach, das passt schon.«

»Nein.« Er hob die Hand und schloss die Augen, um seinem endgültigen Urteil Nachdruck zu verleihen. »Laut Vorschrift dürfen wir nicht mehr als 75 000 auf einmal transportieren. Meinen Berechnungen nach brauchen wir neun Transporter.«

Bannerman drehte sich zu Morrow um, und beide schmunzelten.

»Und«, fuhr er traurig fort, »da uns keine sieben Transporter zur Verfügung stehen, müssen wir abladen, wiederkommen, die nächste Fuhre wegbringen, wiederkommen und so weiter.«

Er sah das Lächeln der beiden und deutete es falsch. »Absolut. Ist echt wahnsinnig viel. Drogen, oder?«

Morrow runzelte die Stirn, um nicht laut loszukichern. Dann lehnte sie sich durch die Tür ins Innere des Hauses und rief nach DC Wilder. »Sie können sich ja drum kümmern«, sagte sie zu Bannerman. »Achten Sie drauf, dass nichts verschoben wird ...«

»... bis es fotografiert wurde, das weiß ich, Morrow«, grinste Bannerman.

Wilder kam aus der Tür. Er wirkte schuldbewusst, als er sah, dass Bannerman und Morrow lachend zusammen auf den Stufen standen.

»Wilder«, sagte sie, während er Bannerman nickend begrüßte, »fahren Sie mich bitte zurück.«

Morrow und Bannerman verabschiedeten sich kichernd, und Wilder stolperte die Stufen hinunter zum Wagen. Morrow folgte ihm. Sie fuhren gerade am Hauseingang vorbei, als Bannerman und der Fahrer die Stufen zur Tür hinaufstiegen.

»Viel Glück«, murmelte Wilder.

Morrow war froh, dass er das sagte; es stimmte sie ihm gegenüber ein wenig milder. Sie hatte ihn nie besonders gemocht. Er wirkte immer ein bisschen farblos, sogar für einen Polizisten. Sein Haar hatte dieselbe Farbe wie seine Haut, und er sagte nie etwas Interessantes. Sie verdächtigte ihn, in seiner Schicht zum harten Kern der Hetzer zu gehören, er und Harris, obwohl es eigentlich keinen Grund für diese Vermutung gab, bloß dass sie ihn nie besonders hatte leiden können.

Er fuhr vorsichtig an dem parkenden Leichenwagen vorbei und die steil bergab führende, asphaltierte Abfahrt hinunter.

Auf der Straße glitten die Scheinwerfer über Bäume und Büsche. Keines der Häuser stand direkt an der Straße, die Einfahrten wurden jeweils wie Landebahnen von Laternen gesäumt. Sie hatten fast schon das Ende der Straße erreicht, als sie eine Frau in einem Regenmantel mit gesenktem Kopf und einer Handtasche über der Schulter am Straßenrand entlanglaufen sahen. Sie blickte ins Licht der Scheinwerfer, und Wilder fuhr kopfschüttelnd an ihr vorbei und hielt an. Morrow sah gute zwei Zentimeter Haaransatz, braun und grau meliert. Der Mantel war an den Schultern ziemlich abgetragen, und das Kunstleder blätterte vom Riemen der Handtasche.

Das Gesicht der Frau wirkte fahl im Scheinwerferlicht. Sie neigte den Kopf und kniff die Augen zusammen, um die Gesichter im Schatten zu erkennen, bevor sie zum Wagen ging.

Kay sah ins Fenster, den Mund zum Sprechen geöffnet,

doch dann lächelte sie, aufrichtig erfreut. Morrow holte tief Luft: Kay Murray, unverändert.

Sie öffnete die Tür und stieg aus.

»Allmächtiger«, sagte Kay, »du siehst ja immer noch aus wie zwölf.«

»Kay«, Morrow hätte am liebsten ihr Gesicht berührt, »Kay.«

»Was machst du denn hier?«

»Ich bin bei der Polizei.«

»Nein!«

»Doch.«

»Ich hasse die scheiß Bullen. Wie ist das denn passiert?«

»Bin da so reingeraten.«

Sie waren einmal zusammen jung gewesen, hatten gemeinsam an Straßenecken rumgelungert, und Morrow hatte sich oft gefragt, was wohl aus ihr geworden war. Aber Kay war niemand, der Kontakt hielt. Entweder man spielte eine Rolle in ihrem Leben oder nicht; sie gehörte nicht zu den Frauen, die sich zum Kaffee verabredeten, um sich gegenseitig auf den neuesten Stand zu bringen. Mit ihr konnte man Konzerte besuchen, Jungs nachlaufen, was unternehmen.

Sie standen da und grinsten einander an, bis Wilder völlig grundlos den Motor aufheulen ließ. Kay kniff die Augen zusammen. »Ach, der. Das ist ein Arsch.« Morrow sah durch die Windschutzscheibe auf Wilders farbloses Gesicht.

»Der hat vorhin mit mir geredet, als wär ich eine superblöde Putze.«

»Wo bist du ihm denn begegnet?«

»Straße runter, in einem der Häuser, in denen ich sauber mache. Früher hab ich da oben gearbeitet.« Sie zeigte Richtung Glenarvon auf dem Hügel. »Hab gesagt, ich würde hingehen und nachsehen, ob was fehlt.«

»Würdest du das machen?«, fragte Morrow. »Aber kannst du noch bis morgen warten? Ich werde ab zehn dort sein.«

»Dann sehen wir uns morgen.« Kay nickte, bekam fast Schluckauf vor Freude. Sie sah Morrow auf den Bauch. »Wann bist du fällig?«

»In fünf Monaten.«

»Bist schon ganz schön dick.«

»Zwillinge.«

»Albtraum«, sagte Kay unbedacht.

»Hast du auch Kinder?«

»Vier.« Kay lächelte zärtlich. »Vier entsetzliche Teenager. Machen mir das Leben zur Hölle.« Es war sehr altmodisch, negativ über die eigenen Kinder zu reden, obwohl man vor Stolz fast platzte, als wäre es selbstherrlich, etwas Gutes über sie zu sagen. »Erst neulich hab ich noch an dich gedacht. Hab von deinem John gehört. Was für ein Psycho.«

»Er ist nicht *mein* John …«

Kay fiel ihr ins Wort. »Doch, na klar!«

»Nein, ist er nicht, wir haben nichts miteinander zu tun.«

»Du spinnst ja. Klar gehört er zu dir. Man kann sich seine Leute nicht aussuchen.« Kay sah ängstlich die Straße hoch auf das hell erleuchtete Haus. »Was ist denn da passiert?«

Morrow durfte eigentlich nichts sagen, aber sie vertraute Kay. »Brutal erschlagen«, sagte sie und zeigte auf ihr Gesicht.

»Sarah?«

»Ja.«

Tiefe Falten traten plötzlich auf Kays Stirn, und sie senkte den Kopf.

»Um Gottes willen.«

»Hast du sie gekannt?«

»Ja.«

»Wie war sie?«

Kay hielt den Kopf weiter gesenkt. »Ganz nett. Still.« Sie lächelte ein bisschen. »Die Mutter war völlig plemplem.«

Morrow sah eine dicke Träne aus Kays Gesicht fallen. Erst dachte sie, es sei Regen, bis sie einen weiteren Tropfen entdeckte. Plötzlich begriff sie, dass Kay die blutige Leiche in der Eingangshalle gekannt hatte. Vielleicht waren sie ja sogar so etwas wie ungleiche Freundinnen gewesen. Sie streckte die Hand aus, berührte Kay an der Schulter, als wollte sie das Gesagte rückgängig machen. »Tut mir leid.«

Kay trat einen Schritt zurück. »Nein.« Es war ihr peinlich, den Blick zu heben. »Nein, das ist es nicht ...«

»Ich wusste nicht, dass ihr euch so gut gekannt habt.«

Kay drehte sich schuldbewusst um. »Haben wir gar nicht. Ich bin einfach ... nah am Wasser gebaut. Das Mädchen ist tot. Das ist traurig.«

Sie drehte sich um und stapfte davon, hielt sich dicht bei den Bäumen. Morrow sah ihr nach.

»Bis morgen dann, okay?«

»Bis morgen«, rief Kay.

Unter einer warmen Straßenlaterne griff sich Kay an den Kopf und kratzte sich mit dem Zeigefinger im Nacken. Morrow atmete tief durch. Die Geste war ihr so vertraut, als wäre es ihre eigene, und sie kannte sie aus einer Zeit, in der wütende Frauen und Unsicherheit ihr Leben bestimmt hatten. Plötzlich dämmerte es Morrow: Kay hatte recht. Sarah Erroll war nicht nur ein übel zugerichteter Fall, der ihr Rätsel aufgab. Sie war ein junges Mädchen, und sie war tot.

Das war traurig.

12

Zur richtigen Tageszeit dauerte die Fahrt nur eine halbe Stunde, aber jetzt war die falsche Zeit. Es herrschte Berufsverkehr, und die Autos krochen langsam über die Straße, klebten einander misstrauisch an den Stoßstangen, damit sich nur ja niemand dazwischendrängte. Als sie sich Sevenoaks näherten, wurden die Autos größer und sauberer, ein bisschen wie Thomas' Vater. Glatt, sauber und mächtig, sodass er andere überrollen konnte, ohne anhalten zu müssen.

Thomas hasste Sevenoaks. Sie waren vor sechs Jahren hierhergezogen. Damals hatte sich sein Vater auf dem Höhepunkt seiner Karriere befunden, und das Geld war in Strömen geflossen. Mit jedem Abend, den Lars nach Hause kam, hatte er zufriedener mit sich gewirkt. Er hatte zugenommen, erinnerte sich Thomas, und einen ganzen neuen Schrank voller maßgeschneiderter Klamotten, um seinen wachsenden Arsch und Bauch zu kaschieren.

Es schien unfassbar, dass er sich erhängt hatte. Er war kein Mann gewesen, der grübelte. Und der öffentliche Skandal konnte auch nicht den Ausschlag gegeben haben, denn er hatte seine Investoren verachtet. Er hatte immer gesagt, einen ehrlichen Mann kann man nicht reinlegen.

Auch Moira hatte sich durch den Umzug nach Sevenoaks verändert. Thomas hatte nie erfahren, warum. Damals war er noch ein Kind gewesen. Er hatte die Dynamik zwischen seinen Eltern nie hinterfragt, aber es war ihm vorgekommen, als würde sein Vater das Leben aus ihr heraussaugen und als würde sie umso mehr zu einem verheulten Opfer verkommen, je lebhafter und lustiger er wurde. Sie ging nicht mehr mit zu den Firmenpartys, nahm nicht mehr an Firmenurlauben teil oder an den von der Firma organisierten Frauennachmittagen. Sie fing an, Tabletten zu schlucken, von denen sie einen unerträglich trockenen Mund bekam. Thomas erinnerte sich an das ekelhafte Kratzen ihrer Zunge in ihrem ausgedörrten Mund. Sie zwinkerte nicht mehr vielsagend, sondern lahm, als ob sie sich manchmal, wenn sie die Augen schloss, nicht sicher war, ob sie sie jemals wieder öffnen wollte.

Thomas hielt sich mit beiden Händen an der Armlehne fest, sah entschlossen aus dem Fenster. Er spürte Marys Anwesenheit brennend neben sich, spürte das vage Desinteresse von Jamie auf dem Fahrersitz, des Stellvertreters seiner Mutter. Er starrte auf die Scheibe, auf sein Spiegelbild, seine runden Augen und blöden großen Moira-Lippen, die sich blass über Sevenoaks abzeichneten. Sanfte Hügel, nicht zerklüftet oder riesig wie in der Schule. Am Ende der Straßen verbargen sich große Häuser, als lauerten sie hinter Bäumen.

Moira war widerspruchslos in das Anwesen in Sevenoaks gezogen, das Lars ohne Rücksprache mit ihr gekauft hatte, meilenweit entfernt von ihren Freunden, Nachbarn und den Geschäften im Norden Londons. Das wird toll, hatte sie – und vielleicht auch er – Thomas und Ella versprochen, da wird es toll, weil wir viele, viele Hektar Land und einen hohen Zaun drumherum haben werden, außerdem eine Alarmanlage auf dem allerneuesten Stand der Technik. Wir bekommen elektrische Tore, einen Schutzraum und einen Safe.

Sie zogen um, und dann wurde Thomas aufs Internat geschickt, noch bevor er überhaupt Gelegenheit hatte, herauszufinden, was an einem Schutzraum so toll war. Auch darüber beklagte sich Moira nicht. Als Ella an der Reihe war, kämpfte sie, bestand darauf, dass sie die örtliche Schule besuchte, bis sie zwölf war. Thomas hatte sie einmal gefragt, warum sie sich für Ella einsetzte, nicht aber für ihn. Ihr waren Tränen in die Augen getreten, und sie hatte die Zunge gelöst, die ihr am trockenen Gaumen klebte, vielleicht weil sie ein schlechtes Gewissen hatte. Jungs sind anders, hatte sie gesagt. Das war alles. Jungs sind anders.

In den Zeitungen wirkte Moira nie ausdruckslos. Sie sah gut aus, ein paar von den Jungs hatten das auch gesagt. Sie war schlank geblieben, und sein Vater bezahlte jemanden, der andauernd kam und ihr die Haare machte, färbte und frisierte. Aber sogar in den Zeitungen, wo man sah, wie sie durch Flughafengebäude eilte oder an den Demonstranten vor dem Tor vorbeichauffiert wurde, konnte er die Leere in ihr erkennen. Er hatte nur noch sie, und sie war niemand.

Sie näherten sich der Abzweigung, dicht an dicht mit den anderen großen Wagen. Jamie setzte schon frühzeitig den Blinker, um anzuzeigen, dass er ausscheren wollte. Der Himmel war dunkel, die Felder matschig und karg. Es schien, als gäbe es auf der Erde nichts als diese Asphaltstrecke, diese Autoschlange.

Er wusste, dass Mary neben ihm überlegte, was sie sagen sollte, hörte, wie sie den Mund aufmachte und wieder schloss. Sie blieb still. Sie musste sich Sorgen um ihren Job machen, alle mussten sich Sorgen machen. Die Familie konnte es sich nicht leisten, alle Mitarbeiter zu behalten. Wenn er Mary kennengelernt hätte und sie nicht für seine

Eltern gearbeitet hätte, wäre sie dann anders gewesen, fragte er sich? Er wusste, dass sie sich so einiges dachte, aber nicht aussprach, jeder machte das. Jamie wäre wahrscheinlich derselbe, der er jetzt war. Genau derselbe. Still, freundlich und ein bisschen langweilig. Moira liebte Jamie dafür. Sie mochte ihn, weil mit ihm auch nicht viel los war.

Jamie bog ab und folgte der Straße bis zu dem Tor, dem neuen auf viktorianisch getrimmten Tor; sein Vater liebte unechten Kitsch. Jamie fuhr vor, drückte auf den Knopf am Armaturenbrett, und das Tor schwang langsam nach innen auf, sodass Thomas genug Zeit hatte, die Graffiti auf der Mauer zu lesen. LÜGNER, stand da. Das hatte Thomas schon gesehen, es war in der Zeitung abgebildet gewesen. SCHWEINEBANKER, lautete ein anderer Schriftzug. Lächerlich. Er hatte für gar keine scheiß Bank gearbeitet. Abgesehen davon wirkten die Proteste eher milde. Ein paar Supermarktblumen waren an einem Holzkreuz abgestellt worden. Die Leute hatten also schon von dem Selbstmord erfahren.

Auf der anderen Seite des Tors säumte eine lange Reihe knorriger, kahler Bäume trauernd und drohend die Auffahrt und schützte sie vor dem Wind. Das Glasdach über dem Swimmingpool wirkte schmutzig. Thomas sah totes Laub darauf liegen.

Es war ein scheußliches Haus, die Fassade war asymmetrisch, pseudo-Arts-and-Crafts, einem gedrungenen Cottage mit schwerem Dach nachempfunden, aber eigentlich viel zu groß dafür. Es sah eher aus wie ein Sportzentrum, mit einem riesigen Eingangsbereich und großen Sälen. Sein Vater hatte es billig von einem Kerl erstanden, der pleitegegangen war und seine Verluste verringert hatte, indem er das Haus gegen Bares verkaufte. Der Gestank von Panik hing über dem

Anwesen. Moira hatte es renovieren lassen. Mit trockenem Mund und kratziger Stimme hatte sie die Maler angewiesen, alles Frostblau und Weiß zu streichen, schwedischer Stil, der zu dem an Voysey angelehnten Äußeren nicht passte, aber trotzdem in den Innenräumen konsequent durchgehalten wurde. Thomas' Zimmer waren voller Tische mit dürren Beinchen, weißen Stühlen und Dekoherzen an Schnüren.

Als sie an der Treppe anhielten, fiel Mary endlich ein, was sie sagen wollte. »Das mit deinem Dad tut uns allen sehr leid.«

Sie schaute auf seinen Hinterkopf, wartete auf eine Reaktion, aber Thomas rührte sich nicht. Er betrachtete den Rasen seines Vaters.

Das Haus stand erhöht, nicht an einem steilen Abhang wie das Haus in Thorntonhall, sondern auf einem aufgeschütteten Fundament. Eine Terrasse mit Geländer zog sich an der gesamten Hausfront entlang, und an der Seite führten Stufen zu einer ausgedehnten, abschüssigen Rasenfläche hinunter. Er betrachtete es, und sein Hirn war leer. Thomas hätte jetzt aussteigen sollen, aber er konnte sich nicht bewegen, seine Muskeln waren erschlafft, er fürchtete sich, die Armlehne loszulassen.

»Soll ich mal nachsehen, ob deine Mutter da ist?«

Ob sie da war? Sie war nicht mal zu Hause. Sie war ausgegangen. Er war in ein leeres Haus zurückgekehrt. Noch immer den Rasen betrachtend, wurde ihm plötzlich klar, dass seine Augen trocken waren, er hatte sie weit aufgerissen, als würde ihn jemand schlagen. Er bekam kaum Luft.

Mary deutete sein Schweigen als Zustimmung und stieg aus. Sie eilte die Stufen hinauf zur Tür.

Thomas wandte den Blick nicht vom Rasen. Sein Dad

hatte den Rasen geliebt. Es hatte ihm gefallen, dass er ihm gehörte und dass er weiter hinten steil abfiel, wodurch das Grundstück endlos erschien. Thomas und Ella hatten darauf spielen wollen, darauf herumrennen und sich über das Gras kullern lassen wollen, aber Moira hatte es ihnen verboten. Der Rasen gehört eurem Vater und ist nicht zum Spielen da.

Er gehörte ihm und niemandem sonst, nicht einmal Moira und Ella durften ihn betreten, und die Gärtner wurden sofort gefeuert, wenn auch nur ein Quadratzentimeter nicht gedieh. Thomas presste die Nase so fest an die Scheibe, dass es schon wehtat. Er sah hinaus auf den Rasen seines Vaters und drückte noch fester, bis seine Nase knackte und er einen Schuh sah, der eine Nase zertrümmerte, und das Innere der gebrochenen Nase, das blendende Weiß des Knorpelgewebes, die vollkommenen, runden Blutbläschen darauf, und Squeak auf allen vieren, der zu ihm aufsah und dem Blut aus dem Mund lief, als er ihn im Dunkeln anlächelte …

»Alles klar, Tommy?« Jamie hatte sich umgedreht, ein Viertel seines Gesichts war jetzt sichtbar, ein unbestimmtes, verlegenes Lächeln im Gesicht.

Thomas ließ die Armlehne los, legte beide Arme um Jamies Kehle und würgte ihn, zog ihn nach hinten auf den Rücksitz.

13

Wilder schwieg auf dem gesamten Weg in die London Road, und Morrow war froh darüber. Sie hielt ihr Notizheft auf den Knien, blickte immer wieder darauf und tat, als würde sie über die dort vermerkten Einzelheiten und Zeitstränge nachdenken. Dabei konnte sie an nichts anderes denken, als an die junge Kay Murray, die mit knallroten Lippenstiftlippen vor AJ Supplies in Shawlands an der Straßenecke stand. JJ war gerade erst auf die Welt gekommen, und Morrow war eifersüchtig auf Danny gewesen, hasste es, wenn er zärtlich über ihn sprach, hasste die Sanftheit in seinem Blick und seinen Stolz, weil sie dachte, dass er sich jetzt von dem Chaos befreien würde, in das sie beide hineingeboren worden waren, jetzt wo er seine eigene Familie hatte.

Sie spürte ihr Handy vibrieren, bevor es klingelte, und suchte in ihrer Tasche, zog es beim ersten Klingelton heraus. Auf dem Display stand »Büro«, nicht »Bannerman«, weshalb sie sich nicht ohne eine gewisse Erleichterung meldete.

»Ma'am, Harris.«

»Was gibt's?«

»Der letzte Anruf vom iPhone war 999.«

»Kam die Verbindung zustande?«

»Sie hat sich auf Nachfrage der Zentrale nicht gemeldet.«

»Mist. Ich seh jetzt schon vor mir, wie sich die Zeitungen drauf stürzen. Prüf das genau. Gründlich. Okay?«

»Ja, Ma'am, wir setzen alle Hebel in Bewegung.«

»Was noch?«

Er bedeckte das Mundstück und erkundigte sich bei jemandem, dann sprach er wieder ins Telefon: »Wir gehen die E-Mails und Fotos durch.«

»Was Neues über das Pflegepersonal von Mrs Erroll?«

»Wir haben eine Liste mit Namen und Adressen.«

»Ich bin in fünfzehn Minuten da.« Sie legte auf.

Sie hätte gerettet werden können. Die Polizei hätte vor der Tür stehen und die Arschlöcher schnappen können. Oder sogar noch rechtzeitig ankommen und das alles verhindern können. Was nicht alles hätte sein können … Sie zwang ihre Gedanken wieder auf freundlicheres Terrain.

Kay Murray hatte Kinder, vier Kinder, Teenager. Das war schräg. Morrow konnte sich Kay gar nicht anders denn als Teenager vorstellen, auch wenn ihr Gesicht jetzt älter war und ihr Haar bereits grau wurde. Trotzdem fand sie es fast absurd, dass Kay etwas anderes machte, als im Sommer spätabends unter Laternen auf der Straße herumzustehen, viel zu spät für das wenige, was sie anhatte, aber jung genug, um wild entschlossen in Schuhen mit hohen Absätzen zu leiden, weil sie sich wegen ihrer stämmigen Beine schämte.

Morrow sah wieder in ihr Notizbuch. Sie hatte seit drei Kilometern nicht mehr umgeblättert. »Wie weit seid ihr mit den Befragungen an der Haustür?«

Wilder war selbst in seine eigene Welt versunken und zuckte beim Klang ihrer Stimme zusammen. »Wie bitte?«

»Haustürbefragung. Hat sich da was ergeben?«

»Ach«, er setzte den Blinker, »nicht viel. Erroll ist für sich geblieben. Wollte wohl das Haus verkaufen.«

»Tatsächlich?«

»War ’ne Riesensache«, nickte er und unterstrich damit das Gesagte, »weil die da seit hundertfünfzig Jahren gelebt haben. Die Nachbarn hielten das für ein starkes Stück.«

»Ist auch nicht unbedingt der beste Zeitpunkt für einen Verkauf.«

»Und das Haus befindet sich in einem schlechten Zustand.«

»Ja, sie hätte keinen sehr guten Preis dafür bekommen.« Sie fuhr mit den Fingerspitzen über eine Zeile ihrer Notizen. »Die Frau, die wir auf der Straße getroffen haben …«

»Kay Murray?« Er lächelte. »Kennen Sie die?«

»Aus der Schule. Wo sind Sie ihr begegnet?«

Sein Lächeln bekam einen spöttischen Zug. »Weiter unten. Die alten Ställe sind jetzt ein Haus, das von Mrs Thalaine. Ihre Freundin geht bei ihr putzen. Komische Type.«

Das war als Beleidigung gemeint. Morrow grunzte und lächelte schief auf der Seite, die er aus dem Augenwinkel sehen konnte. »Haben Sie ihre Adresse?«

Er zuckte mit den Schultern. »Irgendwo aufgeschrieben.«

Er würde einen Tag brauchen, um seinen vorläufigen Bericht zu schreiben. Plötzlich fühlte sie sich schutzlos und wechselte das Thema. »Hatte Erroll einen Freund?«

»Keinen, den jemals jemand gesehen hätte.«

Wilders Dienst endete in zwanzig Minuten, und sie merkte, wie er sich allmählich ausblendete.

»Sie pflegte also keine freundschaftlichen Beziehungen zu den Anwohnern?«

Aber er war schon weg, überlegte bereits, was er machen würde, wenn er zu Hause war, und wie er nach Hause kommen würde. »Weiß nicht. Vielleicht weiß Kay was.«

Darauf sprang sie an. »Woher sollte sie das wissen?«

»Anscheinend hat Sarah Erroll zehn Pfund die Stunde gezahlt, und die Putzfrauen und Haushaltshilfen der anderen haben bei ihr gearbeitet, als ihre Mutter krank wurde. Diese Kay, die Putzfrau, hat bei den Errolls gearbeitet, bis die alte Dame gestorben ist. Dann ist sie wieder zurück. Mrs Thalaine hat gesagt, Kay habe jede Menge Probleme.«

»Was für Probleme?«

»Sie wohnt in Castlemilk.«

»Wieso ist das ein Problem?«

»Mrs Thalaine hält es offenbar für eins.«

Morrow schnaubte. »War die überhaupt schon mal in Castlemilk?«

»Sie sagt, sie sei dran vorbeigefahren.«

»Blöde Kuh.«

Sie umkurvten die trostlose Herrlichkeit von Glasgow Green und Bridgeton und fuhren die London Road hinunter bis zum Revier.

Es sah aus wie ein normales Bürogebäude, drei Stockwerke in einem kackbraunen Backsteinhaus, das architektonisch allerdings eher an eine Festung erinnerte: die Fenster saßen sehr tief in der Fassade, Stützpfeiler zogen sich über die gesamte Front. Zwei riesige Betonkästen mit wild wucherndem Gebüsch standen vor dem Haupteingang, eine Maßnahme, um böswillige Kamikazefahrer abzuhalten, die eine größere Bedrohung darstellten als Terroristen. Hinten umgrenzte eine hohe Mauer mit einzementierten grünen Glasscherben den Hof. Streifenwagen fuhren dort hinein, um vermeintliche Straftäter vor dem Zellentrakt abzuliefern.

Wegen des bevorstehenden Schichtwechsels standen überall auf der Straße und auf dem Bürgersteig zahlreiche Fahrzeuge. Aber das Chaos hatte eine gewisse Ordnung; niemand stand im absoluten Halteverbot und niemand blockierte eine Einfahrt.

Weil sie in einem Streifenwagen fuhren, mussten sie im Hof parken. Wilder bog langsam ein und steuerte vorsichtig um Transporter, Mauern und den Zellentrakt mit den hohen vergitterten Fenstern herum.

Er zog die Handbremse, und sie machte die Tür auf. Zum Abschied beschied sie ihn noch mit einem: »Lassen Sie mir Kay Murrays Kontaktdaten da, bevor Sie Feierabend machen.«

Sie knallte die Tür zu und beraubte ihn damit der Gelegenheit zu behaupten, er habe Wichtigeres zu tun. Als sie zur Rampe ging, dachte sie darüber nach, Kay Murray alleine zu besuchen. Kein Polizist durfte alleine einen Zeugen befragen, nicht nur, weil dieser Anschuldigungen gegen den Beamten erheben könnte, was Kay nicht tun würde, sondern weil es dann keine sogenannte Erhärtung gab: Kein einziges Wort war vor Gericht verwertbar, wenn nicht ein zweiter Beamter das Gespräch bezeugen konnte. Die Aussage eines Einzelnen galt weniger als Hörensagen; so was war unprofessionell.

Sie ging die Rampe hinauf zur Tür, gab den Sicherheitscode ein und trat einen Schritt zurück, sodass, wer auch immer am Empfang saß, sie auf dem Monitor der Videoanlage sehen konnte. Die Tür ging auf.

An der Anmeldung war niemand, aber sie hörte gedämpftes Geschrei aus den Zellen. Es klang schwermütig, wie die Stimme eines Mannes, der nach einem harten Tag und viel Brüllerei bereits an Kraft verloren hatte. John kam aus dem Hinterzimmer. »Bist du allein?«, fragte er, weil er wusste, dass sie nie selbst fuhr, wenn sie es vermeiden konnte.

»Wilder ist noch draußen. Wer ist das?« Sie nickte mit dem Kopf Richtung Zellen.

»Straßenprügelei. Völlig drüber. Crack.«

Sie runzelte die Stirn – die meisten Junkies wurden hierhergebracht, weil sie sich danebenbenommen hatten, auf der Straße geschlafen oder völlig dilettantisch versucht hatten zu klauen.

»Heute gab's 'ne echte Schwemme von Crackleuten. Wegen dem Anthrax.«

Verunreinigtes Heroin war auf den Markt gekommen, und die User versuchten sich nun mit anderen Mitteln zu trösten. »Die haben dir wohl die Hölle heißgemacht?«

John zuckte mit den Schultern. »Die wären bedeutend gefährlicher, wenn einer mal über 45 Kilo wiegen würde.« Er blickte auf die Uhr. »Hast du noch Einsatzbesprechung?«

»Ach ja.« Ihre Gedanken an Kay hatten sie so abgelenkt, dass sie es vergessen hatte.

Sie zog ihren Mantel aus und eilte durch den Empfangsbereich zur Tür des CID, die ihr genau in diesem Moment entgegenflog, weil Harris herausstürzte.

»In zehn Minuten«, warnte sie ihn und zeigte auf den Besprechungsraum.

»Ma'am, der Anwalt, der in der Küche festsaß, Donald Scott, der ist immer noch oben.«

»Ich weiß, ich weiß, ich geh zu ihm. Ich kümmere mich nach der Besprechung um ihn. Sagen Sie ihm, in zwanzig Minuten.«

»Allmählich ist er ganz schön genervt.«

»Macht nichts, schon in Ordnung«, sagte sie und ließ die Tür zwischen ihnen zufallen.

Sie versammelten sich alle im Besprechungsraum, die

Leute von der Nachtschicht und die von der Tagschicht, die sich jetzt bereitmachten, nach Hause zu fahren, alles zu vergessen und sie mit der Arbeit am Fall Sarah Erroll allein zu lassen. Sie ging kurz in ihr Büro, machte sich aber nicht die Mühe, das Licht einzuschalten, sondern ließ ihren Mantel und ihre Tasche fallen und zog ihr privates Handy im Dunkeln aus der Tasche.

Brian ging sofort dran. »Na, hallo.«

»Okay?«

»Ja, und bei dir?«

»Auch.«

Sie zog langsam ihre Schreibtischschublade auf, nahm einen Notizblock und einen Stift heraus und zog das Deckblatt ab.

»Wie war's auf der Beerdigung?«, fragte Brian nach einer Pause.

»Er ist definitiv tot.« Sie kritzelte eine Spirale. »Hast du was zu essen gemacht?«

»Im Kühlschrank ist Suppe.«

»Ach ja.« Beunruhigt vom Sog ihrer scheinbar unentrinnbaren Kritzelspirale, zeichnete sie schnell noch eine nach außen führende nebendran. »Kann ein bisschen spät werden.«

»Na ja, ich bin ja hier.« Er lächelte, das konnte sie an seiner Stimme hören. »Alles in Ordnung?«

Sie berührte ihren Bauch. »Alles prima, ja.«

In der Dunkelheit, meilenweit von dem geschäftigen Treiben im Gang entfernt, lächelten sie einander am Telefon an, zwei Menschen, die sich auf ihre persönliche Stunde null vorbereiteten.

Sie seufzte ein widerwilliges: »Tschüs.«

Brian gab es zurück und legte auf.

Sie lächelte das Telefon an. Das machte er immer so, kein »Bis später« oder sonstiges Getue. Sie hörte ihren Anrufbeantworter ab. Eine Nachricht. Die Psychologin hatte angerufen und ihre Nummer auf Band gesprochen. Bitte rufen Sie zurück.

Morrow hatte bereits Nein gesagt. Über die Unverfrorenheit der Frau verärgert, blickte sie auf die Uhr und stellte fest, dass ihr nur noch zwei Minuten blieben. Sie sammelte ihre Unterlagen zusammen, zupfte sich die Klamotten am Körper zurecht und ging hinaus in den Gang, verließ die Ruhe des dunklen Büros, blinzelte in die grelle Flut aus Geräuschen und Licht und ging in den Besprechungsraum.

Stühle wurden verrückt und in Reihen vor der hinteren Wand aufgestellt, Polizisten plauderten miteinander, die Stimmen wurden etwas leiser, als sie eintrat und an den Männern vorbeiging. Sie sah, dass ihr einige auf den Bauch starrten, immer wieder dieselben, einige angewidert, andere sehnsüchtig, weil sie selbst glückliche Väter waren.

Sie knallte ihre Unterlagen geräuschvoll auf den Tisch, gab ihren Kollegen dreißig Sekunden lang Zeit, sich zu setzen und den Mund zu halten. Sie taten es, noch bevor sich Morrow wieder zu ihnen umgewandt hatte. Sieben Männer, vier gingen, vier kamen: Einer fehlte.

Sie begrüßte die Anwesenden, sah Richtung Tür, wartete auf Routher, den Nachzügler, und ließ ihn durch eine hochgezogene Augenbraue wissen, dass sie ihn gesehen hatte. Für diejenigen, die jetzt erst ihren Dienst antraten, fasste sie die bisherigen Erkenntnisse im Fall Sarah Erroll zusammen, berichtete vom Haus und dem Geld. Sie teilte ihnen mit, dass sie nach zwei Tätern mit schwarzen Sportschuhen aus Wildleder suchten, verzichtete jedoch auf die grotesken Einzelheiten der Verletzungen, überließ diese der Gerüchteküche. Sie würden die Fotos ohnehin bald zu sehen bekommen. Die Bilder würden ihre Macht verlieren, wenn sie täglich daran vorbeigingen, aber sie hoffte, dass der Anfangsschock dazu beitragen würde, dass sie sich engagierten.

Am darauffolgenden Tag würden sie einen besseren Eindruck davon bekommen, wer Sarah Erroll gewesen war.

Als sie ihre Blicke durch den Raum schweifen ließ, musste sie feststellen, dass der Tod einer reichen Frau, die gerade aus New York zurückgekehrt und in einem Haus voller Geld gestorben war, keine große Anteilnahme hervorrief. Sie teilte den Beamten mit, dass Sarah keine nahen Verwandten hatte, die über ihren Tod in Kenntnis gesetzt werden mussten, und sah, wie diejenigen, die ihren Dienst jetzt beendeten, bereits nervös auf die Uhr hinter ihr schielten. Die anderen, die jetzt Dienstbeginn hatten, hörten zu, folgten ihrem Blick und sahen nicht durch sie durch. Aber auch ihnen war Sarah scheißegal.

Morrow schloss ihren Vortrag und übergab an Harris, der die Aufgaben für die Nacht verteilte. Dann sah sie sich im Raum um: Die Männer wirkten gelangweilt, die von der Tagesschicht außerdem müde. Sie warteten darauf, nach Hause gehen zu dürfen und ihr eigenes Leben zu leben.

Die Anwesenden gingen auseinander, und Harris kam zu ihr, wohl in der Hoffnung, sie würde ihn ebenfalls nach Hause schicken, damit er sich mal richtig ausschlafen konnte.

»Ich habe mich wegen der Fußabdrücke umgehört. DC Leonard«, er zeigte auf Tamsin, »kennt jemanden bei der Caledonian, der für so was ein Programm entwickelt hat. Eine Doktorandin der Gerichtsmedizin.«

Sie mussten beide schmunzeln. Die gerichtsmedizinische

Fakultät brachte ohne Unterlass neue Absolventen hervor, auf jede freie Stelle kamen zwanzig Bewerber. Sie nannten das den C. S. I.-Effekt.

»Sie beschäftigt sich mit gerichtsmedizinischen Skizzen von Tatorten und meint, vielleicht kann sie genau zeigen, wer was wo getan hat – vorausgesetzt, es gab genug Blut.«

»Blut gab's auf jeden Fall genug. Hat sich das Verfahren schon mal vor Gericht bewährt?«

»Nein, ist ganz neu.«

»Ach.« Sie überlegte, welche Nachteile daraus entstehen könnten. »Wenn du ihr die Fotos zugänglich machst, dann achte drauf, dass sie diese vertraulich behandelt. Keine Gesichter. Im Internet tauchen ständig solche Fotos auf.«

»In unserem Fall gibt's kein Gesicht mehr.«

Ihr gefiel nicht, dass er darüber Witze machte. »Du weißt, was ich meine.«

Er überging ihre Bemerkung. »Außerdem haben wir den Mitschnitt ihres Notrufs. Wird gerade von Störgeräuschen befreit.«

»Gut.«

»Sieht aus, als wär's eine große Datei.« Er klang nervös.

»Aber sie ist doch gar nicht durchgekommen, oder?«

»Weiß nicht.«

Sie verzogen das Gesicht.

»Geh schon mal hoch zu Scott, ich bin auch gleich da«, sagte sie.

Harris äußerte keine Einwände, aber sein Mund zog sich auf die Größe eines Pennys zusammen.

14

Thomas fühlte sich fehl am Platze in diesem herrschaftlichen, makellosen Raum. Zwei riesige weiße Sofas standen einander gegenüber, dazwischen ein weißer Tisch mit weißen Gegenständen. Die Wände waren weiß und die Vorhänge ebenfalls. Ihm gegenüber saß Moira mit verschränkten Armen, die dünnen Beine übereinandergeschlagen, die Lippen schmal und angespannt. Sie saß sehr still, starrte ihn an. Das tat sie sehr lange, bevor sie endlich etwas sagte.

»Ich werde dir alles erzählen, was du wissen willst, aber dann möchte ich nie wieder über ihn sprechen.«

Thomas hatte eine Standpauke wegen Jamie erwartet. Er hatte sich schon ein paar Ausreden einfallen lassen, hatte Mary oder seine Trauer für seinen Ausraster verantwortlich machen wollen und fühlte sich jetzt überrumpelt. »Oh.«

Sie knirschte mit den Zähnen. »Stell mir Fragen.«

Er wollte gar nichts wissen, hatte über die Einzelheiten noch gar nicht nachgedacht. Er machte sich Sorgen, weil er nicht wusste, was jetzt vor ihnen lag, aber er sagte: »Was hat Dad falsch gemacht?«

Moira verdrehte die Augen.

»Du hast gesagt, ich darf alles fragen.«

»Hab ich, ja, hab ich.« Sie holte Luft. »Er hat das Geld anderer Leute investiert, und sie haben alles verloren.«

»Nach dem Finanzcrash?«

»Nein.« Sie seufzte. »Alle waren sehr wütend, weil er die Investitionen verkaufen wollte und damit den Crash praktisch ausgelöst hat.«

»Wie?«

»Das ist sehr kompliziert, Thomas, ich meinte eigentlich, dass du mich alles über den Selbstmord deines Vaters fragen kannst, nicht …«

»Ich will's aber wissen. Ständig lese ich was in der Zeitung, und ich muss wissen, was er gemacht hat. *Dann* stelle ich die anderen Fragen.«

Sie räusperte sich: »Viele Leute haben ihre Hypotheken nicht mehr bezahlt, und dadurch sind die Investitionen gescheitert.«

»Warum haben sie aufgehört zu zahlen?«

»Weil sie blöd sind. Und jetzt sind alle sauer, weil Daddys Firma drauf gesetzt hat, dass sie zahlen.«

Er sah sie an. Lügen für ein Kind. »Die Raten sind nach zwei Jahren in die Höhe geschnellt«, sagte er. »Das hat er gewusst und sich drauf verlassen, dass die Häuser enteignet werden. Verstehst du das nicht oder denkst du, ich kapier's nicht?«

»Na ja, das ist schrecklich kompliziert.«

Irgendwie typisch, dass sein Vater ein Imperium an leer stehenden Häusern besessen hatte. Thomas erinnerte sich, wie er durch die National Gallery gegangen und vor Monets *Seerosen* stehen geblieben war. Eine riesige fließende Wand voller Schönheit hatte seinen Blick erfüllt, und sein Dad hatte hinter ihm gestanden und darüber gesprochen, wie viel das Bild wert war. Selbst mit neun Jahren hatte Thomas schon begriffen, dass sein Vater nichts kapiert hatte.

»Ob du Fragen zum Tod deines Vaters hast, habe ich gemeint.«

Thomas dachte, er sollte etwas fragen. »Wo hat er es getan?«

»Auf dem Rasen.« Sie lächelte verbittert, war sich der Bedeutung bewusst. »An einer Eiche. Mit einem Seil.«

»Wann?«

»Gestern um die Mittagszeit, ungefähr um halb eins.«

Sie starrte ihn erneut durchdringend an. Froh, dass von Jamie keine Rede war, überlegte Thomas sich noch eine weitere, umfassendere Frage:

»Warum?«

Moira löste die Verschränkung ihrer Arme und atmete tief durch. »Er hat einen Brief hinterlassen. Willst du ihn lesen?«

Thomas zuckte mit den Schultern, obwohl er ihn unbedingt lesen wollte. Sie griff in ihre Hosentasche und zog einen zusammengefalteten Zettel heraus, den sie ihm zwischen Zeige- und Mittelfinger entgegenhielt.

Thomas nahm das Blatt und faltete es auseinander. Es war eine Fotokopie.

»Er hat dir eine Fotokopie hinterlassen?«

»Nein. Die haben die Polizisten gemacht, bevor sie wieder gegangen sind. Das Original mussten sie mitnehmen.«

Thomas las, was dort in der ausladenden angeberischen Handschrift seines Vaters geschrieben stand:

> Moira, du SCHLAMPE. Endlich bekommst du deinen Willen & ich hoffe, jetzt bist du glücklich, wenn das überhaupt möglich ist, du vertrocknete alte FOTZE.

Thomas sah Moira an, die seelenruhig auf dem Sofa saß und auf das Blatt blickte, während er weiterlas. So war Lars gewesen. So war er, wenn er wütend und angetrunken war und sie abwechselnd anschrie oder ihr Gemeinheiten in die Ohren zischte. Beide konnten sie seine streitsüchtige Stimme hören.

»Bist du sicher, dass ich das lesen soll?«

Sie zuckte mit den Schultern, verdrehte die Augen und blinzelte träge.

»Die Polizisten haben den Brief, sie werden ihn lesen und irgendjemand wird nicht dichthalten. Alle werden davon erfahren.« Ihre Augen röteten sich. Thomas las weiter:

Ich habe dir ALLES gegeben, ich habe Tag und Nacht für dich geschuftet, damit du alles hast. Ich war ein toller Ehemann. Und zum Dank hast du mir das verfluchte LEBEN ausgesaugt. Du verfluchte nutzlose Schlampe. Ich hoffe, jetzt bist du zufrieden.
L.

Thomas betrachtete die unbeschriebene Rückseite, dann sah er wieder seine Mutter an. Sie weinte.

»Mich hat er nicht mal erwähnt«, sagte er und ließ das Blatt auf den Tisch fallen.

Beide starrten sie den Brief an, die riesigen hasserfüllten Buchstaben und abschüssigen Zeilen, den Zorn, mit dem der Stift mit jedem Punkt die Seite durchbohrt haben musste.

Thomas fing zuerst an zu kichern, schlug sich die Hände vors Gesicht, und schließlich stimmte Moira ein, lachte und weinte, und zeigte auf den Brief, versuchte trotz der Tränen, die ihr übers Gesicht liefen, zu sprechen:

»Hättest du … hättest … hättest du gerne eine Kopie?«

Sie bogen sich jetzt vor Lachen, bekamen kaum noch Luft, und Thomas stand auf, verzog das Gesicht, zeigte mit dem Finger auf sie und schrie: »Genau, du runzlige FOTZE!«

Und Moira ließ sich mit dem Gesicht gespielt schamhaft ins Kissen fallen, lachte immer noch und weinte, weil Thomas Lars so gut nachmachte. Dann plusterte er sich auf, streckte die Brust raus, sah mit angewidertem Gesichtsausdruck auf sie hinunter und zitierte immer noch lachend seinen Vater:

»Geh mir aus dem verfluchten Blickfeld, sonst nehm ich dich und werf dich aus dem scheiß Fenster!«

Aber Moira hatte angefangen zu husten, erstickte fast an ihrem Lachen, weil es zu tief saß und sie schon ganz rot war im Gesicht, aber sie konnte nicht aufhören, stand auf und zeigte jetzt auf Thomas:

»Du scheiß Loser, blödes kleines Arschloch, dir zeig ich, was ein Mann ist«, und sie täuschte mit weit ausholender Schlaghand eine Ohrfeige an, weil ein Bordellbesuch in Amsterdam pantomimisch schwer darstellbar war.

Bei der Erinnerung daran hörte Thomas auf zu lachen, aber er war nicht traurig. Sie keuchten beide und grinsten. Er setzte sich wieder, ließ sich aufs Sofa fallen und sah zur Wohnzimmertür.

»Er kommt nicht wieder«, sagte Thomas nüchtern.

Moira riss die Augen auf, konnte ihr Glück kaum fassen.

»Ich *weiß.*« Sie setzte sich ebenfalls wieder aufs Sofa, fuhr sich mit den Fingern durchs Haar und löste ein paar vom Haarspray verklebte Strähnen. Sie wirkte jung und aufgeregt, und ihre Brust bebte.

»Ich hab zugesehen, als sie ihn abgeschnitten haben.« Sie starrte aus dem Fenster zu der Eiche. »Sein … sie haben das

Seil durchgeschnitten, ihn an den Beinen festgehalten und auf so eine … so ein tragbares Bett gelegt.«

»Eine Bahre?«

»Eine Bahre, genau. Und seine Hand ist runtergefallen – und ich hab mich so erschreckt!« Sie imitierte einen kleinen Häschensprung und lachte wieder, diesmal über sich selbst.

Thomas lachte nicht. »Er kommt nicht wieder«, sagte er noch einmal sehr ernst und starrte seine Hände an. Plötzlich blickte er auf und merkte, dass es im Haus sehr ruhig war. »Wo ist Ella?«

Moiras Augen füllten sich wieder mit Tränen, sie war ganz und gar nicht froh, hatte Panik, ihr Kopf sackte nach vorne, und plötzlich wusste Thomas, dass Ella tot war und sein Dad sie vergewaltigt und getötet hatte, ihr auf der Nase herumgetrampelt war und sie mit entblößter Muschi hatte liegen lassen. Er stand auf, als Moira ihr Gesicht verbarg und sagte: »Noch in der Schule, Thomas …«

Aber Thomas hatte Herzrasen. Er konnte seine Beine nicht mehr beugen, um sich hinzusetzen. Sie sah ihn mit großen feuchten Augen an.

»Thomas, ich wollte dich zuerst sehen, weil …« Sie brach ab und schluchzte erneut in ihre Hände, ihre Finger vergruben sich in ihren Haaren. Er konnte sehen, dass alles Blut unter ihren Fingernägeln wich, während sie sich immer tiefer in ihre Kopfhaut gruben. Als sie ihre Hände wegnahm, entdeckte er blutige Stellen in ihrer starren Frisur.

»Thomas, ich weiß, dass es nicht genügt, sich zu entschuldigen, ich weiß das, aber ich stand da mit dem Zettel in der Hand und hab zugesehen, wie sie ihn abgeschnitten haben, und ich konnte an nichts anderes denken als an dich und wie du …«

Wieder schlug sie sich die Nägel in die Kopfhaut, die Schultern verkrampften, aber sie blieb still, wie eine Katze, die ein Fellknäuel hochwürgt.

Lange saß sie so da. Und als sie aufblickte, war ihr Gesicht dunkelrot und feucht, etwas lief ihr aus der Nase über den Mund, und sie wischte es mit der bloßen Hand weg. Ihr standen die Haare zu Berge. Sie konnte ihn nicht ansehen.

»Ich hab immer gewusst, Thomas, dass ich dich vor ihm hätte schützen müssen, aber ich hab's nicht getan. Und ich wollte …«, ein Nachbeben erschütterte ihre Brust, »… mich dafür entschuldigen.« Sie fand ihren Rhythmus und kam wieder zu Atem. »Es tut mir leid. Und ich weiß, dass das nicht genug ist, aber ich werde alles tun …«

Thomas fühlte nichts. Die lebendigste Regung, die er empfand, war mildes Erstaunen darüber, dass sie ihm erlaubte, sie weinen zu sehen, und über ihr unordentliches Haar. Sie kam sonst nie ungeschminkt nach unten, war immer perfekt gekleidet. Er fragte sich, ob sie betrunken war, war sie aber nicht.

Sie sah zu ihm auf, ein direktes Starren, kein gesenktes Kinn, kein Bitten und kein Betteln um Gefälligkeiten. Ihr Mund war nicht verkrampft, verärgert oder vorwurfsvoll.

Moira sah ihn an, wie eine Erwachsene einen anderen Erwachsenen ansieht, mit Respekt, Liebe und Aufrichtigkeit und sie sagte: »Ich liebe dich doch.«

15

Morrow ging noch einmal kurz in den Monitorraum, um sich Donald Scott anzusehen, bevor sie mit ihm sprach. Auf dem Bildschirm wirkte er selbstbewusst und unruhig; er saß jetzt schon einige Stunden dort. Er hatte ein paar Kekse gegessen, gezuckerten Tee getrunken und schien gestärkt, weil er wusste, dass seine Vernehmung kurz bevorstand und er schon bald würde nach Hause gehen dürfen. Er saß da und betrachtete Harris auf der anderen Seite des Tisches. Die Aktentasche stand auf dem Fußboden, und seine Hände umklammerten die Tischkante, als wollte er anfangen zu verhandeln.

Sein Anzug war neu und schick, anthrazitfarbene Wolle, das Hemd sauber. Er war kleiner, als sie ihn aus der Küche in Erinnerung hatte, und wirkte sehr gefasst, doch sie vermutete, dass der Schock ihm ganz schön zugesetzt hatte.

Der Monitorraum war leer, alle waren unten und besprachen die Ergebnisse der Haustürbefragungen, versuchten, Sarahs Aufenthalt in New York anhand der Belege und Quittungen aus ihrer Handtasche zu rekonstruieren und sich mit Hilfe ihres Handys ein Bild von ihrem Leben zu machen. Von einem Gespräch mit der Person, die die Leiche gefunden hatte, erwartete niemand interessante Ergebnisse.

Sie machte das Licht aus und schloss das graue Leuchten des Bildschirms im Raum ein. Zupfte sich ihre Kleidung zurecht. Ihre Hand strich über ihren Bauch, und sie lächelte müde in sich hinein, erlaubte sich noch ein weiteres Streicheln und ein Lächeln, bevor sie sich auf den Weg machte.

Sie war im vierten Monat schwanger, keine Fehlgeburt in Sicht, und laut Ultraschalluntersuchung wuchsen beide prima heran, alles war in Ordnung. Sie war glücklich, zufrieden damit, hier zu dritt inmitten der Katastrophe, der Sorgen und der Schlaflosigkeit zu verweilen.

Sie blickte noch einmal auf den grünen Boden, auf die verschrammten Wände des Gangs, durch den verängstigte und halb wahnsinnige Männer und Frauen in die Vernehmungsräume gezerrt worden waren, wütend, traurig, aggressiv, jammernd, lethargisch oder auch lautstark Rache schwörend. Die Wände waren von Elend, Angst und Sorgen gezeichnet, und plötzlich hatte sie das Gefühl, vielleicht die einzige Person in der kurzen Geschichte dieses Gebäudes zu sein, die hier ein solches Maß absoluter Zufriedenheit empfunden hatte.

Wohl wissend, wie selten solche Momente waren, schloss sie die Augen und übergab das Gefühl der Erinnerung, bevor sie ihre Stimmung wegblinzelte und weiterging.

Als sie den Raum betrat und Scott begrüßte, erhob sich dieser, förmlich und höflich, lächelte, als wollte er sich alle Einzelheiten des Tages merken, um hinterher davon erzählen zu können. Morrow vermutete, dass er ein gescheiterter Strafverteidiger war. Die Anwälte, mit denen sie sonst zu tun hatten, waren die Rockstars ihres Gewerbes, führten interessante Leben, kannten zwielichtige Gestalten und hatten auf Partys tolle Geschichten zu erzählen. Auf Eigentumsrecht spezialisierte Anwälte wie Scott galten bei niemandem als Helden, abgesehen vielleicht von den Firmenbuchhaltern.

Sie legte die Kassetten in den Rekorder und schaltete ihn ein, zählte auf, wer anwesend war, nannte Datum und Uhrzeit und bat Scott, zu berichten, was sich am Vormittag ereignet hatte.

Der Anwalt blickte auf die Tischplatte, strich vorsichtig mit der Handkante darüber, als wollte er ein paar Krümel wegwischen, und bediente sich anschließend einer seltsamen, distanzierenden Juristensprache:

»Am heutigen Morgen traf ich pünktlich um neun Uhr dreißig in meinem Büro ein und erwartete die Ankunft von Miss Sarah Erroll. Ich legte meinen Mantel ab und unterhielt mich mit einer Kollegin, Helen Flannery. Auf dieses Gespräch bezugnehmend betrat ich ihr Büro in einer für die vorliegenden Belange irrelevanten Angelegenheit und kehrte anschließend in mein Büro zurück …«

Morrow verdrehte unhöflich die Augen und unterbrach ihn: »Worum ging's bei dem Termin?«

Aber Scott ließ sich nicht so leicht aus der Ruhe bringen. »Wir wollten uns treffen, um über zwei Angelegenheiten zu entscheiden: Erstens sollte Sarah Erroll als Unterzeichnerin der Besitzverfügung ihrer Mutter fungieren. Zweitens wünschte sie meiner Firma die Befugnis zu übertragen, das Vermögen ihrer Mutter aufzulösen und den Verkauf von Glenarvon in die Wege zu leiten …«

»Vom Haus?«

Seine Miene hellte sich auf. »Ja. Vom Haus. Ja, ja. Bezugnehmend auf …«

»Das Vermögen aufzulösen, was heißt das?«

Sein Blick glitt über die Tischplatte, seine Mundwinkel verzogen sich. »Sie hatte Dokumente zu unterzeichnen …«

»Welche Dokumente?«

»Vollmachten.« Er lächelte herablassend und erklärte: »Das ist ein Fachbegriff.«

»Ach was.« Sie sah ihn streng an. »Was bedeutet dieser Fachbegriff?«

»Inwiefern?«

»Weichen Sie mir nicht aus, Mr Scott, was sollte sie unterzeichnen?«

»Sie sollte einem Kontenausgleich zustimmen. Bezugnehmend auf ...«

»Also eine Rechnung bezahlen?«

»Bezugnehmend auf ...«

»Halten Sie den Mund.«

Scott guckte verdattert. Neben ihr rutschte Harris vielsagend auf seinem Stuhl herum. Er hatte recht gehabt. Sie hatten Scott zu lange hier sitzen lassen und ihm so genügend Zeit gegeben, sich auf dieses Gespräch vorzubereiten. »Okay.« Sie versuchte, einen anderen Tonfall anzuschlagen. »Mr Scott, wir ermitteln hier in einem Mordfall, und ich erwarte, dass Sie mit uns zusammenarbeiten. Ihre ganze ›Bezugnehmerei‹ können Sie sich sparen, das klingt, als hätten Sie was zu verbergen.«

Plötzlich wirkte er sehr klein. »Ich habe nichts zu verbergen.«

»Sie haben gesehen, wie die Frau zugerichtet war. Wir müssen die Täter sehr schnell finden. Sonst tun die so was vielleicht noch mal, verstehen Sie?«

Er nickte.

»Tut mir leid.« Sie klang förmlich und direkt, aber absolut nicht so, als täte es ihr leid.

»Würden Sie das bitte laut sagen, anstatt zu nicken, damit wir es auf Band haben?«

»Ja«, sagte er gehorsam.

»Wie lange haben Sie im Büro gewartet, bevor Sie zum Haus gefahren sind?«

»Vierzig Minuten.«

»Sie haben sich bereits nach vierzig Minuten solche Sorgen gemacht, dass Sie den ganzen Weg von der Innenstadt bis Thorntonhall auf sich genommen haben?«

»So weit ist das nicht. Und wir stellen unseren Klienten solche Fahrten in Rechnung.«

»Sie wollten Sarah Erroll aufsuchen, damit sie eine Rechnung bezahlt und das wollten Sie ihr in Rechnung stellen?«

»Das ist die übliche Verfahrensweise.«

Morrow lehnte sich zurück und sah ihn unnachgiebig an. »Wie hoch war die Rechnung für die Nachlassverwaltung ihrer Mutter?«

»Das weiß ich nicht, ich weiß es nicht. Das müsste ich nachsehen.«

Morrow lächelte. Sie hatte eine besondere Gabe, Lügen zu erkennen. Auch konnte sie deren Subtext lesen wie andere eine Zeitung, und sie wusste, dass sein spontanes Beharren praktisch als doppelte Verneinung zu werten war. Sie lehnte sich zurück, betrachtete Scott und bemerkte auch den glitzernden Schweiß auf seiner Stirn, das hektische Augenzucken.

»Also«, sie beugte sich vor und lächelte, »ich fasse das noch mal zusammen: Sie haben vierzig Minuten gewartet, die Unterlagen vor der Nase gehabt, aber Sie wissen nicht, um welchen Betrag es ging.«

Er antwortete nicht.

Sie flüsterte: »Wir können das rausfinden.«

Scott lächelte betreten. »Achtzehntausend.«

»Achtzehntausend? Dafür kann man aber oft hin und her fahren.«

»Eigentlich nicht.«

»Als meine Mutter starb, hat das gar nichts gekostet.«

Er lächelte geziert und betrachtete ihr billiges Anzugsjackett aus Nylon-Mix. »Na ja, nichts für ungut, aber das hängt von der Größe des Vermächtnisses ab.«

»Verstehe.« Sie berührte ihren Jackettaufschlag mit den Fingerspitzen und täuschte Defensivität vor. »Zufällig gefällt mir mein Anzug.«

Er errötete, fühlte sich peinlich berührt, weil sein unausgesprochener Kommentar laut erwidert wurde. Sein eigener Anzug war teuer und sein Hemd sah aus wie professionell gestärkt. Sie fragte sich, warum er sich wohl solche Mühe gegeben hatte, nur um eine Klientin in seinem Büro zu empfangen.

»Bekommen Sie eine Provision vom Gesamtvermögen?«

»Eine *Provision?*«

»Einen Anteil«, erklärte Harris, »wie die Mitarbeiter bei Comet.«

Morrow lächelte, aber Scott wirkte verwirrt, als würde er die Anspielung auf die Billig-Elektro-Ladenkette nicht verstehen.

Sie ließ nicht locker. »Kaufen Sie nicht bei Comet?«

Er tat, als müsse er überlegen. »Ich glaube eigentlich nicht, dass ich …«

Sie beobachtete ihn genau. »Sind Sie noch nie an einem Laden mit einem großen schwarzen Schild vorbeigefahren, auf dem in gelber Schrift *Comet* steht? Die sind überall.«

»Über dem Schriftzug ist ein Komet abgebildet«, setzte Harris noch hinzu.

»Na ja, wir gehen eher zu John Lewis.«

Scott versuchte eindringlich, ihr etwas über sich mitzuteilen, etwas, das ihm sehr am Herzen lag, keine Lappalie wie die Tatsache, dass er beim Autofahren nicht auf Ladenschilder achtete.

Sie ignorierte es. »Wollte sie das Haus verkaufen?«

»Ja.«

»Ihre Familie hat dort hundert oder hundertfünfzig Jahre lang gelebt. Das muss ziemlich hart gewesen sein.«

»Das denke ich auch, ja.«

»Wollte sie verkaufen, um Rechnungen zu begleichen?«

Scott kam kämpferisch aus seiner Ecke. »Hören Sie mal, mir gefällt nicht, wie Sie hier unterschwellige Verdächtigungen äußern. Ich habe nichts Verbotenes getan. Das Vermächtnis ist nicht leicht zu verwalten, aber über sämtliche Kosten wurde Buch geführt, und die sind nachprüfbar. Ihre Mutter brauchte Pflege rund um die Uhr. Das ist sehr teuer, wie Sie sich sicher vorstellen können.«

Das ließ er erst mal sacken, als bräuchten Morrow und Harris mindestens dreißig Sekunden Pause, um die Vorstellung zu verarbeiten, dass häusliche Pflege ins Geld gehen konnte.

Harris beugte sich vor. »Mr Scott, dass so was teuer sein kann, ist so ziemlich das Einzige, was wir uns bislang vorstellen können.«

Beide lächelten, und Scott täuschte erneut Verwirrung vor. Morrow hielt das für eine interessante Taktik. Aufschlussreich.

»Ja«, sagte er, als der Augenblick verstrichen war, »es war Sarahs vornehmliches Ziel, dem Wunsch ihrer Mutter zu entsprechen, in Glenarvon zu bleiben und dort sterben zu dürfen, und das ist ihr gelungen. Wir haben Sarah nicht ihr Geld aus der Tasche gezogen, im Gegenteil. Ich habe sie sehr bewundert. Sie war eine ganz beeindruckende junge Dame.«

Morrow betrachtete sein Gesicht ganz genau. »Konnte sie vom Geld der Familie leben?«

»Es gab keins«, sagte er und wirkte dabei um Sarahs willen traurig.

»Gar keins?«

»Ich fürchte, früher war es einmal ein stattliches Vermögen gewesen, aber die drei vorangegangenen Generationen sind ziemlich unbedacht damit umgegangen. Stimmt schon, was man sagt: Wir können uns unsere Vorfahren nicht aussuchen …« Er lächelte darüber wie über ein schönes Klischee, dem sie gemeinsam bei einer Unterhaltung über ihre schwindenden Besitztümer in den Kolonien nachhingen.

»Wovon hat sie denn sonst gelebt?«

»Sarah musste arbeiten, fürchte ich.«

Harris stieß einen theatralisch erschrockenen Stoßseufzer aus.

»Was hat sie gearbeitet?«, fragte Morrow lächelnd.

»Finanzmanagement. Sie war als Renten- und Investitionsberaterin tätig.«

»Im Auftrag einer Firma.«

»Nein, sie war Referentin.«

»Für wen?«

»Große Unternehmen.«

»Hmm.« Morrow war plötzlich sehr müde. »Ich hätte Ihnen gerne noch einige Fragen gestellt, aber Sie haben bislang so umständlich geantwortet, dass ich mich nicht traue, weil ich fürchten muss, heute gar nicht mehr nach Hause zu kommen.«

Scott lächelte und verstand die Anspielung auf seine Widerspenstigkeit als Kompliment. So war die Bemerkung aber nicht gemeint gewesen. Polizeibeamten und Anwälten fiel es normalerweise schwer, sich nicht zu verstehen, meist teilten sie eine ähnliche Weltsicht, und deshalb gab sich Morrow auch noch nicht geschlagen: »Gerieten Sie vielleicht in Versuchung, Sarah unter dem Vorwand zu schröpfen, Sie würden sich um das Pflegepersonal für ihre Mutter kümmern?«

Aber Scott hatte inzwischen einseitig beschlossen, dass sie sich doch ganz gut verstanden.

»Ich habe mich um die Entlohnung der Pflegekräfte und den Großteil der übrigen Angelegenheiten gekümmert, falls das Ihre Frage war.«

Die Zwillinge kitzelten sanft ihre Lunge, und sie musste lächeln. Zurück in der Realität lächelte Scott Morrow seinerseits an, und sie musste so tun, als wäre es Absicht gewesen. »Lief da alles über die Bücher?«

»Absolut. Carers Scotland ist eine staatlich geprüfte Firma, über sämtliche Zahlungen und Gehaltsabrechnungen wurde Buch geführt. Sämtliche Beträge kamen von ein und demselben Konto, und Miss Erroll hat alles ordnungsgemäß bezahlt.«

»Wir werden uns diese Abrechnungen ansehen.« Das hatte bedrohlich klingen sollen, aber von ihrem kurzen Ausflug in die andere Welt war ihr noch ganz warm ums Herz.

Scott nickte. »Tun Sie sich keinen Zwang an. Ich stelle sie Ihnen gerne zur Verfügung. Und die Rechnungen für die Nachlassverwaltung ebenfalls, wenn Sie dies wünschen. Ich habe nichts zu verbergen.«

»Ja, schön.« Sie holte tief Luft und entzog ihm den Teppich

unter den Füßen. »Sarah hatte ungefähr siebenhunderttausend Pfund in bar in der Küche versteckt.«

»Vielleicht auch nur sechseinhalb«, murmelte Harris.

Sie sah, dass Scott blass wurde. Er hatte Mühe zu sprechen. »In der Küche?«

»Ja. Auf einem nachträglich angebrachten Brett unter dem Tisch.«

Er versetzte sich in Gedanken in den Raum.

»Der kleine Tisch … sieben*hunderttausend?«*

Aber Morrow meinte es ernst. »Sie wussten nicht, dass sie so viel Geld hatte?«

»Nein, das wusste ich nicht.«

»Was glauben Sie, wo es herkam?«

»Ich weiß es nicht.«

»Warum hat sie's nicht auf die Bank gebracht?«

Scott musste schwer schlucken. »Weiß nicht, ich weiß es nicht, vielleicht wollte sie keine Einkommensteuer zahlen? Sie war zurückhaltend mit der Einkommensteuer.«

»Woher wissen Sie das?«

»Na ja, wir haben uns drüber unterhalten, rein geschäftlich …«

»Worum ging's da zum Beispiel?«

»Ach«, er schüttelte den Kopf, und sie wusste, dass er ihr ausweichen würde, »einfach so, darum, was nachweisbar ist, was an Ausgaben erlaubt ist, und so weiter.«

»Sehen Sie, das ist seltsam«, Morrow blätterte in ihren Notizen. »Weil Sarah, soweit wir feststellen konnten, noch nie Einkommensteuer gezahlt hat.«

Er dachte einen Augenblick darüber nach, blieb dabei sehr still sitzen und schüttelte anschließend den Kopf. »Nein. Das stimmt nicht.«

»Ich versichere Ihnen, dass es stimmt. Über die Nummer ihres Personalausweises konnten wir ihre Steuernummer ermitteln, und sie war nicht einmal registriert.«

»Nein, tut mir leid, sie hat Einkommensteuer bezahlt. Sie hat mich dafür bezahlt, dass ich sie berate, insbesondere in Bezug auf das, was sie absetzen konnte und was nicht. Es ist noch kein Jahr her, da saß sie in meinem Büro und hat sich vierzig Minuten lang alles Mögliche darüber angehört. Wenn sie mir gesagt hätte, dass sie gar keine Einkommensteuer zahlt, wäre ich verpflichtet gewesen, sie anzuzeigen ...« Seine Stimme versagte, als ihm klar wurde, dass dies eine mögliche Erklärung war.

»Hmmm.« Morrow nickte. »Auf wessen Initiative ging dieses Treffen zurück?«

»Meine. Ich habe gesagt, sie müsse darauf achten, dass sie möglichst viel aus ihrem Einkommen herausholt. Sie hatte so hohe Ausgaben wegen der Pflege ihrer Mutter. Und sie meinte, sie verstünde nicht viel von Steuerrecht. Sie fand es verwirrend. Weshalb sollte sie ...«

»Sie war als Finanzberaterin tätig und verstand nichts von ihrer eigenen Einkommensteuer?«

Er merkte, wie blöd das klang. Sarah hatte ihm erlaubt, ihr Vorträge zu halten, hatte ihn sogar dafür bezahlt, dass er ihr die Einkommensteuer erklärte, nur damit er seine Nase nicht in ihre Angelegenheiten steckte. »Sie hat mir einen Fresskorb von Fortnum and Mason geschickt, um mir für meine Hilfe zu danken ... und in der Küche lag Bargeld?«

»Euro«, sagte sie und beobachtete, ob seinem Gesichtsausdruck anzusehen war, dass er die Tragweite dieses Umstands begriff. Man sah es ihm nicht an. »Vielleicht haben wir ihre Steuerunterlagen übersehen. Möglicherweise war sie beim

Finanzamt unter einem anderen Namen gemeldet. Hat sie denn andere Namen verwendet?«

»Nein.«

»War sie nie verheiratet …?«

»Nein.«

»Warum hat sie das Geld nicht auf die Bank gebracht?«

Scott wurde noch blasser. »Weiß nicht«, sagte er und wirkte fast ein bisschen weggetreten.

»Sie sehen besorgt aus.«

Er zuckte zusammen. »Vielleicht wusste sie etwas, das wir nicht wissen?«

»Über die Finanzlage? Was konnte sie wissen? Dass es bergab geht? Das ist kein Geheimnis.«

Scott wirkte aufrichtig gequält. »Sarah kannte Leute, viele Leute, sie hat mir manchmal Tipps gegeben …«

»Für Aktien, zum Beispiel?«

»Nein, nein, nein, *Geschäfte.* Geldgeschäfte, Gebäude, die im Wert stiegen, wo man Wohnungen kaufen oder verkaufen sollte, so was.«

Morrow sah ihm auf den Mund. Er versteckte seinen Akzent so gut, dass er ihr bislang gar nicht aufgefallen war. In Gedanken wiederholte sie seinen verräterischen Zungenschlenker. Arbeiterklasse, South Side. Nicht Mittelklasse, nicht wirklich Teil der Welt, der er angeblich entstammte.

»*Geschäfte*«, wiederholte sie in demselben Tonfall, in dem er es gesagt hatte, und beobachtete die Veränderung seines Gesichtsausdrucks, als er begriff, dass er sich verraten hatte. »Mr Scott, woher kommen Sie noch mal?«

»Ich lebe in Giffnock.«

»Nein«, sagte sie vorsichtig, »woher Sie stammen? Wo haben Ihre Eltern gelebt, als Sie geboren wurden?«

»South Side.« Er zwinkerte.

Morrow spitzte die Ohren. »Priesthill?«

»Nein«, sagte Scott betont, »Giffnock.«

»Ja«, sie nickte, »Priesthill.«

Er lehnte sich zurück, und sein Mund zuckte angewidert. »Giffnock«, sagte er leise. Sie legte eine tröstende Hand auf den Tisch. »Hören Sie, wir sagen's keinem weiter, aber Sie brauchen uns nicht anzulügen.«

Er kaute verlegen auf seiner Wange, und Harris setzte hinzu: »Wir können rausfinden …«

»Hochhaussiedlung Kennishead«, sagte er leise. Sie hätten ihn am liebsten ausgelacht, aber er schämte sich so abgrundtief, dass er ihnen damit den Spaß verdarb. »Was hat das mit dem Fall zu tun?«

»An welcher Uni haben Sie studiert?«

»Glasgow University.«

Morrow nickte erneut. Sie hatte dort mal jemanden aus dem Fachbereich Jura vernommen. Hätte sie da studiert, hätte sie ihre Herkunft auch verheimlicht. »Sarah war so vornehm, wie's nur geht, stimmt's?«

Er zwinkerte defensiv die Tischplatte an, setzte wieder seine vornehme Stimme auf. »Wie schon gesagt, sie war eine wohlerzogene junge Dame.«

Morrow sah Unbehagen und Unentschiedenheit in seinem Gesicht, als käme ihm gerade sein Selbstbild abhanden. »Sarah hat speziell nach Ihnen gefragt?«

»Ja.«

»Glauben Sie, sie wusste, wie beeindruckt Sie von ihrer vornehmen Herkunft waren?«

»Ich habe mich ihr stets sehr respektvoll …«

»Nein, nein, ich meine, glauben Sie, sie hat gemerkt, dass

Sie vornehmer tun, als Sie sind? Dass sie Sie einschüchtern konnte?«

Scott lehnte sich auf seinem Stuhl zurück und funkelte sie wütend an. Sein Blick schoss zu den Kassetten, die in dem Aufnahmegerät surrten. Er verengte die Augen zu zwei schmalen Schlitzen und formte ein tonloses »Fick dich« mit den Lippen. Ein Strafverteidiger hätte gewusst, dass das keine gute Idee war.

Morrow sah ihn streng an. »Tut mir leid, Mr Scott, würden Sie wiederholen, was Sie gerade gesagt haben, damit das Band es aufzeichnen kann?«

»Ich habe gar nichts gesagt«, grinste er abfällig.

Morrow hob ganz langsam die Hand und zeigte in eine Ecke des Raums. Sein Blick folgte dem Finger, und er erstarrte, als er das rote Licht der Kamera entdeckte.

Morrow beugte sich über den Tisch zu ihm vor. »Machte Sarah Erroll einen klugen Eindruck auf Sie?«

»Nein«, erklärte er der Kamera ruhig, »eigentlich nicht.«

»Gewalttätig?«

»*Gewalttätig?*« Noch immer blickte er zur Kamera. »Um Gottes willen, nein.«

»Sprechen Sie bitte mit mir, Mr Scott.«

Kleinlaut sah er sie erneut an, aber seine Gedanken waren bei dem stillen Beobachter. »Sarah war harmlos. Ein Pferdegesicht.«

»Wir haben eine als Handy getarnte Elektroschockpistole im Haus gefunden. Die Spurensicherung hat ergeben, dass sie diese wahrscheinlich in ihrer Handtasche hatte.«

Jetzt hatte er die Kamera wieder vergessen. »Eine Elektroschockpistole? Ein Taser?«

»Ja.«

»Die sind gefährlich.«

»900 000 Volt«, sagte Harris und ließ die Zahl im Raum stehen.

Scott schüttelte den Kopf und starrte dabei die Tischplatte an. Als er das Wort ergriff, klang seine Stimme erneut nach Hochhaussiedlung: »Hab sie für 'ne Schlampe gehalten.«

Morrow sah ihn an, versuchte seine Verwirrung zu deuten, sah, dass er jedes Treffen mit Sarah Erroll durchging, nach Hinweisen suchte und sich fragte, ob er es gewusst haben konnte. Sie sah ihn an und beobachtete, wie schon wieder jemand das Mitgefühl für Sarah Erroll verlor.

Sie betrachtete ihn so lange, bis ihr eine winzige Ferse, nicht größer als ihr Daumen, einen Karatetritt ins Herz versetzte und sie heimlich der Welt entriss.

16

Moira und Thomas standen in dem großen Kühlraum unter der Küche. Keiner von beiden konnte sich erinnern, wann sie das letzte Mal dort gewesen waren. Normalerweise waren Angestellte in der Küche oder drohten gleich hereinzukommen, es war ein öffentlicher Ort. Aber Moira hatte die meisten der im Haus lebenden Mitarbeiter bereits entlassen.

Thomas zuliebe hatte sie Nanny Mary behalten, aber er hatte gesagt, das wäre nicht nötig gewesen. Er brauche sie nicht mehr. Während er das sagte, hatte Moira ihm auf die zuckende Oberlippe gesehen, nicht in die Augen. Er hatte keine Ahnung, ob sie von Marys nächtlichen Unternehmungen wusste, aber sie war einverstanden gewesen, hatte Mary hereingerufen und ihr mitgeteilt, dass sie sich nicht mehr leisten konnte, sie zu beschäftigen. Mary hatte erleichtert gewirkt und gesagt, sie wolle packen und bereits am Morgen abreisen, noch bevor sie aufwachten. Dann hatten sie sich die Hände geschüttelt, kalt und professionell, sie hatte Thomas keine fragenden Blicke zugeworfen oder auch nur versucht, ihm direkt in die Augen zu sehen. Er hatte ihr nachgeschaut, als sie aus dem Zimmer gegangen war, die Pobacken straff unter ihrem Seidenrock, und plötzlich war ihm der Verdacht gekommen, dass sein Vater Mary befohlen hatte, mit ihm zu vögeln, und dass nun auch sie froh war, endlich gehen zu können. Er fand es seltsam, dass sie kein Zeugnis verlangt hatte.

Jamie hatte sich mit zweitausend Pfund in bar abfinden lassen. Moira hatte seinen Würgeangriff bislang nicht erwähnt, und Thomas glaubte, jetzt würde sie es wahrscheinlich auch nicht mehr tun.

Deshalb war außer ihnen kein Mensch mehr in der Eingangshalle oder in der Küche. Im ganzen Haus war niemand. Sie hatten noch nicht zu Abend gegessen, und Moira hatte einen Ausflug in die Küche vorgeschlagen.

In dem fensterlosen Kühlraum war es warm. Das Surren der Motoren hallte von den unterirdischen Wänden wider. Sie brauchten eine Weile, bis sie in der Dunkelheit den Lichtschalter gefunden hatten: Am Fuß der sehr steilen Treppe hing eine Schnur von der Decke. Drei große Gefriertruhen brummten leise vor sich hin. Eine war mit einem Vorhängeschloss versehen. Moira ging direkt drauf zu und machte sich an dem Schloss zu schaffen.

»Das wird die Fleischtruhe sein«, sagte sie.

Thomas musste plötzlich an ein Bett aus Fleisch denken, an eine Leiche in der verschlossenen Truhe, aber das lag einfach nur an dem fremden, unheimlichen Raum. Das war alles. Hier war es dunkel, still und gespenstisch.

Er hob den Deckel der Truhe direkt neben sich und sah hinein. Ihr Inhalt war sorgfältig sortiert. Durchsichtige Plastikbehälter voll hausgemachter Gourmetmahlzeiten, die der Koch, bevor er gegangen war, noch zubereitet, in einzelne Portionen abgefüllt und jeweils gut leserlich mit breiten, geschwungenen Buchstaben beschriftet hatte.

Moira öffnete eine andere Truhe und stellte fest, dass sie randvoll war mit unterschiedlichen Sorten Brot, Kräutern und Saft. Triumphierend holte sie eine gefrorene zylindrische Plastiktüte heraus: »Sieh mal!«

Mini-Pizzen. Billige Mini-Pizzen. »Das müssen die selbst gegessen haben«, sagte sie, »die Angestellten. Komm, die nehmen wir!«

»Aber was macht man mit denen?«

»Die tut man in den Ofen.« Thomas war beeindruckt, bis Moira gestand: »Steht doch auf der Packung. Ich krieg das schon hin.«

Sie eilte an ihm vorbei die Treppe hinauf in die Küche, wild entschlossen, ihm zu beweisen, dass sie in der Lage war, eine Mahlzeit zuzubereiten. Aber sie hatte den Deckel der Kühltruhe offen gelassen, der kalte Dunst kroch heraus und knisterte in dem deutlich wärmeren Raum. Thomas wartete, bis sie in der hellen Küche verschwunden war, dann schloss er die Truhe. Als sie den Deckel zuknallen hörte, hockte sie sich noch einmal lächelnd oben an den Treppenabsatz: »Tut mir leid. Gleich an der ersten Hürde gescheitert.« Sie stand wieder auf und verschwand endgültig in der Küche.

Thomas betrachtete erneut die verschlossene Fleischtruhe. Da lag niemand drin. Sarah Erroll lag nicht da drin. Ella auch nicht. Es war nur ein unheimlicher Raum.

Er stieg die Treppe hinauf, fand Moira dort mit dem Kopf im Ofen. Einen Moment lang dachte er, sie wolle sich umbringen, in einem Elektro-Ofen, dachte fast, sie sei schon hinüber, und plötzlich wurde ihm bewusst, dass er keinerlei Anstalten machte, sie herauszuziehen.

»Ach, da ist das …« Sie zog den Kopf heraus und lächelte ihn an. »Elektrisch. Ich bin so blöd.« Sie drückte auf den Regler und drehte ihn.

Thomas dachte einen Augenblick entsetzt und erstaunt über seine Gefühllosigkeit nach, dann wechselte er das Thema. »Mum, wo hat Cookie die Schlüssel aufbewahrt?«

Sie zeigte auf einen kleinen Metallschrank an der Wand hinter der Küchentür. Sechs Schlüsselhaken, an denen jeweils ein Schlüssel mit beschriftetem Anhänger hing. »Kühltruhe 3« war ein kleiner Schlüssel an einer kurzen rosafarbenen Schnur. Er nahm den Schlüssel, stieg noch einmal die steile Treppe in den Kühlraum hinunter und betrachtete das Vorhängeschloss.

Klein. Messing. Er wollte es nicht öffnen. Wollte nie wieder etwas wie Sarah Erroll sehen. Aber je länger er es aufschob, umso größer wurde seine Angst. Er zwang sich hinzugehen, dann blieb er davor stehen und blickte herunter auf den weißen Sarg. Blindlings tastete er mit dem Schlüssel nach dem Loch, verfehlte es, hatte das Gefühl, etwas Sexuelles und Schreckliches zu tun, etwas Schmutziges und Schmieriges, aber er zwang sich weiterzumachen, weil die Unwissenheit noch schlimmer war und er sonst nicht würde schlafen können.

Das Schloss sprang auf und fiel ihm in die geöffnete Hand.

Er klappte den Bügel der Truhe nach oben und hob den Deckel. Ein Bett aus gefrorenem Fleisch. Steaks, Koteletts, Wild, Braten. Eine riesige Lammkeule. Keine Leichen, kein Blut, keine tote Ella.

»Fleisch?« Moira war ihm nach unten gefolgt.

»Ja.« Er knallte den Deckel zu. »Nur Fleisch.«

»Hast du gedacht, er hat Geld da drin versteckt?«

»Nein, ich hab … hab mich bloß gewundert.«

Während sie auf die Pizzen warteten, nahm er sich ein Bier aus dem Kühlschrank, und sie genossen die Stille im Haus. Moira hatte erklärt, dass ihnen nach dem Zusammenbruch von Lars' Firmen nicht mehr als dreihunderttausend pro Jahr blieben. Sie würden das Haus verkaufen und woanders wohnen müssen. Die ATR-42 gehörte der Firma, ebenso wie das Haus in Südafrika, in dem Thomas nie gewesen war, weil sie immer während der Schulzeit dorthin gefahren waren, und die meisten Autos, die Büros in der Londoner Innenstadt und die Mitgliedschaft beim 1. FC Chelsea ebenfalls, sodass sie so schnell kein Spiel mehr sehen würden. Thomas war das egal. Er machte sich eigentlich nichts aus Fußball.

Moira holte die Pizzen aus dem Ofen und legte sie auf ein Hackbrett, um sie zu schneiden. Sie waren köstlich.

Thomas sah Moira beim Essen zu. »Jetzt hast du aber keinen trockenen Mund mehr.«

Sie sah ihn an und wusste, was er meinte. »Stimmt. Der ist nicht mehr trocken. Ich hab die Pillen abgesetzt.«

»Wann?«

»Vor fünf Wochen. Dein Vater war nicht oft zu Hause.«

Thomas fragte sich, ob sie wusste, wo Lars gewesen war. Thomas wusste ganz genau, wo er gewesen war. Bei ihr, bei der anderen Frau.

Das war die letzte Unterhaltung, die er mit seinem Vater geführt hatte. Lars war am Tag vor Beginn des Winterhalbjahrs mit ihm zu Fortnum's Eissalon rausgefahren, wo an jedem zweiten Tisch ein abwesend wirkender Vater im Anzug mit seinem ihm entfremdeten Sprössling saß. Thomas war älter als die anderen Kinder und fragte sich, ob seinem Vater überhaupt auffiel, wie viel älter er war.

Thomas sah Moira an. Vielleicht wusste sie es. Vielleicht war es ihr egal.

»Warum hat er sich wirklich umgebracht?«

Moira zuckte mit den Schultern. »Er hat die rote Karte bekommen. Ich denke, er wusste, dass er nie wieder zu den Topspielern zählen würde. Und ohne konnte er nicht leben. Er hatte keine Freunde mehr, keine anderen Interessen, nehme ich an.« Sie wirkte verträumt. »Du hast ihn nicht gekannt, als er jung war. Er war lustig. Richtig witzig. Damals hat er viel Humor gehabt. Und am Anfang haben wir uns wirklich geliebt. Wir hatten *Freunde.* Wir hätten glücklich sein können, anstatt, na ja, du weißt ja, was passiert ist. Gott … wir haben so viel einfach vergeudet.«

Thomas hörte zu, nickte, bis ihn Moira ansah und merkte, dass er rote Augen hatte. Sie sagte, er solle ins Bett gehen.

»Ich muss duschen«, sagte er leise. »Ich muss wirklich unbedingt vorher noch duschen.«

17

Morrow stand in ihrem Büro, zog ihren Mantel über und sah gerade nach, ob sie ihre Schlüssel und ihr Handy in die Handtasche gesteckt hatte, als Routher zaghaft an die geöffnete Tür klopfte.

»DCI Bannerman möchte Sie in seinem Büro sprechen, Ma'am.«

»Danke, Routher.«

Er verschwand wieder im Gang, doch sie rief ihn noch mal zurück.

»Warum sind Sie zu spät zur Besprechung erschienen?«

Routher hätte niemals Geheimagent werden können: Sein Gesicht war so vielsagend, dass sie an den kleinsten Veränderungen seines Gesichtsausdrucks die ganze Wahrheit ablesen konnte: Seine Augenbrauen zogen sich zusammen, weil er aus gutem Grund zu spät gekommen und es nicht seine Schuld gewesen war, aber dann fiel ihm plötzlich wieder ein, dass Zuspätkommen schlecht war, nicht befördert zu werden, aber gut, weshalb er sich mit dem Anflug eines Lächelns für seine Raffinesse gratulierte und log: »Tut mir leid, ich hab verschlafen.«

»Sie haben um fünf Uhr nachmittags verschlafen?«

Er wirkte verdutzt. »Kommt nicht wieder vor.«

Sie starrte ihn an und sah, wie er rot wurde. »Sie können gehen.«

Das tat er erleichtert.

Sie ging den Gang runter und fand Bannermans Tür halb geöffnet. Er redete mit jemandem, machte ja, hmhm, ja, ja. Sie klopfte, trat ein und merkte, dass er telefonierte, jemandem beipflichtete. Er blickte auf den Stuhl vor sich, und sie setzte sich und wartete, bis er fertig war, sah sich so lange auf seinem Schreibtisch um.

Als sie sich noch ein Büro geteilt hatten, war sein Schreibtisch voller Dinge gewesen, die lautstark davon zeugen sollten, was für ein toller Hecht er war. Morrow hatte ihm nichts davon abgenommen. Aber sie hatte es interessant gefunden, seine Botschaften zu entschlüsseln, und an ihnen ihr Geschick geübt, hinter das Offensichtliche zu blicken. Bannerman aß keine Energieriegel statt Mittagessen, weil er sich um seine Gesundheit scherte, sondern weil er Angst hatte, dick zu werden. Auch mit dem Briefbeschwerer in Form eines Surfboards konnte er ihr nichts vormachen: Abgesehen von dem ein oder anderen Sonnenbad ging er keinerlei abenteuerlichen Freizeitaktivitäten an der frischen Luft nach. Sie konnte ihn nicht ausstehen, weil sie mitbekam, dass er aus der Masse der Beamten herausstechen wollte und wusste, dass er sich das erlauben konnte, gerade weil er so durch und durch dazugehörte; schon sein Vater war Polizeibeamter gewesen, und er kannte den Betrieb wie seine Westentasche.

Nach seiner Beförderung hatte Bannerman nicht mehr das Bedürfnis gehabt, anders rüberzukommen, denn als Chef.

Er legte auf. »Ich werde die Ermittlungen in diesem Fall zum Teil selbst übernehmen, Morrow«, sagte er ohne Entschuldigung. »Wegen des Geldes. Das macht mir Sorge, nicht nur, dass es überhaupt da ist und in so großer Menge, sondern auch weil es sich um Euro handelt.«

Eine weitere Lüge. Das Geld spielte bei seinen Überlegungen durchaus eine Rolle, aber er war nicht nur auf Ruhm aus. Er führte etwas anderes im Schilde. »Wurde es schon auf Spuren von Drogen untersucht?«, fragte er.

»Ja, aber ohne Ergebnis. Wenig, beziehungsweise gar keine Spuren. Insgesamt ungewöhnlich wenige Spuren, die Scheine kommen offenbar direkt von der Bank. Wir sind noch nicht sicher, von welcher, sie sind nicht serienmäßig nummeriert. Wir prüfen gerade, wo hierzulande große Beträge in Euro ausgezahlt wurden, aber eigentlich können sie von überall herkommen.«

»Ich tippe auf New York.«

»Ja, da drüben ist genug davon in Umlauf, das scheint plausibel.«

Sie wusste nicht, wie sie ihm sagen sollte, dass die Männer nicht für ihn arbeiten wollten. »Sir, Arbeitsmoral. Im Moment konkurrieren alle darum, wer am unbrauchbarsten ist – das sollte eigentlich nicht sein.«

Bannerman warf einen Blick an ihr vorbei und senkte die Stimme. »Ich weiß. Ist mir aufgefallen. Ich komme morgen Vormittag zur Besprechung und halte denen eine Standpauke.«

»Nein, bitte …«

»Arbeitsmoral fällt ebenso in meinen Aufgabenbereich wie in Ihren. Wenn die Kollegen keine besitzen, werde ich einen anderen Ton anschlagen müssen.«

Ein anderer Ton: Der typische Spruch von Vorgesetzten, als ob den Männern durch ein paar strenge Worte Begeisterung eingeimpft werden könnte. Sie waren keine Anfänger mehr, die meisten waren schon älter und durchaus selbstbewusst. »So eine Art von Team ist das nicht, Sir.«

»Ich will nicht, dass Harris zu viele Aufgaben übernimmt.« Und da waren sie wieder, seine niedergeschlagenen Augen, die Bedeutsamkeit signalisieren sollten. »Warum setzen Sie nicht Wilder ein bisschen häufiger ein?«

»Weil er ein Blödmann ist.«

Er verwarnte sie mit einem Blick. »Fahren Sie nach Hause?«

»Ich versuch's.« Sie sammelte ihre Sachen zusammen. »Ich glaube, Sarah Erroll hat den Eindruck von einem dummen im Luxus schwimmenden Mädchen vermittelt, tatsächlich hatte sie's aber faustdick hinter den Ohren. Wir haben ihren Anwalt vernommen und sie ...«

»Ich weiß, ich hab's gesehen.«

Sie hielt inne und sah ihn an. Er war tatsächlich im Begriff, den Fall an sich zu reißen, und sie konnte nichts dagegen tun. »Okay«, sagte sie gereizt. »Bis morgen.«

»Schönen Abend.«

Sie gestattete sich, übertönt vom Einschnappen der Tür, leise zu fluchen.

Routher stand wieder draußen im Gang, und sie lenkte ihren Zorn auf ihn. »Wollen Sie die ganze Nacht auf dem Gang rumhängen, Routher?«

Verdattert über die Vehemenz ihrer Verärgerung, stotterte er: »Nein, ich ... ich hab auf Sie gewartet. Die vorläufigen Berichte liegen auf Ihrem Schreibtisch, und McCarthy hat sich das Handy angesehen. Sie war Call-Girl.«

»Ach, du Scheiße.« Morrow ging zurück in ihr Büro und warf ihre Tasche an den Schreibtisch. »Kommen Sie.«

Mark McCarthy hatte das Gesicht eines untergewichtigen Bluters. Zumindest im Polizeidienst hatte Morrow nie jemanden gesehen, der so ungesund aussah. Sie wunderte sich eigentlich ständig darüber, dass ihn das Drogendezernat noch nicht als Undercoveragenten angeworben hatte.

Er lächelte und sah auf, als sie sich seinem Schreibtisch näherte. »Hab ein paar gute Hinweise gefunden, Chefin. Auf diesen modernen Handys bildet sich das ganze Leben ab.«

Sie zog einen Stuhl heran und setzte sich. »Her damit.«

»Okayyyyy.« Er zog das Handy aus der Plastiktüte. Der schwarze Staub der Spurensicherung klebte an seinen Fingerspitzen. »Erstmal haben wir Fingerabdrücke auf dem Display gefunden, die nicht von ihr stammen. Und zwar ziemlich gute.«

»Bereits aktenkundig?«

»Bis jetzt keine Übereinstimmungen.«

»Scheiße«, sagte Morrow mit mehr Nachdruck als beabsichtigt. Am liebsten wäre ihr die Adresse einer Person gewesen, die bereits ein ähnliches Verbrechen begangen hatte, dann hätte sie jetzt nach Hause fahren können.

McCarthy wirkte verletzt. »Trotzdem gut, oder nicht?«

»Oh ja, ja klar, was noch?«

»Der letzte Anruf war 999. Das hier haben die uns geschickt.«

Er hatte es bereits vorbereitet, um sie zu beeindrucken: Er wackelte an der Maus, und auf seinem Computerbildschirm öffnete sich eine Audiodatei. Er klickte auf »copy« im Menu, zog sie auf einen Speicherstick, lud die Datei runter, entfernte den Stick und gab ihn ihr. Nach dem demonstrativen Desinteresse, dem sie tagsüber begegnet war, war Morrow fast ein bisschen gerührt.

»Ist Sarah darauf zu hören?«

»Ja. Außerdem ...« McCarthy klickte eine Liste von E-Mails

an, über jeder stand der Name des Absenders. Die meisten stammten von Scott und waren entweder überschrieben mit »Glenarvon« oder »Verwaltung des Nachlasses«, doch als er weiterscrollte, tauchten eine Reihe älterer E-Mails auf, die allesamt von einer gewissen »Sabine« stammten. »Sehen Sie das vorangestellte ›Fwd:…‹? Das bedeutet, dass sie ursprünglich von einem anderen E-Mail-Account abgeschickt wurden. Und es geht immer wieder um dasselbe.«

McCarthy öffnete eine. P würde geschäftlich in London sein, hatte über einen Freund von ihr gehört. Er wisse Bescheid und kenne die Preise, er hoffe, sie könnten sich treffen und ein bisschen Spaß haben. Er nannte den Namen seines Hotels und eine Telefonnummer. Eindeutig eine Verabredung zum Sex.

»Hat sie darauf reagiert?«, fragte Morrow.

»Nein. Wenn da ein kleiner Pfeil am Rand erscheint«, er schloss die Nachricht und kehrte zur Liste zurück, »wurde auf die Nachricht geantwortet. Diese hier wurden nicht beantwortet. Sie hat vor ungefähr zwei Monaten aufgehört, darauf zu reagieren.«

»Als ihre Mutter starb«, sagte Morrow. »Und sie nicht mehr für das Pflegepersonal aufkommen musste. Ihre Mutter brauchte rund um die Uhr häusliche Pflege. Das ist sehr teuer.«

McCarthy nickte, aber sie merkte, dass ihm das jetzt erst klar wurde. Ihr war eigentlich egal, ob er es wusste oder nicht, sie wollte vor allem, dass er es beiläufig den anderen Männern gegenüber erwähnte.

»Hat das Handy eine Kamera?«

»Ja.« Er kehrte zum Hauptmenü zurück und wählte den Bilderordner. »Ist aber ein altes iPhone. Sie muss früh damit angefangen haben. Der Speicher ist winzig, kann höchstens hundert Fotos speichern. Wir gehen gerade ihren Laptop durch«, er zeigte auf ein kleines silberfarbenes Notebook auf einem anderen Schreibtisch, »aber sie hatte für alles Passwörter und zwar jedes Mal andere.«

Auf dem Handy befanden sich siebenundachtzig Bilder. Einige zeigten Menschen, andere Gegenstände. Bei einigen handelte es sich um Branchenbucheinträge für Dachdecker oder Abwassertechniker, vermutlich fotografiert, damit sie sich die Nummern nicht notieren musste. Die anderen waren relativ neu. Auf vielen waren New Yorker Straßenszenen zu sehen, der Park, schlecht ins Bild gesetzte Aufnahmen von Passagieren bei einer Bootsfahrt an einem sonnigen Tag vor Manhattan.

»Hat sie die Fotos regelmäßig runtergeladen?«

»Ja, so weit wir das feststellen können.«

»Ich vergesse immer das Runterladen. Auf meinem Handy sind viel zu viele alte Bilder.« Sie musterte das Telefon skeptisch. Es wirkte irgendwie seltsam.

»Zeigen Sie mir die Daten zu den New Yorker Bildern.«

McCarthy bewegte die Maus, und die Daten wurden sichtbar. Alle Bilder waren in der vorangegangenen Woche aufgenommen worden. »Alle neu.«

Morrow kaute auf ihrer Lippe. »Letztes Jahr war sie sieben Mal dort. Ist es nicht seltsam, dass sie die Stadt dieses Mal so aufregend fand, dass sie Fotos machte? Als hätte sie sich für eine Touristin ausgeben wollen.«

»Vielleicht war sie ja Touristin.«

»Aber sie war in elf Monaten sieben Mal dort. Wer macht denn nach dem siebten Mal noch solche Fotos?«

»Auf jeden Fall hat sie typische Tourisachen gemacht. Hat

Museen besucht und so.« Er zeigte auf Sarah Errolls Koffer, der auf einem der Tische lag. »Hat sich einen Museumskatalog gekauft. Der muss ihr wirklich gefallen haben, das Buch wiegt eine Tonne. Damit hat sich das Gewicht ihres Reisegepäcks auf einen Schlag verdreifacht.«

Morrow blickte auf den kleinen weißen Koffer aus der Eingangshalle. Er war offen, sein Inhalt lag direkt daneben.

Sie stand auf und ging zu dem Tisch.

Der riesige blassgrüne Katalog des Museum of Modern Art war noch in Folie verschweißt, die Quittung klebte mit Tesafilm obendrauf. Das Datum stimmte mit dem von Sarah Errolls letzter Reise überein. Außerdem befand sich in dem Koffer Unterwäsche zum Wechseln, ein Spitzenhöschen wie das rosafarbene, das sie im Haus gefunden hatten, nur in blau, ein silberfarbenes Kleid, ein Kulturbeutel mit Cremes und Lotionen in für Flugreisen geeigneten kleinen Abfüllungen in einem durchsichtigen Plastikbeutel mit Reißverschluss. Und sie hatte die Pille genommen.

Nichts Persönliches. Keine Privatanschrift für den Fall, dass der Koffer verloren ging, keine Fotos oder Zeitschriften, die sie gerade gelesen hatte, keine Notizzettel oder alten Fahrscheine, nichts Überflüssiges.

Morrow betrachtete den Katalog. Sie versuchte ihn mit einer Hand hochzuheben: Er war so schwer, dass sie sich das Handgelenk verzog. Sie klappte den Kofferdeckel zu, betrachtete ihn und öffnete ihn noch einmal, legte den Katalog hinein und machte ihn wieder zu. Das Buch füllte fast die Hälfte des Koffers aus. Sie holte es wieder heraus, stellte es auf den Tisch und betrachtete es. Irgendwas daran stimmte nicht, die Plastikfolie war teilweise lose und schief an den Nähten.

Sie holte ihren Autoschlüssel heraus, hakte ihn in eine

Ecke der Folie, riss sie auf und zog sie ab. Mit der Schlüsselkante schlug sie das Buch auf.

Morrow lächelte. Zwischen alten Schwarz-Weiß-Aufnahmen kubistischer Collagen hatte jemand eine genau angepasste Vertiefung für einen dicken fetten Klotz neuer, rosiger und von zwei Gummibändern zusammengehaltener Fünf-Hundert-Euro-Scheine ausgeschnitten. Gut möglich, dass Sarah immer wieder mit demselben Katalog gereist war, ihn jedes Mal neu hatte einschweißen lassen und wegen der Quittung mit dem richtigen Datum zusätzlich einen neuen gekauft hatte. Und das erklärte auch, weshalb sie den Koffer eingecheckt hatte. Hätte sie ihn als Handgepäck durch die Kontrollen getragen, wäre der Katalog dem Anschein nach zwar neu gewesen, aber beim Durchleuchten hätte man ein graues Rechteck und die unterschiedlichen Papiersorten gesehen. Die Fotos von New York gehörten zu ihrer Tarnung als kunstinteressierte Touristin.

McCarthy stand auf der anderen Seite des Tisches und starrte wie hypnotisiert auf das Geld. Routher kam ebenfalls herüber, und ein junger DC erhob sich von seinem Platz am Tisch und stellte sich auf die Zehenspitzen, um besser sehen zu können.

Morrow drehte sich zu ihnen um und sah, dass beiden die Münder offen standen. Sie starrten auf das Geld und waren ganz offensichtlich mit ihren Gedanken woanders, im Wettbüro, beim Autohändler oder wo auch immer ihre Sehnsüchte sie hinführten.

Danach teilte sich die Nachtschicht auf: McCarthy und Routher mussten auf das Geld aufpassen, bis der Fahrer des Panzerwagens aus dem Bett geklingelt worden war. Bannerman bestand darauf, den Katalog zur weiteren Untersuchung höchstpersönlich ins Labor zu bringen, obwohl sich darauf kaum weitere, für die Ermittlungen in dem Mordfall relevanten Spuren feststellen lassen würden. Morrow blieb alleine in ihrem Büro zurück und ging die Dateien auf dem Handy durch. Unter den Fotos fand sie auch drei von einem silberhaarigen Mann und nahm sich vor herauszufinden, ob die Bilder in der Nähe von Glenarvon entstanden waren. Die älteren Fotos zeigten Sarahs Mutter, eine winzige schildkrötenartige Frau in altmodischen Kleidern, die sie noch aus besseren Zeiten besessen haben musste. Auf den jüngeren saß sie in brandneuer Nachtwäsche, blassblau und altrosa, mit einer Decke über den Knien in einem Lehnstuhl in der Küche oder in einem Bett am Fenster und schaute in die Kamera. Die Fotos strahlten Zärtlichkeit aus. Sarah war in die Hocke gegangen, um ihre Mutter auf Augenhöhe zu fotografieren, und auf allen Bildern herrschte ein sanftes Licht. Bei einigen der Küchenfotos war Kay im Hintergrund zu sehen. Sie lächelte Mrs Erroll über die Schulter hinweg an, wirkte mollig und mütterlich.

Morrow fuhr mit den Fingern über Kays Gesicht auf dem Display und lächelte.

In den E-Mails auf Sarahs Handy ging es so gut wie ausschließlich um das Haus. Scott schien wild entschlossen gewesen zu sein, ihr von allen Einzelheiten des Verkaufs und der Nachlassverfügungen zu berichten, was er ihr zweifellos jedes Mal in Rechnung stellte. Die Nachrichten waren so überzogen und kriecherisch formuliert, dass man deren Verfasser kaum ernst nehmen konnte. Sie stellte sich vor, wie so viel Unterwürfigkeit dazu geführt hatte, dass Sarah ihn verachtete und eine gewisse Schadenfreude dabei empfand, ihn an der Nase herumzuführen.

Viele der anderen E-Mails waren an Sabine adressiert. Es handelte sich um Verabredungen in bestimmten Hotels zu bestimmten Uhrzeiten, bei denen pikante Vergnügungen in Aussicht gestellt, aber nicht näher beschrieben wurden. Das war eine Katastrophe. Polizisten hatten für Prostituierte beiderlei Geschlechts kaum Mitgefühl übrig, ganz egal, an wie vielen Fortbildungskursen sie teilnahmen. Nutten machten Ärger, waren chaotisch und zogen Geistesgestörte förmlich an. Nur wenn es ihnen gelang, sie als Kinder zu betrachten, die auf die schiefe Bahn geraten waren, brachten sie Anteilnahme auf und bezeichneten sie als »Mädchen« und »Jungs«. Ansonsten galt ihnen Prostitution als Begleiterscheinung von Sucht: Sie taten es für Drogen, unter dem Einfluss von Drogen oder brauchten Drogen, um es zu tun. So oder so, sie konnten gar nicht anders. Sexarbeiter und -arbeiterinnen, die es gewohnt waren, anderen Menschen nach dem Mund zu reden, pflichteten dem dann stets bei. Ihr war aufgefallen, dass es angeblich nur wenige wegen des Geldes taten. Die wenigsten gaben zu, dass es sich um eine ökonomische Entscheidung handelte.

Morrow hielt sich die Hände vors Gesicht und dachte an Sarah auf der Treppe. Irgendwann musste sie gewusst haben, was mit ihr geschah, und wegen ihres Jobs musste dieser Augenblick noch grauenhafter gewesen sein. Prostituierte gaben sich meist selbst die Schuld, egal, wie abstoßend die gegen sie verübten Verbrechen auch waren. Wenn sie vergewaltigt oder brutal überfallen wurden, bestand die Hauptarbeit immer darin, sie dazu zu bringen, sich einzugestehen, dass sie Opfer geworden waren. Sexarbeiterinnen brauchten die Illusion, die Situation unter Kontrolle zu haben. Morrow rieb sich ihren Bauch. Alle brauchten das. Sie stellte sich vor, wie

Sarah auf dem Rücken lag und ein Fuß auf ihr Gesicht niederraste, und dass ihr letzter bewusster Gedanke ein Selbstvorwurf gewesen war.

Morrow lehnte sich zurück und rieb sich die brennenden Augen. Es war schon spät. Ihr Büro war dunkel und draußen auf dem Gang war es still. Sie wollte nach Hause, vor den Fernseher, mit Brian auf dem Sofa sitzen. Als Letztes nahm sie sich die Tonaufnahme vor, steckte sich die Kopfhörer in die Ohren und rief die Audiodatei mit dem Notruf auf.

Hätte Sarah nur fünf Sekunden früher etwas gesagt, hätte sie gerettet werden können.

Aber das hatte sie nicht.

Aufgrund der Pause zwischen Wählen und Sprechen war die Person in der Zentrale von einem stummen Anruf ausgegangen und hatte diesen auf das Aufnahmegerät umgeleitet. Normalerweise kamen diese stummen Anrufe von betrunkenen Teenagern, aufmerksamkeitsgeilen Idioten oder Fünfjährigen, die mit dem Telefon spielten, während ihre Mütter in der Wanne saßen. Das Aufnahmegerät war eine pragmatische Lösung, ein System, das zielgerichtet fast immer genau die Anrufer aussortierte, die nur die Zeit der Polizei verschwenden wollten. Fast immer.

Morrow lauschte und hörte Sarahs sanfte Stimme in weiter, nebliger Ferne. Sie sah die kalten ausdruckslosen Augen der Polizisten bei der Dienstbesprechung, die darauf warteten, in die warme Sicherheit ihrer Wohnungen fahren zu dürfen.

Morrow lauschte dem Notruf bis zum Ende und dann noch einmal. Sie merkte, dass sie in der Dunkelheit weinte, nicht nur um Sarah Erroll, sondern auch um ihren toten Vater und um JJ und all die anderen Ungeliebten und wenig Liebenswerten.

Als sie fertig war, trocknete sie sich das Gesicht, horchte auf Geräusche vor ihrer Tür und stahl sich zum Ausgang. Sie ging um die riesigen Betonkübel herum und dann an der Wand entlang bis zu ihrem Wagen, den sie auf der schwarzen Straße geparkt hatte.

Sie rutschte auf den Fahrersitz und verriegelte die Türen von innen, machte das Licht im Innenraum an und blieb eine Weile sitzen, sie fühlte sich beschämt, wund, zermürbt, dumm und schwanger.

18

Thomas war fix und fertig, aber aufgedreht. Er hatte geduscht und saß jetzt sauber und in ein Handtuch gehüllt in seinem Wohnzimmer auf dem Sofa vor dem Fernseher, schaltete alle dreißig Sekunden um und suchte etwas, ohne zu wissen, was. *Family Guy*. Irgendwas Kurzweiliges. Seine brennenden Augen starrten auf den Fernseher, während sich vage Gedanken in seinem Kopf formten, Gedanken, mit denen er zurechtgekommen wäre, hätte er mit ihnen alleine sein und sich darauf konzentrieren können.

Er sah das Video eines Rap-Kollektivs, hässliche Männer in einem pompösen Haus mit Pool, die abfällige Bemerkungen über wunderschöne Stripperinnen machten. Er dachte an seine Eltern. Lars hatte für Thomas immer jemanden verkörpert, der um jeden Preis Eindruck schinden wollte und ständig unter Druck stand, einen Auftritt hinlegen zu müssen. Thomas hatte dies sehr zu schaffen gemacht, denn er selbst war eigentlich in nichts besonders gut. Lars hatte ihm viele Male erklärt, dass niemals etwas Großartigeres aus ihm werden würde, als der Sohn von Lars. Aber jetzt war er tot. Und der ganze Hirnfick war vorbei, und Moira war immer kalt und distanziert gewesen, aber jetzt war sie hier und sehr herzlich. Selbst wenn sie niemals wieder miteinander sprechen sollten, wenn sie heute Nacht eine Überdosis nahm, wusste Thomas, dass ihm dieser Abend bleiben würde, an dem sie miteinander geplaudert und sich in die Augen gesehen hatten, und sie sich bei ihm entschuldigt hatte.

Er wusste, dass er weder ihre Wärme noch die Erleichterung verdient hatte, die Lars' Tod für ihn bedeutete. Zwei unglaubliche Glücksfälle, und das so kurz nach dem, was er getan hatte. Das war nicht richtig. Als hätte Hitler im Lotto gewonnen.

Er verschob eine Pobacke auf dem feuchten juckenden Handtuch und schaltete um. Haie in trübem blauem Wasser schwammen mit offenen Mäulern direkt auf den Kameramann zu. Er dachte an Sarah Erroll, oben an der Treppe, wie er ihren nackten Hintern gesehen hatte, und wie sie sich am Geländer festgehalten und einen Fuß auf die erste Stufe hatte sinken lassen, und der Schlag auf seine Schulter, als Squeak an ihm vorbeigestürmt war und mit der Hand in ihr Haar gegriffen hatte. Blondes Haar. Viele verschiedene Blondtöne, dunkle, gelbliche Spuren von Weiß und sogar Rosa und Dunkelrot fanden sich darin, ganze Haarbüschel hingen in Squeaks Faust; er hatte sie ihr ausgerissen, als er versuchte, sie aufzuhalten.

Das Klingeln ließ ihn aufsitzen und sich umsehen, noch bevor er begriffen hatte, woher es kam. Sein Handy. Immer noch in der Reisetasche, die neben der Tür in seinem Schlafzimmer stand. Nanny Mary hatte sie dort stehen lassen, weil Moira sie gerufen und ihr gesagt hatte, dass sie gefeuert war. Er gehorchte dem Klingeln, tappte zur Tasche, holte das Handy heraus und las den Namen auf dem Display: Squeak.

Thomas hielt das Telefon in seinen Händen und betrachtete es, während es weiterklingelte. Squeak wollte ihm drohen. Das war erbärmlich. Er würde noch einmal alles runterrattern: Du hast mich ins falsche Haus gebracht. Thomas wollte nicht mit ihm sprechen. Und dennoch ließ ihn das Bedürfnis, dem Klingeln zu gehorchen, dort ausharren und das Handy anstarren, und er stellte sich vor, wie Squeak sich in dem kleinen Bad, das an sein Zimmer im Schlaftrakt angrenzte, versteckte, im Dunkeln saß, weil die Lichter um diese Zeit längst gelöscht waren. Er würde auf dem Klo hocken; die Bäder waren winzig, und die Toilette war der einzige Platz, wo man sitzen konnte. Alle Schüler mussten immer zu Schulbeginn nach den Ferien ihre Handys abgeben und bekamen sie erst am Wochenende wieder, aber Squeak besaß ein illegales Telefon, ein zusätzliches, auf dem er sich Pornos ansah. Jetzt saß er im Dunkeln auf dem Klo und rief ihn von seinem Pornohandy aus an, wartete, dass Thomas dranging.

Er drückte auf die grüne Taste und hob das Handy ans Ohr. »Mann?« Er flüsterte ebenfalls, weil Squeak wegen des Handys Ärger bekommen würde.

»Ja, bist du da?«

»Ja.«

»Traurig wegen deinem Alten?«

»Eigentlich nicht.«

»Hat er sich aufgehängt?«

»Ja. Auf seinem Rasen.«

Squeak stieß ein leises Lachen aus, er wusste Bescheid über den Rasen. »Verfluchte Scheiße.«

»Ja. Idiot.«

»Vollidiot.«

Thomas sah ins Nachbarzimmer auf den Haifilm: Das Wasser war jetzt blutig. »Obervollidiot.«

Squeak atmete laut in den Hörer. »Tut mir leid wegen vorhin.«

»Ja.«

»Ich wusste nicht, was los war, hab gedacht, du hast es jemandem erzählt. Mich mit reingezogen.«

»Quatsch«, sagte Thomas sanft und kratzte an einem Fleck an seiner Schlafzimmerwand.

»Ja, ich hab echt 'n Schreck gekriegt.«

»Nein, war bloß … du weißt ja.« Thomas nickte, wollte es nicht so sagen, als sei es eine große Sache, weil es das für ihn nicht war. »Lars ist futsch, auf Nimmerwiedersehen.«

»Hmm.« Squeak verstand. »Alles klar zwischen uns?«

»Logisch. Was ist heute los?«

Er konnte Squeak grinsen hören. »Hab achtundneunzig Prozent in Sozialkunde geschafft.«

»Wichser.«

»Ich weiß. Willst du wissen, wie viel du hast?«

»Wie viel?«

»Sechsundvierzig«, sagte Squeak und lachte, weil das Ergebnis so erbärmlich war. Und Thomas lachte auch. Es spielte keine Rolle. Sozialkunde war sowieso ein bescheuertes Fach, aber das war nicht der Grund, weshalb Thomas lachte. Er lachte, weil Squeak ihn ärgerte, sich über ihn lustig machte, und das bedeutete, dass zwischen ihnen alles okay war.

»Du Streberarsch«, sagte Thomas leise. »Ich hab immer davon geträumt, Sozialwissenschaftler zu werden, und du machst mir meine Träume kaputt.«

»Ja«, sagte Squeak lächelnd. »Egal. Ella schon zu Hause?«

»Kommt morgen.«

»Sag ihr, ich hab an sie gedacht …« Thomas schloss die Augen. Ihm graute vor dem, was bevorstand, weil er wusste, dass Squeak gleich etwas über sie sagen würde. »Sag ihr bloß nicht, was ich gemacht hab, als ich an sie gedacht hab.«

»Ja«, sagte Thomas. »Sie ist zwölf, verdammt noch mal, du alter Sack.«

»Hey.« Squeak klang genervt, weil er zurechtgewiesen wurde. »In Texas könnte ich sie heiraten.«

»Trotzdem nicht in Ordnung.«

»In Holland …«

»Ist nicht in Ordnung, Mann«, sagte Thomas sehr bestimmt. »Sie ist meine Schwester. Ich kann sie nicht ausstehen, aber sie ist trotzdem meine verfluchte … du weißt schon.«

»Ja, schon gut, verpiss dich.« Er klang genervt.

»Verpiss dich selbst«, sagte Thomas, was heißen sollte, lass stecken.

»Ja«, er ließ es stecken, »verpiss dich …«

Squeak hatte es nicht ernst gemeint; er hatte für kleine Mädchen nichts übrig, und Thomas wusste das; wenn überhaupt, dann interessierten ihn Frauen in Nanny Marys Alter. Er hatte es eher als Kompliment gemeint. Wenn man auf die Schwester von einem Typen stand, dann hieß das, dass er wenigstens nicht mit einer fetten blöden Kuh verwandt war. Aber Thomas mochte es nicht, wenn Squeak so redete, weil er gesehen hatte, was Squeak da auf seinem Handy hatte, mit Tieren und anal und so, und er selbst wollte mit so einem Scheiß nichts zu tun haben.

»Ich mach lieber Schluss«, sagte Squeak und legte auf, bevor Thomas die Chance hatte, sich zu verabschieden.

Thomas ließ das tote Handy auf dem Bett liegen und betrachtete es vorwurfsvoll, als wäre es Squeaks Pornohandy. Er drehte sich auf den Fersen um, und wieder sah er Sarah Errolls nackten Hintern, als sie sich am Geländer festhielt und ihren Fuß auf die erste Treppenstufe sinken ließ. Er spürte den Stoß an seiner Schulter, als Squeak an ihm vorbeistürmte und die Hand nach ihren Haaren ausstreckte. Und dann die Hand in ihrem Haar, die Fingerknöchel weiß, weil Squeak so fest zupackte, und ihre Füße bewegten sich weiter, obwohl ihr Kopf blieb, wo er war, und sie nach hinten umkippte und im Slalom die Treppe runterdonnerte, und Squeak in die Hocke ging, immer noch ihr Haar fest im Griff, ihr nach unten folgte und zu Thomas aufsah, freudig erregt, als könne er sein Glück kaum fassen, als wäre Weihnachten und Ostern zugleich und als wüsste er nicht, wie er es geschafft hatte, ein so braver Junge zu werden, um so etwas zu verdienen.

Thomas sah auf das Handy auf dem Bett, und ihm war wieder schlecht, ein kleiner Nachhall der Übelkeit, die er beim Anblick von Squeak am Fuß der Treppe verspürt hatte. Eine Art schwere Traurigkeit, ein Unwohlsein, das die Welt um ihn herum schwanken ließ, und sein Kopf fühlte sich an, als wäre er voller Öl.

Auf der Treppe hatte er sich vor der Erkenntnis gedrückt, aber jetzt nicht mehr: Wenn du erst mal am Boden bist, ist jeder bereit, dir das anzutun. Jeder.

19

Es ging auf elf Uhr zu, eigentlich zu spät für einen Besuch, aber Morrow sehnte sich nach ein bisschen Trost an diesem melancholischen Tag, und deshalb fuhr sie weiter.

Die Straßen um Castlemilk waren gerade und hell erleuchtet, der modernen Autogesellschaft angepasst, obwohl sich die Anwohner hier nur den Bus leisten konnten. Die breiten Straßen waren für nichts anderes gut, als mit gestohlenen Fahrzeugen drüberzurasen und Kleinkinder über den Haufen zu fahren, weshalb die Stadtplaner hohe Fahrbahnschwellen angebracht und die Bürgersteige erweitert hatten, um verkehrsberuhigende Hindernisse zu schaffen. Morrow fuhr nur knapp zwanzig Stundenkilometer und kam sich dabei immer noch draufgängerisch vor.

Sie kam an einer Polizeiwache vorbei, einer soliden Festung aus braunem Backstein, fuhr eine kurze Steigung hinauf und parkte auf einem von zirka zwanzig freien Parkplätzen. Die Wohnungen wirkten verwahrlost und düster, drei riesige Blocks, die über der Stadt wachten. Die Treppenhäuser wurden jeweils in einer anderen Farbe beleuchtet, in der Mitte neonblau, orange und lila jeweils daneben. Die lebendigen bunten Lichter passten nicht zu den dezenten, aber heruntergekommenen Fassaden: senffarben, erbsengrün, braun.

Sie stieg aus dem Wagen, dachte daran, dass sie nicht nur im Begriff war, allein eine Zeugin aufzusuchen, sondern zu allem Überfluss auch noch ihren Privatwagen von den Wohnungen aus gut sichtbar abgestellt hatte. Sie sah sich um. Ringsum an den Laternenmasten hingen Überwachungskameras. Von dort, wo sie stand, konnte sie allein schon über zehn entdecken, und alle schienen in Betrieb zu sein.

Wenn heute Abend etwas vorfiel, würden ihre Vorgesetzten sofort wissen, dass sie alleine in ihrem eigenen Wagen hier gewesen war. Trotzdem machte sie nicht kehrt und stieg wieder ein, sondern ging zu dem mittleren Wohnblock, sah in ihrem Notizbuch noch einmal nach der Wohnungsnummer und drückte auf die Klingel, bevor sie durch die Glastür spähte. Die Lobby war weiß gekachelt und so sauber wie ein Operationssaal. Schilder an den Wänden ermahnten die Bewohner, keine Hunde in ihren Wohnungen zu halten und keinen Müll in die Aufzüge zu werfen, und dass Graffitis streng verboten waren. Der harsche Kommandoton schien gar nicht nötig zu sein. Sogar die Schilder waren hübsch und sauber.

Über die Sprechanlage knisterte die Stimme eines jungen Mädchens: »Hallo?«

»Hallo, bin ich richtig bei Kay Murray?«

Das Mädchen wandte sich von der Sprechanlage ab und schrie: »Mum! Für dich!«

Morrow lächelte, als sie hörte, dass sich Kay näherte: »… kannst du nicht verdammt noch mal fragen, wer's ist, anstatt hier rumzuschreien.«

Aber das Mädchen war längst wieder abgerauscht und hatte eine Tür hinter sich zugeknallt.

Kay räusperte sich und sagte: »Ja, bitte?«

»Kay, ich bin's.«

Pause.

»Alex?«

»Ja.«

»Oh. Komm hoch …«

Die Eingangstür summte zornig, und Morrow schob sie auf. Nachdem sie den Eingangsbereich durchquert hatte, drückte sie auf den Rufknopf für den Aufzug. Die Türen glitten auf und gaben ein warmes orangefarbenes Licht frei. Der Boden war sauber, niemand hatte die Plastikknöpfe mit Feuerzeugen verkokelt, und es roch auch nicht im Geringsten nach aggressiven Desinfektionsmitteln. Nichts um sie herum wirkte bedrohlich, und trotzdem verspürte Morrow einen Ruck in der Magengegend, als die Türen vor ihr zuglitten und der Aufzug losfuhr.

Als sich die Türen wieder öffneten, stand sie im kalten Licht von Neonröhren und dem Geruch eines indischen Currys, dessen Reste in einer Tüte an einem Türgriff hingen. Der Boden war grellpink gestrichen, türkisfarbene Rauten markierten einen Weg. Sämtliche Wohnungstüren waren ebenfalls türkis und mit Milchglasscheiben versehen, hinter denen teilweise Licht brannte. Morrow ging bis zur Nummer acht.

Hinter Kays Scheibe hing ein kleiner rosafarbener Spitzenvorhang. Es war eine alte Tür, ein gutes Zeichen: das bedeutete, dass sie schon lange dort wohnte, die Miete bezahlt und ihr niemand die Tür eingetreten hatte. Eine kaputte oder geflickte Tür war das typische Merkmal eines Problemhaushalts.

Morrow klopfte, trat einen Schritt zurück und wartete. Hinter ihr piepte die Fahrstuhltür, sie drehte sich um und sah, wie sich das orangefarbene Licht zu einem Schlitz verengte und schließlich ganz verschwand.

Ohne weitere Vorwarnung flog die Tür auf, und ein großer, schlaksiger Junge stand ihr gegenüber, musterte sie von oben bis unten.

»Hallo!«

Morrow zwang sich zu lächeln. »Bin ich hier richtig bei Kay Murray?«

Er grinste ihre geputzten Schuhe an. »Gott, Sie sind ja wirklich bei den Bullen.« Er beugte sich vor und nahm sie am Ellbogen, zog sie sanft in den schmalen Flur und schloss die Tür. »Sie hat erzählt, dass sie eine alte Schulfreundin getroffen hat, die jetzt bei den Bullen ist. Sind Sie wirklich genauso alt? Sie sehen jünger aus.«

»Ach, ich bin bloß aufgedunsen, weil ich schwanger bin«, sagte sie, aber sie freute sich trotzdem.

Der Flur stand voll mit leeren Kartons, die einst Reinigungsmittel, Waschpulver, Chips, Salzgebäck, Spülmittel und Shampoo enthalten hatten. Sie waren unordentlich an der Wand gestapelt, jeweils vier oder fünf übereinander. Morrow dachte kurz an Ladendiebstahl, Überfälle auf Lieferwagen und Angestelltenklau. Dann bremste sie sich: Sie war hier, um Kay zu besuchen, und offiziell gar nicht im Dienst.

Wohnzimmer- und Küchentür zu ihrer Rechten standen offen. Vor ihr befanden sich noch drei weitere Türen, jede von dem Bewohner des Zimmers dahinter individuell gestaltet: eine war matt schwarz, eine pinkfarben mit glitzernden Schmetterlingsaufklebern und einem abgegriffenen, kahlen pinkfarbenen Marabou am Türgriff. Die dritte war in der Mitte zweigeteilt, zur Hälfte Celtic-Grün und zur anderen Rangers-Blau. Der Celtic-Fan hatte mit einem Filzstift Grenzland für sich geltend gemacht, aber der Rangers-Fan hatte die grüne Invasion mit einem feuchten Tuch verschmiert und abgewehrt. Die Badezimmertür ging auf, und

Kay kam heraus, das feuchte Haar streng aus dem Gesicht gekämmt. Sie hatte sich ein lila Handtuch über die Schulter gelegt, das an einer Ecke zerschlissen und mit alten Flecken von Haarfärbemitteln überzogen war, eines ihrer Ohren hatte einen braunen Rand. Sie sah den Jungen böse an und trat gegen einen der leeren Kartons. »Wie oft hab ich dir gesagt, du sollst die Dinger mit runternehmen, wenn du dran vorbeigehst.« Sie lächelte Morrow nervös an. »Meine Freundin hat eine Karte für den Großhandel.«

»Du Glückliche«, sagte Morrow.

»Ja, das ist toll.« Sie hielt das Handtuch in ihrem Nacken fest und hob einen leeren Chipskarton, stellte ihn auf die anderen und trat die Pappsäule dichter an die Wand. »Wir haben uns zusammengetan, kaufen alles in großen Mengen und teilen es dann zu Hause auf. Allerdings weiß ich nicht so genau, ob ich dabei Geld spare oder einfach nur mehr einkaufe.« Sie gestikulierte in Richtung des Jungen, der Morrow die Tür geöffnet hatte. »Die sind total verfressen. Futtern alles, was ich nach Hause bringe. Lebensmittel lösen sich einfach in Luft auf. Neulich haben sie einen ganzen Eimer voll eingelegten Fisch verdrückt.«

Der Junge streckte die Zunge raus. »Das war widerlich.«

Kay rubbelte sich mit dem Handtuch über die Haare. »Gegessen habt ihr's trotzdem.«

Der Junge war dunkelhaarig und hübsch, hatte imposante zusammengewachsene Augenbrauen und blaue Augen. Morrow entdeckte einige Züge von Kay an ihm, aber nicht allzu viele. Plötzlich wurde er sehr ernst und fragte Morrow: »Hören Sie mal, ganz im Ernst: Wie kann ich Polizist werden?«

Kay schüttelte den Kopf. »Au Mann.«

Morrow zuckte mit den Schultern, war nicht sicher, ob er

es ernst meinte. »Bewirb dich einfach. Ruf an und erkundige dich, wie's geht. Du musst dich aber ein paarmal bewerben und darfst dich nicht entmutigen lassen.«

Er dachte darüber nach und schien zu einem Entschluss zu gelangen: »Ich lass mich nicht entmutigen.«

Kay sah aus, als wäre ihr seine Frage peinlich, und sie sagte zu Morrow: »Als ob die dich nehmen würden.«

»Wieso, was stimmt denn nicht mit mir?«

Kay schüttelte den Kopf und ging vom Flur in die Küche, rieb sich immer noch mit dem Handtuch die Haare. Sie ging zwischen Morrow und dem Jungen durch und schaltete den Wasserkocher ein. »Das weißt du ganz genau.«

»Im Ernst, was stimmt denn mit mir nicht?«

Kay ignorierte die Frage. »Alex, Tee?«

Im Dienst würde kein Polizist eine Tasse Tee von einer Zeugin annehmen. Dadurch verlängerte sich der Aufenthalt, und man wusste nie, was einem reingetan wurde, aber Morrow sagte »ja, danke«, als wollte sie sich damit selbst beweisen, dass ihr Besuch kein offizieller war.

Der Junge redete immer noch mit ihr. »Absolut. Ich ruf da an und hol mir ein Formular. Mum, hilfst du mir beim Ausfüllen?«

Die rosa Zimmertür ging auf, und ein Mädchen im Teenageralter schaute vorwurfsvoll heraus. Sie war das genaue Abbild ihrer Mutter, als diese im selben Alter gewesen war, nur pausbäckiger und dadurch etwas hübscher. Morrow lächelte herzlich. »Hallo.«

Das Mädchen wirkte plötzlich schüchtern und zog die Tür wieder ein wenig zu, verdeckte ihr Gesicht zur Hälfte.

»Deine Mutter und ich waren Freundinnen, als wir so alt waren wie du jetzt.«

»Oh.« Eindeutig desinteressiert, aber zu wohlerzogen, um es sich anmerken zu lassen, wanderten ihre Augen zur Wand.

»Sie hat genau so ausgesehen wie du, aber nicht so hübsch.«

Das Mädchen wurde rot, bekam es mit der Angst zu tun und knallte die Tür zu. Ihr Bruder lächelte und sah zur pinkfarbenen Tür. Er wusste, dass seine Schwester lauschte. »Sie sieht toll aus, stimmt's? Sie weiß gar nicht, wie toll sie aussieht.«

Morrow war gerührt. Die Angewohnheit, Kindern Komplimente zu machen, war in Schottland noch relativ neu. Sie hatte nie ein Kompliment für irgendwas bekommen, bis sie Brian kennenlernte, und da war es schon viel zu spät. Sie glaubte ihm nie.

Kay sah auf und seufzte. »Stimmt, Joe«, sagte sie sanft, »aber jetzt verzieh dich. Wir wollen uns unterhalten.«

»Oh, ja.« Joe zog vielsagend eine Augenbraue hoch. »Über alte Zeiten? Herrenbesuche?«

»Sarah Erroll.« Kay sah traurig aus.

»Ach.« Joe fiel nichts Lustiges dazu ein. »Schrecklich.« Er ging zur Tür seiner kleinen Schwester, klopfte und trat, ohne eine Reaktion abzuwarten, ein. Sie konnten ihn reden und das Mädchen mit piepsender Stimme antworten hören.

Kay griff in einen Schrank. Morrow sah, dass sie einen Becher herausnahm, hineinsah, ein angewidertes Gesicht zog und ihn zurückstellte. Sie nahm lieber zwei von ganz hinten. Überall auf der Arbeitsfläche lagen riesige Großpackungen Chips und Kuchen herum, die Spüle war mit benutzten Teebeuteln verstopft, und es stank nach Zigaretten.

Morrow hing zusammengesunken im Türrahmen zur Küche. »Ich hoffe, es ist okay, dass ich hergekommen bin?«

»Klar«, sagte Kay, »kein Problem.« Aber sie war verlegen und zeigte auf die Unordnung. »Viel besser wird's eh nicht, auch wenn ich weiß, dass Besuch kommt.«

Morrows unaufrichtige Entgegnung, bei ihr zu Hause sei es auch schrecklich unordentlich, ging im Rumpeln des Wasserkochers unter.

Sie wusste, dass Kay ihr nicht leidtun sollte. Das Haus war ein gutes Haus. Die Kinder sprachen miteinander und mit Kay, und doch wussten beide, dass es eine deprimierende Wiederholung der Zustände war, in denen sie selbst aufgewachsen waren. Häuser voller Zigarettenqualm, zerbröselter Kekse und unausgesprochener Wut, zurückhaltende Zuneigung und Ambitionen, über die sich die anderen immer nur lustig machten.

Kay nahm zwei Teebeutel aus einer Riesenfamilienpackung, ließ sie in die beiden Becher fallen und goss sie mit Wasser auf. Morrow hatte das Gefühl, etwas Positives sagen zu müssen. »Toller Junge, dein Joe. Sieht echt gut aus.«

»Viel zu charmant. Das gibt nur Ärger.« Aber sie korrigierte sich: »Nein, ich hab gute Kinder. Sie sind nett zueinander. Ich denke, das ist ein gutes Zeichen.« Sie goss jeweils einen Schuss Milch in die Becher und stellte anschließend den Sechs-Liter-Kanister wieder in den Kühlschrank zurück. »Zucker?«

Morrow schüttelte den Kopf, und Kay reichte ihr den Becher. »Komm.« Morrow folgte ihr ins Wohnzimmer. Ein abgewetztes Ledersofa war mit sauberen zusammengelegten Kleidungsstücken in ordentlichen Reihen vollgepackt. Ein Bügelbrett stand vor einem klobigen alten Fernseher. An den Wänden hingen Familienfotos in rahmenlosen Bildhaltern. Viele waren hinter dem Glas verrutscht, wodurch sie wie eine Lawine aus Familienfesten, Partys und Schulaufführungen wirkten, wie Leben, das eilig und wild durcheinandersauste.

Morrow sah, dass Kays Blick ängstlich zu ein paar Flecken auf dem Fußboden und einer schmutzigen, abgegriffenen Stelle um den Lichtschalter herum wanderte.

Kay stellte ihren Becher auf den Boden und sah sich im Raum nach einem Platz um, auf den sich Morrow setzen konnte. Unmut machte sich in ihren ruckartigen schnellen Gesten bemerkbar, als sie die sorgfältig getrennten Stapel mit Bügelwäsche vorsichtig aufeinandertürmte und auf dem Bügelbrett ablegte, um Platz zu schaffen.

Morrow behielt ihren Mantel an, stellte ihren Becher auf den Boden und setzte sich.

Kay selbst setzte sich in den Sessel, sah Morrow an, wirkte irgendwie genervt und blickte auf Morrows Becher. »Ist er dir zu nass? Willst du Shortbread dazu?«

Morrow lächelte. »Nein, danke.«

»'ne Tüte Chips vielleicht?«

»Nein, alles in Ordnung.«

Kay hob die Hand und malte einen Regenbogen vor sich in die Luft. »Wir haben alle Geschmacksrichtungen …«

»Nein, danke, zu Hause wartet Essen auf mich.«

»Ganz schön spät …« Sie betrachtete Morrows Bauch. »Ist doch jetzt erst recht wichtig, dass du ordentlich isst.«

Plötzlich fiel ihnen nichts mehr ein, was sie sagen konnten, und Morrow fühlte sich auf eine Weise unwohl wie sonst nie, wenn sie im Dienst war. Kay gab ihrer Laune nach und fragte: »Was ist wirklich los, Alex?«

»Wie meinst du das?«

»Wieso bist du alleine hier?«

Kay wusste, dass Polizisten immer zu zweit auftauchten. Der Umstand, dass sie das wusste, beunruhigte Morrow. »Ich wollte dich nach Sarah fragen, was für eine Person sie war, solche Sachen.«

»Hintergrundinformationen?«

»Ja, weißt du, Hintergrund…«

Aber Kay kniff die Augen zusammen, starrte Morrow lange an und versuchte, sie zu durchschauen.

Morrow verzog keine Miene. Ein Lächeln hätte jetzt verschlagen gewirkt. Morrow hatte einen ordentlichen Beruf, lebte in ihrem eigenen Haus und besaß ein Auto. Sie hatte es geschafft und Kay nicht. Morrow befürchtete, dass sie vielleicht deshalb hierhergekommen war und nicht, um Trost zu suchen, aus Nostalgie oder um herauszufinden, wer Sarah Erroll gewesen war, sondern um sich an Kay zu messen, sich zu vergewissern, dass es ihr selbst besser ging als ihrer alten Freundin.

Kay betrachtete ihr regloses Gesicht, schien zu merken, dass sie mauerte und auch warum. Sie zuckte mit den Augen und spulte mechanisch ein paar Fakten ab: »Sarah war nett. Sie hat ihre Mutter geliebt, obwohl Mrs Erroll auch ganz schön zickig sein konnte. Ich mochte Joy. So hieß Mrs Erroll. Joy Alice Erroll. Alle haben sie Mrs Erroll genannt.« Sie streckte ein Bein vor sich aus, hob ihren Hintern vom Sitz und griff nach ihren Zigaretten und dem Feuerzeug auf dem Bügelbrett. Sie machte das Päckchen auf und blickte auf Morrows Bauch. »Macht's dir was aus?«

»Hau rein.«

Sie mussten beide lächeln, allerdings ohne einander anzusehen, weil es ganz genau derselbe Wortwechsel war, den sie vor hundert Jahren Hunderte von Malen geführt hatten.

Kay zündete sich eine Zigarette an, zog geräuschvoll daran und beugte sich über die Sessellehne, um an den schmutzigen Aschenbecher zu kommen. Sie balancierte ihn auf ihrem Knie.

»Hatte Sarah einen Freund?«

»Hat nie einen mit nach Hause gebracht. Aber ich wusste, dass es jemanden gab. Sie hat SMS-Nachrichten bekommen und … na ja, und so wie sie manchmal am Telefon gelächelt hat …« Kay erinnerte sich still. »Mütter von Teenagern. Da wird man automatisch zur Hellseherin. Wahrscheinlich wollte sie nicht, dass er ihre Mutter kennenlernt.«

»War sie schwierig?«

»Ach, Mütter müssen nicht schwierig sein, damit Kinder Geheimnisse vor ihnen haben. Das ist nun mal so. Ganz natürlich, oder?« Kay dachte darüber nach und lächelte. »Aber Joy war schon auch nicht einfach, ja, und halt auch plemplem. Eine schlimme Kombination. Wenn sie ihn nicht gehasst hätte, hätte er sie gehasst.« Dann piepste sie mit der schrillen Stimme einer vornehmen alten Dame: »Kay, du siehst ja entsetzlich aus! Wie dick du geworden bist!«

»Hat Sarah sie gemocht?«

»Sie hat sie über alles geliebt. Obwohl sie nicht mehr ganz beieinander war, hat Sarah sie geliebt, und das ist ungewöhnlich. Sie war Einzelkind, weißt du?«

Kay senkte den Blick, vielleicht weil ihr wieder einfiel, dass Alex selbst Einzelkind und das Verhältnis zu ihrer Mutter alles andere als ein glückliches gewesen war. »Wenn's funktioniert, dann funktioniert's richtig gut.«

»Woher weißt du, dass sie sie geliebt hat?«

Kay lächelte. »Sie strahlte immer, wenn sie sie sah oder über sie sprach. ›Für meine Mum würde ich alles tun.‹ Das hat sie immer wieder gesagt. Du lieber Gott, ich vermisse Joy.« Sie blinzelte tapfer gegen die Tränen an.

»Einfach nur … ihre Gesellschaft, verstehst du das?«

»Habt ihr euch nahegestanden?«

»Wahrscheinlich nicht.« Kay lächelte ihren Aschenbecher an. »Ist schwierig bei Alzheimer. Die Persönlichkeit verändert sich. Die eigene Familie erkennt einen nicht mehr wieder. Aber ich mochte die Person, die sie geworden war, so dement wie sie war, ich mochte sie sehr.«

»Hast du sonst jemanden oben im Haus erlebt? Irgendwelche Freunde von Sarah?«

»Nein.«

»Wann hast du Sarah Erroll zum letzten Mal gesehen?«

Kay stieß eine Rauchschwade aus und sah sie skeptisch an. »Hmmm. Das soll nicht komisch klingen, Alex, aber das ist eine echte Bullenfrage. Können wir nicht warten, bis noch jemand …?«

»Oh, ja, ja klar.«

»Und jetzt arbeitest du in einem anderen Haus in der Gegend?«

»Ja.«

»Sind die da oben alle reich?«

»Nicht so reich wie sie mal waren … Einige haben viel Geld verloren – du musst sie nur fragen, die hatten ihr ganzes Geld in Aktien investiert.«

»Du arbeitest für Mrs Thalaine?«

Kay schüttelte den Kopf. »Siehst du, das ist wieder eine Bullenfrage.« Sie sah Morrow hart an. »Du hättest nicht alleine herkommen dürfen.« Doch dann fand sie sich zu streng und nahm die Schärfe aus ihrem Ton. »Hatte es was mit Sex zu tun?«

»Warum fragst du?«

»Weil du mich nach Freunden gefragt hast.«

»Nur wegen der Hintergrundinformationen.«

Kay nickte ihre Zigarette an. »Gut. Die Vorstellung, dass sie vergewaltigt wurde, gefällt mir gar nicht. Sie war sehr nett, weißt du, anständig und so.«

»Anständig?«

»Damenhaft.« Sie berührte ihr Handgelenk. »Hatte immer ein Taschentuch hier einstecken …«

Einen Augenblick lang neigte sie den Kopf zur Seite und verlor sich mit feuchten Augen in der Erinnerung. Morrow ließ sie selbst wieder in die Gegenwart zurückfinden und fragte sich, ob sie sich vielleicht in Bezug auf Sarahs sexuelle Dienstleistungen getäuscht hatte. Andererseits konnte Anstand aber auch ein Verkaufsargument sein.

Kay sah sie voller Hoffnung an. »Kann es nicht auch ein Unfall gewesen sein …?«

Morrow antwortete nicht. Sie wollte nicht zu hart klingen.

Kay nippte an ihrem Tee und verstummte wieder. Draußen im Flur ging die Wohnungstür auf, und eine Jungenstimme rief: »Hi, ich bin's!«

Kay rief »Hi« zurück, aber der Junge, der gerufen hatte, kam nicht ins Wohnzimmer. Joe und das Mädchen hatten ebenfalls geantwortet, und jetzt hörte man, wie eine Zimmertür aufging und Stimmengewirr laut wurde.

Kay senkte ihre Stimme und fragte eindringlich: »Was willst du wirklich hier, Alex? Versteh mich nicht falsch, ich freu mich, dich zu sehen, aber du dürftest eigentlich nicht alleine hier sein, und das wissen wir beide.«

Morrow nickte. »Ja.«

»Ja.« Kay klopfte in schnellem Rhythmus die Asche am

Rand des Aschenbechers ab, rat-tat-tat, plötzlich sehr wütend. »Wenn ich ehrlich bin, bin ich ein bisschen sauer, weil du alleine hergekommen bist. Wenn du den Kerl findest, der das getan hat und er davonkommt, weil du mich hier was gefragt hast, was keiner bezeugen kann und dann die Verurteilung daran scheitert …«

Morrows Stimme war hart und laut: »Woher weißt *du* das denn?«

Kay erstarrte. Sie führte die Zigarette zum Mund und nahm einen langen Zug. Ihre Hand zitterte, als sie sie wieder auf die Armlehne legte: »Ich bin hier Vorsitzende der Crimespotters. Wir haben eine Kampagne organisiert. Gegen die Polizeidienststelle auf der andere Straßenseite.« Der Rauch drang ihr bereits aus Nase und Mund, stieg langsam an ihrem Gesicht auf, und blieb in ihren noch feuchten Haaren hängen. »Die haben Polizeibeamte alleine zu den Befragungen der Einbruchsopfer geschickt, nur damit ihre Kollegen in Ruhe essen konnten.« Sie sah Morrow an und verengte ihren Blick. »Die Aufklärungsrate bei Einbrüchen ist so niedrig, ich glaube nicht, dass sie jemals was rausgekriegt hätten. Viele Leute hier wussten gar nicht, was es bedeutet, wenn die einen Bullen alleine schicken, nämlich, dass die einen Scheiß unternehmen werden. Deshalb hab ich eine Kampagne gestartet und dafür gesorgt, dass bekannt wird, wie die allgemeinen Vorschriften lauten. Hab allen im Wohnblock ein Flugblatt in den Briefkasten gesteckt. Kannst auf die Wache rübergehen und nach mir fragen, wenn du willst. *Die kennen mich.*«

Wenn Kay recht hatte, dann war das ein unglaublicher Vorwurf. Das bedeutete nicht nur, dass die leitenden Beamten es längst aufgegeben hatten, die Einbrüche aufzuklären, sondern auch, dass sie jüngere Beamte gefährlichen Situationen aussetzten, indem sie diese alleine und ohne Verstärkung losschickten. Aber Morrow hatte schon häufiger Beschwerden aus der Öffentlichkeit gehört und merkte, dass ihre Bereitschaft, diesen Aufmerksamkeit zu schenken, abnahm. Schuld daran war ein reflexartiger Verteidigungsmechanismus, so als ginge es um die eigene Familie, und innerlich spulte sie die typischen abgegriffenen Entschuldigungen herunter: Die wissen ja gar nicht, welcher Druck auf uns lastet, das verstehen die nicht, immer wieder die-die-die gegen uns-uns-uns. Sie hatte sich bereits für eine Seite entschieden.

Kay beugte sich vor, als hätte sie gesehen, dass Morrow dichtmachte. »Fang lieber den Kerl, der das Mädchen umgebracht hat.«

»Das mach ich.«

»Weil sie nämlich ein nettes Mädchen war.«

»Geht klar.« Sie staunte, als sie sich das sagen hörte. Sie konnte gar nicht wissen, ob es ihr gelingen würde oder nicht.

»Ma?« Die Tür ging auf, und Joe guckte in den Raum. Sein Bruder stand hinter ihm, ein ganz anderer Junge. Kleiner als sein Bruder, ein bisschen moppelig wie seine Schwester, aber nicht so gut aussehend; die Haare schwarz gefärbt, mehrere Piercings in den Ohren und dazu ein schwarzes T-Shirt mit weißer Aufschrift. Er lächelte Morrow an, nickte einen Gruß und musterte sie von oben bis unten. »Ma«, sagte Joe, »Frank hat eine DVD gekauft, dürfen wir an den Fernseher?«

Frank lächelte stolz. »Hab grad mein Geld gekriegt.«

»Was ist es denn?«

»Paranormal Activity.«

»Ist schon sehr spät. Außerdem, ist Marie nicht noch ein bisschen zu klein dafür?«

»Höchstens ein bisschen.«

»Ich hab gehört, der soll sehr gruselig sein.«

Das Mädchen schrie aus dem Flur: »Ich bin kein Baby mehr.«

Kay schrie zurück: »Nein, Marie, aber du bist auch noch keine fünfzehn.« Sie senkte die Stimme: »Frank, leg was anderes ein, es muss doch noch was anderes geben, das sie mit euch gucken kann.«

Die Unterhaltung wirbelte um Morrow herum, aber sie hörte nicht zu.

Sie betrachtete die Füße der Jungen. Und ihr wurde schlecht, weil beide dieselben Sportschuhe von Fila aus schwarzem Wildleder trugen.

Es war dumm. Trotzdem hatte Morrow das Gefühl, Kay zu verraten, als sie zur nahegelegenen Polizeiwache fuhr.

Sie parkte hinter dem Haus, schloss den Wagen ab und ging außen herum nach vorne. Die Automatiktür glitt auf, und sie trat ein, ging zum unbesetzten Empfangsschalter und drückte auf die Klingel am Tresen. Die wachhabenden Polizisten standen hinter der verspiegelten Wand und beobachteten sie, das wusste Morrow. Sie nickte ihrem Spiegelbild zu und hielt ihren Dienstausweis hoch, bis die Tür aufging und ein Beamter mittleren Alters herauskam und ihn sich genauer betrachtete.

»Was kann ich für Sie tun, Ma'am?«

»Ich bin hier, weil mir da was zu Ohren gekommen ist. Sie kennen doch die Hochhaussiedlung, oder?«

»Ja.«

»Kay Murray? Joe Murray? Frank? Was können Sie mir über die Familie erzählen?«

Er zog die Augenbrauen hoch und hielt sie da, betrachtete erneut ihren Dienstausweis und hob die Absperrung. »Kommen Sie lieber rein und unterhalten Sie sich mit DC Shaw.«

Er ließ sie auf der anderen Seite der Absperrung warten, während er seinem Kollegen hinterhertelefonierte. Sie fand es bemerkenswert, dass er sicher zu sein schien, ihn im Gebäude zu finden, obwohl gar kein Schichtwechsel anstand, so als wäre das ganz normal oder als dürfe er nicht raus. Als Shaw schließlich auftauchte, entpuppte er sich als altmodischer Polizeibeamter: Ordentlicher Haarschnitt, sehr kurz, ungefähr so alt wie Morrow, aber nicht so schnippisch und auch nicht verlegen.

»Die Murrays sind eine Pest. Die Mutter hat eine Hetzkampagne ins Leben gerufen, um die Wache hier in Verruf zu bringen, hat einen Keil zwischen uns und die Bewohner der Hochhaussiedlung getrieben. Hat Monate gedauert, bis wir die wieder auf unserer Seite hatten.«

»Wirklich?«

»Ja, eine echte Quertreiberin.«

»Was ist mit den Kindern?«

»Ach, kommen Sie, die haben für sie die Flugblätter verteilt. Sie unter den Türen der Wohnungen durchgesteckt …« An dieser Stelle brach er ab, guckte verschlagen und scharrte mit den Füßen.

Er blickte misstrauisch zu ihr auf, fragte sich, ob sie wohl wegen der Gepflogenheiten auf der Wache ermittelte. Morrow ließ ihn in dem Glauben.

»Die Überwachungskameras hier – funktionieren die?«

Sie sah seinen Blick seitlich abgleiten, als er an die Aufnahmen dachte, die zeigen würden, wie Beamte alleine zur Hochhaussiedlung fuhren …

»Hören Sie«, sagte sie, »wenn Sie meine Fragen nicht beantworten, schleppe ich Sie mit in die London Road.«

»Ja«, sagte er wie ferngesteuert.

Sie ließ ihn stehen und hob die Absperrung.

»Machen Sie sich eigentlich keine Sorgen um die Sicherheit der jüngeren Beamten hier?« Sie sah Scham in seinen Augen aufblitzen. »Junge, unerfahrene Beamte, draußen in einer feindlichen Umgebung? Die Verstärkung brauchen? Und Sie sitzen hier und lesen Zeitung. Selbst wenn ihnen nichts zustößt, werden sie glauben, dass dieses Verhalten in Ordnung ist und später selbst Polizisten alleine losschicken, so lange bis was passiert.« Sie war kurz davor, Anschuldigungen vorzubringen, also zügelte sie sich. »Wenn mir noch mal was über diese Wache zu Ohren kommt, bin ich wieder da, und dann sind Sie verdammt nochmal fällig, verstanden?«

Als sie fluchte, kniff er verlegen den Mund zusammen, weshalb sie gleich noch eins draufsetzte: »Da können Sie Ihren Arsch drauf wetten.«

Sie ging, knallte die Tür hinter sich zu, passierte rasch die Absperrung und verschwand durch die Eingangstür.

Draußen war die Luft bedrohlich frostig. Vom Wagen aus sah sie noch einmal zur Hochhaussiedlung hinüber.

Shaw hatte ihr einiges über die Murrays verraten. Alles, was er nicht sagte, sprach Bände. Er hatte nichts Konkretes in der Hand, um Kay schlechtzumachen, die Kinder waren bislang nicht straffällig geworden. Sie hatte keinen Streit mit einem Ex-Mann oder mit den Nachbarn, hing nicht an der Flasche und feierte keine Säuferpartys. Wenn doch, hätte er's erwähnt.

Die Murrays waren auf jeden Fall eine nettere Familie, als ihre eigene eine gewesen war.

20

Im Hangar war es eiskalt. Trotz der Handschuhe hatten sie ihre Hände tief in den Taschen vergraben und die Schultern hochgezogen. Der Morgenfrost hatte sich auf dem Boden und den Treppenstufen ausgebreitet, trotzdem warteten Thomas und Moira nicht im Büro, sondern auf der erhöhten Plattform, auf der Nanny Mary am Abend zuvor gestanden und auf die Ankunft der Piper gewartet hatte, richteten sich möglichst gerade auf, damit Ella sie sehen und gleich wissen würde, dass zu Hause keine schlechte Stimmung herrschte. Das war Moiras Idee gewesen: Zusammenhalt demonstrieren.

Thomas spürte die Vibration, bevor er das Klingeln hörte. Er hatte Mühe, sein Handy mit den Handschuhhänden aus der Tasche zu fischen, grinste mit Moira darüber, wie ungeschickt er sich anstellte, und zog schließlich die Handschuhe aus, um das Telefon zu fassen zu bekommen. Er hatte erwartet, »Don McD« auf dem Display zu lesen, oder »Hamish«, einer der Jungs, die heute Vormittag eine Freistunde hatten. Squeak konnte es nicht sein, er war morgens als Messdiener im Gottesdienst. Es war bestimmt Hamish, der ihn anrief, um sich zu erkundigen, wie's ihm ging, ob alles okay war und ob er wieder mit seiner Nanny gefickt hatte. Aber auf dem Display stand »Squeak«. Thomas spürte, wie seine Finger weich wurden. Ohne sich zu melden, ließ er das Handy wieder in der Tasche verschwinden.

»Wer war's denn?«

»Einer, mit dem ich nicht reden will.« Er sah weg, zum Tor des Hangar, spürte aber weiterhin ihren Blick auf sich ruhen.

Sein Telefon vibrierte an seinem Oberschenkel und hörte dann auf.

»Ein Journalist?«, fragte sie.

»Nein.« Er konnte sie nicht ansehen.

Sie spürte sein Unbehagen und versuchte Konversation zu treiben: »Die haben mich ununterbrochen angerufen. Keine Ahnung, woher die meine Nummern haben.«

Das Telefon erwachte erneut in seiner Tasche, und Moira verdrehte die Augen. »Geh einfach nicht dran, Tom.«

»Nein, mach ich nicht. Hab ich noch Zeit, aufs Klo zu gehen?«

»Beeil dich.«

Hinter der Tür im Büro war es etwas wärmer. Am Schreibtisch saß ein Mann, die Füße auf den Papierkorb gelegt. Dicht neben ihm brannte eine Gasflamme. Er las Zeitung, eine mit rotem Logo, ein billiges Schmierblatt mit extrem knapp gehaltenen Überschriften.

Thomas wäre die erste Seite gar nicht aufgefallen, wäre der Mann bei seinem Anblick nicht blass geworden, hätte sich aufrecht hingesetzt und die Zeitung hastig unter dem Tisch verschwinden lassen.

Thomas streckte die Hand aus: »Darf ich mal sehen?«

Der Mann blickte auf die Tasche mit dem hartnäckigen Telefon darin. Thomas zuckte mit den Schultern und griff nach der Zeitung.

Der Mann gab sie ihm.

Das Foto zeigte ein großes weißes Rechteck aus grauem

Himmel. In der Mitte war eine kleine körnige Gestalt zu sehen, so schlaff wie ein Luftballon, aus dem die Luft herausgelassen worden war: Lars, wie er an der Eiche über dem Rasen hing. Thomas kannte den Blickwinkel, das Bild musste aus dem Keller aufgenommen worden sein. Von Nanny Marys Schlafzimmerfenster aus.

Er fühlte überhaupt nichts, als er das Bild von Lars betrachtete, seinen leblosen, aufgedunsenen Körper und die dürren Beine. Er sagte sich, dass er eigentlich etwas empfinden müsste, aber er brachte nur einen Funken Mitgefühl für die alte Eiche auf. So etwas sah Lars nicht ähnlich. Es wirkte überhaupt nicht bedrohlich.

Thomas ließ die Zeitung vom Tisch gleiten. Der Mann senkte den Kopf und nuschelte ein »Tut mir leid«. Thomas zuckte mit den Schultern.

Ihm war jetzt noch kälter als vorher, und er erkundigte sich nach der Toilette, woraufhin der Mann in den hinteren Teil des Büros zeigte.

Durch eine Tür gelangte Thomas in einen kleinen Raum mit unverputzten Betonwänden, die die Kälte förmlich abzustrahlen schienen. Er verriegelte die Tür und blieb still stehen, blickte auf die kahlen, feuchten Oberflächen.

Wieder fing das Telefon in seiner Tasche an zu klingeln. Thomas biss sich auf den Handschuhfinger, fester als nötig gewesen wäre, und zwickte sich in die Haut, als er die Hand herauszog und nach seinem Handy griff. Mit dem Fingernagel löste er die Rückverkleidung, nahm die Simkarte heraus und machte das Scheißding wieder zu. Er betrachtete das kleine goldene Plättchen und hielt es angewidert auf Abstand, als würde Squeak selbst darin stecken. Dann ließ er es in die Kloschüssel fallen und spülte. Das kleine goldene

Rechteck wirbelte zweimal im Kreis und wurde dann in die Kanalisation gesogen.

Er starrte in das Toilettenwasser, als ihm die Bedeutung der Überschrift neben Lars' Foto plötzlich bewusst wurde. Nur drei Worte, alle gleich groß. ERBIN BRUTAL ERMORDET.

Thomas blieb wie angewurzelt stehen. Er kniff die Augen zu, neigte den Kopf zur Seite, als könnte er so die Worte wieder loswerden, sie sich aus den Ohren schütteln und von der ersten Seite vertreiben. Deshalb hatte Squeak angerufen. Nicht um ihm zu drohen, sondern um ihn zu fragen, ob er's gesehen hatte. Er war zur Messe gegangen und hatte die Zeitung gesehen. Father Sholtham las donnerstags die Messe, und er hatte immer die *Daily Mail* dabei. Er musste sie im Gemeindesaal liegen gelassen haben. Aber Thomas war froh, dass die Simkarte weg war und Squeak ihn nicht mehr anrufen konnte. Es war ihm egal, ob er jemals wieder mit ihm sprach.

Er zog die Tür auf und betrat das Büro, betrachtete erneut die Überschrift. ERBIN BRUTAL ERMORDET

Ohne zu fragen, nahm er dem Mann die Zeitung aus den Händen. Er drehte sie um und betrachtete die Worte. *Über die Hintergründe, Seite 3 bis 7.* Thomas schlug Seite drei auf. Da war sie, jünger, blonder und in einem roten Bikini, hinter sich das aufgewühlte blaue Meer. Sie musste auf einem Balkon gestanden haben, die Hüfte leicht verdreht, um schlanker auszusehen.

Sarah Erroll hatte eine exklusive Mädchenschule besucht, von der Thomas nie gehört hatte. Eine alte Schulfreundin hatte etwas Belangloses über sie gesagt – sie sei hilfsbereit gewesen. In dem Artikel war außerdem die Rede davon, dass sie Einzelkind gewesen sei, weder Kinder noch Ehemann gehabt, und sich ganz der Pflege ihrer alten Mutter gewidmet habe. *Brutal* hatte ein leitender Polizeibeamter gesagt, der aussah wie ein Filmstar und gleich auf mehreren Seiten abgebildet war. *Wer auch immer das getan haben mag, wird es so lange wieder tun, bis er gefasst wird,* sagte DCI Gutaussehend. *Ein entsetzlicheres Verbrechen habe ich nie gesehen.*

»Nimm sie ruhig, Junge«, sagte der Mann, »wenn du sie willst …«

»Danke.« Thomas nahm die Zeitung, nicht weil er sie lesen wollte, sondern weil er nicht wollte, dass der Mann den Artikel las und all das im Kopf behielt. Aber als er an der Tür stand, fiel ihm das Bild von Lars auf der ersten Scite wieder ein, und dass Moira draußen stand. Er drehte sich um und blieb stehen, betrachtete die Zeitung und wandte sich noch einmal ratsuchend an den Mann.

»Ich will nicht, dass meine Mum …«

»Falt sie einfach zusammen.«

Das machte er, aber sie ließ sich nicht richtig knicken, deshalb nahm er die Sportbeilage aus der Mitte heraus und gab sie dem Mann zurück, faltete die restlichen Seiten klein zusammen und steckte sie sich in die Innentasche, bevor er wieder in den kalten Hangar hinaustrat und die Tür vorsichtig hinter sich schloss.

Moira sah zu ihm auf, ihre Augen strahlten freundlich und warm. Doch als sie sein Gesicht sah, verschwand ihr Lächeln.

»Wer war das am Telefon?«

»Alles in Ordnung.« Er reckte den Hals und hielt Ausschau nach dem Flugzeug.

»Tommy, wer war das?«

»Niemand. Nichts.«

»Du siehst plötzlich krank aus.«

Er griff in die Tasche, zog die Zeitung heraus und hielt sie ihr hin. Sie klappte sie auseinander und seufzte. »Oh nein. Oh, Nanny Mary, zum Kuckuck, was für eine falsche Schlange. Diese Diskretionsklauseln sind nichts wert.«

»Hat sie eine Abfindung verlangt?«

»Nein.« Moira betrachtete das Bild genauer. »Ich frag mich, was sie noch in der Hinterhand hat …«

Das näher kommende Brummen klang wie ein Insekt. Das Flugzeug bog um die Ecke und rollte langsam auf sie zu, bis sie durch die Scheibe Captain Jacks Gesicht und Ellas kleinen runden Kopf auf dem Rücksitz erkennen konnten.

»Versteck sie, Mum.«

Moira faltete die Zeitung rasch zusammen, gab sie ihm, und Thomas ließ sie erneut in seiner Tasche verschwinden.

Sie sahen zu, wie das Flugzeug immer langsamer wurde, und Thomas wusste, dass nichts in Ordnung sein würde. Er dachte daran, wie Lars in Amsterdam die Schlafzimmertür geschlossen und Thomas mit dem depressiven Mädchen aus Kiew alleine gelassen hatte. Sie hatten die halbe Stunde damit zugebracht, sich gegenseitig zuzuflüstern, dass sie am liebsten ganz woanders wären. Hier wollte Thomas jetzt auch nicht sein. Das Gefühl war das Gleiche.

Er hielt sich an der Brüstung fest, seine Finger umklammerten das schneidend kalte Metall, und er war froh um den stechenden Schmerz. Sarah Erroll hatte keine Kinder gehabt. Sie war nicht Lars' Zweitfrau gewesen, nicht sein Stolz und Trost. Wie Thomas war sie nur eine Fußnote in seinem Leben gewesen.

»Lächeln.« Aber Moira war sauer auf Nanny Mary, und ihr Lächeln gefror.

Die Piper rollte langsam durch die offenen Tore in den Hangar, und Ellas kleines rundes Gesicht war jetzt deutlich hinter der Scheibe zu sehen, voller Hoffnung hielt sie Ausschau nach ersten Anzeichen, die ihr sagen würden, was zu Hause los war. Thomas sah, wie sie von Moira zu ihm blickte, von Moiras schmalem braunem Lippenstiftmund zu seinen traurigen und schuldbewussten Augen. Sie ließ sich in die dunkle Kabine zurückfallen.

Das Flugzeug hielt. Captain Jack wartete, bis die Motoren stillstanden und öffnete erst dann die Tür, kletterte heraus und half Ella anschließend beim Aussteigen.

Sie trug ihren grauen Schulmantel und den dazu passenden Glockenhut, die schmalen schwarzen Schuhe mit den beigefarbenen Gummisohlen. Als sie auf ihre Tasche wartete, sah Thomas, dass sie Mühe hatte, nicht zu weinen. Sie kniff die Augen zu und riss sie wieder auf, kämpfte gegen das Zucken um ihren Mund.

Moira blieb, wo sie war, auf der Plattform, und lächelte weiter, verwirrt, da sie sich trotz der Anwesenheit ihrer Kinder kein bisschen besser fühlte.

Thomas ging die Stufen hinunter zu seiner Schwester, die er seit ihrer Geburt gehasst hatte. Er ging zu ihr, hob sie mit einer festen Umarmung von ihren kleinen Füßen und sagte ihr nette Dinge über die Schulter, während sie schlaff in seinen Armen hing.

»Nicht weinen, Ella.« Seine Stimme war so flach wie eine Benzinpfütze. »Nicht weinen. Es wird alles wieder gut, ich sorge dafür. Versprochen.«

21

Am frühen Morgen war es im Reviergebäude immer so warm wie in einer Kinderstube, und Morrow war, kaum da, schon wieder müde davon geworden. Schweiß kribbelte ihr im Genick und in den Achselhöhlen, als sie ihren Mantel und ihre Tasche neben ihrem Schreibtisch fallen ließ und die Tür hinter sich schloss.

Sie warf einen Blick in ihr Postfach, holte tief Luft, bevor sie sich setzte und es zu sich heranzog, jeweils eine Hand seitlich davon auf der Tischplatte, wie eine Pianistin, die unmittelbar vor ihrem Vortrag noch einmal zur Ruhe kommt. Als sie auf den ordentlichen Stapel von grünen und gelben Zetteln vor sich blickte, musste sie sich eingestehen, dass sie diesen Fall eigentlich gar nicht haben wollte. Er gefiel ihr nicht. Das Mitgefühl für Sarah Erroll ging ihr allmählich abhanden, und sie fand den Fall mit ihr als Opfer unerwartet schwierig. Außerdem wollte sie dem Mörder nicht begegnen.

Sie blickte auf. Hässliches braunes Holz, schlichte Schreibtische und graue Plastikstühle prägten den Raum. Schmutzige Überreste von Posterkleber an den Wänden, von denen die Bilder und Plakate längst entfernt worden waren, und ein leerer Schreibtisch ihrem direkt gegenüber. Im Vergleich zu dem aufdringlichen Chaos in Kays Küche und der Spüle mit den alten ausgepressten Teebeuteln hatte der Raum hier etwas sehr Steriles.

Sie fing an, sich durch die Berichte zu pflügen, und bereitete die Frühbesprechung vor.

Vorläufige Zusammenfassungen der Befragungen an den Haustüren. Sie suchte nach Notizen über den Besuch bei Mrs Thalaine; Leonard und Wilder waren dafür verantwortlich gewesen. Nichts Bemerkenswertes über Geld. Kay wurde kurz erwähnt, insbesondere dass sie versprochen hatte, vorbeizukommen und nachzusehen, ob etwas fehlte.

Sarah Errolls Abrechnungsbücher für das Pflegepersonal: Sämtliche Gehälter und Ausgaben waren verzeichnet. Sie hatte »Mum« auf einen Aufkleber geschrieben und ihn vorne auf das Heft geklebt. Morrow warf einen Blick auf die Gesamtsumme, sie belief sich auf mehrere tausend Pfund im Jahr. Die Eintragungen waren jedoch nicht alle in Sarahs Handschrift vorgenommen worden, jemand anders hatte ebenfalls Beträge verzeichnet, und auch das sehr sorgfältig.

Die ersten Laborberichte lagen vor, Fotos von den blutigen Fußabdrücken auf der Treppe, wobei der Fotograf die Farbe abgeschwächt hatte, sodass sie eher braun wirkten. Die Abdrücke waren deutlich zu erkennen: drei Kreise am Spann, zwei verschiedene Paar Schuhe. In dem Bericht wurden keine infrage kommenden Markennamen erwähnt, nur Vermutungen über die Größe angestellt: ein Paar Größe 42, ein weiteres Größe 43 oder 44. Morrow notierte »Fila?«, betrachtete ihre Notiz und strich sie wieder aus. Dann fragte sie sich, aus welchen Gründen sie Kays Jungs ausschloss und schrieb erneut »Fila?« hin.

Es gab Fingerabdrücke von den Fensterrahmen, vom iPhone und vom Treppengeländer. Zwei verschiedene Reihen von Fingerabdrücken, beide von den Eindringlingen, wobei auf dem Geld in dem Museumskatalog keine Fingerabdrücke zu finden gewesen waren. Außerdem Fotos von einem bislang nicht identifizierten Reifenabdruck im Matsch draußen vor dem Haus.

Sie hatten alles und nichts. Keiner der Beweise war geeignet, einen Tatverdächtigen aufzuspüren; sie konnten nur dazu dienen, jemandem die Tat nachzuweisen. Aber bislang hatten sie niemanden im Visier.

Sie hörte, wie sich die Kollegen von der Tagschicht draußen versammelten, dazu die Beamten, die gleich Feierabend machten. Sie bereitete sich vor, sah noch einmal die Fotos vom Tatort durch und merkte, dass der Anblick sie immer noch mitnahm.

Ein entschiedenes Klopfen ertönte, gefolgt von Bannerman, der, noch in Schal und Mantel, die Tür öffnete. »Morgen.«

»Morgen, Sir.«

»Nach dem Briefing werde ich auch noch was sagen.«

»Das ist gar nicht nötig, wirklich.«

Er stand da und sah sie an, zog herausfordernd die Augenbrauen hoch und machte die Tür wieder zu.

Heute Morgen war mehr als nur eine kurze Zusammenfassung nötig, es handelte sich um so etwas wie ein Verkaufsgespräch: Sie musste die Kollegen dazu bringen, sich für eine vornehme reiche Nutte mit grauenhaften Verletzungen, aber ohne noch lebende Verwandte, einzusetzen. Und dann kam Bannerman und bewirkte, dass ihnen der Fall doch wieder egal war.

Sie stand auf, machte die Bürotür auf, rief nach Gobby und wartete, hörte die Männer den Befehl weitergeben, bis Gobby an ihrer Tür erschien. Sie reichte ihm einen Bericht aus ihrem Eingangsfach.

»Mach zehn Kopien davon. Tacker die Blätter zusammen und bring sie mit zum Briefing. Harris …«

Harris war früh dran, er war immer früh dran und kam, kaum dass er seinen Namen gehört hatte, zu ihr an die Tür. »Morgen.«

»Ebenfalls schönen guten Morgen«, sagte sie. »Besorg mir ein paar Lautsprecher für meinen Laptop.«

Harris schnaubte hilflos und trabte davon. Zubehör und Geräte waren immer ein heikles Thema. Entweder ließen sie sich nicht auffinden, nicht anschließen oder jemand hatte von vornherein das Falsche gekauft. Bis ein Beamter erfahren genug war, um das Zubehörbudget verantwortungsvoll zu verwalten, war er meist zum hoffnungslosen Technikidioten verkommen. Es sprach Bände, dass immer, wenn mit neu angeschaffter Computerausstattung geprahlt wurde, nur zur Sprache kam, wie viel sie gekostet hatte, aber nie, wozu sie eigentlich gebraucht wurde.

Es war acht Uhr. Die Beamten kleckerten allmählich in den Besprechungsraum gegenüber. Sie packte ihre Unterlagen zu einem ordentlichen Stapel zusammen, stand auf, atmete tief durch und trat hinaus in den Flur.

Routher stand noch draußen, mit einem Grinsen im Gesicht, das erstarb, sobald er sie sah. »Rein mit Ihnen«, sagte sie.

Der Ermittlungsraum war klein und hässlich wie alle anderen und konnte je nach Bedarf mit Tischen ausgestattet werden. Auf der einen Seite befand sich ein Informationsbrett, an der gegenüberliegenden Wand war eine Tafel angebracht.

Die Leute von der Nachtschicht hingen erschöpft in der ersten Reihe, möglichst nah bei der Tür, und ignorierten

Bannerman demonstrativ, obwohl er nur einen Meter von ihnen entfernt saß. Er blieb für alle gut sichtbar neben der Tafel sitzen, um sie wissen zu lassen, wer hier in Wirklichkeit das Sagen hatte; trotzdem wirkte er einsam und verloren. Er sah Morrow eintreten und nickte ihr überflüssigerweise zu, womit er signalisierte, dass sie willkommen war und anfangen dürfe. Fast hätte sie zurückgenickt, konnte sich aber gerade noch beherrschen.

»Gut«, sagte sie, und die Anwesenden setzten sich. »Sarah Erroll war jung und reich, sah gut aus und hinterlässt keine Familie. Wen interessiert's? Mich. Aber ich glaube, ich bin die Einzige hier.« Das war ein unkonventioneller Einstieg, und er kam immerhin so überraschend, dass sich die Männer aufrichteten und zuhörten. »Meine Aufgabe ist heute besonders schwer, weil ich Sie alle irgendwie dazu bringen muss, dass Ihnen der Fall nicht schnurzpiepegal ist.« Sie sah in die Runde. »Das *nervt.*«

Sie sah die Männer spöttisch in sich hineingrinsen, schuldbewusst, aber ehrlich.

Sie klickte ihren Laptop an, und ein Bild von Mrs Erroll erschien, das sie im Nachthemd in der Küche zeigte. »Das ist Sarahs Mum, Mrs Erroll.« Alle mussten kichern, weil Joy Erroll sehr alt und sehr ungehalten wirkte. »Das hier ist Sarah.«

Sie klickte ein weiteres Foto an. Sarah stand auf der Straße, blickte über die eigene Schulter liebevoll in die Kamera und lächelte, sodass sich ihre Apfelwangen deutlich im Profil abzeichneten. Morrow ließ das Bild stehen, zwang die Männer es anzusehen, während sie den aktuellen Stand der Ermittlungen zusammenfasste und ihre Kollegen über die teure Pflege und den kürzlichen Tod von Sarahs Mutter aufklärte. Sie erzählte ihnen außerdem, dass die junge Frau als Call-

Girl gearbeitet hatte, aber nur bis zum Tod ihrer Mutter, damit die Beamten eins und eins selbst zusammenzählen konnten und ein Funken Mitgefühl aufkam.

Dann rief sie ohne Vorwarnung ein Tatortfoto auf, sah, wie die Augen der Männer größer wurden und sich die Köpfe neigten. Allmählich wurden sie unsicher. Sie wussten nicht, was zum Teufel sie da eigentlich sahen, und versuchten sich einen Reim darauf zu machen.

Der Angreifer hatte Sarah Erroll wiederholt mit voller Wucht ins Gesicht getreten, sodass von der Nase nicht mehr als ein perlweißer Stummel aus reinem Knorpelgewebe übrig geblieben war. Die Augen waren schwarz angeschwollen und unkenntlich, das Haar eine blutig verklebte blonde Masse. Es war mehr als verstörend – das Maß an Wut, das auf dieses Gesicht niedergegangen sein musste, wirkte absolut abstoßend. Jemand musste auf der Stufe neben dem Kopf gestanden und immer wieder zugetreten haben, bis nichts mehr von Sarah übrig war. Ein Ohr fehlte, der Kiefer war am Mund eingedrückt und die Zähne in den offenen Rachen gestoßen worden. Nur ihre Lippen waren mehr oder weniger intakt geblieben.

Um den Männern etwas mitzugeben, woran sie sich würden erinnern können, sagte Morrow: »Wer auch immer das getan hat, muss sich am Geländer festgehalten, einen Fuß gehoben und mit aller Macht zugetreten haben …«

Dann rekonstruierte sie ungerührt den Tathergang: Zwei junge Männer waren durch das Küchenfenster eingestiegen, in den ersten Stock gegangen, hatten in Sarahs Handtasche nachgesehen und ihren als Handy getarnten Taser gefunden. Sie ließ kurz ein Bild des Handys aufscheinen, das im Flur auf dem Boden gelegen hatte, kehrte anschließend aber wieder zu Sarah zurück, während sie ihnen erklärte, dass alle drei die Treppe heruntergekommen waren und die beiden Jungen Sarah am Fuß der Treppe erschlagen hatten. Keine Waffen, nur Füße. Sie zeigte den Beamten das Bild eines Fußabdrucks, eine Nahaufnahme der schwarzen Wildlederfasern, die im Labor gemacht worden war. Außerdem die matschigen Reifenspuren.

Harris bekam den Auftrag, die Sportschuhe zu identifizieren – sie erwähnte besonders Fila –, und Wilder sollte die Namen und Daten sämtlicher Pfleger und Pflegerinnen durchgehen. Die anderen Aufgaben wurden unter den restlichen DCs der Tagesschicht verteilt.

DC Leonard hob die Hand, um eine Frage zu stellen, und die Männer lachten, weil sie damit gegen das Protokoll verstieß. Fragen wurden in der Regel erst am Ende gestellt, wenn der DS mit seinem Vortrag fertig war, aber Morrow war überrascht, dass überhaupt jemand zugehört hatte, und freute sich über die Pause, die sie dadurch gewann. Sie nickte ihr zu und hoffte, die Frage würde sich auf die Aufgabenverteilung beziehen.

»Woher wissen Sie, dass es zwei junge Männer waren?«

Sie sah zu Gobby, damit er die Fotokopien verteilte. Als er Bannerman eine reichte, warf dieser einen kurzen Blick darauf und schaute ärgerlich hoch, weil er nicht gefragt worden war. Morrow riskierte einiges. Einer der Männer konnte nach Hause gehen und seiner Frau davon erzählen. Oder noch am selben Abend mit einem Journalisten was trinken gehen und wichtige Details verraten.

Als Morrow sicher war, dass alle ein Exemplar bekommen hatten, bat sie um Ruhe.

»Okay«, sagte sie laut, »aufgepasst. Das Letzte, was Sarah

Erroll tat«, sie zeigte auf die Tafel, damit alle das Foto ansahen, »sie hat die Notrufnummer gewählt, sich aber nicht gemeldet, weshalb der Anruf automatisch aufgezeichnet wurde.«

Die Männer wachten auf. Plötzlich wurden ihnen Beweise anvertraut, Fakten präsentiert, die auseinandergenommen und analysiert werden mussten.

Morrow drückte auf Play und drehte die Lautstärke so hoch wie möglich, ohne dass das Rauschen überhandnahm.

Gedämpfte Störgeräusche erfüllten den Raum: Die Aufnahme war bearbeitet worden, damit Sarah Errolls Stimme besser zu hören war, aber noch nicht so weit gesäubert, dass sie vor Gericht verwendbar gewesen wäre.

Sarah Erroll: Was macht ihr denn hiär?

Sie waren nervös, grinsten aber wegen der Rechtschreibung. Die Mitschrift war von jemandem angefertigt worden, der noch nie einen englischen Akzent gehört hatte: Alles, was ungewöhnlich ausgesprochen wurde, war phonetisch notiert.

Es gab eine Pause, keine Bewegung. Sarah musste sich zum Telefon umgedreht haben, weil der nächste Satz sehr deutlich zu verstehen war:

S. E.: Verschwindet aus meinem Haus.

Ärgerlich, aber nicht ängstlich. Ihre Stimme klang mädchenhaft, ihr Akzent war ein affektiertes, gebildetes Englisch, aber noch ein bisschen verschlafen und nasal.

S. E.: Das steht nicht leer (undeutlich).

Eine weitere Pause, und als Sarah erneut das Wort ergriff, schlug sie einen ganz anderen Ton an:

S. E.: Meine Mutter ist gestorben. Ich wohne noch …

Und dann die Stimme eines Jungen im Stimmbruch. Er klang laut und selbstbewusst.

Täter 1: Wo sind Ihre Kinder?

Alle im Raum Anwesenden richteten sich auf.

S. E.: Kinder?

Täter 1: Sie haben Kinder.

S. E.: Nein. Ich habe keine Kinder.

Täter 1: Doch, verfluchte Scheiße, haben Sie.

S. E.: Ihr seid im falschen Haus.

Täter 1: Nein, sind wir nicht.

S. E.: Passt auf, ihr geht jetzt besser. Vor einer Minute hab ich die Polizei gerufen (undeutlich), *die sind wahrscheinlich längst unterwegs ... ihr bekommt einen Riesenärger ...*

S. E.: Ich weiß, warum ihr hiär seid!

Jetzt grinste niemand mehr wegen der Rechtschreibung.

An dieser Stelle schien sie sich vom Telefon wegzubewegen, aber sie war trotzdem noch zu hören.

S. E.: Ihr wisst nicht, mit wem ihr euch anlegt, ihr macht einen schweren Fehler.

Täter 1: Halt. Bleib verdammt noch mal, wo du bist.

Morrow drückte auf Pause. Die Männer sahen sich um, verdutzt über die Unterbrechung.

»Woher stammt dieser Akzent?«, fragte sie.

Betroffenes Schweigen, als wären sie alle kurz eingenickt und müssten nun völlig unerwartet ein Diktat schreiben.

»Englisch?« Das war Leonard, die neu und Außenseiterin genug war, um sich eine Meinung zu erlauben. Alle um sie herum nickten, um zu signalisieren, dass sie ebenfalls zugehört hatten.

»Nein«, sagte Morrow gereizt. »Das ist kein Test, um zu prüfen, wer zugehört hat. Das ist ein seltsamer Akzent, eine Mischung. Ich möchte, dass Sie drüber nachdenken. Ihn analysieren. Überlegen Sie, ob Sie ihn lokalisieren können, wenn nicht ganz, dann vielleicht teilweise.«

Sie spulte zurück und drückte noch einmal auf Play:

Täter 1: Halt. Bleib verdammt noch mal, wo du bist.

Jetzt hörten sie wirklich hin, ihre Gesichter wirkten so aufmerksam, als befänden sie sich direkt im Raum bei Sarah.

Schritte, damp, damp, damp, nackte Füße auf hartem Boden, die sich dem Telefon näherten, und plötzlich ergriff Sarah die Initiative:

S. E.: (schreiend) *Raus hier, aber sofort.*

Morrow blickte weiter zu Boden, lächelte aber dabei, war stolz auf Sarah.

Opfer mochten Mitleid hervorrufen, aber echte Cops waren einfach zu häufig mit Opfern konfrontiert, um deren Schicksal noch an sich heranzulassen.

S. E.: Wer bist du? Ich kenne dich. Ich kenne dich ganz bestimmt. Ich habe ein Foto von dir gesehen.

Täter 1: Foto? (undeutlich) *Sie haben ein* Foto *gesehen?*

Alle im Raum setzten sich auf, ein pawlowscher Reflex, mit dem die Polizisten auf die erstickte wütende Stimme reagierten.

Täter 1: (undeutlich) *hat Ihnen ein scheiß Foto von mir gezeigt?*

Täter 2: Hör (undeutlich), *hör auf, Mann* (undeutlich).

Täter 1: Scheiß (undeutlich) *Handy.*

Pause.

Täter 1: Squeak, verdammt noch mal, beeil dich.

Morrow sah, dass die Männer bis zum Ende zuhörten, sah, wie sie schauderten, als Sarah darauf beharrte, dass sie den Vater eines der Täter kannte und einen der Jungen aufforderte, sie in Ruhe zu lassen: »Lass!«

Sie sah, wie die Männer zusammenzuckten, als das Bett krachte und Sarah um Hilfe rief, weil zwei Jungen in ihrem

Schlafzimmer waren. Dann wurde die Leitung mit einem Knacken unterbrochen.

Morrow hörte, wie ihre Kollegen Luft holten und sich verlegen umsahen, bestätigt wissen wollten, dass die Gefahr vorüber war. Sie sah Bannerman an, in der Hoffnung, er würde ihr erlauben, die Männer in den Dienst beziehungsweise den Feierabend zu entlassen. Sein Mund wirkte verkniffen, aber er nickte, und Morrow wandte sich an die Beamten in der ersten Reihe.

»Danke für Ihre Aufmerksamkeit, meine Herren. Ich nehme an, Sie haben jetzt Feierabend.«

Als sie aufstanden, merkte sie, dass sie sie berührt hatte. Sie hatte ihnen eine Geschichte präsentiert, mit der sie etwas anfangen konnten, ihnen einen Grund geliefert, den Fall wichtig zu nehmen …

»Halt«, sagte Bannerman und trat mit erhobener Hand und grimmiger Schnute einen Schritt vor. »Setzen Sie sich noch mal hin.«

Er klang wie ein wütender Schuldirektor. Die Beamten von der Nachtschicht zögerten und sahen Morrow ratsuchend an. Sie schloss die Augen. Bannerman würde wieder alles vermasseln.

»Man hat mich darauf hingewiesen, *Männer*«, er sah Tamsin Leonard an und korrigierte sich, »und *Frau*«, was er aus irgendeinem Grund zum Kichern fand, wahrscheinlich weil er nervös war. »Dass Sie alle Dienst nach Vorschrift schieben.« Er hob einen tadelnden Finger, und sie konnte förmlich zusehen, wie sie vor ihm zurückwichen und sich die positive Wirkung ihres Vortrags in Luft auflöste. Erneut ließen die Männer ihre Blicke auf die Tischplatten sinken. »Wenn sich Ihr Engagement in diesem Fall nicht verbessert, werden wir Versetzungen und Entlassungen in Betracht ziehen. Habe ich mich klar ausgedrückt?«

Niemand antwortete, und niemand sah ihn an. Außer Harris. Er stand mit verschränkten Armen und aufeinandergepressten Lippen ganz hinten im Raum und starrte Bannerman an.

»*Ob ich mich klar ausgedrückt habe?*«

»Ja, Sir«, antworteten die Kollegen zerhackt im Chor, alle außer Harris, der gar nichts sagte.

»Na schön.« Bannerman hob eine Hand zum Zeichen, dass sie gehen durften.

»Danke für Ihre Hilfe«, sagte Morrow sarkastisch und deutlich vernehmbar, bevor das Geräusch rückender Stühle zu laut wurde und ihren Kommentar übertönte. Die Männer hatten sie gehört, sahen einander an und lachten.

Bannerman warf ihr einen wütenden Blick zu. Das würde sie büßen müssen, und sie wusste es.

22

Noch bevor sie das Tor draußen vor dem Haus erreicht hatten, hasste Thomas Ella schon wieder.

Sie gab sich redlich Mühe, ausdauernd zu weinen. Immer wenn ihre Trauer in ein Wimmern abzuflauen drohte, holte sie tief Luft, jaulte ohrenbetäubend auf und fing von Neuem an. Es klang ungleichmäßig, theatralisch und inszeniert.

Moira streichelte Ella rhythmisch und mitfühlend über ihr Haar und versuchte immer wieder, sie zu beruhigen, während Ella so laut heulte, dass ihr die Stimme versagte. Sogar die Taschentücher gingen ihnen aus. Als sie im Stau standen, reichte ihnen der Fahrer von der Mietwagenfirma ein frisches Päckchen nach hinten. Verlegen wich er Thomas' Blick im Rückspiegel aus.

Ella ließ sich von Moira umarmen, was ungewöhnlich war, und als sie draußen vor dem Haus anhielten, klammerte sie sich förmlich an sie. Der Fahrer zog die Handbremse, und in einem stillen Moment, noch bevor jemand etwas sagen konnte, warf sich Ella auf Thomas' Schoß, um die Eiche zu sehen, schrie »Daddy, mein Daddy!« und fing erneut an, hemmungslos zu schluchzen.

Thomas blickte zum Rasen. »Daddy, mein Daddy« kam ihm bekannt vor, und dann fiel ihm wieder ein, dass es ein Zitat aus *Jeden Morgen hält derselbe Zug* war. Jenny Agutter steht zwischen Rauchschwaden auf dem Bahnsteig und ihr Vater steigt aus dem Zug.

Er spürte, wie die Wut in ihm aufstieg, bis ihm die Zeitung in seiner Tasche wieder einfiel und auch, dass er Dinge getan hatte, die bedeutend schlimmer waren, als ein Zitat aus einem Film zu klauen.

Der Fahrer öffnete Moira die Tür. Sie schälte sich Ella von der Brust und schob sie sanft auf ihren eigenen Platz zurück. Die Tränen hatten Flecken auf ihrer Seidenbluse hinterlassen. Sie stieg aus dem Wagen und streckte ihre Hand ins Innere, um Ella rauszuhelfen.

Das war ein vielsagender Augenblick: Ellas Gesicht zuckte vor Trauer, aber ihr Blick war berechnend. Sie sah Moira an, warf einen kurzen Blick auf Thomas und griff dann nach der ausgestreckten Hand ihrer Mutter, machte sich extra schwer beim Aussteigen. Es war ein kalter, abschätzender Blick gewesen, und offenbar hatte sie sich für Moira als die sichere Alternative entschieden. Thomas war ihr eindeutig nicht geheuer, er musste sie an Lars erinnern. Zum ersten Mal begriff er, wie sich das alles aus Ellas Sicht darstellen musste. Lars war mit ihm einkaufen gegangen und nach Amsterdam gefahren. Er hatte einen Anbau in seiner Schule finanziert. Er hatte ihm sogar eine eigene Wohnung abseits des Haupthauses eingerichtet und ihm eine eigene Nanny zugeteilt, lange nachdem Ellas schon entlassen worden war. Lars und Moira hatten Ella zwar öfter in der Schule besucht, aber diese lag auch viel näher, während Thomas oben in Schottland auf dem Internat war. Er hatte sich immer für denjenigen gehalten, der den Kürzeren zog, aber auch ihr musste das alles manchmal ungerecht erschienen sein. Während er zusah, wie sie über den Sitz rutschte und aus dem Wagen kletterte, begriff er, dass

Lars und Moira sie beide gegeneinander ausgespielt hatten und dass das sehr schade war. Er hatte nur Ella, und sie kannten einander nicht mal, hatten nie Zeit miteinander verbracht.

Thomas' Tür war noch zu.

Er sah sie an, sah zu dem Fahrer, der sie hätte öffnen müssen, aber der Fahrer war bereits dabei, Ellas Koffer zum Haus zu tragen. Er wusste nicht, dass es zu seinen Aufgaben gehörte, erst alle aussteigen zu lassen und dann das Gepäck zu holen. Er war ein Fahrer von einer Mietwagenfirma; ungefähr fünfzig, mit weißem Haar; wahrscheinlich ein gescheiterter Immobilienmakler, der einen großen Wagen und eine Uniform geschenkt bekommen hatte.

Moira und Ella standen schon an der Haustür, und Ella beobachtete, wie Moira ihren Schlüsselbund durchging. Sie weinte nicht mehr, sondern betrachtete einfach nur ungläubig ihre Mutter, die plötzlich Hausschlüssel mit sich herumtrug. Eigentlich hätte die Haushälterin sie hereinlassen müssen. Sie hätte an der Tür stehen und ihnen die Mäntel abnehmen sollen.

Thomas öffnete selbst die Wagentür und stieg aus. Er ließ sie offen und bummelte herum, wollte Ella und Moira Zeit lassen, ins Haus zu gehen und irgendwo zu verschwinden, bevor er ihnen folgte. Er begegnete dem Fahrer, der zum Wagen zurückkehrte, nachdem er den Koffer abgestellt hatte.

Der Fahrer dachte, Thomas sei gekommen, um mit ihm zu sprechen, lächelte freundlich und sagte: »Tut mir leid wegen deiner Schwester. Geht's ihr nicht gut?«

Thomas blickte auf und zuckte mit den Schultern. »Sie ist traurig.«

Der Fahrer blickte zur Tür, sah Moira den Schlüssel ins Schloss stecken, während Ella erneut mit unbewegter Miene zu heulen anfing. »Die ist aber ein bisschen mehr als nur traurig, Junge.«

Thomas erklärte es ihm. »Unser Dad ist gerade gestorben.«

»Oh«, sagte der Fahrer erschrocken. »Das tut mir leid.«

»Er hat sich erhängt. Da drüben. An dem Baum«, fuhr Thomas fort und begriff, dass der Mann recht hatte. Nicht mal ein waschechter Schock konnte Ellas Verhalten vollständig erklären. »Sie ist noch klein.«

Der Fahrer machte »hm« und nuschelte »schrecklich«, aber Thomas sah, dass er wieder zu Ella schaute, die Moira durch die Tür folgte. Da sie sich die Haare hinten nicht gebürstet hatte, den Kopf leicht seitwärts geneigt hielt und ihr Mund offen stand, sah sie wirklich seltsam aus.

Es gefiel ihm nicht, dass der Fahrer so über ein Mitglied seiner Familie sprach. Er konnte es nicht damit abtun, dass der Mann einfach nur gemein war. Das war er nicht. Und dumm schien er auch nicht zu sein.

»Na ja, auf Wiedersehen, Sir.« Der Fahrer machte Anstalten zu gehen, und Thomas streckte ihm die Hand entgegen. Der Fahrer sah ihn an und zögerte. Eigentlich durften sie sich nicht die Hand geben, aber Thomas wollte ihm in die Augen sehen wie einem Gleichgestellten, wollte ihm zeigen, dass sie nicht alle so kaputt waren.

Der Mann zögerte und nahm Thomas' Hand, schüttelte sie kräftig, sah ihm in die Augen und lächelte.

»Auf Wiedersehen«, sagte Thomas und hoffte, dabei so respekteinflößend zu klingen wie Lars, nur netter. »Und danke für Ihre Dienste.« Er ging über die Treppe zur Haustür.

Drinnen hatten Moira und Ella ihre Mäntel auf den Boden neben den Koffer fallen lassen. Es sah aus, als seien sie einfach aus ihnen herausgeschmolzen.

Thomas hob sie auf und sah sich nach einem Platz um, wo er sie aufhängen konnte.

Er trat zu einer großen Tür. Als er sie öffnete, ging automatisch das Licht an. Hier war er nie gewesen.

Es war ein kleiner, rechteckiger Garderobenraum mit Kleiderstangen an drei Seiten, die verschiedenen Personen zugeteilt waren. Wanderstiefel standen auf einer Ablage und einem hohen Regal mit ordentlichen Holzkisten, die jeweils per Hand beschriftet waren: »Lars' Handschuhe«, »Moiras Mützen«, »Schals«.

Als Thomas die Mäntel aufhängte, fiel die Tür langsam zu und schloss ihn ein. Er lauschte auf das Klicken des Schlosses und war dankbar, als das Licht ausging. Er stand ganz still und genoss die fensterlose Dunkelheit.

In Gedanken bildete er einen Satz, dessen Bedeutung ihm erst langsam bewusst wurde:

Wir dürfen nicht gesehen werden.

Sein Kopf fiel nach vorne auf die Brust, und so blieb er stehen, bis sein Nacken schmerzte. Trotzdem blieb er noch länger stehen, das Atmen wurde durch den Knick in der Luftröhre erschwert, ein Brennen breitete sich über Hals und Schultern aus, bis runter zu den Armen. Nie wieder wollte er sein Gesicht gegenüber der Welt erheben.

Und dann sprach Lars zu ihm. *Du verfluchtes blödes Arschloch. Bleib da, du nutzloser Pisser. Tu nichts. Bleib einfach verflucht noch mal da.*

Thomas hob den Kopf und drückte die Tür weit auf, wobei auch wieder das Licht anging. Langsam griff er in seiner Tasche nach der Zeitung.

Auf einer Seite war Sarah Erroll auf einer Party abgebildet, flankiert von anderen Mädchen und verpixelten Gesichtern.

Sie lächelte verlegen und wünschte – den Eindruck hatte er –, dass das Foto endlich geschossen und das Thema damit erledigt sein würde und sie sich nicht mehr sehen lassen müsste. Sie sah nicht sehr gut aus auf dem Bild. Thomas fand sie im wahren Leben viel hübscher.

Da stand, dass Sarah vierundzwanzig gewesen war, jünger als Nanny Mary. Nach ihrem Schulabschluss mit achtzehn hatte sie in einer Champagnerbar in der Londoner City gearbeitet, The Walnut, war dann aber in ihre schottische Heimat zurückgekehrt, um ihre Mutter zu pflegen.

Lars hatte öfter mal im Walnut was getrunken. Eines Abends hatte er eine legendäre Rechnung für Wein zu begleichen gehabt: fünfzigtausend oder zwanzigtausend, so was um den Dreh. Dort musste sie ihn kennengelernt haben. Vielleicht hatte Sarah aufgeblickt, als Lars die Bar betrat, und ihn verträumt angelächelt. Vielleicht hatte Lars erkannt, dass sie unsichtbar sein wollte, und das hatte ihm an ihr gefallen.

Thomas betrachtete das Bild, und zum ersten Mal hatte er das Gefühl, dass sie eine reale Person war, die unabhängig von Lars oder ihm oder Squeak oder sonst irgendjemandem existiert hatte. Er sah sie in ihrem heruntergekommenen alten Haus mit gesenktem Kopf, und dann blickte sie auf, und ihr Gesicht war eine einzige blutige, verpixelte Masse.

Er warf sich mit der Schulter gegen die Tür und eilte in den Flur, hielt es nicht aus, alleine zu sein. Deshalb nahm er Ellas Koffer und stieg die Stufen in den ersten Stock hinauf. Auf dem Korridor hielt er den Blick gesenkt, um den Spiegeln auszuweichen.

Er kam nur selten in diesen Teil des Hauses und hatte vergessen, dass es hier schön und warm war. Die Türen waren alle hoch und massiv, die Verkleidungen um die Türgriffe herum aus warmem rostrotem Kupferblech, in das verschlungene Blumen und kleine Sonnenmotive eingraviert waren. Ellas Räume lagen ganz hinten am Ende, neben der Tür zur Master Suite. Er klopfte ganz förmlich an, war nicht sicher, ob Moira bei Ella war. Dann hörte er ein Schniefen und trat um die Tür herum.

»Ihre Tasche, Ma'am.«

Ellas Räume hatten hohe Decken. Ein Wohnzimmer mit einem tiefen Erkerfenster, ein Schlafzimmer und dahinter ein großes Bad. Sie hatte sich ihre Möbel selbst ausgesucht, alle in rosa. Sogar der Breitbildfernseher über dem Kamin hatte einen rosafarbenen Rahmen.

Sie saß alleine im Schneidersitz mitten auf ihrem rosa gemusterten Sofa und sah aus dem Fenster. Aus der Entfernung wirkte sie winzig. Sie war schlank, einnehmend, hatte strähniges blondes Haar und ein Elfengesicht. Ihre Augen waren vom Weinen gerötet. Als Thomas sie so ansah, glaubte er, verstehen zu können, was Lars einst an Moira gefunden hatte.

Er stellte den Koffer auf einem Fußschemel ab, damit er ausgepackt werden konnte.

»Du bist ein widerliches Ekel«, sagte sie, sehr laut. »Ich hasse dich, verdammt noch mal, du widerliches, scheiß Ekel.«

Thomas erstarrte. Sie blickte aus dem Fenster, und er versuchte zu erkennen, ob sie mit seinem Spiegelbild sprach. Abrupt wandte sie sich um und schrie unerbittlich: »Thomas! Ich weiß, dass du da bist!«

»Okay«, murmelte Thomas.

Sie lächelte und wandte sich ab. Thomas ging an der Wand entlang, bis er an einen Tisch kam, auf dem kleine Ballettfiguren aus Porzellan standen. Er war verwirrt und verletzt. »Bin ich dir unheimlich?«

Sie schaute ihn an und überlegte. »Nein. Stell das hin.«

Er betrachtete seine Hand, ein bisschen erleichtert, weil ihre Bemerkung angebracht war: Er hatte eine der Figuren gehalten. Doch statt sie abzustellen, schloss er seine Hand noch fester darum, um eine Reaktion herauszufordern. Ella kaute auf ihrer Wange und betrachtete die Figur. Offensichtlich war es nicht ihre liebste, weil sie nur mit den Schultern zuckte.

Thomas stellte sie wieder hin. »Die ganze Heulerei im Auto, das war ein bisschen dick aufgetragen, oder?«

Sie zuckte wieder mit den Schultern.

»Hat dir Lars von seiner anderen Familie erzählt?«

Ellas Mund zuckte, und sie lächelte. »Hab ich eh gewusst.«

Sie wartete und zwang ihn so, nachzufragen.

»Woher?«

»Ach, Lars ist mit mir zu Harrods gefahren, hat acht Kleider gekauft und mir vier davon geschenkt. Blöder verfluchter Arsch. Sie muss so alt sein wie ich. Oder wenigstens genauso groß.«

»Der Sohn ist jedenfalls in meinem Alter. Ich musste es erst gesagt bekommen …«

»Hmmm.« Sie schien sich zu freuen, ihm dieses Wissen vorausgehabt zu haben.

»Meinst du, Moira weiß Bescheid?«

Sie zuckte unbekümmert mit einer Schulter. Jetzt, da er näher gekommen war und aus dem Fenster schauen konnte, kapierte er, dass sie auf die Eiche schaute und wahrscheinlich mit dem Baum und mit Lars redete und nicht mit einem unsichtbaren Mann.

»Wie hast du erfahren, dass er tot ist?«

»Diese blöde Kuh, Mrs Gilly, hat mich aus Französisch rausgeholt und es mir gesagt. Hat sich verdammt viel Zeit gelassen, ständig um den scheiß heißen Brei geredet. ›Mach dich gefasst, meine Liebe.‹ Hat mir eine Riesenangst eingejagt.«

Beide fanden, dass Moira es ihnen hätte sagen sollen. Ella sah ihn durchdringend an und flüsterte: »Hat sie die Dinger abgesetzt?« Sie nickte Richtung Tür: »Du weißt schon …«

»Ja. Na ja, jedenfalls hat sie keinen trockenen Mund mehr.«

Ella nickte. »Und sehen kann sie auch wieder richtig.« Sie schnitt eine Grimasse, um zu zeigen, welches Gesicht Moira immer aufgesetzt hatte, schloss erst die Augen und riss sie dann wahnsinnig weit wieder auf, als würden ihre Augäpfel austrocknen. »Wann …?«

»Vor ein paar Wochen, hat sie gesagt.«

Misstrauisch beäugte Ella die Tür und wisperte: »Weil man irre werden kann, wenn man die absetzt. Manche bringen ihre ganze Familie um oder so. Hast du davon gehört?«

Thomas konnte sich nicht erinnern, ob er das schon mal gehört hatte oder nicht. »Weiß nicht.«

»Die besorgen sich Gewehre, rennen durchs Haus und knallen dich ab, wenn du schläfst.« Sie wirkte besorgt. »Ich meine, ich wäre sowieso zuerst dran. Du bist unten, aber ich bin gleich nebenan …«

»Sie scheint okay zu sein. Ella, das war vorhin doch alles Theater, oder? Du bist nicht wirklich verrückt.«

Ella grinste Richtung Tür. »Haben wir noch Waffen hier?«

»Ein paar. In Lars' Bürosafe unten.«

Sie biss sich auf die Lippe. »Hmmm.«

Es war eigentlich ganz nett, so miteinander zu reden.

»Die Haushälterin ist weg. Die ganzen Hausangestellten sind weg«, sagte er. »Sie hat sie entlassen.«

Ella runzelte die Stirn. »Das ist doch bescheuert. Wer macht denn jetzt die Arbeit?«

»Du. Wir haben abgestimmt, bevor du gekommen bist, und jetzt musst du alles machen.«

Sie lachte. »Aber echt jetzt, wer denn …?«

»Wir müssen verkaufen. Wir ziehen um.«

Ella sah sich in ihrer kleinen Welt um, betrachtete ihre Sesselchen, ihren rosafarbenen Minikühlschrank und den Fernseher. Dann drehte sie sich wieder zum Fenster, und als sie die Stimme erhob, klang sie sehr tief. »Können wir zurück in die Schule?«

Thomas glaubte nicht. Dreihunderttausend pro Jahr waren gar nichts. Davon konnte man keine Schule bezahlen. Das musste er nicht sagen. Ellas geübte Augen füllten sich erneut mit Tränen.

»Ich bin erst seit einem verfluchten Jahr da. Ich hab mich gerade erst eingewöhnt.« Plötzlich wurde sie sehr wütend. »Ich gehe jedenfalls auf keine verdammte öffentliche Schule, da werde ich erstochen oder vergewaltigt oder so. Ich will einen Hauslehrer.«

»Red keinen Scheiß, Ella, wir sind *pleite*. Für einen Hauslehrer ist kein Geld da. Es ist für *gar nichts* Geld da.«

»Die können mich nicht zwingen, auf eine öffentliche Schule zu gehen, da werde ich bloß gehänselt.«

Er sah sie an. Hinter ihr schien die Sonne ins Zimmer, zauberte ihr einen Heiligenschein aufs Haar und betonte das Blau ihrer Augen. Ihr Schulrock war am Bein hochgerutscht und entblößte ihren zart flaumigen Oberschenkel. Sie sah hübsch aus, vornehm und schlank. »Ich glaube nicht, dass das passiert.«

Ella spürte, dass ein Kompliment in der Luft lag und tippte sich neckisch ans Kinn, um es sich abzuholen. »Meinst du nicht?«

»Nein.«

Sie wartete darauf, dass er darauf einging, aber das tat er nicht, also half sie ihm auf die Sprünge: »Warum nicht?«

Er ging zum Erkerfenster, umkurvte die Sofalehne, zog den Vorhang zurück und blickte hinaus auf den Rasen.

»Ich glaub's halt nicht. Du wärst doch sofort die Angesagteste in der neuen Schule. Die gehen nicht aufs Internat, die in der anderen Familie. Die dürfen nachmittags nach Hause.«

»Wichser. Hat Lars dir das erzählt?«

»Ja.«

»Die haben's gut.« Wenn man Nachmittags nach Hause durfte, obwohl auch ein Internat an die Schule angeschlossen war, bedeutete das, dass einen die Eltern gerne zu Hause hatten, es bedeutete, dass man an seinem Wohnort Freunde haben konnte und ein soziales Leben, es bedeutete Normalität. »Auf welche Schulen gehen die? Kennen wir jemanden da?«

»Hat er nicht gesagt. Der Sohn sollte jedenfalls auf die St. Augustus wechseln. Im nächsten Schuljahr.«

Ella riss die Augen auf. *»Zu dir auf die Schule?«*

Thomas konnte ihr nicht in die Augen sehen, aber er nickte.

»Und sollte sie auch auf meine Schule gehen?«

»Ja.«

Sie starrte wieder die Eiche an, stieß einen entrüsteten Keuchlaut aus. »Arschloch!«, dann sah sie wieder Thomas an. Er war dort gewesen, an jenem schwarzen See, und es hatte ihm nicht gutgetan, er wollte nicht wieder dorthin zurück.

»Die mögen mich nicht an meiner Schule«, flüsterte sie. »Ich bin da überhaupt nicht angesagt. Viele von den Mädchen da sind totale Zicken …« Ihre Stimme erstarb. Dann änderte sich plötzlich ihre Laune; sie grinste und setzte sich auf die

Knie, betrachtete gemeinsam mit Thomas die Eiche. »Ich hab die Zeitung gesehen«, sagte sie. »Hing da rum wie ein Idiot.«

Thomas sah den Baum an. Armer Baum. »Schön, dass du zu Hause bist«, sagte er und errötete, weil er es wirklich ernst meinte.

Ella grinste spöttisch aus dem Fenster.

»Die Heulerei im Wagen, hast du das Moira zuliebe gemacht?«

Sie sah sich um und zuckte mit den Schultern, als wäre sie bei einer Lüge ertappt worden. »Das Bild wurde von Nanny Marys Zimmer aus aufgenommen, stimmt's?«

Er nickte, obwohl er eigentlich gar nicht hätte wissen dürfen, welchen Blick man von dort aus hatte. Sie grinste. »Du hast mit ihr gefickt, stimmt's?«

»Halt die Klappe.«

»Hab nur gefragt.« Sie guckte verschlagen.

»Hey«, sagte er, »komm, wir gehen ein bisschen auf dem Rasen spazieren.«

Ihr fiel die Kinnlade runter. Thomas machte sich über sie lustig, er verarschte sie. »OH GOTT«, sagte er mit dröhnender Weltuntergangsstimme, »betretet bloß nicht den Rasen.«

Ella kicherte und fiel mit ein: »Runter von dem scheiß Rasen!«

»Der Rasen, der Rasen.« Er senkte die Stimme: »Hey, gestern Abend waren wir im Kühlraum und haben Minipizzen geholt, und Moira hat sie im Ofen heiß gemacht.«

Ella starrte ihn erschrocken an.

Er grinste. »Minipizzen. Wir haben sie in der Küche gegessen. Ich hab sogar ein Bier getrunken.«

Sie hielt Daumen und Zeigefinger zusammen und formte damit einen kleinen Kreis.

»*Minipizzen?* So wie Miniburger-Canapés auf einer Party?«

»Nein.« Er hielt beide Hände hoch und bildete einen größeren Kreis. »Nein, viel einfacher. Richtige Minipizzen aus dem Supermarkt. Moira hat sie im Ofen gebacken.«

Ella blickte aus dem Fenster, und Fassungslosigkeit machte sich auf ihrem Gesicht breit. »Wo ist denn der Kühlraum?«

»Unter der Küche.«

»Wow.« Sie nickte, ließ die Information sacken und begriff ein bisschen, das hoffte er, welche Freuden das neue Leben zu bieten hatte, wenn sie erstmal aus Lars' Schatten herausgetreten sein würden.

Plötzlich stöhnte sie auf und streckte die Hand nach seiner aus, obwohl er hinter dem Sofa stand. »Komm schon«, sagte sie aufgeregt, als wäre sie plötzlich eine andere Person, jemand aus einem Film, mit rauchiger Stimme, wahrscheinlich Helena Bonham Carter. Oder Keira Knightley.

Angewidert sah Thomas auf ihre Hand. »Mach keinen Scheiß, Ella.«

Sie fing nicht an mit ihm zu streiten, sondern ließ einfach die Hand sinken und sagte: »Komm schon, lass uns wenigstens einmal über den verfluchten Rasen rennen.«

Thomas sah hinaus auf das Meer an lebendigem, verbotenem Grün.

Moira hatte genug. Sie stand am Fenster und rauchte schon am Vormittag eine Zigarette, was sie sonst nie getan hatte, nicht einmal in ihrer finstersten Zeit. Sie rauchte und sorgte sich, weil die Kinder jetzt immer zu Hause waren, ständig reden würden und unaufhörlich Bedürfnisse anmeldeten. Ella kam gerade so klar. Aber beide waren sie laut. Wenn sie in ein kleineres Haus zögen, würden sie Freunde einladen, und sie könnte sich kaum jemanden leisten, der ihr dann half und aufpasste. Sie würde kochen müssen, es konnte nicht jeden Abend Minipizzen geben.

Sie rauchte immer noch, als sie draußen vor der Haustür unterhalb ihres Fensters Schritte und Rufe hörte. Sie beugte sich vor, um zu sehen, was um Himmels willen da vor sich ging, aber der Eingang lag unter dem Fenstersims verborgen. Erst als Ella und Thomas in der Einfahrt auftauchten, sah sie sie. Sie rannten. Ella fing zwischendurch immer mal wieder an zu springen, ihr schwerer Wollrock wirbelte um ihre nackten Beine.

Sie rannten zum Rasen, blieben am Rand stehen, und Ella stippte einen Zeh ins Gras, als wollte sie die Temperatur eines Swimmingpools prüfen, aber dann ging es Auf-die-Plätze-fertig-los! – und sie schossen über den Rasen, lachten laut miteinander, strebten auseinander, dann wieder zusammen, auseinander und zusammen. Moira sah zu, bis sie über die steile Anhöhe verschwunden waren und wieder zurückkamen, keuchend, aber lächelnd.

Sie gingen zur Eiche und fanden den Ast, an dem sich Lars erhängt hatte, stellten sich abwechselnd darunter. Thomas griff nach oben und berührte ihn, musste ein kleines bisschen springen, um die letzten fünf Zentimeter zu überbrücken, dann klatschte er mit der Hand auf die vom Seil abgewetzte Stelle.

Ella sah so jung und klein aus. Ohne etwas zu sehen, starrte sie mit einem breiten ausdruckslosen Grinsen im Gesicht direkt auf das Haus, und Moira fing an zu weinen.

23

Im Eingangsbereich der Wache in der London Road zog es wie Hechtsuppe. An einer Wand standen ein paar Stühle, allesamt fest mit dem braun gefliesten Fußboden verschraubt und von jenseits des halb durchlässigen Spiegels gut sichtbar. Als könnte sie einen fröhlichen Gegenakzent setzen, lächelte eine absurde lebensgroße Polizeibeamtin aus Pappe die Eintretenden an.

An diesem Morgen waren die Sitzplätze von einer Gruppe wütender Frauen besetzt. Als Morrow auf dem Weg zu den Vernehmungsräumen an ihnen vorbeikam, hatten sie bereits eine Sprecherin auserkoren, die ihre Beschwerden vorbringen sollte: Sobald Morrow den CID-Trakt verlassen hatte, stand eine der Frauen auf. Die anderen beobachteten sie erwartungsvoll, als sie Morrows Richtung erriet und sich ihr in den Weg stellte.

»Hey, Sie. Sind Sie hier zuständig?«

Die Hände in die Hüften gestemmt, den Kopf in den Nacken geworfen, starrte sie provozierend auf Morrow hinunter. Sie war ziemlich dick und trug ein knallig lilafarbenes Oberteil über ihrer schwarzen Hose. Ihr Haar war kurz und burgunderrot gefärbt, was ihrem gelben Gesicht nicht gerade schmeichelte.

»Sind Sie? Ich hab gefragt, ob Sie hier zuständig sind.«

Selbst mit zehn Kadetten und einer Schutzweste als Verstärkung hätte Morrow sich nicht mit dieser Frau angelegt. »Sehe ich so aus?«

Sie musterte Morrow, sah, dass sie schwanger war und sich auch so fühlte. »Wir wurden alle gleichzeitig hierher bestellt …«

Morrow unterbrach sie. »Ist Ihnen klar, dass es hier um Ermittlungen in einem Mordfall geht?«

Die Frau reckte den Hals und näherte sich Morrows Gesicht. »Und ist Ihnen klar, dass wir hier alle wertvolle Arbeitszeit vergeuden, während wir auf Sie warten?«

Die anderen Frauen nickten.

»Okay.« Morrow machte einen Bogen um sie herum und wandte sich an die Frauen: »Sie werden beizeiten aufgerufen.«

Aber die lila Frau hatte jetzt das Gefühl zu gewinnen, was ihr das Selbstbewusstsein verlieh, sich Morrow erneut in den Weg zu stellen. »Was soll *das* denn heißen?«

»Was soll *was* heißen?«

»›Beizeiten‹, was soll *das* heißen?« Sie beugte sich vor, wild entschlossen, sich nicht abwimmeln zu lassen, schon gar nicht vor den anderen.

Morrow sah, wie sich das Licht hinter dem Spiegel veränderte. Der diensthabende Sergeant war da. Sollte die Frau Anstalten machen, eine Hand gegen eine Beamtin zu erheben, wäre er in null Komma nichts bei ihr und froh, einen Vorwand zu haben, um einzugreifen.

Morrow hatte keine Zeit für ein Handgemenge und die Formalitäten, die ein solches nach sich ziehen würde. Ein bisschen zu selbstbewusst nach ihrem Triumph bei der Dienstbesprechung hob sie die Hand Richtung Spiegel und teilte dem Sergeant auf diese Weise mit, dass er nicht herauszukommen brauchte. Sie hatte das Gefühl, die versammelten Frauen wollten gar nicht unbedingt gehen, als vielmehr etwas Konkretes zu tun haben. Deshalb trat sie direkt auf sie zu.

»Schön, meine Damen«, sagte sie und merkte, dass diesen ihr Akzent nicht entgangen war. »Es geht um Folgendes: Sarah Erroll wurde vorgestern ermordet …«

»Das wissen wir längst«, sagte eine Frau von hinten.

»Sie wissen aber nicht, wie sie ermordet wurde.« Morrow sah die Frauen an, ließ Raum für deren Fantasie. »Und ich darf es Ihnen auch nicht verraten, aber ich darf Ihnen sagen, dass wir den Täter finden müssen, und zwar sehr schnell.«

»Werden wir dafür bezahlt?« Das war die lila Frau, die einen Schritt vortrat und versuchte, ihre Autorität wiederzuerlangen.

Morrow ärgerte sich. »Dafür, dass Sie helfen, einen Mörder zu finden?«

»Sie hat recht, Anne Marie«, rief eine andere Frau der lila Anführerin vom Seitenstreifen aus zu. Sie sah Morrow an. »Aber verstehen Sie, man hat nicht mal mit uns geredet. Uns einfach nur hierherbestellt. Und wir verpassen alle Arbeitszeit. Sie können uns doch sowieso nicht alle gleichzeitig befragen.«

»Okay, gut.« Morrow nickte Richtung Fußboden. »Gut. Wir wollen sehen, dass Sie alle noch vor der Mittagspause drankommen. Zwei Straßenecken weiter ist ein Imbiss.« Sie zeigte aus der Tür und nach rechts. »Eine oder zwei von Ihnen dürfen gerne Tee holen gehen.«

Einige nickten, andere nuschelten irgendwas vor sich hin. Die lilafarbene Anne Marie schlurfte geschlagen auf ihren Sitzplatz zurück. »Hey, Sie«, Morrow zeigte auf sie, »bestellen Sie sich lieber nichts, weil ich Sie als Erstes drannehmen werde.«

Anne Marie hatte keine drei Wochen für Mrs Erroll gearbeitet. Die Bezahlung war gut gewesen, damit da kein Missverständnis entstand, die Bezahlung hatte ihr gefallen, aber die alte Dame war sehr viel pflegebedürftiger gewesen, als man ihr bei der Agentur mitgeteilt hatte, und mit der Tochter war Anne Marie einfach nicht richtig warmgeworden.

Das erzählte sie Morrow und Leonard mit einer gewissen Fassungslosigkeit, während sie sich in den Ausschnitt ihres Pullovers griff, in den Ärmel fasste und ihren heruntergerutschten BH-Träger wieder auf die Schulter zog.

Während der drei Wochen im Sommer, in denen Anne Marie dort gearbeitet hatte, war Sarah Erroll zweimal weggefahren, einmal nach New York und einmal nach London. Besuch von Freunden hatte sie keinen gehabt. Niemand hatte über das Festnetztelefon für sie angerufen oder eine Nachricht hinterlassen.

»Was war sie für eine Person?«

Anne Marie zuckte mit den Schultern. »Na ja, ich hab sie nicht gemocht.«

»Warum nicht?«

»Ich fand sie ein bisschen wischiwaschi. Bisschen unverbindlich.« Sie wackelte mit dem Kopf. »Immer mit dem Kopf in den Wolken.«

»Inwiefern?«

»Inwiefern was?«

»Inwiefern hatte sie den Kopf in den Wolken? Hatte sie besondere Ambitionen oder hat sie darüber gesprochen, was sie mit ihrem Leben anfangen wollte?«

»Nein.«

»Inwiefern war sie dann wischiwaschi?«

»Na ja, als ich rausgeschmissen wurde, bin ich zu ihr hin

und hab gesagt: ›Hören Sie, das ist nicht in Ordnung, ich hab einen Job aufgegeben, um diesen hier anzunehmen, und dann schmeißt die mich einfach hochkant raus …‹«

»Moment, wer ist ›die‹? Wer hat sie rausgeschmissen?«

»Sie. Die andere. Meinte, ich wär faul und hätt immer nur auf dem Bett gesessen, wenn sie kam, und Mrs Erroll müsse umgezogen werden, aber ich hab nur …«

»Welche andere?«

»Diese Kay Murray.« Sie verzog das Gesicht. »Die war das.«

»Kay Murray hat Sie raugeschmissen?«

»Na ja, direkt rausgeschmissen nicht. Sie hat mich nur sozusagen in die Falle gelockt. Sie hat uns eine Tasse Tee gemacht und gesagt: ›Ach, ich seh doch, dass Sie hier nicht glücklich sind.‹« Anne Marie fuchtelte mit den Armen und machte ein wütendes Gesicht, als hätte Kay völlig überzogen reagiert, wo sie doch eigentlich sehr gemäßigt klang. »Und ich hab gemeint: ›Na ja, bin ich auch nicht.‹ Und sie hat gesagt: ›Vielleicht würde eine andere Stelle ja besser zu Ihnen passen, zumal Sie ja meinten, wegen der Anfahrtskosten und so.‹ Und da hab ich gesagt: ›Wenn Sie mir die Anfahrtskosten …‹«

»Verstehe.« Morrow fiel ihr ins Wort. »Sie sind damit also zu Sarah gegangen, und was hat sie gesagt?«

»Kay war diejenige, die das entschied.«

Morrow staunte, welche Befugnisse Kay offenbar gehabt hatte. Soweit sie wusste, hatte sie keine Ausbildung gemacht, und sie hatte ja auch ausdrücklich gesagt, dass sie und Sarah sich nicht nahegestanden hatten.

»Hatten Sie einen Schlüssel?«

»Nein. Kay Murray hat uns rein- und rausgelassen. Sie hatte einen Schlüssel.«

»Wer hatte noch einen?«

»Niemand. Nur Kay Murray.«

»Demnach standen sich Kay und Sarah also recht nah?«

»Nein. Nur Kay und die Mutter, Mrs Erroll.«

»Joy Erroll?«

»Genau.«

Leonard schaltete sich ein: »Ich dachte, sie litt an Alzheimer?«

»War auch so. Das heißt aber nicht, dass man keine Freunde mehr haben kann, oder?« Sie bedachte Leonard mit einem hochnäsigen Blick.

»Inwiefern waren sie befreundet?«

»Die Mutter strahlte schon bei ihrem bloßen Anblick. Sie hat sie geliebt. Hat geheult, wenn Kay abends nach Hause ging. Die konnte sich nicht mehr an ihren eigenen Namen erinnern, wusste aber sofort, wenn Kay Murray nicht im Haus war.« Sie verzog die Lippen zu einem verbitterten Grinsen. »Toll war das für uns, besonders wenn man diejenige war, die sich dann stattdessen um sie kümmern musste.«

»Erinnern Sie sich an den großen Eingangsbereich, direkt hinter der Haustür?«

»Ja.«

»Was befand sich dort?«

»Nur der große schwarze Schrank. Sah aus wie aus einem Horrorfilm. Mit riesigen Griffen dran.«

»Groß …« Morrow nickte und forderte sie auf, den Schrank näher zu beschreiben.

Anne Marie nickte. »Ja, groß halt.« Als sie sah, dass Morrow mehr hören wollte, setzte sie hilfsbereit hinzu: »Eben ein Schrank …«

Die nächste Frau hatte fünf Monate dort gearbeitet, bis ihre Enkelin ein Kind bekam und sie die Stelle aufgeben musste, um sich zu Hause um das Baby zu kümmern. Es war eine Frühgeburt gewesen, und die junge Mutter litt unter postnataler Depression. Sie nickte Richtung Morrows Bauch. »Sie wissen ja, wie's ist.«

Sie war klein, agil und schlampig. Sogar die drei Knöpfe an der Seite ihrer Stiefel waren schief geknöpft. Sie trug ein schwarzes T-Shirt mit einem goldenen ABBA-Schriftzug, dessen linke Schulter grau verblichen war. Morrow lächelte, als ihr klar wurde, dass es sich um ausgewaschene Babykotze handelte.

Die Frau erinnerte sich an den schwarzen Schrank und behauptete, es sei eine mindestens drei Meter hohe Anrichte gewesen, was nicht stimmte. Sie hatten die Höhe vom Boden bis zur Markierung an der Wand gemessen, und das waren gerade mal knapp über zwei Meter gewesen. Sie wusste nicht, was damit passiert war. Sarah Erroll sei eine sehr freundliche Person und sehr gut zu ihrer Mum gewesen, obwohl ihre Mum ziemlich verwirrt und nicht immer sehr nett war.

»Inwiefern war sie nicht nett?«

Die Frau kicherte und errötete. »Sie hat oft unanständige Wörter benutzt.«

»Wirklich?«

Die Frau presste ihre Lippen aufeinander, als fürchtete sie, plötzlich selbst irgendwas Schmutziges herauszuposaunen. »Das lag an ihrer Verwirrtheit«, erklärte sie flüsternd, »weil sie so durcheinander war. Sie hat wie eine Dame gesprochen, aber andauernd schmutzige Wörter eingebaut. Das war manchmal wirklich sehr zum Lachen.«

»Haben Sie gerne dort gearbeitet?«

Sie dachte einen Augenblick nach. »Es war sehr schön. Wissen Sie, ich mach diesen Job schon eine Weile, und manchmal ist das sehr traurig mitanzusehen, wie die Leute behandelt werden.«

»Aber dort nicht?«

»Nein. Die Bezahlung war gut, und Kay war für die alte Dame ein echter Kumpel, und deshalb wurde Mrs Erroll auch immer noch wie ein Mensch behandelt. Ich meine, gleich am Anfang hat sich Sarah mit uns hingesetzt und gesagt, dass es früher im Haus immer sehr fröhlich zugegangen wär und sie wollte, dass die Leute, die dort arbeiteten, auch fröhlich waren. Sie hat gesagt, ihre Mum wär verwirrt, aber sie würde immer noch mitbekommen, ob jemand gut gelaunt ist oder nicht. Sie hat gesagt, wenn ich Beschwerden oder sonst was auf dem Herzen hätte, sollte ich jederzeit mit Kay drüber sprechen.«

»Hatten Sie denn Beschwerden?«

»Nein.«

»Ließ es sich gut mit Kay arbeiten?«

»Einwandfrei. Ihr ging es immer nur um die alte Dame. Sie hat ihr ihre Lieblingskleider angezogen, obwohl sie ihr gar nicht mehr richtig gepasst haben, aber sie hat's trotzdem gemacht. Sie hat alte Filme für sie besorgt, und die haben sie zusammen geguckt. Wenn Mrs Erroll was bedrückt hat, dann hat sie ihr erzählt, sie wär grad der Queen begegnet, und sie damit aufgemuntert. Die beiden haben auch zusammen gekocht und so. Brot und Scones gebacken.«

»Demnach mochten sich Kay und Mrs Erroll?«

»Oh Gott, ja.« Sie verdrehte die Augen, um ihre Aussage zu unterstreichen. »Die haben sich geliiiiieeeebt.«

Zwei der Frauen hatten nicht viel zu sagen, weil sie nur wenige Monate dort gearbeitet hatten, bevor sie kündigen mussten, die eine wegen der zu langen Anfahrtswege, die andere, weil sie's im Rücken hatte und nichts mehr heben durfte. Kay hatte sie als Putzhilfe im Haus behalten, weil sie sie mochte, aber ihre Rückenprobleme hatten sich verschlimmert, sodass sie dann auch diese Arbeit nicht mehr verrichten konnte.

Morrow wollte gerade die Nächste hereinrufen, als Wilder in den Vernehmungsraum kam und ihr mitteilte, dass Jackie Hunter, die Chefin der Arbeitsagentur für Pflegepersonal, unten wartete.

Jackie Hunter war fünfzig, und man sah ihr an, dass sie geschieden war. Ihr schwarzer Bob war mit schokoladenbraunen Strähnchen durchzogen, glänzte und wirkte so gepflegt, als hätte sie die Frisur einer jüngeren Frau gestohlen; ebenso ihre strahlend weißen Zähne. Sie sprach mit leiser Stimme, und ihr Akzent klang einwandfrei nach Giffnock. Sie legte die Hände in den Schoß, eine auf die andere, nickte und lauschte aufmerksam. Morrow konnte sich sehr gut vorstellen, dass sie gegenüber ihren Klienten, die weinend vor ihr saßen, große Anteilnahme und das Gefühl vermitteln konnte, dass ihnen jemand zuhörte.

Jackie erklärte, Sarah sei vor drei Jahren, nach dem ersten leichten Schlaganfall ihrer Mutter, zu ihr gekommen. Sarah hatte damals in der Londoner City gearbeitet und bei Schulfreundinnen gewohnt. Sie hatte nicht gemerkt, dass ihre Mutter immer verwirrter wurde. Mrs Erroll sei früher eine stolze Frau gewesen, und wie viele Menschen mit Alzheimer hatte sie es verstanden, ihre Krankheit zu verheimlichen. Sarah hatte gemerkt, dass ihre Mutter am Telefon anders klang, hatte aber gedacht, sie sei sauer, weil ihre Tochter nach London gezogen war.

Jackie hatte veranlasst, dass Mrs Erroll privat untersucht wurde, um ihren Gesundheitszustand einzuschätzen. Danach war sofort klar gewesen, dass sie schon bald sehr viel Pflege brauchen und diese sehr teuer werden würde.

»Wie ging's Sarah damit?«

»Ich erinnere mich, dass Sarah ziemlich verzweifelt war. Sie sagte, sie könne sich das nicht leisten, sie hätten kein Geld mehr. Sarah würde entweder die gesamte Pflege selbst übernehmen oder das Haus verkaufen müssen. Mrs Erroll würde sich aber nirgendwo anders mehr einleben. Wenige Wochen später rief sie jedoch an und meinte, wir könnten ihr jetzt Leute für Bewerbungsgespräche schicken. Jemand habe sich bereiterklärt, die Kosten zu übernehmen, ein Verwandter.«

»Wer war das?«

»Ich weiß es nicht. Der Verwandte wurde nie wieder erwähnt.« Sie setzte einen entschieden neutralen Gesichtsausdruck auf.

»Um wie viel Geld ging es ungefähr?«

»Pflege rund um die Uhr kann bis zu zwanzigtausend Pfund die Woche kosten, je nach Anzahl und Qualifikation der Pflegekräfte.«

»Und wonach hat Sarah gesucht?«

Jackie lehnte sich zurück, überschlug bedächtig die Beine, rechnete im Kopf. »Zwei Vollzeit, ein paar Aushilfen und eine Aushilfe für nachts. Monatlich müssten das ungefähr fünftausend Pfund gewesen sein.«

Das entsprach etwa den Beträgen im Abrechnungsbuch. »Ungefähr sechzigtausend im Jahr?«

Jackie Hunter nickte. »Das ist aber nur das Pflegepersonal. Da sind noch keine Geräte, keine Lebensmittel und keine Überstunden drin. Das sind sehr, sehr umfangreiche Kosten. Sie hat in einer Bar in der Londoner City gearbeitet. Ich denke, sie kannte wohl einige Leute mit viel Geld …«

Morrow wollte ihr nicht verraten, woher Sarah Erroll das Geld hatte.

»Mochten Sie Sarah?«

»Ich hab sie danach eigentlich kaum gesehen. Ich hatte meist mit Kay Murray zu tun.«

Morrow saß in der Kantine und packte das Essen aus, das Brian ihr gemacht hatte. Schinken und Käse auf dunklem Brot, dazu einen Apfel. Der Raum war voll besetzt, aber sie fand noch einen Platz alleine am Fenster. Sie breitete ein paar Notizzettel vor sich auf dem Tisch aus, sodass sie so tun konnte, als würde sie lesen, falls sich jemand mit ihr unterhalten wollte.

Sie blickte sich um. Alle nannten es Kantine, aber eigentlich war es nur ein Raum mit einem Getränkeautomaten und ein paar Tischen, an denen man mitgebrachtes Essen verzehren konnte. Irgendwann war es mal eine richtige Kantine gewesen, aber die Küche hatte schon dichtgemacht, bevor Morrow hier angefangen hatte. Einige Uniformierte scharten sich um die Tische, auch ein paar aus ihrem eigenen Team machten gerade Pause. Morrow war aufgefallen, dass sie sie beim Hereinkommen gesehen und sich ein gutes Stück von ihr entfernt hingesetzt hatten. Die sozial Versierteren nahmen Blickkontakt auf, lächelten, luden sie ein, rüberzukommen, obwohl sie ganz genau wussten, dass sie an ihrem Platz bleiben würde, aber die anderen gaben sich undurchsichtig und brachten es nicht fertig, sie anzusehen. Routher starrte seine Chipstüte an, als wollte er losheulen. Die Atmosphäre in der Abteilung veränderte sich. Nicht mehr lange, und wegen Bannerman würde ein Krieg ausbrechen. Sie würde sich für eine Seite entscheiden müssen. Aber für Morrow war das anders als für die anderen, weil sie zwischen allen stand, und auch gar nicht mehr da sein würde, wenn es hart auf hart kam. Sie würde mit dem zurechtkommen müssen, was auch immer nach ihrem Mutterschaftsurlaub der Stand der Dinge sein würde. Viele Möglichkeiten gab es nicht: Entweder sie würde von ihrem Team gehasst werden oder von ihren Vorgesetzten.

Sie betrachtete die Männer: Ihre Gesichter waren schlicht, verärgert, hungrig, fröhlich. Zumindest waren ihre Beweggründe eindeutig. Sie dachten ans Geld.

Morrows Blick wanderte über die Seiten ihres Notizbuchs. Den Kollegen war es gelungen, Sarah Errolls Laptop-Passwort zu knacken und sich Zugang zu verschaffen. Sie hatte penibel Buch über ihre Einkünfte geführt. Auf dem Höhepunkt ihrer Tätigkeit als Sabine hatte sie hundertachtzigtausend Pfund im Jahr verdient. Die Zahlungen waren einzeln aufgeführt und lagen zwischen achthundert und dreitausend Pfund. Auf Morrow wirkte der Umstand, dass sie so genau Buch geführt hatte, ziemlich naiv. Im Fall einer Festnahme, womit immer zu rechnen gewesen sein musste, hätten ihre Aufzeichnungen gefunden werden können.

Sie biss in ihren Apfel und versuchte sich auszumalen, wie es war, sich von einem unattraktiven Fremden in einem unvertrauten Zimmer ficken zu lassen. Sie hatte schon Schwierigkeiten bei der Vorstellung, sich auch nur berühren zu lassen, ohne demjenigen eine reinzuhauen. Als sie noch in

Uniform gearbeitet hatte, hatte sie Männer verhaftet, die bei Prostituierten gewesen waren, und sie wusste, dass nicht alle unattraktiv waren und einige davon sogar ganz nett. Hässlich war nur die Interaktion zwischen Käufer und Verkäufer. Selbst bei sehr freundlichen Stammkunden hatte dieser Handel etwas Angespanntes, wie eine Ehe, die nicht mehr funktionierte und einen verächtlichen Beigeschmack bekam.

Sie stellte sich vor, wie sie selbst als Sarah auf einem luxuriösen Bett lag und zur luxuriösen Decke hinaufsah, während ein Mann, der sie im Prinzip verachtete, auf ihr lag und für Geld seinen Schwanz in sie hineinschob. In dem Moment wusste sie, weshalb Sarah so minutiös Buch geführt hatte: Auf dem luxuriösen Bett hatte sie an das Geld gedacht.

Auch im Flugzeug nach Hause hatte sie an das Geld gedacht. Und als sie nach Hause kam, die Tabellen ausfüllte und die Beträge eintrug, überschrieb sie damit die Erinnerung an den Mann, der sie verachtete.

Die Frage, wie sie dieses Geschick entwickelt haben konnte, ließ Morrow keine Ruhe. Wie hatte Sarah gelernt, stillzuhalten und einfach nur an das Geld zu denken? Irgendwie musste es ihr gelungen sein.

Morrow hob den Blick, um die Bilder wieder loszuwerden. Routher war mit seinen Kumpels auf dem Weg nach unten. Voll eingespannt. Viel zu tun. Sie befanden sich mit den Ermittlungen jetzt in einem kritischen Stadium: Am Vorabend war die Geschichte in den Nachrichten gelaufen, die Zeitungen heute Morgen waren voll damit, und die Hauseigentümer in der Umgebung unterstützten die Polizei. Die Menge an eingehenden Informationen war fast schon überwältigend. Alte Schulfreunde und irgendwelche Sonderlinge meldeten sich, um ganz offensichtlich irrelevante Informationen zu übermitteln. Falls sich aber einer dieser Hinweise doch als bedeutsam entpuppen sollte und sie nichts dahingehend unternommen hatten, würde man die zuständigen Beamten an den Pranger stellen. Jetzt mussten sie mit den wenigen Leuten, die ihnen zur Verfügung standen, sämtliche Informationen nach Relevantem durchgehen, obwohl sie noch gar keine konkreten Anhaltspunkte hatten, an denen sie sich orientieren konnten.

Die Schwingtür ging auf und Harris kam mit Gobby herein, sah Morrow und kam mit selbstzufriedenem Gesichtsausdruck auf sie zu. Die Blicke der anderen CID-Mitarbeiter im Raum folgten ihnen an den Tisch, und plötzlich musste sie wieder an die lilafarbene Anne Marie denken.

»Also«, sagte er, »das Geld im Museumskatalog nicht mitgerechnet, beläuft sich die Gesamtsumme heute auf 654 576 Pfund.«

»Ach, ich weiß nicht«, sagte Morrow, die dankbar war, aus ihrem luxuriösen Hotelzimmer zurück in die schäbige Kantine katapultiert worden zu sein. »Ist das der Kurs, den die Wechselstuben anbieten? Ich glaube, bei den Banken kommt mehr raus.«

Gobby grinste hinter Harris' Rücken.

Aber Harris ließ sich nicht beirren. »Bei jeder halbwegs seriösen Bank würden wir näher an meiner Schätzung liegen als an deiner.«

»Bist ein Halsabschneider, Harris.« Sie griff in ihre Handtasche und zog einen Zehn-Pfund-Schein aus ihrem Portemonnaie. »Warst du den ganzen Vormittag im Haus?«

»Ja.« Er steckte den Schein ein und setzte sich mit Gobby ihr gegenüber. »Die Spurensicherung ist jetzt abgeschlossen.«

»Ich fahr noch mal hin und seh mich ein letztes Mal um.«

»Wir haben für einige Möbelstücke Quittungen von Auktionshäusern gefunden.«

»Wurden sie verkauft?«

»Ja.«

Morrow biss noch mal in ihr Sandwich. »Ist Kay Murray im Haus aufgetaucht?«

»Nein. Hätte sie sollen?«

»Ja, allerdings.«

Harris sah auf die Uhr. »Na ja, es ist erst drei. Vielleicht kommt sie ja noch.«

»Wie sich herausstellt, stand sie der Familie wohl doch sehr nahe.« Sie biss noch einmal ab. »Ich hatte keine Ahnung. Sie hat nichts durchblicken lassen.«

Harris nickte. »Sie war wichtiger, als es den Anschein hatte.«

»Viel wichtiger.«

Die Kantinentür ging auf, und ein kalter Luftzug breitete sich im Raum aus, die Gespräche versiegten, Harris richtete sich auf wie eine Katze. Bannerman stand im Eingang, sah in die Runde, suchte Morrow und entdeckte sie am Tisch mit Harris und Gobby. Sie beobachtete mit Interesse, wie er zu ihr rüberkam, Harris von der Tischplatte zurückwich und Bannermans Blick von ihr zu Harris wanderte.

Bannerman stand am Tischende und stützte sich mit den Fingern auf der Tischplatte ab. »Also«, sagte er steif. »Sie war eine Nutte.«

Morrow nickte zögerlich.

»Dann kann's jeder gewesen sein«, sagte er und zuckte mit den Schultern.

24

Morrow stand mit dem Hintern an die noch warme Motorhaube gelehnt und sah zu Glenarvon hoch. Der Tag heute war freundlicher, und das Haus wirkte weniger unheimlich und verkommen. Der graue Stein glitzerte im unbeständigen Sonnenlicht. Er verlieh dem Haus etwas von einem älteren Verwandten, teilweise verspielt, gleichzeitig aber auch schwerfällig und freundlich.

Sie wollte mit niemandem sprechen und hatte Leonard zu dem diensthabenden Beamten geschickt, um festzustellen, wer in den letzten Stunden im Haus ein und aus gegangen war. Leonard war bislang nicht in die Vorgänge innerhalb der Abteilung verwickelt, und dank dieser Neutralität hatte ihre Gesellschaft für Morrow etwas Beruhigendes. Sie stand da und betrachtete das Haus, atmete tief durch. Dann ging sie auf die Treppe zu und ließ ihre Eindrücke vom Vortag ziellos Revue passieren. Sie musste Sarah besser kennenlernen, aber die junge Frau entglitt ihr immer wieder. Bannerman hatte ihr für den nächsten Tag ein Flugticket nach London gebucht, wo sie ein paar Leute aus der Bar befragen sollte, in der Sarah gearbeitet hatte, um sich ein besseres Bild von ihr zu machen und möglichst auch ihre Sozialversicherungsnummer herauszubekommen. Sie musste herausfinden, was für eine Person Sarah gewesen war.

Die Pflegekräfte kamen und gingen durch die Vordertür,

immer durch die Vordertür. Niemand hatte einen Schlüssel, weil Kay Murray immer da war, um ihre Kollegen rein- oder rauszulassen. Sie musste sehr lange gearbeitet haben. Morrow war froh, dass Kay einen Schlüssel gehabt hatte. Damit sank die Wahrscheinlichkeit, dass sie etwas mit dem Einbruch durchs Küchenfenster zu tun hatte.

Beim Eintreten hörte sie Leonard fragen, ob Kay Murray da gewesen sei, doch der wachhabende Beamte verneinte. Morrow würde hinfahren und nach ihr sehen müssen.

Der dunkle Eingangsbereich. Der Koffer war jetzt verschwunden, aber die Jacke war noch da. Die Schuhe, einer stand aufrecht, der andere war umgefallen. Der Treppenaufgang finster, erdrückend. Durch den Türbogen zur Treppe. Bei der Erinnerung an Sarahs Leiche verkrampften sich ihre Schultern. Die getrocknete schwarze Blutlache auf dem Boden, die sich über zwei Stufen erstreckte, als wollte sie die Treppe hinaufkriechen und sich oben verstecken.

Morrow blickte zur Seite. Dort hatte das Taserhandy gelegen, aber noch während sie daran dachte, wusste sie, dass sie sich davor drückte, die Treppe zu betrachten.

Ganz bewusst drehte sie den Kopf.

An den Kanten der Stufen war das Blut immer noch dunkelrot und klebrig, aber die Flecken an der Seite waren bereits schwarz eingetrocknet. Zwei verschiedene Paar Schuhe, das eine ein kleines bisschen größer als das andere, beide zeigten jetzt zu ihr. Die kleineren Abdrücke befanden sich näher an dem schwarzen Loch, wo Sarahs Kopf gelegen hatte. Bedeutend näher. Die größeren Füße hatten weiter hinten auf der Stufe, abseits von Sarah, Abdrücke hinterlassen.

Morrow trat einen Schritt zurück. Auf einer Stufe zeichnete sich nur der linke Fuß des kleineren Paars ab, die Person musste auf einem Bein und dicht neben Sarahs Kopf gestanden haben. Mit dem anderen hatte sie getreten.

Sie betrachtete die Fußabdrücke und stellte sich die Menschen vor, die dort gestanden hatten, mit herabhängenden Armen und ausdruckslosen Gesichtern, wie Männer bei einer Gegenüberstellung. Man würde sie getrennt verhören. Sie würden sich gegenseitig beschuldigen, das war immer so. Doch das war egal, sie würden sowieso beide verurteilt werden. Aber vielleicht war es die Wahrheit, wenn einer von beiden behauptete, er sei unschuldig.

Sie ging raus und fand Leonard auf der Treppe. »Wo hat Kay Murray gestern gearbeitet?«

Morrow blieb am Tor stehen und atmete tief durch. Der Garten war wunderschön. Das Grundstück vor dem Haus war ein Meer aus gerechtem weißem Kies, mit einem Gehweg aus darin eingelassenen einzelnen Steinplatten, die bis zur Haustür führten.

Die Pflanzen am Wegesrand lächelten bunt, rosa und blau, und hingen über den wässrig weißen Marmorkies. Ein hoher Zaun schützte vor den Blicken der Nachbarn, ebenso ein Spalier mit orangefarbenen Blumen.

Leonard hatte Mrs Thalaines Haus in ihrem Bericht als »die alten Stallungen von Glenarvon« identifiziert. Bei genauerem Hinsehen konnte Morrow den Weg zum ehemaligen Haupthaus teilweise noch erkennen, ein Streifen ausgetretener Erde oben auf der Anhöhe hinter dem Cottage.

Aber das Gebäude hatte nichts mehr von einem Stall, es wirkte eher wie ein brandneues, weiß verputztes Haus, das einer pittoresken Zeichnung von einem Stallgebäude nachempfunden war. Sie öffnete das Tor und hielt es Leonard auf, die bereits hier gewesen war, und deshalb fand Morrow, es sei angebracht, sie auch jetzt wieder mitzunehmen, damit Mrs Thalaine wusste, mit wem sie es zu tun hatte, und sie gleich zur Sache kommen konnten.

Morrow klingelte.

Nach einer kurzen Pause öffnete eine schlanke, adrett gekleidete Frau. Ihr graues Haar war mit blonden Strähnen durchsetzt; sie trug eine beigefarbene, schmal geschnittene Hose und einen dazu passenden steingrauen Pullover, hatte sich ein blaues Seidentuch locker um den Hals gebunden und die Enden in den runden Ausschnitt gesteckt. Sie sah die beiden Beamtinnen über den Rand ihrer Lesebrille an und erkannte Tamsin Leonard wieder.

»Ach, Sie sind's, hallo!«

Sie konnten tatsächlich gleich zur Sache kommen. Leonard hatte bereits angekündigt, dass sie wiederkommen und die aufgeregte Mrs Thalaine darüber aufklären würde, ob tatsächlich ein Mörder sein Unwesen im Dorf trieb und sie und ihr Mann sich vielleicht lieber in Sicherheit bringen sollten. Sie war sehr darauf bedacht, diese Frage zu klären, und bot weder Tee noch Kaffee und schon gar kein Gebäck an, sondern platzierte die beiden im Wohnzimmer und befragte sie über den Fortgang der Ermittlungen.

»Dann haben Sie noch niemanden gefasst?«

»Nein«, sagte Morrow bestimmt. »Wir sind aber ziemlich sicher, dass persönliche Motive den Ausschlag für die Tat gegeben haben und darüber hinaus keine Gefahr besteht.«

»Das heißt, es betrifft mich nicht?«

»Nein.«

»Gut.« Sie wirkte erleichtert, bis ihr einfiel: »Aber was wollen Sie dann noch hier?«

»Ich war auf der Suche nach Kay Murray.«

Ihre Augen verengten sich. »Kay?«

»Kennen Sie sie?«

»Allerdings. Sie ist mein Mädchen für alles.« Sie schmunzelte über die Formulierung.

Morrow verzichtete darauf, zurückzuschmunzeln. Sie sahen einander einen Augenblick lang an. Ein Vogel pickte an einem Futterknödel vor dem Fenster, tack-tack.

»Kannten Sie Sarah?«

Mrs Thalaine gefiel das nicht. Sie schien zu merken, dass Morrow eine andere Sorte Polizistin war, keine von den netten. Tack-tack-tack.

»Sarah ist hier aufgewachsen. Natürlich ging sie irgendwann aufs Internat, und hier bleibt meist jeder für sich, aber sie ist in der Nachbarschaft aufgewachsen.«

»Was für eine Person war sie?«

»Sie war Einzelkind. Schüchtern, als sie noch klein war. Hat sich von den anderen Kindern ferngehalten …«

»Hat sie sich ferngehalten oder wurde sie ferngehalten?«

»Na ja, meine Kinder wurden bei ihr zu Geburtstagspartys eingeladen, aber wir hatten immer das Gefühl, dass sie dort eigentlich nicht willkommen waren: Sie sollten nur für Masse sorgen. Mein älterer Sohn mochte Sarah sehr gerne. Er meinte, sie sei witzig. Sie machte ihre Nannys nach. Das waren ausschließlich Französinnen. Sie brachte sie zum Lachen.«

»Das Vermögen der Familie ist jüngst beträchtlich geschrumpft, nicht wahr?«

»Unser *aller* Vermögen ist jüngst geschrumpft. Nehmen Sie Kay Murray, ich meine, so mancher befindet sich heutzutage in einer wirklich verzweifelten Lage, nicht wahr? Vier Kinder und kein Ehemann …«

Morrow unterbrach sie barsch: »Haben Sie kürzlich Vermögen verloren?«

Mrs Thalaine berührte ihr Halstuch auf Höhe der Halsschlagader. Sie öffnete den Mund, klappte ihn wieder zu. Tack-tack-tack und das Flattern schwarzer Flügel, als der satte Vogel das Weite suchte.

Mrs Thalaine sog Luft in ihre Lungen. »Wir hatten unsere Ersparnisse über eine Maklergesellschaft, AGI, in Aktien investiert. Und sie verloren. Alles.«

»Wie viel war das?«

Mrs Thalaine tippte sich erneut an die Halsschlagader. »Sechshunderttausend. Mehr oder weniger.«

Sie fing an zu weinen, weigerte sich aber, klein beizugeben. Ihre Lippen bebten, sie zog ein seidenes Taschentuch aus dem Ärmel und betupfte sich damit die Augenwinkel.

Morrow hätte sich geschämt, es einzugestehen, aber das Ganze war recht langweilig mitanzusehen. Thalaine heulte um ihr Geld, während Sarahs Gesicht in Fetzen auf der Treppe von Glenarvon lag. Als die Schluchzer und Hickser verebbten, sagte Morrow sanft: »Durch die AGI haben Sie also das Geld verloren?«

»Ja. Wo ist es bloß hin?« Sie sackte zusammen, als wäre das alles zu viel für sie, dann betrachtete sie Morrow kalt. »Haben Sie *irgendeine* Ahnung, wer das getan hat?«

»Wen kennen Sie im Dorf?«

»Die meisten der älteren Bewohner.«

»Ist die Bevölkerung hier relativ gemischt?«

»Wie meinen Sie das?«

»Alte Menschen, Familien mit Kindern?«

»Ja, recht gemischt.«

»Viele Teenager?«

»Ein paar.«

»Wen kennen Sie mit Kindern im Teenageralter?«

»Die Campbells haben zwei Töchter, neunzehn und fünfzehn.«

»Keine Jungs?«

Sie hielt inne, sah Morrow an und wusste irgendwie, dass sie das Folgende nicht würde hören wollen: »Kay Murray hat drei Jungs. Teenager.«

»Ich meinte in der unmittelbaren Umgebung.«

Mrs Thalaine fing an zu weinen und konnte nicht mehr aufhören. »Wir werden sowieso wegziehen!« Sie presste sich das Taschentuch zwischen abgehackten Wortfetzen an den Mund. »Wir werden das Haus unserer Familie verkaufen und bei unseren Kindern leben müssen. Zweiunddreißig Jahre haben wir hier gewohnt. Und jetzt müssen wir bei unseren Kindern einziehen.«

Morrow bedauerte, dass sie Mrs Thalaines Elend kaum ernst nehmen konnte. Sie griff nach ihrem Arm und entschuldigte sich still für die Unfreundlichkeit, derer sie sich in Gedanken schuldig gemacht hatte.

25

Kay wollte gerade Hackfleischbällchen und Kartoffeln auf die Teller verteilen, als es an der Tür klingelte. Sie zuckte zusammen. John erwartete seinen Kumpel Robbie. Robbie hatte den schuldbewussten Ausdruck eines Jungen, der ununterbrochen wichste, möglicherweise mit perversen Vorlagen vor Augen. John hatte Kay heute Abend schon drei Mal gesagt, dass Robbie zum Hausaufgabenmachen vorbeikommen würde, und deshalb wusste sie, dass die beiden was ganz anderes vorhatten. Aber solange sie im Haus blieben, konnte sie ja immer mal wieder ohne Vorwarnung ins Zimmer gucken. Robbies Bruder war bereits wegen Körperverletzung vorbestraft. Scheußliche Familie.

Es läutete noch mal, und sie schrie: »John!«

Aufgeschreckt kam er aus seinem Zimmer und sah sie mit dem großen Topf Hackfleischbällchen vor den Tellern stehen. Plötzlich machte sie sich Sorgen, dass er vielleicht Hasch rauchte, und nahm sich vor, danach zu schnüffeln.

»Es klingelt. Das wird Robbie sein.«

John nahm den Hörer der Sprechanlage und wandte sich von seiner Mutter ab. »Ja?«

Die Person am anderen Ende redete viel zu lange, als dass es der einsilbige Robbie sein konnte. Vielleicht wollte er sich aber auch herausreden und absagen. John drückte auf den Knopf für die Haustür unten und legte auf.

»Kommt er nicht hoch?«

»Hm?«

»Kommt Robbie rauf?«, fragte sie langsam und nickte Richtung Hackfleischtopf. »Will er mitessen?«

John guckte verdattert. »Nein, ist die Polizei.«

»Die Polizei? Schon wieder?«

»Die wollen mit dir sprechen.« Er stopfte sich sein T-Shirt hinten in die Jeans, als hätte er eine Waffe und ging weg.

Mit raschen Bewegungen schaufelte Kay jeweils eine Kelle voll Hackfleischbällchen auf fünf Teller und tischte die gekochten Kartoffeln und die Bohnen auf. Sie kippte gerade Tomatenketchup auf vier der Teller, als ein Klopfen die Glasscheibe der Wohnungstür erschütterte.

Sie trat in den Flur, hämmerte schnell an Maries Tür, öffnete sie und wurde mit einem empörten »Hey!« begrüßt.

Hinter der Milchglasscheibe waren verzerrt zwei Gesichter zu erkennen, und keines von beiden sah Alex ähnlich. Eine Person war kleiner als die andere und hatte eine ordentliche Frisur. Sie blickte den Gang entlang. Die andere starrte direkt auf die Scheibe, als könnte man hindurchsehen.

»Essen steht auf dem Tisch«, rief Kay, und ging durch den Flur. »Wir haben auch Ketchup.«

»Ich will keinen …«

»Erzähl keinen Scheiß, Marie.«

Sie hatte keine Zeit zu klopfen, bevor sie Joes und Frankies Tür aufmachte. »Essen ist fertig.« Sie hörte die beiden rumoren und ächzend von ihren Betten aufstehen. Anschließend machte sie Johns Tür auf, schrie »Hackfleischbällchen!« und übertönte damit den Lärm aus seiner Stereoanlage.

Die Polizisten sahen sie herumlaufen. Der kleinere hob

eine Hand, um noch einmal zu klopfen, aber bevor er dazu kam, öffnete Kay die Wohnungstür.

»Ja?«, sagte sie.

Ein Mann und eine Frau. Der Mann hatte einen winzig kleinen Mund, zu klein für sein Gesicht, und drahtiges dunkles Haar. Die Frau kannte sie schon vom Vortag bei Mrs Thalaine, sie war klein, dunkel und hatte eine große Hakennase. Aber an Kays Wohnungstür wirkte sie anders, vertrauter, wie eine Frau, mit der sie sich anfreunden könnte.

Sie stellten sich vor – Harris, der Mann, und Leonard, die ihr außerdem lächelnd ihre kleine saubere Hand entgegenstreckte – und fragten, ob sie eintreten und einen Augenblick mit ihr über Sarah Erroll sprechen dürften.

Kay seufzte, hielt die Tür fest, sodass ihr Arm ihnen den Zutritt zum Flur versperrte, dann drehte sie sich gereizt um und rief den Kindern erneut zu: »Essen ist FERTIG!«

Joe schrie zurück, dass er ja schon käme, und Marie trat an ihre Zimmertür und guckte genervt. Kay zeigte Richtung Küche: »Dein Essen wird kalt.«

Das Mädchen verzog abfällig das Gesicht. »Hab keinen Hunger.«

Joe und Frankie kamen aus ihren Zimmern geschlappt und nickten den Polizisten zu, dann kam auch John heraus, ignorierte die Beamten und hielt den Kopf gesenkt, sodass seine Schirmmütze sein Gesicht verdeckte.

»Also, Marie, später kriegst du nichts mehr«, sagte Kay übertrieben sauer, weil sie sich dafür schämte, wie unhöflich Marie sich ihr gegenüber benahm. »Glaub bloß nicht, dass du das Essen ausfallen lassen und dann den ganzen Abend lang Mist futtern kannst.«

Marie verschwand in ihrem Zimmer und knallte die Tür

so heftig zu, dass sie wieder aufsprang und sie wie die Assistentin eines Zauberers plötzlich doch wieder zu sehen war. Verlegen nahm sie beide Hände und schloss die Tür erneut. Joe und Frankie hatten es gesehen, als sie mit ihren Tellern aus der Küche kamen, und liebevoll über sie gelacht.

Doch plötzlich verpuffte Kays Wut, wie sie es manchmal am Ende eines Tages tat. Sie wandte sich erneut den Polizeibeamten zu …

»Danke, Mum«, rief Joe von hinten, und ihre Laune wurde noch ein wenig besser.

Sie lehnte sich an die Tür. »Was wollen Sie?«

Harris machte eine ungelenke Handbewegung Richtung Wohnzimmer. »Wir würden gerne reinkommen.«

Kay zog widerwillig eine Schnute. Das war ihre Zeit, die Stunde, die sie für sich hatte, in der sie nichts tun musste außer bügeln, rauchen, fernsehen und auf dem Weg zur Toilette bei John ins Zimmer reinzuplatzen.

Aber sie waren von der Polizei. Kay trat einen Schritt zurück und wies ihnen den Weg ins Wohnzimmer. Sie ließ die beiden alleine hineingehen und verschwand selbst in der Küche, nahm ihren Teller und brachte ihn mit ins Wohnzimmer. Sie würde nicht ihr Essen kalt werden lassen, weil sie Tee für Fremde kochte, sagte sie sich. Auf keinen verfluchten Fall.

Die Frau setzte sich in den Sessel, um den herum Kay ihr Glas mit Limo, ihre Zigaretten und ein Feuerzeug zurechtgelegt hatte.

»Das ist mein Platz.«

Die Frau sah den Mann ratsuchend an. Er nickte leicht, um zu sagen, du kannst dich ja woanders hinsetzen. Sie waren schlimmer als ihre verdammten Kinder. Leonard ging um das sehr raumgreifende Bügelbrett herum zum Sofa, und

Kay setzte sich in ihren Sessel und balancierte den Teller auf den Knien.

Das Bügelbrett stand direkt zwischen ihnen, weshalb sie es mit ausgestrecktem Fuß Richtung Fernseher schob, vorsichtig darauf bedacht, dass es nicht umfiel: Ihr Aschenbecher und ein halb gebügeltes Hemd befanden sich darauf. Im Fernsehen fing gerade *Hollyoaks* an.

Sie schnitt eine gekochte Kartoffel auseinander und sah den Mann an. »Worum geht's?«

Harris beugte sich auf dem durchgesessenen Sofa vor. »Okay, Miss Murray, wie Sie wissen, wurde Sarah Erroll Opfer eines ...«

Er fuhr fort, aber Kay merkte, dass sich ihr Gehirn einfach nur nach dem Fernseher sehnte, und in Gedanken schweifte sie ab, spekulierte über das Leben der Figuren aus *Hollyoaks* und was mit ihnen passieren würde.

»Machen Sie doch bitte den Fernseher aus, ja?« Kay sah Leonard an. »Die Fernbedienung liegt auf dem Bügelbrett.«

Leonard stand auf, fand die Fernbedienung und schaltete ihn aus. Sie blieb eine Minute lang stehen.

Der Mann wirkte nicht besonders erfreut über die Unterbrechung. Er holte Luft und fing noch einmal an: »Warum waren Sie heute nicht in Glenarvon?«

Sie hätte hingehen sollen. Sie hatte gesagt, sie würde kommen, aber der Gedanke, Alex wieder zu begegnen, war ihr einfach zu viel gewesen. Sie war immer noch böse, weil sie alleine hier aufgekreuzt war, und sie wusste, dass ihr die Wohnung nicht gefallen hatte, das ganze Haus und die Tatsache, dass Kay immer noch rauchte.

Sie steckte sich ein Stück Kartoffel in den Mund und zuckte mit den Schultern. »Hätte ich kommen sollen?«

»Ja, hätten Sie. Sie haben gesagt, Sie würden nachsehen, ob etwas im Haus fehlt. Das hatten Sie DS Alex Morrow im Beisein von DC Wilder versprochen, und wir hatten fest mit Ihnen gerechnet.«

Kay spießte ein Hackfleischklößchen auf, tunkte es in ihren Ketchup und steckte es sich in den Mund. Sie kaute und sah die beiden Polizisten an. Sie hatten zwei Beamte in zivil geschickt – die wurden besser bezahlt als die Uniformierten, da war sie sicher –, nur um ihr einen Rüffel zu erteilen, weil sie nicht Gewehr bei Fuß stand, um bei den Ermittlungen zu helfen. Kay zog die Augenbrauen hoch und forderte die beiden heraus, sich mit ihr anzulegen. »Der Tag ist einfach so an mir vorbeigerauscht. Was soll ich sagen?« Sie sah von einem zum anderen. »Wollen Sie, dass ich mich entschuldige?«

Harris antwortete nicht. Er griff nach seiner Mappe und holte einen Stift und ein Klemmbrett heraus, während Kay weiteraß und ihm dabei zusah. Auf dem Klemmbrett lag dasselbe Formular, das die Polizisten bei Mrs Thalaine ausgefüllt hatten. Das musste wohl Standard sein, anscheinend mussten alle es ausfüllen.

»Darf ich Ihren vollständigen Namen haben?«

»Kay Angela Murray.«

»Familienstand?«

Kay senkte den Blick. »Ledig.«

Harris trug einiges ein, ohne Fragen zu stellen – sie sah, dass er das Feld für die Adresse ausfüllte und ihr Alter auf 45 bis 60 Jahre schätzte. Sie war achtunddreißig.

»Waren Sie immer schon alleine?« Leonard lächelte viel, nicht unfreundlich, aber trotzdem wirkte es irgendwie herablassend.

»Wie meinen Sie das?«

»Die Kinder …« Sie klang traurig.

Kay starrte sie an. »Gezeugt hab ich sie nicht alleine, falls Sie das meinen.«

Leonard lächelte pflichtschuldig. »Muss schwierig gewesen sein …«

Kay hatte diese Frage oft genug beantwortet und keine Lust mehr darauf. Es nervte sie, dass Leute immer davon ausgingen, ihr Leben sei hart und sie sei unglücklich, nur weil sie keinen Ehemann hatte, der die Fernbedienung für sich beanspruchte und sie anschrie. Aber sie sagte nichts.

Harris bat sie um ihre Handynummer und ihr Geburtsdatum und korrigierte anschließend die Altersangabe.

»Und sind das alles Ihre Kinder?« Er machte eine Kopfbewegung hinter sich in Richtung der Zimmer.

Kay schnaubte, immer noch genervt wegen der Demütigung im Flur.

»Sie glauben doch nicht, dass ich anderer Leute Bälger erlauben würde, so mit mir zu reden?«

»Ich meine, es sind keine Pflegekinder dabei oder so?«

»Nein.«

»Da ist Marie, sie ist …?«

»Dreizehn. Die Jüngste.« Er schrieb, während sie redete. »John, vierzehn. Dann Frankie und Joe: fünfzehn und sechzehn.«

»Ein ganz schöner Haufen.« Die dumme Frau nickte verständnisvoll.

Kay aß weiter. »Haben Sie Kinder?«

Die Frau schüttelte den Kopf. Sie war Anfang dreißig, dachte Kay, genau das richtige Alter, um allmählich Torschlusspanik zu bekommen.

»Sie wissen nicht, was Sie verpassen«, sagte Kay.

Der Satz zog nur bei Leuten, die keine Kinder hatten. Der Mann hatte Kinder, auf jeden Fall. Er guckte skeptisch. »Sie leben nicht mit dem Vater zusammen?«

»Nein.«

»Haben Sie Kontakt zu ihm?«

»Nein.«

Er fixierte ihren Blick, wollte sie dazu bringen zuzugeben, dass es mehr als nur einen Vater gab, aber sie blieb standhaft. Das ging ihn verflucht noch mal nichts an. Sarah Erroll war tot, nicht sie. Erneut widmete sie ihre Aufmerksamkeit dem Essen.

»Miss Murray, wir ermitteln im Mord an Sarah Erroll, wie Sie wissen, und alle Pflegekräfte, mit denen wir gesprochen haben, haben ausgesagt, dass Sie in Glenarvon für das Personal zuständig waren.«

»Ja, und?«

»Wie kam es dazu?«

Er stellte ihr die Frage, als vermutete er finstere Machenschaften. »Wie meinen Sie das?«

»Na ja«, sagte er und lächelte, »sind Sie denn dafür qualifiziert?«

Kay leckte sich essigsauren Ketchup von den leicht verschmierten Lippen.

»Nein. Ich hab mich mit Sarah gut verstanden, und sie hat mir vertraut. Ich hab mich um ihre Mum gekümmert, wenn sie arbeiten war. Und Mrs Erroll und ich, wir haben uns auch gut verstanden.«

»Hat Ihnen Sarah erzählt, womit sie ihr Geld verdient hat?«

Kay zuckte mit den Schultern, darüber hatte sie eigentlich nie nachgedacht. Sie war davon ausgegangen, dass Sarahs Job was mit Technik zu tun hatte und sie's sowieso nicht verstehen würde, deshalb hatte sie nie nachgefragt. »Hat sie mir nie gesagt.«

Er beobachtete ihr Gesicht genau, um festzustellen, ob sie die Wahrheit sagte, was sie als beleidigend empfand. Harris fuhr fort: »In der Küche …, der Tisch in Sarahs Küche …«

Sie sahen einander an. Er schien eine Antwort zu erwarten. »Ist das eine Frage?«

»Ist Ihnen daran irgendwas aufgefallen?«

Sie versuchte nachzudenken. »Hab ihn nie richtig sauber gekriegt. Da blieben immer Reste dran hängen. Wollten Sie das wissen?«

»Haben Sie in der Küche auch feucht gewischt?«

»Manchmal.«

»Auch unter dem Tisch?«

Sie war wirklich verdattert. »Na ja, persönlich bin ich nicht unter den Tisch gekrochen, aber wenn's nötig war, bin ich mit dem Wischmop drunter. War da eine Falltür oder was?«

Er antwortete nicht. »Der Schrank in der Eingangshalle fehlt …«

»Den hat Sarah verkauft.«

Harris schrieb es auf.

»Bei Christie's, ich glaube, das war das Auktionshaus Christie's. Der Name stand auf dem Transporter. Sie mussten ihn zu viert hinten reinhieven.«

»Hat sie viele Sachen aus dem Haus verkauft?«

»Sie haben sich den Tratsch im Dorf angehört, stimmt's? Die waren sauer, weil sie Zeug verkauft hat. Als ob es ihnen gehört hätte, dabei haben die nicht die geringste Vorstellung davon, wie viel es kostet, eine liebe alte Person zu Hause pflegen zu lassen. Da geht ein verdammtes Vermögen drauf.«

»Sie hat Sachen aus dem Haus verkauft?«

»Ja. Und danach ist sie sowieso weg, kaum dass ihre Mum gestorben war, ist sie nach New York gezogen. Sie meinte, ich könne sie da besuchen kommen.«

Harris wirkte erstaunt. »Standen Sie Sarah denn so nahe?«

Sie war irritiert, dass ihn das derart zu überraschen schien. »Einigermaßen.« Aber das stimmte nicht. Die Einladung war bedeutungslos gewesen, Sarah hätte sich tatsächlich gar nicht gefreut, wenn Kay sich in ihrem Putzkittel bei ihr in New York eingenistet hätte.

»Was war Sarah für eine Person, Ihrer Meinung nach?«

Kay zuckte mit den Schultern. »Sie war gut zu ihrer Mum.«

»War sie nett?«

Sie dachte zum ersten Mal darüber nach und zögerte. »Sie hat sich um ihre Mutter gekümmert und dafür viel Geld ausgegeben, das sie eigentlich gar nicht hatte.«

Er versuchte sie zum Weiterreden zu animieren. »War sie klug? War sie deprimiert wegen der Krankheit ihrer Mutter? War sie einsam?«

»Ich weiß nicht.« Kay hatte keine Zeit, Spekulationen darüber anzustellen, was mit anderen Leuten los war. »Ich nehme die Menschen so, wie sie sind. Ich war gern mit ihr zusammen. Sie war eher still. Wir haben immer nur über Joy geredet, was sie gegessen hat, wann sie eingeschlafen ist.«

»Der Verdienst muss Ihnen fehlen.«

»Natürlich. Aber ich hätte es auch umsonst gemacht. Ich und Mrs Erroll …« Sie schob das Essen auf ihrem Teller herum. »Sie war die beste Freundin, die ich je hatte.«

»War sie nicht verwirrt?«

»Doch, ja.« Die Schmerzhaftigkeit ihres Verlusts wurde ihr erneut bewusst. »Aber wenn man so verwirrt ist, dann fällt auch der ganze Mist, den man so an sich hat, weg. Die ganzen Geschichten, die man erzählt, um zu zeigen, wie toll man ist, oder war; daran konnte sie sich gar nicht erinnern. Sie war einfach sie selbst. Und sie war wunderbar.«

Sie betrachtete ihren halb leergegessenen Teller. Die Erinnerung an Joy hatte ihr einen Kloß in den Hals gesetzt, an dem sie nicht vorbeischlucken konnte. Sie stellte ihren Teller neben den Sessel und nahm ihre Limo. Im Flur klingelte es, und sie hörte John zur Tür schlurfen, den Hörer nehmen, kichern und den Öffner betätigen.

»Hmmm.« Harris betrachtete sein Formular. »Ein paar der Pflegekräfte haben ausgesagt, dass sie von Ihnen entlassen wurden.«

»Wer? Anne Marie Thingmy und noch eine, ein dürres Mädchen?«

Er machte ein ausdrucksloses Gesicht.

»Anne Marie ist eine faule, mürrische Kuh, und das dürre Mädchen kam jeden Tag zu spät. Das geht nicht, dass jemand einfach nicht auftaucht. Man durfte Joy keine Minute alleine lassen. Wenn sie wollte, war sie immer noch sehr agil, und im ganzen Haus lag Zeug rum, über das man stolpern konnte. Ich meine, keine fünfzehn Meter vom Haus entfernt geht's steil bergab. Wenn sie rausgekommen wär …«

»Hatte Sarah Wertgegenstände im Haus?«

»Nicht, dass ich wüsste.«

»Hmm.« Er nickte, als sei dies von Bedeutung.

Draußen im Flur war Robbie inzwischen an der Wohnungstür angekommen, sie hörte ihn und John miteinander flüstern. Am liebsten wäre sie rausgegangen und hätte dem kleinen Wichser gesagt, dass er sich wieder nach Hause verpissen sollte.

Harris merkte, dass sie mit den Gedanken draußen im

Flur war und nickte in diese Richtung. »Die Kisten da draußen, woher kommen die?«

Kay hob ihr Glas, funkelte ihn böse über den Rand hinweg an, bevor sie den nächsten Schluck nahm. Als sie fertig war, stellte sie es ab.

»Was denken Sie denn?«

»Ich weiß es nicht. Warum sagen Sie's mir nicht einfach?«

»Glauben Sie, ich hab das Zeug geklaut? Halten Sie mich für eine Diebin? Bin ich schon so weit, dass ich leere Pappkartons stehlen muss?«

Er zuckte mit den Augen. »Warum sagen Sie mir nicht einfach, woher die Kartons stammen?«

»Weil die Unterstellung beleidigend ist. Warum fragen Sie nicht Alex Morrow, was ich gesagt habe, als *sie* mich danach gefragt hat, wo die verfluchten Kartons her sind?«

Kay sah, wie er wieder auf sein Klemmbrett starrte und begriff, dass er gar nicht gewusst hatte, dass Alex alleine hier gewesen war. Sie hatte sie nicht verpfeifen wollen. Schon aus Prinzip nicht, das hatte nichts damit zu tun, ob man jemanden leiden konnte. Aber er war clever, und jetzt hatte er's kapiert.

Draußen im Flur machte John seine Tür fest zu.

Kay stand abrupt auf. »Ich möchte Sie jetzt bitten zu gehen. Wenn es Ihnen nichts ausmacht.«

Sie ging raus in den Flur und lehnte sich an Johns Tür, dann riss sie sie weit auf. »Fertig mit essen?«

Eine Pause, dann rief John mit schuldbewusster Singstimme: »Fertig!«

»Dann bring deinen Teller in die Küche und spül ihn ab.« Sie sah noch einmal in die Küche. Maries Teller war immer noch unberührt, das Essen kalt.

Die Polizisten standen jetzt im Flur, Harris verstaute sein

Klemmbrett in der Tasche. Joe und Frankie kamen aus ihrem Zimmer, Joe trug die aufeinandergestapelten Teller und das Besteck. Es war ihr peinlich, als sie sah, dass der obere Teller sauber abgeleckt war, breite Zungenspuren zogen sich über den Rand. Die Beamten beäugten die Jungs skeptisch, taxierten sie.

»Na bitte, Mutter«, sagte Joe, der von all dem nichts mitbekam, »wieder mal eine kulinarische Glanzleistung! Gehen Sie schon?«

Harris besaß nicht einmal die Höflichkeit aufzublicken, als Joe ihn ansprach. »Wir werden uns noch mal mit Ihnen unterhalten müssen.«

»Jederzeit«, sagte Kay und hasste ihn, weil er ihre Jungs auf diese Weise musterte, von Kopf bis Fuß. Sie berührte ihn am Ellbogen und schob ihn sanft zur Tür. »Jederzeit.«

Kay schloss die Tür hinter den beiden Beamten und sah, dass die direkt davor schweigend stehen blieben. Dann gingen sie endlich, und Kay wartete, bis sie hörte, dass sich die Fahrstuhltür öffnete und wieder schloss.

Aus dem Augenwinkel sah sie, dass Johns Tür langsam zugestoßen wurde.

Wütend drehte sie sich um, trat mit dem Fuß dagegen, sodass die Tür von der Wand abprallte und fauchte: »Ich weiß, was ihr da drin macht.«

Joe stand hinter ihr. »Lass ihn doch wichsen, Mum, das ist der Lauf der Natur.«

Frankie lachte laut auf, und Kay hörte sogar Marie in ihrem Zimmer lachen. Seit Monaten hatte sie das nicht mehr getan.

Morrow und McCarthy waren nicht sicher, ob der Geschäftsführer des Hotels sie sehen konnte, aber sie konnten ihn sehen: Er war schlank und wirkte kühl, tat dabei aber übertrieben aufmerksam. Ohne etwas zu sehen, starrte er unbeweglich in die Webcam, als würde er an der Nackenstütze eines edwardianischen Fotografen hängen. Er blinzelte kaum, während er Fragen über Sarah Erroll beantwortete, wirkte hochnäsig und gereizt. Morrow hoffte, dass er sie nicht allzu gut erkennen konnte, sie glaubte kaum, dass sie seinen Ansprüchen genügte.

Morrow und McCarthy mussten sehr langsam sprechen, damit die unterschiedlichen Akzente nicht zu Verständigungsschwierigkeiten führten, sie verzichteten auf schottische Begriffe und Ausdrucksweisen und betonten brav die ›T‹s. Morrow kam sich lächerlich vor: »WAS KÖNNEN SIE UNS ÜBER SARAH ERROLL SAGEN?«

Er antwortete, ohne zu zögern, als würde er einen Monolog vom Teleprompter ablesen: Sarah Erroll sei häufig Gast in seinem Hotel gewesen. Er hatte sie nie anders als charmant erlebt. *Nein,* ganz gewiss habe es *keinerlei* Hinweise darauf gegeben, dass sie sich prostituierte. Sie habe sich, wenn sie hier war, immer mit demselben Gentleman getroffen. Gelegentlich sei er auch über Nacht geblieben.

»Verstehe«, sagte Morrow und wählte ihre Worte um der Klarheit willen sehr sorgfältig. »Mit ›über Nacht geblieben‹ meinen Sie, dass die beiden miteinander geschlafen haben?«

»Das scheint mir wahrscheinlich.«

»Kannten Sie diesen Mann?«

Der Manager lächelte geziert und wirkte eingeschnappt. »Der Herr nannte sich ›Sal Anders‹. Das war allerdings *nicht* sein richtiger Name.«

Er ließ eine Pause entstehen, um Morrow zu zwingen, die Anschlussfrage zu stellen, was sie nervte.

»Wie lautete sein richtiger Name?«

Er nickte kurz und missbilligend. »Lars Anderson. Jetzt kann ich's Ihnen ja verraten, da der Herr verschieden ist.«

»Verschieden?«

Er wirkte verwirrt. »Ja, Mr Anderson ist tot.«

»Wann ist er gestorben?«

»Vor wenigen Tagen.« Seine Fassungslosigkeit war bis über den Atlantik zu spüren.

»Die Geschichte stand hier in allen Zeitungen. Soweit ich weiß, ist es in England passiert.«

»War er berühmt?«

»Sehr berühmt.« Er hielt inne. »Hier jedenfalls. Gestorben ist er ja, wie gesagt, in England.«

»Ja, aber wir sind in *Schottland.* Schottland ist ein anderes Land als England, deshalb war sein Tod hier möglicherweise keine so große Geschichte.«

Da er sich in seiner Intelligenz beleidigt fühlte, blinzelte der Geschäftsführer und sprach anschließend mit absolut unverändertem Tonfall weiter. »Das ist mir bewusst. Es war eine sehr große Sache. Ist es wirklich möglich, dass Sie nichts darüber gelesen haben? Allied Global Investments? Milliarden von Pfund einfach futsch? Lars Anderson?«

Morrow glaubte schon mal was darüber gehört zu haben, und sah McCarthy an, der drauflosriet: »Anderson, der Finanzmanager?«

»Im Zentrum des Finanzskandals«, nickte der Geschäftsführer. »Hat sich vor zwei Tagen erhängt. Wissen Sie, das ist nur ein Gerücht, aber wir haben gehört, in der britischen Presse seien Fotos veröffentlicht worden, die ihn hängend zeigen. Bei uns wäre so was nicht möglich. Die Presse verhält sich hier ganz anders …«

Morrow fragte ihn, woher er wusste, dass der Mann in Wirklichkeit Lars Anderson gewesen sei, ob er eine Karte oder etwas Ähnliches gesehen hatte? Der Geschäftsführer des Hotels rutschte auf seinem Stuhl herum und erklärte, es gehöre nun mal zu seinen Aufgaben, so etwas zu wissen.

»Haben Sie auch Beweise dafür, dass er es war?«

»Ich habe die Kreditkartenabrechungen.«

»Auf seinen richtigen Namen?«

»Ja.«

»Warum checkte er unter falschem Namen ein und bezahlte dann aber mit seiner eigenen Kreditkarte?«

Jetzt machte der Geschäftsführer ein schelmisches Gesicht. »Ich glaube, Herr Anderson war nicht besonders darum bemüht, seine Identität geheim zu halten. Das war eher ein Hinweis. Auf diese Weise bat er *uns* um Diskretion.«

McCarthy richtete sich auf, als ihm etwas einfiel. »Ach, ja, war er nicht verheiratet?«

»Das nehme ich an …«

Morrow fasste die Aussage noch einmal zusammen, um sicherzugehen, dass sie alles richtig verstanden hatte und ihm das Protokoll zur offiziellen Bestätigung faxen konnte: Sarah und Lars Anderson hatten eine Affäre – Nein. Er unterbrach sie. Keine Liebesaffäre. Sie mochten miteinander geschlafen haben, aber eine Liebesaffäre war das nicht. Er hatte ihr ein Geschenk in einem Geschäft im Hotel gekauft, ein Armband. Ein Liebhaber machte so etwas nicht. Ein Geschenk aus dem Hotel bedeutet, dass er erst auf dem Weg ihrer Verabredung an sie gedacht hatte und nicht, wenn sie nicht bei ihm war. Morrow sagte, vielleicht war er nur vergesslich. Das Gesicht des Geschäftsführers blieb ungerührt. Woher wusste er, dass das Armband für Sarah bestimmt war? Wieder schmunzelte er spöttisch, dieses Mal aufrichtig amüsiert: Weil Sarah es dem Zimmermädchen statt eines Trinkgelds geschenkt hatte.

»Die Beziehung war also eher unbeständig?«

»Möglicherweise. Ich denke, es handelte sich wohl um ein Arrangement …«, erklärte er.

Morrow hatte allmählich genug von dem Mann und seinen subtilen Differenzierungen. »Was zum Teufel soll das heißen?«

Der Geschäftsführer blinzelte langsam, hatte seinerseits auch die Nase voll von ihr. »Sie haben einander benutzt.«

»Okay.« Morrow stand auf. »Mein Kollege wird Ihre Aussage noch einmal mit Ihnen durchgehen und sie Ihnen dann zur Unterschrift zufaxen.«

Ohne sich zu verabschieden ging sie hinaus in den Ermittlungsraum.

Routher stand hinter einem Kollegen und schaute ihm über die Schulter, sah ihm beim Arbeiten zu. »Ich möchte, dass Sie diesen Namen hier in der Presse recherchieren«, sagte Morrow. Sie schrieb »Lars Anderson« auf einen Zettel und gab ihn Routher. »In zwanzig Minuten will ich einen Ausdruck haben.«

Dann ging sie in ihr Büro. Knappe zehn Minuten später klopfte Routher an die Tür und kam mit den aktuellen Tageszeitungen und noch warmen Ausdrucken zu ihr.

»Ich hab die Geschichte verfolgt«, sagte Routher aufgeregt. »Das war ein richtig schlimmer Finger.«

Morrow nickte und tat, als hätte sie längst von Anderson gehört. Dabei las sie in Wirklichkeit kaum Zeitung.

»Ma'am? Sehen Sie hier die Transkription, bei der aus ›hier‹ ›hiär‹ wird? ›Lars‹ klingt wie ›Lass!‹«

Sie sah ihn an. Er hatte recht. »Gut. Sie sind gar nicht so unbrauchbar.«

Routher lächelte und wollte gehen.

»Kommen Sie her«, sagte sie. »Machen Sie die Tür zu.«

Misstrauisch tat er, wie ihm geheißen, und stellte sich vor sie.

»Also«, sie nickte Richtung Tür, »was geht da vor?«

»Inwiefern?«, fragte er steif.

»Was führt ihr im Schilde?«

Sein Kinn zitterte, und er fing an zu schwitzen.

»Routher«, sagte sie leise, »wenn sich ein Gesicht in die Hose machen könnte, dann hat Ihres das gerade getan.«

Das fand er gar nicht witzig. Er guckte, als wollte er gleich losheulen.

»Raus«, sagte sie.

Er trottete in den Gang hinaus und schloss die Tür hinter sich. Er würde den anderen erzählen, dass sie wusste, was los war und vielleicht nicht dichthalten würde.

Morrow nahm sich den ersten Artikel vor. Sie war geschockt, als sie gleich auf der Titelseite Lars Anderson an einem Baum hängen sah – sie hatte nicht gedacht, dass solche Bilder gedruckt werden durften. Normalerweise wurde generell nicht über Selbstmorde berichtet, um keine Nachahmer zu animieren.

Das Gros der Artikel handelte davon, dass Lars Anderson ein in der Londoner City bekannter Finanzmanager gewesen war, der ins Zentrum einer von der Presse lancierten Hetzkampagne geriet. Sie las den Artikel der *Sunday Times* über seine betrügerischen Machenschaften dreimal, verstand aber immer noch nicht, was er eigentlich getan hatte, um so viel Geld zu verlieren; der Verlust belief sich auf Milliarden. Doch sie begriff, dass er Leuten Hypotheken zu Zinsraten eingeräumt hatte, die diese sich nicht leisten konnten, aber warum genau machte ihn das zu einem solchen Bösewicht? Sie fand, die Leute, die sich solche Kredite geben ließen, hätten sich vorher selbst genau überlegen müssen, ob sie diese zurückzahlen konnten.

Egal, was er gemacht hatte, er hatte eine Menge Geld damit verdient. Fotos zeigten sein Haus in Kent aus der Luft und frontal. Außerdem gab es Luftaufnahmen seines Urlaubsdomizils in Südafrika und Maklerbilder der Innenräume. So schön sah das gar nicht aus. Seine Frau wurde im Auto und auf der Straße gezeigt, verängstigt und stets mit dunkler Sonnenbrille, dabei aber immer makellos zurechtgemacht.

Ein paar der Fotos von Lars tauchten immer wieder auf. Sie fragte sich, warum. Es gab einige, auf denen er zu einem Wagen eilte oder aus einer Bürotür trat, das Gesicht hinter einer zusammengerollten Zeitung oder einer Hand verborgen. Das Foto, auf dem er posierte, wirkte allerdings sehr glamourös.

Darauf war ein silberhaariger Mann mit hoher Stirn zu sehen, der vor einem Helikopter stand. Sein Mantel war offen, er trug eine Aktentasche und sah aus, als sei er eigens stehengelieben, um sich fotografieren zu lassen, bevor er in den Hubschrauber stieg und zu einem wichtigen Termin flog. Es war ein exakt arrangiertes Foto, künstlich und gestellt, trotzdem hatten sich sein leichter Bauchansatz und seine himbeerrote Nase nicht ganz vertuschen lassen. Lars blickte direkt in die Kamera, herablassend und böse. Die meisten Menschen hätten gelächelt und versucht, ein freundliches Gesicht zu machen, aber er wollte anscheinend, dass ihn die Welt so wahrnahm. Morrow fand das sehr aufschlussreich. Die Zeitungen ließen sich in allen Einzelheiten über Andersons Reichtum aus, sie wirkten wie von ihm geblendet.

Laut der Berichte lagen seine sämtlichen geschäftlichen

Aktivitäten bis zum Abschluss der Ermittlungen durch das Betrugsdezernat auf Eis, auch seine privaten Bankkonten waren eingefroren. Mrs Thalaine hatte die AGI erwähnt, von ihr hatte sie den Namen zum ersten Mal gehört. Vor zwei Tagen war Anderson zu einer Anhörung vor einem Zivilgericht erschienen, das ihm untersagt hatte, jemals wieder die Leitung einer Aktiengesellschaft zu übernehmen. Wenn das Betrugsdezernat ermittelte, bedeutete dies, dass er in keinerlei Funktion mehr geschäftlich agieren konnte. Offenbar war Anderson danach ohne Umwege nach Hause gefahren und hatte sich erhängt. Man hatte ihn vier Stunden vor dem Mord an Sarah Erroll gefunden.

Sie rief die Bilder auf Sarahs iPhone auf und fand welche aus New York, die den silberhaarigen Mann zeigten. Die meisten waren unscharf, aber wenn sie die Augen zusammenkniff, konnte sie Lars Anderson erkennen.

Sie nahm ihr Telefon, schaltete die externe Leitung frei und rief das Betrugsdezernat in London an. Geschlossen. Eine Stimme vom Band teilte ihr mit, dass die Zentrale nur bis Viertel nach fünf besetzt sei. Schöne Arbeitszeiten.

Entschiedenes, vertrautes Klopfen an der Tür.

»Komm rein, Harris.«

Er öffnete die Tür und streckte seinen Kopf ins Zimmer.

»Harris, bist du bereit für unseren Ausflug nach London morgen? Ich hab versucht, einen Termin beim Betrugsdezernat zu bekommen, aber die haben schon Feierabend.«

Er wirkte aufgeregt, hatte noch seinen Mantel an. »Ma'am, Kay Murray hat Antiquitäten zu Hause. Leonard sagt, die sind viel Geld wert, seltenes Zeug, und ihre Jungs tragen schwarze Sportschuhe aus Wildleder. Und dazu gibt sie sich noch abweisend. Wir müssen sie herbestellen.«

26

Morrow saß in ihrem Büro und kaute nervös auf einem kleinen Hautfetzen in ihrem Mund herum. Sie hatte eine Vorahnung, dass Kays Vernehmung Entsetzliches, Zermürbendes und Trauriges ergeben würde, etwas, das man nie vergaß.

Die Fälle, die Morrow am meisten zusetzten und wegen derer sie mit brennenden Augen nachts in die Dunkelheit starrte, waren nicht die blutigen, nicht die gemeinen, bei denen Augen ausgestochen, Finger abgeschnitten oder Kinder verletzt wurden. Es waren vielmehr die Fälle, die scheinbar unausweichlich gewesen waren und die sie daran zweifeln ließen, ob es überhaupt Gerechtigkeit geben konnte, über die sie nicht hinwegkam und die den Wert ihrer eigenen Arbeit infrage stellten. Allmählich hatte sie den Eindruck, der Mord an Sarah Erroll könnte sich als ein solcher Fall entpuppen.

Sie stand auf und schüttelte ihre Ängste ab. Dann öffnete sie die Tür und hielt vor dem Ermittlungsraum inne. Die Kollegen wirkten jetzt gelassener, weil sie glaubten, das Ende sei bereits in Sicht. Die Tatortfotos standen nicht mehr im Zentrum der Aufmerksamkeit, niemand sah mehr betont an ihnen vorbei. Die meisten glaubten, der Fall sei so gut wie gelöst.

Bannermans Tür stand einen Spalt offen. Morrow klopfte und steckte den Kopf hinein, bevor er noch fragen konnte, wer da sei. Erstaunt stellte sie fest, dass er sich im Gespräch mit ihrem gemeinsamen Vorgesetzten McKechnie befand. Morrow hatte nicht mal gewusst, dass McKechnie im Haus war.

Er war ein vorschriftsgläubiger Bürokrat alter Schule. Ein Politiker, breit in der Mitte mit einem schmalen Kinn.

Bannerman beugte sich grinsend über seinen Schreibtisch, McKechnie hatte die Hände selbstgefällig auf den Bauch gelegt und sich auf seinem Stuhl zurückgelehnt. Die beiden hatten sich immer schon bestens verstanden. McKechnie war für Bannermans Beförderung verantwortlich gewesen und wollte jetzt erleben, wie sein Wunderknabe die Beute als Erster erlegte.

»Sir.« Sie nickte McKechnie zu.

»Gute Arbeit, Morrow«, sagte der und sah Bannerman zur Bestätigung an.

Bannerman lächelte ermutigend. »Sehr gute Arbeit. Übrigens, ich brauche Harris morgen hier.«

Sie hatten das Flugticket für Harris bereits gebucht, und es war nicht übertragbar.

»Aber wir sind nur am Vormittag weg, nachmittags sind wir schon wieder zurück.«

»Ich brauch ihn morgens. Sie fliegen mit Wilder.«

Bannerman wollte sie von Harris fernhalten, ihn isolieren. Und er brachte das Thema in Gegenwart ihres Chefs auf, damit sie nicht widersprechen konnte, denn wenn sie sich beschwerte, würde es so aussehen, als stecke sie mit den Rebellen unter einer Decke. Der Krieg hatte begonnen, ohne Fanfarenstoß oder Vorwarnung.

»Schön«, sagte sie. »Ich werde an der Vernehmung nicht teilnehmen, Sir.«

Bannerman nickte. »Ich habe bereits erklärt, dass Sie die Verdächtige kennen.«

»Nein, äh …«, Morrow hielt sich an der Türkante fest, »Murray ist ja genau genommen *nicht* tatverdächtig.«

Bannerman lenkte nickend ein. »Einwand akzeptiert: Sie ist die Mutter der Tatverdächtigen. Obwohl«, er sah McKechnie an, »auch *sie* könnte tatverdächtig sein. Wir müssen sehen.«

»Und die Jungs sind hinten?«

»Ja, wir haben ihre Schuhe eingeschickt und alle Antiquitäten hergebracht, die bei ihr in der Wohnung zu finden waren.« Mit Blick auf McKechnie erklärte er: »Einer unserer Neuzugänge hat sie bei einem Routinebesuch entdeckt.«

Er redete, als hätten sie das gesamte British Museum in Kays Wohnung gefunden. Morrow hatte keine Antiquitäten dort gesehen. »Was genau war denn da?«

Bannerman schob ihr einige auf Kopierpapier ausgedruckte Farbaufnahmen über seinen Schreibtisch zu. Sie trat ein und blätterte den Stapel durch.

Die Tinte war verschmiert. Die einzelnen Stücke waren neben einem Lineal abgebildet und mit einer Ausstellungsnummer daneben versehen, sodass sie wie Diebesgut aussahen.

Der erste Gegenstand war ein silberner Eierbecher. Er hatte oben auf dem Küchenschrank gestanden und war mit einer schmierigen Staubschicht überzogen. Die winzigen Härchen waren oben am Rand noch zu erkennen.

Das nächste Bild zeigte eine Art-Deco-Uhr mit einem rechteckigen, mit Diamanten eingefassten Ziffernblatt.

»Die lag in einer Socke versteckt unter dem Bett«, erklärte Bannerman McKechnie und blätterte weiter zum nächsten

Bild, das den Fundort zeigte. Unter dem Bett lag eine dicke Staubschicht. Auf dem marineblauen Teppichboden lagen verschiedene Gegenstände verstreut, unter anderem eine zum Knäuel zusammengerollte Strumpfhose, eine leere Glühbirnenschachtel und eine Boulevardzeitschrift. Die orangefarbene Socke lag an der Fußleiste.

Außerdem war noch eine emaillierte Schale gefunden worden. Sie hatte auf dem Bügelbrett gestanden und war jetzt neben einem braunen Brandfleck auf buntem Blumenmuster abgebildet. Kay hatte sie als Aschenbecher benutzt. Schon eine flüchtige Internetrecherche hatte ergeben, dass sie Tausende Pfund wert sein musste.

»So viele Gegenstände sind das aber nicht«, sagte Morrow und klang dabei ungehalten.

Die Männer sagten nichts, aber sie wusste, was sie von ihr dachten. Es machte ihr nichts aus. Sie hatte ohnehin nie das Gefühl gehabt, dass sie viel von ihr hielten, und schon bald würde sie verschwinden. Ihre Hand bewegte sich trostsuchend auf ihren Bauch zu, aber sie riss sich zusammen und ließ sie wieder sinken.

Höflich wechselte Bannerman das Thema, sah McKechnie dabei an. »Bereit?«

McKechnie lächelte seinen Schützling an. »Wenn Sie's sind.«

Sie standen auf und gingen an ihr vorbei zur Tür; McKechnie war zufrieden, weil ein öffentlichkeitswirksamer Fall kurz vor seinem Abschluss stand, und Bannerman, weil er für dessen Aufklärung verantwortlich war. Morrow folgte ihnen mit einigem Abstand.

In dem Raum mit dem Fernseher, über den sich die Vernehmungen verfolgen ließen, stand eine Reihe mit Stühlen, insgesamt vier. McKechnie nahm auf einem der beiden mittleren Platz.

»Sir, das ist DC Tamsin Leonard. Sie hat den Aschenbecher entdeckt, aufgrund dessen die Hausdurchsuchung veranlasst wurde.«

Morrow war stinksauer auf Leonard. Was sie nicht hätte sein dürfen: Leonard hatte die Schale nur entdeckt, nicht dorthin gestellt, aber sie war trotzdem wütend. Diesen Umstand kompensierte sie völlig übertrieben, indem sie Leonards Leistung hervorhob, was eigentlich gar nicht üblich war, und sie dem drei Dienstgrade über ihr stehenden Vorgesetzten mit vollem Namen vorstellte.

Sie setzten sich, Morrow neben McKechnie, Leonard auf die andere Seite.

Routher kam herein, nachdem er die Kamera im Vernehmungsraum überprüft hatte, machte den klobigen Fernseher an und stellte ihn auf den Empfang der Kamerabilder ein.

Der Schnee verschwand, und man sah einen hohen schmalen Raum. Die Kamera war auf die Tür und zwei freie Plätze ausgerichtet, Bannerman und Gobby waren von hinten zu sehen, ihre Gesichter nicht. Sie beschäftigten sich damit, ihre Jacken auszuziehen und Kassetten bereitzulegen. Während Gobby drei Plastikbecher mit Wasser füllte, drehte sich Bannerman um und lächelte in die Kamera. McKechnie war das zu flapsig – er rutschte vorwurfsvoll auf seinem Stuhl herum.

Alle warteten. Der Raum wirkte trotz der hohen Decke erstickend klein, ein schmaler Tisch und zwei große, der Tür zugewandte Männer, die warteten und inständig hofften, dass die zu Befragende einknicken würde.

Die Tür ging auf, und McCarthys Gesicht erschien. Er wirkte besorgt, sagte aber nichts, wollte sich scheinbar nur vergewissern, dass genügend Stühle vorhanden waren. Kay kam herein, setzte sich Bannerman und Gobby gegenüber und klammerte sich mit den Händen an die Tischplatte.

Sie sah McCarthys besorgten Blick und ließ ihn mit einem Zwinkern wissen, dass es ihr gut ging. Morrow fragte sich, ob sie sich kannten.

Kay blickte abwechselnd Bannerman und Gobby an. »Hallo«, sagte sie förmlich.

Gobby nickte. Bannerman erwiderte ihren höflichen Ton, klang dabei aber sarkastisch. »Guten Abend, Ms Murray.« Er hielt die Kassetten hoch. »Wir werden diese Kassetten in den Rekorder einlegen und das Gespräch aufzeichnen.«

Hinter Morrow betrat McCarthy den Raum und zog sich einen Stuhl von der Wand heran, dann blickte er zum Bildschirm. Morrow sah ihn an. Er erwiderte ihren Blick und zog die Augenbrauen hoch, um zu fragen, ob es in Ordnung sei, wenn er bliebe. Sie nickte. Wieder sah er skeptisch und besorgt auf den Bildschirm, und Morrow war gerührt: McCarthy kannte Kay nicht. Er mochte sie einfach nur.

Kay schaute sich in dem Vernehmungsraum um, während Bannerman und Gobby die Kassetten aus der Folie schälten und in den Rekorder legten. Ihr Blick sprang zur Kamera hinauf. In der Sekunde, bevor sie das rote Licht entdeckte und begriff, dass die Kamera eingeschaltet war, wirkte sie verzweifelt und in die Enge getrieben.

Bannermann lehnte sich zurück, sprach die Namen der Anwesenden sowie Ort und Zeit auf Band. Er erklärte Kay, dass mitgefilmt wurde und weitere Beamte in anderen Räumen möglicherweise zusahen, woraufhin Kay direkt in die Kamera starrte, die Augen voller Hass, als könnte sie ihre Ankläger dort ausmachen.

Morrow blinzelte, um den brutalen Blick zu verscheuchen.

»Also«, fing Bannerman an. Ihm war sogar von hinten anzusehen, dass er lächelte. »Sie wissen ja, warum wir hier sind, nicht wahr, Kay?«

Kay lächelte nicht zurück. »Weil Sie Sachen in meiner Wohnung gefunden haben, von denen Sie glauben, dass ich sie eigentlich nicht haben dürfte?«

»Nein.« Er unterbrach den Blickkontakt. »Nein, wegen des Mordes an Sarah Erroll. Deshalb sind wir hier, weil Sarah Erroll in ihrem Haus ermordet wurde, weil Sie Zugang zu diesem Haus ebenso wie zu ihren Konten hatten und«, er machte eine Pause, um das Folgende besonders zu betonen, »weil sich Gegenstände in Ihrer Wohnung befanden, die Ihnen ganz offensichtlich nicht gehören.«

»Zum Beispiel?«

»Hmm.« Er sah auf ein Blatt mit handschriftlichen Notizen, klappte eine Mappe auf und hielt kurz das fotokopierte Bild des Eierbechers in die Kamera.

Dann entschied er sich jedoch, auf diesen Punkt erst später zu kommen. Er klappte die Mappe wieder zu. »Fangen wir von vorne an.«

McKechnie murmelte ein »Oh, nein«, und Morrow konnte es ihm nicht verdenken: Bannerman würde das Ganze endlos in die Länge ziehen. Zwei Stunden mindestens, ihrer Schätzung nach. So lange dauerte es in der Regel, bis ein Verdächtiger unter beharrlicher Befragung einknickte. Zwei Stunden, in denen persönliche Details, Busfahrpläne und Telefonnummern nicht ganz richtig wiedergegeben wurden und die Langeweile ins Unerträgliche wuchs, sodass er oder sie nur allzu bereitwillig gestand.

Es war bereits fünf vor elf.

»Wie kam es, dass Sie bei Mrs Erroll gearbeitet haben?«

Kay blinzelte, hielt inne und sagte: »Nein«, sehr bestimmt. »Wir wollen nicht von vorne anfangen. Wir wollen zum entscheidenden …«

»Nein«, Bannerman wusste, dass McKechnie zusah. »Wir fangen von vorne an …«

»Tun wir nicht.« Sie blieb eisern. »Und ich sage Ihnen auch warum: Weil ich vier Kinder habe, zwei davon sitzen unten und haben eine Heidenangst, die anderen zwei sind bei einer Nachbarin und müssen morgen früh in die Schule.«

»Ich denke, das hier ist ein bisschen wichtiger …« Seine Stimme war laut.

»Ach ja? Sehen Sie, ich nicht.« Aber Kays Stimme war lauter.

Morrow beugte sich vor, stützte sich mit den Ellbogen auf den Knien ab und legte sich die Hand über den Mund, um ihr Grinsen zu verbergen.

»Weil ich weiß«, fuhr Kay fort, »was los war. Ich war da. Ich kenne meine Jungs, und ich weiß, dass da nichts dran ist.« Vielleicht hätte sie ihn überzeugt, wenn sie standhaft geblieben wäre, aber plötzlich verließ sie die Courage. Panik schien sich in ihrer Brust breitzumachen, sie drückte ihren Rücken gegen die Stuhllehne, und ihre Stimme verzerrte sich zu einem erbärmlichen Jammern. »Ich weiß, dass Sie das auch herausfinden werden. Und meine Jungs nach Hause lassen. Damit sie schlafen können.« Sie weinte, ihre Gesichtszüge entglitten. Sie schlug sich eine Hand vor die Augen, ihr Kinn bebte, und sie riss den Mund jetzt weit auf.

»Kein Grund, Angst zu haben«, Bannerman klang verärgert. Kay hielt ihre Augen bedeckt und holte Luft. »Wovon zum Teufel reden Sie?«

Es war nicht der kurze Prozess, den McKechnie erwartet hatte. Er blickte jetzt nicht mehr auf den Bildschirm, sondern musterte die Bügelfalte seiner Hose.

Mit Spuckebläschen vor dem Mund und feuchten Augen ließ sie die Hand sinken. »Ich hab jeden verdammten Grund, Angst zu haben.«

»Was haben Sie getan, Kay? Sie können es uns sagen.«

»Nein! Ich hab nichts getan.« Sie hörte auf, sich die Nase an ihrem Handrücken abzuwischen. »Ich hab keine Angst, weil ich was getan habe. Ich hab Angst, weil ich *euch nicht traue.* Keinem von euch. Ich weiß, dass ich nichts getan habe und dass meine Jungs nichts getan haben, aber *ich traue euch nicht zu,* dass ihr das herausfindet.«

Ein schlechter Anfang. Bannerman hatte nicht damit gerechnet, dass Kay so wortgewandt war. Er lehnte sich schwerfällig zurück und sah sie schaudernd schluchzen. Als sie sich beruhigt hatte, sagte er leise: »Wir wollen von vorne anfangen.«

Kay schniefte erneut, die Angst wich und Wut setzte ein.

»Wie sind Sie an den Job bei Mrs Erroll gekommen?«

Kay leckte sich über die Lippen und suchte die Tischplatte ab. Dann blickte sie zur Kamera auf und sah anschließend Gobby, dann Bannerman an.

»Okay«, lenkte sie ein, »bitte schön: Ich hab bei Mrs Thalaine und bei den Campbells sauber gemacht. Eines Abends nach der Arbeit, auf dem Bahnsteig, hab ich eine Putzfrau namens Jane Manus kennengelernt, ein junges Mädchen, und sie hat mir erzählt, dass Sarah Erroll Pflegekräfte für ihre Mutter sucht …«

»Wer ist Jane Manus?«

»… zehn Pfund die Stunde. Also hab ich meinen Zug sausen lassen, bin hoch zum Haus, hab geklopft, Sarah hat aufgemacht, und ich hab gesagt, ich hab gehört, Sie suchen Leute, ich hab keine Ausbildung …«

»*Wer ist Jane Manus?*«

»… keine Ausbildung und auch keine Berufserfahrung. Aber ich bin ein Arbeitstier und ich mag Menschen. Versuchen Sie's mit mir. Drei Tage hab ich umsonst gearbeitet. Halbe Schichten. Mrs Erroll und ich haben uns auf Anhieb so gut verstanden, dass ich den Job bekommen hab.«

Morrow sah Leonard an McKechnie vorbei an und registrierte die Andeutung eines Lächelns in ihrem Gesicht, als sie sich sichtlich auf Kays Seite schlug.

»Ms Murray, Sie haben immer noch nicht verstanden, wie das hier läuft.« Bannerman hielt ihr eine beschwichtigende Hand entgegen. »Ich stelle die Fragen und Sie beantworten sie, weil wir Informationen verknüpfen müssen. Wir wissen, welche Fragen wir zu stellen haben …«

»Sie brauchen meinen kompletten beruflichen Werdegang?«

»Wir brauchen den *Kontext.*«

Morrow hatte schon häufiger gesehen, wie er das machte: Er benutzte Wörter, von denen er annahm, dass sein Gegenüber sie nicht verstand. Der Bruchteil einer Sekunde, den er oder sie brauchte, um deren Bedeutung zu erfassen, setzte ihn in Vorteil, da die Vernommenen meist den Faden verloren. Aber er hatte Kay völlig falsch eingeschätzt. Sie war clever und schnell von Begriff.

»Holen Sie sich Ihren Kontext anderswo. Ich habe Verantwortung. Ich muss das hier schnell hinter mich bringen«, sagte sie.

»Nun«, er schmunzelte arrogant, »ich denke, ich darf mit

Fug und Recht behaupten, dass unsere Belange Vorrang haben. Wir ermitteln in einem Mordfall …«

»Und ich helfe Ihnen dabei. Ich helfe Ihnen gerne.«

»Den Eindruck vermitteln Sie nicht.«

Bei dieser Bemerkung sah ihn Kay vielsagend und angewidert an. »Wundert Sie das? Meine Söhne sitzen unten und warten drauf, befragt zu werden. Sie sind fünfzehn und sechzehn. Eigentlich dürften sie noch nicht mal wissen, dass es so was auf der Welt überhaupt gibt. Und wagen Sie es bloß nicht, ihnen irgendwelche dreckigen Bilder von Toten zu zeigen. Ich hab jetzt schon vier Mal mit Leuten von euch gesprochen, das ist das vierte Mal …«

»Das dritte Mal«, er blickte in seine Aufzeichnungen. »Wir haben drei Mal mit Ihnen gesprochen. DC Harris und DC Leonard sind zu Ihnen nach Hause gefahren, Sie wurden von Morrow und Wilder auf der Straße angesprochen und jetzt die Vernehmung.«

Kay lehnte sich zurück, sog ihre Wangen ein und blickte zur Kamera.

»Neigen Sie zu Übertreibungen, Kay?«

Sie sagte nichts. Bannerman hatte das Gefühl, einen wunden Punkt getroffen zu haben.

»Haben Sie Ihren Söhnen gegenüber Sarahs Reichtum übertrieben dargestellt? Ihnen muss doch das Geld gefehlt haben, das sie Ihnen bezahlt hat?« Er ließ eine Pause entstehen. »Wussten Sie, dass sie Geld im Haus aufbewahrte?«

»Nein.«

»Das entspricht aber nicht der Wahrheit, Kay, oder? Sie wussten ganz genau, wo sich zumindest ein Teil des Geldes befand. Sie selbst haben die anderen Frauen bar bezahlt.

Sie haben die Abrechnungsbücher geführt. Wir haben Ihre Handschrift verglichen.«

»Sarah hat mir das Geld hingelegt. Ich hab die Abrechnungsbücher geführt, und sie hat mir genau so viel dagelassen, wie wir gerade gebraucht haben.«

»Hat sie immer den genauen Betrag dagelassen?«

»Ja, in Lohntüten. Ich hab das Geld nicht mal angefasst.«

»Vielleicht haben Ihre Jungs Sie bei der Arbeit besucht, Sie haben ihnen das Geld gezeigt, und die beiden sind dann zurückgekehrt, um es sich zu holen. Dabei sind sie in Panik geraten und Sarah wurde verletzt.«

»Meine Jungs haben mich nie bei der Arbeit besucht.«

»Das werden wir sehen. Wie viel haben Sie bei Sarah verdient?«

»Zehn Pfund die Stunde.«

»Wie viele Stunden in der Woche?«

»Acht Stunden täglich, fünf Tage die Woche.«

»Also ungefähr vierzig, macht zirka vierhundert Pfund brutto. Das ist eine Menge Geld. War das nicht viel für Sie?«

Kay blickte traurig in die Kamera.

»Ms Murray, *war das nicht viel für Sie?*«

Im Prinzip fragte er sie damit, ob sie arm war. Sie sah auf ihre Hände. »Ja«, sagte sie leise.

Kay schien endlich gebändigt. Einsilbig beantwortete sie die ihr gestellten Fragen, blickte kaum noch auf, berief sich nicht mehr auf Anstand und sprach auch nicht mehr von einem Missverständnis. Das Geld fehlte ihr sehr, aber sie kam zurecht. Von den Vätern der Kinder bekam sie kein Geld. Ja, es gab mehr als einen Vater. Und ja, sie waren alle jeweils ein Jahr auseinander. Als Bannerman anmerkte, sie sei wohl kein Kind von Traurigkeit, zog sie lediglich die Oberlippe hoch und blickte ihn verächtlich an, als er sie weiter nach den schulischen Leistungen ihrer Kinder fragte.

Morrow hätte einen Zettel schreiben und Routher damit in den Vernehmungsraum schicken können, um Bannerman wissen zu lassen, dass sie Kay zu Hause besucht hatte, und sie die Wahrheit sagte: Sie hatte wirklich vier Mal mit der Polizei gesprochen. Aber sie tat es nicht. Eine solche Mitteilung hätte Bannerman nur eines vermittelt: dass Morrow auf Kays Seite war. Er hätte sie noch unnachgiebiger befragt, nicht um Morrow zu ärgern, sondern weil er dachte, Kay würde bei den Zuschauern im anderen Raum Oberwasser gewinnen.

Kay beschrieb Joy Errolls Tod mit monotoner Stimme: Die alte Dame hatte ein Bad nehmen wollen, Kay war mit ihr alleine gewesen, hatte den Wannenlift holen wollen und sie in ihrem Morgenmantel im Badezimmer sitzen lassen. Als sie zurückkam, war Joy vom Stuhl gefallen. Kay hatte sie in die stabile Seitenlage verfrachtet, aber Joy hatte einen schweren Schlaganfall erlitten und war bereits tot, als der Krankenwagen eintraf.

Bannermann fragte sie, was sie dann gemacht habe, aber Kay befand sich in Gedanken noch im Badezimmer, wo sie auf dem Boden hockte und die schlaffe Hand ihrer Freundin hielt.

Er musste auf den Tisch klopfen, um sie der Erinnerung zu entreißen. Dann fragte er sie nach dem Geld unter dem Tisch.

»Unter dem Tisch?«

»Dem Küchentisch. Wir haben siebenhunderttausend Pfund auf einem Brett unter dem Küchentisch gefunden.«

Kay tat etwas sehr Ungünstiges. Sie stieß keinen überraschten Laut aus, staunte nicht, sondern rollte nur mit dem Kopf, als hätte sie endlich etwas begriffen. »Siebenhundert …?«

»… tausend Pfund.«

»So viel?«

Bannerman zog seine Schulterblätter zusammen. »Ja«, sagte er. Morrow wusste, dass er glaubte, auf einer heißen Spur zu sein. Einer Unschuldigen wäre der Mund offen stehen geblieben und sie hätte ihrerseits Fragen gestellt.

»Wussten Sie, dass es dort lag?«

»Nein.«

Er blätterte die Fotografien durch, zog sie hinten aus der Mappe mit den Notizen heraus und breitete sie vor ihr auf dem Tisch aus. Er zeigte auf die erste.

»Diese Uhr haben wir in einer Socke unter Ihrem Bett gefunden. Wo haben Sie die her?«

Sie nahm das Bild und betrachtete es. »Sarah hat sie mir nach dem Tod ihrer Mutter geschenkt.«

»Wie kam es dazu?«

»Nach der Beerdigung ist sie mit mir in ihr Zimmer gegangen und hat mir eine Schatulle mit Schmuck gezeigt …«

»Wie sah sie aus?«

»Grüne Seide, alt. Ein bisschen abgegriffen.« Sie sah zu ihm auf, merkte, dass sie noch mehr sagen sollte. »Sechseckig.«

»Und was hat sie gesagt?«

»Such dir was aus.«

»War die Uhr das teuerste Stück in der Schatulle?«

»Das weiß ich nicht. Ich versteh nichts davon.«

»Wovon?«

»Art-Deco-Schmuck.«

»Aber Sie wussten, dass es Art Deco war?«

»Das hat Sarah gesagt.«

»Warum haben Sie sich für die Uhr entschieden?«

Sie wirkte sehr traurig. »Wegen der Form.«

»Aber Sie haben sie nicht getragen?«

»Nein.«

»Warum haben Sie sie unter dem Bett versteckt?«

»Falls bei uns eingebrochen wird.«

»Das hier«, er legte ihr das Bild von der Emailleschale vor die Nase, und sie seufzte bei deren Anblick, »wo haben Sie die her?«

»Mrs Erroll wollte, dass ich sie behalte. Sie hat sie mir geschenkt, weil sie wusste, dass sie mir sehr gefiel.«

»Aber Mrs Erroll war verwirrt ...«

»Darum hab ich Sarah gefragt, ob ich sie annehmen dürfe, und sie hat ihre Mum gefragt, und die hat Ja gesagt.«

»Und das? Der silberne Eierbecher?«

Sie schüttelte den Kopf. »Ich glaube nicht, dass ich den schon mal gesehen habe. Keine Ahnung, wo der herkommt.«

»Der stand oben auf Ihrem Küchenschrank. Haben Sie ihn nicht dorthin gestellt?«

Kay sackte geschlagen zusammen. »Ich weiß nicht, was ich sagen soll. Ich brauche eine Kippe.«

Bannerman unterbrach, sprach auf Band, dass sie Pause machten, und McCarthy eilte in den Vernehmungsraum, um Kay zum Rauchen nach draußen zu führen.

McKechnie konnte nicht widerstehen, sich einzumischen: »Morrow, lassen Sie den Eierbecher auf Fingerabdrücke von den Jungen untersuchen. Möglicherweise hat sie wirklich nicht gewusst, dass er da war und die Jungen haben ihn mitgebracht und versteckt.«

»Nein«, sagte Leonard, »der war mit einer schmierigen Staubschicht überzogen. Und auf dem Schrank ließ sich die

Stelle genau erkennen, wo er gestanden hat. Er muss schon Monate dort gewesen sein.«

McKechnie sah sie an und nahm sie zum ersten Mal wahr. Er hatte erwartet, dass sie unter seinem Blick schrumpfen würde, was sie aber nicht tat. Sie sah ihn direkt an, bis er aufstand und den Raum verließ.

Morrow lehnte sich zurück und lächelte. Es war schön zu sehen, wie es zur Abwechslung mal jemand anders versaute.

27

Thomas tastete sich mit den Zehen voran durch die Dunkelheit. Ella folgte direkt hinter ihm.

»Tom! Tom! Mach das Licht an«, sagte sie aufgeregt, verängstigt und gereizt.

Aber die Schnur mit dem Lichtschalter befand sich ganz unten an der Treppe. Er fuhr mit der Hand an der verputzten Wand entlang, seine Fingerspitzen ertasteten kleine feuchte Stellen.

Er zog an der Strippe.

Das grelle Licht zuckte zweimal auf, Schnappschüsse von drei blendend weißen Särgen blitzten Thomas in die Augen, bevor es dauerhaft hell blieb. Ella war plötzlich eine andere Gestalt, ein anderes Mädchen, das er mal in einem Film oder einem Ballett gesehen hatte. Sie starrte die Kühltruhen staunend an und hielt sich immer noch an seinen Schultern fest, als suchte sie Schutz, trat dabei aber einen Schritt an ihm vorbei. Sie musste ihn ständig anfassen, nicht auf die falsche Art, einfach nur anhänglich, als ob sie auf Spitzen tanzte und ihn bräuchte, um das Gleichgewicht zu halten. Er erduldete es, weil ihre Launen ständig wechselten und er sie nicht verärgern wollte.

»Was gibt's denn noch?« Moira sah von der Treppe oben zu ihnen in den Keller und deutete auf die Kühltruhe mit den vorbereiteten Mahlzeiten.

Ella machte den Deckel auf und wich beim Anblick von so viel Essen einen Schritt zurück. Der Frost knackte unter ihren Fingerspitzen, als sie mit der Hand darüberfuhr.

»Was ist das alles?«, fragte sie lächelnd.

»Das ist alles was zu essen«, sagte er ungerührt. »Moira, was hättest du gerne?«

»Gibt's Parpadelle mit Pilzen?«

Er betrachtete die oberste Schicht. Alle Deckel waren sauber beschriftet. Aber nirgendwo stand Parpadelle mit Pilzen. Er hob den Einlegekorb heraus und suchte darunter. Fünf Portionen »Parpadelle mit Pilzen« ordentlich nebeneinander.

»Ja.« Er beugte sich tief in die Kühltruhe hinein und holte drei Behälter raus. »Hab welche gefunden.«

Ella machte einen Satz auf ihn zu, schnappte sie ihm aus der Hand und rannte kichernd damit nach oben, als hätte sie etwas wahnsinnig Lustiges oder Gewagtes getan. Sie sprang an Moira vorbei, lachte ihr ins Gesicht, als wäre sie Teil des Streichs und verschwand aus ihrer beider Blickfeld.

Moira lächelte. Als sie sich umdrehte, um Ella in die Küche zu folgen, verschwand ihre Fröhlichkeit jedoch, und ihre Augen wurden wieder traurig, als hätte sie viel zu lange gute Miene zu bösem Spiel gemacht.

Thomas machte die Kühltruhe wieder zu, zog an der Lichtschnur und stieg vorsichtig die Stufen zur Küche hinauf, wo Moira und Ella an der Kochinsel aus schwarzem Granit einander gegenüberstanden. Ella sah ihn kommen und schrie schrill auf, sprang zurück, als hätte er sie erwischt.

»Wir spielen nicht Fangen, Ella«, sagte er vorsichtig.

Sie wartete einen Augenblick, blickte aus dem großen Fenster und lachte, als hätte er etwas schrecklich Geistreiches gesagt. Moira lächelte automatisch, so wie das Licht im Garderobenraum anging, sobald die Tür geöffnet wurde.

Thomas wandte sich an seine Schwester. »Was ist denn so verdammt komisch, Ella?«

Sie hörte auf zu lachen und neigte den Kopf zur Seite.

»Was ist so lustig?« Er durchquerte den Raum und stellte sich vor sie, kam ihr sehr nahe, aber sie sah einfach über seine Schulter hinweg.

Thomas riss der Geduldsfaden, er piekte Ella in die Schulter, fester als er beabsichtigt hatte. Aus Angst vor der Hitze, die er in seinem Nacken aufsteigen spürte, trat er einen Schritt von ihr weg und stierte auf die gefrorenen Mahlzeiten auf der Anrichte.

»Essen? Ist das Essen lustig?« Er nahm eine Portion und warf damit, traf Ella aber nicht, der Behälter landete mit einem dumpfen Knall und schlitterte über den Boden.

Ella bewegte sich nicht, hörte aber immerhin auf zu lachen.

»Bin ich lustig?«, schrie er.

In der totenstillen Küche prallte seine Stimme von den Granitarbeitsflächen ab. Ellas Finger zitterten.

»Was zum Teufel ist los mit dir, du blöde Ziege?«

»Tom, hör auf, sie zu ärgern«, sagte Moira mit seidenglatter Stimme. »Lasst uns das in der Mikrowelle auftauen und essen.«

Ein schriller Alarm ertönte dreimal.

»Was ist das?«, fragte Ella.

Thomas ging rüber zum Kühlraum und sah nach unten, ob er vielleicht eine Kühltruhe offen gelassen hatte. »Nein.«

»Eine Autoalarmanlage?«, riet Moira.

Ella zeigte auf ein rotes Licht an der Wand, das gleichzeitig mit dem Geräusch aufblinkte.

»Das Festnetztelefon«, sagte sie siegessicher.

Thomas griff danach. »Siehst du? Und schon bist du wieder bei uns, verdammt noch mal, Ella.«

»Tom«, sagte Moira, »wenn's ein Journalist ist, legst du sofort auf.«

»Hallo?«

Die Stimme einer Frau. Sie klang ärgerlich. »Ja, hi. Mit wem spreche ich?«

»Thomas.«

»Ah, ja. Dürfte ich wohl mit jemandem von der Familie Anderson sprechen?«

Moiras Augenbrauen hoben sich fragend.

»Wen darf ich melden?«

»Ich bin die andere Frau von Lars Anderson.«

»Einen Moment, bitte.« Thomas ließ das Telefon vor seinen Bauch sinken.

»Wer ist das?« Moira ging auf ihn zu und streckte die Hand nach dem Hörer aus.

Er täuschte ein müdes Lächeln an. »Ist bloß Donny McD aus der Schule, der so tut, als wär er ein scheiß Journalist. Ich rede im Wohnzimmer mit ihm.«

»Oh.« Sie schien zu merken, dass das nicht stimmte, aber sie zog trotzdem ihre Hand zurück und wandte sich ab. »Hör auf solche Wörter zu benutzen, das ist so gewöhnlich.«

»Ja.« Er gab Moira nickend zu verstehen, dass sie sich ums Essen kümmern sollte, und ging hinaus in den Flur.

»Bleiben Sie bitte dran«, sagte er in den Hörer und ging ins Wohnzimmer. Seine Hand griff nach dem Lichtschalter, aber er machte kein Licht, sondern blieb lieber im Dunkeln stehen und unterhielt sich. »Hallo?«

»Wer ist da?«, verlangte die Frau zu erfahren. »Wer *sind* Sie?«

»Ich bin Thomas Anderson, der Sohn von Lars Anderson. Wer sind Sie?«

»Verstehe.« Sie klang sehr herrisch. Thomas fühlte sich ein bisschen eingeschüchtert.

»Mein Vater hat mir von Ihnen erzählt.«

»Hat er das?«, jetzt klang sie sanfter. »Hat er Ihnen auch erzählt, dass ich einen Sohn in Ihrem Alter habe?«

»Hat er. Phils, richtig?«

»Ja, Phils. Phils ...«

»Dad hat mir von ihm erzählt.«

Sie schniefte bei der Erwähnung von Lars' Namen und murmelte etwas von wegen er sei ja nun nicht mehr da, während Thomas zum Fenster wanderte. Es war dunkel und es hatte geregnet. Der Rasen glänzte wie das Fell eines Dachses. Er sollte sich nicht einschüchtern lassen. Er sollte versuchen, möglichst normal zu klingen. »Entschuldigung, wie heißen Sie?«

»Theresa.« Ein ganz gewöhnlicher irischer Name, aber sie ließ ihn spanisch klingen, indem sie die erste Silbe betonte und das R rollte – Th*er*esa.

»Wie weiter?«

»Theresa Rodder.«

Es war kein vornehmer Name, aber ihrem Akzent nach klang sie sehr vornehm. Er sah praktisch vor sich, wie sie die Kinnlade herunterklappte, um ihren Familiennamen möglichst gedehnt auszusprechen.

»Th*er*esa«, sagte er und ahmte ihren affektierten Tonfall respektvoll nach, »darf ich Sie besuchen?«

Pause. Er glaubte, die Aussicht auf seinen Besuch würde sie mit Schrecken erfüllen, bis er eine Flasche klirrend an ein Glas stoßen und das Gluckern von Wein, oder was auch immer es sein mochte, hörte. »Ja, Thomas, das wäre schön.«

Thomas stand auf, die Wange an die kalte Fensterscheibe gepresst.

»Soll ich morgen kommen?«

»Gerne.«

»Wird Phils da sein?«

»Er wird in der Schule sein.«

»Ah, ich verstehe. Wie heißt Ihre Tochter?«

»Betsy.«

»Gut, The*re*sa, wie ist Ihre Adresse?«

Sie gab sie ihm. Er kannte sie nicht, wiederholte sie aber lautlos immer wieder in der Dunkelheit: 8 Tregunter Road, SW 10. Sie legte auf, ohne dass sie eine bestimmte Zeit verabredet hatten.

Thomas ging durch den Flur, schwitzte leicht, während er verkrampft versuchte, sich den Straßennamen zu merken, das Telefon noch immer an die Brust gepresst. Er eilte in Lars' Arbeitszimmer. Eigentlich war es kein Arbeitszimmer, sondern nur ein großer Raum mit einem riesigen Bücherregal, obwohl er niemals irgendwas gelesen hatte. Der Schreibtisch war aus dazu passendem gelbem glänzendem Holz mit Flecken drauf gezimmert, Pappel war das. Thomas ging zum Schreibtisch, suchte in der obersten Schublade nach einem Stift und schrieb den Straßennamen auf einen von Lars' Merkzetteln mit Prägestempel. Dann rief er die Auskunft an und ließ sich die Telefonnummer geben für den Fall, dass er sich unterwegs verirrte.

Während er schrieb, blickte er noch einmal in die Schublade und sah einen schwarz glänzenden Gegenstand. Er griff danach. Weiches, warmes Leder. Seine Brieftasche. Er hatte seine Brieftasche immer bei sich gehabt. Thomas stellte sich vor, wie Lars genau an dieser Stelle stand, seine Füße dort, wo seine eigenen Füße jetzt waren. Er stellte sich vor, wie sein Vater in seine Tasche griff, die Brieftasche herauszog und verstaute, seine allerletzte Handlung, bevor er sich erhängte.

Thomas zog die Brieftasche heraus und klappte sie auf. Sie war vollgestopft mit großen Scheinen und Kreditkarten, das Leder weich, weil er sie in seiner Gesäßtasche getragen und sie an seiner linken Arschbacke gerieben hatte. Thomas klappte sie langsam wieder zu und schob sie sich in seine linke Tasche, nur um es mal auszuprobieren. Sie fühlte sich schwer an und zog seine Hose nach unten, aber das Gewicht hatte etwas Besonderes, es verlieh ihm etwas von Lars' Selbstsicherheit. Ganz plötzlich vermisste Thomas das.

Das Licht über ihm ging an. Moira stand an der Tür.

»Was machst du da an Daddys Schreibtisch?«

Lässig faltete Thomas den Zettel zusammen und steckte ihn in die Tasche. »Hab Donnys Nummer verschlampt und sie mir noch mal schnell aufgeschrieben. Ich hab mich morgen mit ihm in der Stadt verabredet.«

Moira verschränkte die Arme und sah ihn misstrauisch an. »Warum ist Donny denn nicht in der Schule?«

»Die haben ihn schon vor mir nach Hause geschickt. Sein Stiefvater hat Krebs.«

Sie wusste, dass das gelogen war und verengte die Augen. »Ich glaube, das war gar nicht Donny. Wieso weiß ich denn nichts davon, dass sein Stiefvater krank ist?«

Thomas räusperte sich wenig überzeugend. »Die halten das unter dem Deckel. Machen sich Sorgen wegen der Aktienkurse oder so.«

Moira dachte darüber nach und sagte: »Ich glaube dir kein Wort. Das ist eine gemeine Lüge, so was, Thomas. Krebs …«

Thomas zuckte mit den Schultern und ging um den Schreibtisch herum.

Als er an ihr vorbeiging, lächelte sie und sang ihm hinterher: »Ich glaube, da hat jemand eine kleine Freundin.«

28

Bannerman hielt sich nicht lange mit den Vernehmungen von Frankie und Joe auf, aber das war auch nicht schwer: Es gab keine Beweise, keine Zeugen, nichts Konkretes, das gegen sie sprach und zu dem er die beiden hätte befragen können. Er fischte im Trüben. Da es schon so spät war, nahm er sich für jeden zwanzig Minuten Zeit, fragte sie, wo sie in der Nacht gewesen waren, in der Sarah ermordet wurde, und wer das bestätigen konnte, was sie an dem Abend getragen, ob sie ihre Mutter bei der Arbeit besucht hatten und woher sie glaubten, dass die Emailleschale, der Eierbecher und die Uhr stammten.

Beide Jungen waren am frühen Abend zu Hause gewesen und am späteren draußen, und da niemand den genauen Todeszeitpunkt von Sarah Erroll kannte, kamen sie damit weiterhin als Täter infrage. Keiner von beiden hatte je etwas von Geld im Haus gehört.

McKechnie hatte sich nach Hause verdrückt, aber Morrow und McCarthy waren geblieben und hatten zugesehen, wie Kay zunächst neben Joe und dann neben Frankie gesessen hatte. Sie sahen, wie sie ihren Jungen zuliebe tat, als wäre sie ganz ruhig, als wäre es völlig normal, mitten in der Nacht wegen eines brutalen Mordes verhört zu werden. Ein paarmal, als die Jungs verängstigt wirkten, hatte sie denselben Satz wiederholt:

»Die wollen einfach nur feststellen, dass ihr es nicht gewesen sein könnt, damit sie denjenigen finden, der's wirklich war.«

Aber selbst auf dem körnigen Fernsehbild hoch oben an der Wand sah sie nicht so aus, als würde sie sich selbst glauben.

Joe kam sehr gut rüber. Er sah Bannerman direkt in die Augen, gab sich mit Gobby alle Mühe, wandte sich beim Antworten einige Male auch an ihn, wobei es ihm aber nicht gelang, ihn aus der Reserve zu locken.

Frankie war ein Jahr jünger, aber sehr viel unreifer. Er hatte Angst und reagierte auf die Fragen mit trotzig finsterem Blick. Mehrfach musste seine Mutter ihn auffordern zu antworten. Er hätte entgegenkommender sein können, denn er war derjenige mit einem Alibi: Er hatte den ganzen Abend über gearbeitet, zusammen mit einem dicken Kerl namens Tam Pizza ausgefahren. Sie waren immer zu zweit, weil Tam, der Schwager des Imbissbesitzers, den Job brauchte, aber zu fett war, um Treppen zu steigen, und Frankie deshalb einen Teil seines Lohns abtrat, damit dieser die Laufarbeit erledigte. Frankie verdiente zehn Pfund am Abend und bekam zum Schluss noch eine Pizza umsonst.

Am Ende der Vernehmung, als Bannerman Frankie und Kay mitteilte, dass er sie alle noch einmal würde sprechen müssen, dass sie aber vorläufig nach Hause gehen durften, war Morrow davon überzeugt, dass sie unschuldig waren. Sie wusste, wie es aussah, wenn sich Familienangehörige gegenseitig deckten: dann gab es keinen direkten Blickkontakt zwischen ihnen, die Antworten wirkten einstudiert, und oft wiederholten sich die Formulierungen. Wenn etwas abgesprochen war, musste niemand auf dem Handy nachsehen oder seine Mutter fragen, wo er oder sie an dem fraglichen Abend gewesen war.

Es war Mitternacht, als Bannerman das Band abschaltete, die Kassette herausholte und als Beweismittel sicherte. McCarthy ging, um Kay und ihre Jungen nach draußen zu führen, und ließ Morrow alleine vor dem Bildschirm sitzen.

Bannerman und Gobby standen auf und vertraten sich die Beine, zogen ihre Jacketts von den Stuhllehnen und suchten ihre Unterlagen zusammen. McCarthy wartete an der Tür, aber Kay legte ihren Arm um Frankies Schultern und ließ ihn aufstehen. »Was passiert jetzt?«, fragte sie.

Bannerman zeigte sich großherzig. »Sie dürfen nach Hause gehen.«

»Wie soll ich denn nach Hause kommen? Ich hab mein Portemonnaie auf dem Küchentisch liegen lassen.«

Frankie sah sie an. »Ich hab meine Monatskarte dabei, Mum.«

»Aber damit komme ich nicht nach Hause, oder? Und Joe auch nicht.« Sie sah Bannerman erwartungsvoll an. »Wie komme ich nach Hause?«

Sie wollte gefahren werden. Das war aber nicht drin.

Bannerman hatte sein Jackett schon übergezogen und war fast aus der Tür.

»Können Sie sich kein Taxi nehmen und bei Ankunft bezahlen?«

McCarthy berührte ihren Ellbogen, signalisierte ihr nickend, sie möge rausgehen.

»Ich wohne im achten Stock, der lässt mich doch gar nicht aus dem Taxi aussteigen.«

»Dann schicken Sie einen von den Jungs nach oben und bleiben selbst im Wagen sitzen.« Bannerman und Gobby zwängten sich an ihr vorbei, stießen sie und Frankie sachte an, bevor sie in der Dunkelheit des Gangs verschwanden.

Morrow schaltete das Autoradio aus. Morgen früh um halb sieben würde sie nach London fliegen, und eigentlich sollte sie jetzt einfach zusehen, dass sie schleunigst nach Hause kam, aber sie konnte nicht einfach an ihnen vorbeifahren. Es war eine wüste Gegend. Nackte Mauern wurden von dunklen Gassen unterbrochen und wild wucherndes Gebüsch bedeckte brachliegende Grundstücke. Kein guter Ort, um nachts spazieren zu gehen. Dann sah sie die drei, Kay in der Mitte, ein Junge auf jeder Seite. Sie liefen die dunkle Straße entlang. Kay ließ Kopf und Schultern hängen, und Joe stupste seine Mum an, machte einen Witz. Sie nahmen den direkten Weg, sechseinhalb Kilometer bis Castlemilk. Kay hatte kein Geld für ein Taxi.

Morrow fuhr seitlich vor ihnen ran und zog die Handbremse. Sie schloss die Augen, um sich einen Moment zu sammeln. Es würde nicht schön werden.

Als sie die Augen wieder aufmachte, sah sie Joe, der sie durch die Scheibe betrachtete, die Stirn in Falten gelegt. Sie nickte Richtung Rücksitz. Er richtete sich auf und beriet sich flüsternd mit seiner Mutter. Kay beugte sich herunter, funkelte sie böse an, wütend und mit feuchten Augen, dann richtete sie sich wieder auf. Sie sagte etwas zu den Jungen.

Frankie machte die Beifahrertür auf und beugte sich in den Wagen. »Was wollen Sie?«

»Ich fahr euch.«

Er knallte die Tür wieder zu, aber sie gingen nicht weiter, sie flüsterten. Morrow sah, wie sich Kay den Riemen ihrer Handtasche auf ihrer Schulter zurechtrückte.

Die Hintertür ging auf, und zuerst stieg Joe ein, rutschte zur anderen Seite rüber, dann Kay, dann Frankie. Er machte die Tür zu, und alle schnallten sich an, suchten und fanden die Gurte, obwohl sie ziemlich dicht aneinandergedrängt saßen.

Niemand sagte etwas, bevor sie nach Rutherglen kamen. Morrow fürchtete sich davor, in den Spiegel zu gucken. Gerne hätte sie das Radio eingeschaltet, hatte aber Angst, es würde ein fröhliches Lied spielen und sie noch gefühlloser wirken lassen.

Endlich platzte es aus Joe heraus: »Das ist nett von Ihnen.«

Kay flüsterte: »Halt die Klappe.«

»Aber das ist es, Mum, das ist sehr anständig von ihr.«

»Blöde Kuh.« Kay äußerte sich nicht genauer darüber, welche Person im Wagen sie für eine blöde Kuh hielt, aber das war auch nicht nötig.

Die Fahrt kam ihr wahnsinnig lang vor. Irgendwann weinte Kay, schniefte, bemühte sich aber, dabei bloß nicht zu laut zu werden. Aus Gewohnheit blickte Morrow in den Spiegel und sah Frankie seiner Mum den Arm um die Schultern legen. Morrow sah weg. Sie hätte schon zu Hause sein können. Sie hätte schon längst mit Brian in ihrem warmen Bett liegen, sich alles noch mal durch den Kopf gehen lassen, sich vor sich selbst rechtfertigen und sich einreden können, dass sie doch nur ihren Job machte und um Sarahs willen nun mal schwierige Entscheidungen treffen musste.

Als sie endlich die Stufen erreichten, die von der Hauptstraße zur Hochhaussiedlung führten, sagte Kay: »Hier ist es gut«, als wäre Morrow eine Taxifahrerin.

Morrow war zu müde, um sich zu streiten, deshalb sagte sie nichts, sondern fuhr seitlich ran und hielt.

Frankie machte die Tür auf und stieg aus, noch bevor Morrow die Handbremse ziehen konnte. Kay folgte ihm. Es sah Joe nicht ähnlich, ohne ein Wort zu gehen.

»Ich finde, das war wirklich anständig von Ihnen. Danke.«

Morrow wartete nicht, bis sie im Haus waren. Sie fuhr an und lenkte den Wagen zurück auf die Straße, alles ein bisschen zu hastig.

29

Die Hände in den Taschen geballt, bog Thomas in die Tregunter Road ein und blieb stehen. Zorniger Schweiß kribbelte in seinen Handflächen. Überall große Autos, dazu große Häuser mit großen Fenstern.

Er hatte gehofft, ein Elendsviertel vorzufinden, einen jener plötzlichen atmosphärischen Umschwünge zu erleben, denen man in London so häufig begegnete, wenn man in einer vollkommen anständigen Gegend um eine Ecke bog und sich mitten in einem Dreckloch wiederfand. Aber das hier war das genaue Gegenteil davon.

Gerade noch war er eine absurd opulente halb runde Straße entlanggegangen, mit riesigen Anwesen, die Einbrecher offenbar magisch anzogen, denn die Häuser waren metallvergittert und kauerten hinter mit Alarmanlagen und Videokameras gesicherten Mauern. Von dieser Straße aus war er in die wohnlichere und menschenfreundlichere Tregunter Road eingebogen.

Die Häuser hier waren ebenfalls groß, aber es waren auch einige Doppelhäuser dabei und keines von ihnen hatte eine Garage; die meisten Vorgärten waren in Parkplätze verwandelt worden. An einem Tor hatte er sogar zwei Klingeln gesehen, was bedeutete, dass das Haus in Wohnungen unterteilt war. An den Türen hingen Briefkästen, daneben die Klingeln. Die Häuser waren öffentlich zugänglich, man konnte direkt bis an die Türen gehen. Die Leute hier lebten ein schönes, bescheidenes Leben. Sie lebte hier.

Thomas kannte die Gegend bereits. Lars war öfter mal mit ihm zum Mittagessen nach Fulham gefahren und hatte den Fahrer mindestens zwei Mal gebeten, durch diese Straße zu fahren. Die Strecke war Thomas seltsam vorgekommen. Eigentlich hatte sie nicht auf dem Weg gelegen. Er erinnerte sich daran, weil Lars ihm seine Gründe erklärt hatte, was er sonst nie tat. Er hatte gesagt, sie würden dadurch dem Verkehr auf der Fulham Road entkommen und auch den ganzen scheiß Fußgängern auf der Kings Road. Thomas erinnerte sich, die gelben Häuser betrachtet und sich gefragt zu haben, weshalb Lars sich vor ihm rechtfertigte und so seltsam spöttisch grinste.

Jetzt ergab das alles einen Sinn. Sie wohnte hier. Und der andere Thomas – Phils – wohnte hier.

Die Straße war menschenleer. Thomas ging mit schweren Schritten und verbarg sein Gesicht unter der Schirmmütze, die er an einem Marktstand draußen bei Charing Cross gekauft hatte. Während er die Umgebung nach Bewegungen und herannahenden Menschen absuchte, bemerkte er, dass auf den Grundstücken versteckte Videokameras installiert waren.

Er fand die Nummer acht.

Eine niedrige Steinmauer trennte das Grundstück von der Straße. Im Vordergarten lugte ein ausrangiertes Skateboard aus dem Gebüsch. Er vergewisserte sich noch einmal, dass es auch die richtige Hausnummer war: Ella und er hatten niemals etwas sichtbar liegen lassen dürfen.

Aber es war die Nummer acht. Eine Doppelhaushälfte, gelber Sandstein mit weiß verputzten Kanten, so wie all die anderen Häuser in der Straße auch. Ihm gefiel, dass sie alle gleich aussahen, als trügen sie Uniform. Die Vorhänge vorne waren nicht zugezogen, sondern gleichförmig und perfekt drapiert. Das hatte sie nicht selbst gemacht. Sie hatte noch Angestellte.

Ein Auto näherte sich, und Thomas eilte durch das Gartentor und die Treppe hinauf auf die geschütztere oberste Stufe.

Eine schwarze Tür mit klobigen Messingbeschlägen: ein Briefkasten, ein Spion und ein schwerer Löwenkopfklopfer. Aus dem Haus drang kein Geräusch. Er hob den Messingklopfer und schlug zweimal an die Tür.

Schritte ertönten, und dann veränderte sich das Licht im Spion. Thomas hatte angenommen, dass sie Angestellte hatte, aber es war kein Hausmädchen, das ihm die Tür öffnete.

Sie war jünger, als er erwartet hatte. Schlank mit verdächtig runden Brüsten. Sie trug weiße Jeans und einen blassgrauen Pulli. Ihr braunes Haar war zu einem Pferdeschwanz hochgebunden, und sie hatte kein Make-up aufgelegt. Er konnte sich Lars nicht mit dieser Frau vorstellen: sie wirkte nicht förmlich und auch nicht alt genug. Sie sah aus wie Sarah Erroll, nur sehr groß und hübsch.

»Hallo?« Sie erkannte ihn nicht. Als er nicht antwortete, legte sie eine Hand auf die Hüfte und stöhnte gereizt. »Kann ich helfen?« Thomas sah an ihr vorbei in den Flur. Die Decken waren hoch, der Flur elegant, ein hohes Bücherregal stand über die gesamte Länge hinweg an der Wand, aber es war unordentlich: Jacken von Kindern und Erwachsenen hingen auf Stühlen und über dem Treppengeländer, ein Telefon lag fern der Station auf den Treppenstufen, als hätte sie gerade mit jemandem gesprochen und es fallen lassen, als sie zur Tür gegangen war. Ein Becher mit angetrockneten braunen Teeresten stand daneben.

Thomas konnte kaum glauben, dass es das richtige Haus war. All diese kleinen Verstöße wären in Lars' Augen Verbrechen gewesen, entsetzliche Verbrechen. Bei ihnen zu Hause hätte ein solches Verhalten zu fürchterlichen Streitereien geführt. Lars war ein Verfechter von Anstand und Ordnung gewesen. Thomas und Ella hatten nie in den für Besucher zugänglichen Räumen spielen dürfen. Selbst in ihren eigenen Bereichen im Haus hatten sie immer sofort das Hausmädchen zum Aufräumen rufen müssen. Thomas war einmal von Lars schreiend aus dem Zimmer geschickt worden, weil er vom Brie de Meaux ein Stück quer abgeschnitten hatte; dabei war nicht einmal Besuch da gewesen. Wenn Lars hier ein anderer Mann war, dann hätte er diesen gerne kennengelernt.

Er schaute die Treppe hinauf, und plötzlich, wie aus dem Nichts, sah er Blutflecken auf weißen Jeans und ihre herunterhängende Kopfhaut vor seinen Augen. Sarah Erroll, aber nur in Einzelheiten: gerissene Haut, Haare, die auf Platzwunden klebten. Ihm wurde schlecht, und er hatte Angst.

Die Frau sah ihn an und verlor rasch das Interesse. Er spähte wieder in den Flur, überzeugt, dass er das falsche Haus erwischt hatte.

»Okay.« Sie wollte gerade die Tür schließen, als Thomas plötzlich sah, dass es ein FC-Chelsea-Becher auf den Treppenstufen war und dass die Regale aus Pappelholz gemacht waren, wie in Lars' Arbeitszimmer zu Hause. Er stellte seinen Fuß in die Tür und blockierte sie.

Die Frau betrachtete erst seinen Schuh und dann ihn. Er sah, dass sie wütend wurde, aber sie schrie nicht.

»Entschuldigung«, sagte sie scheinbar sorglos, sah ihm dabei in die Augen und griff mit dem rechten Arm hinter die Tür. »Wie heißt du?«

»Sie haben mich gestern Abend angerufen«, sagte er.

Sie legte die Stirn in Falten. Ihre Haut war erstaunlich glatt, wie Papier. Er konnte nicht schätzen, wie alt sie war – sie wirkte jung, war aber wie eine ältere Frau gekleidet und bewegte sich auch so.

»Nein, mein Kleiner«, sagte sie langsam. »Ich glaube, du bist an der falschen Adresse.«

»Aber ich bin Thomas Anderson.«

»Oh. Mein. Gott. Thomas!« Sie packte ihn am Ärmel und zog ihn in den Flur. »Tut mir ja so leid, ich hab dich nicht erkannt. Du bist größer als dein Vater. Und siehst so gut aus.«

Dann sah er, wonach sie hinter der Tür gegriffen hatte: Sie hielt einen Baseballschläger in der Hand, den sie jetzt wieder neben die Tür stellte.

»Wie bist du hergekommen? Weiß deine Mutter, dass du hier bist?«

Thomas stand still. Im Flur war es jetzt dunkel, da die Haustür zu war. Er stand still und lauschte und hörte niemanden sonst im Haus, keinen Luftzug und kein Radio irgendwo. Sie waren ganz alleine.

Sie fasste sich an die Brust, presste ihre Hand auf ihre seltsam kugelförmigen Titten. »Ich bin Theresa.«

Er sah an ihr vorbei, nickte, ließ sich Zeit, bevor er murmelte: »Scheiß Katholikin.«

Sie beugte sich vor. »Bitte?«

Er wollte es nicht noch mal sagen, also sagte er gar nichts.

»Wolltest du wissen, ob ich der römisch-katholischen Kirche angehöre?« Sie lächelte zaghaft, ein zartes, zuckendes Lächeln, als hoffte sie, es sei nur ein Scherz gewesen.

Er antwortete nicht.

»Na ja, das bin ich – Katholikin, falls du das meinst.« Sie

machte ein albernes, trauriges Gesicht und schielte. »Eine gescheiterte.«

Thomas wollte sie nicht ansehen. Er hielt den Blick gesenkt, aber sie griff nach ihm und nahm sein Kinn in die Hand, als würde sie eine Hundepfote halten, und sah ihn an, sah ihm in die Augen, betrachtete seinen Mund, seine Nase und seinen Körperbau. »Du siehst deinem Vater gar nicht ähnlich.«

Das gefiel ihm an ihr, weil er Lars tatsächlich sehr ähnlich sah, das wusste er. Er hatte auch viele hässliche Züge von ihm geerbt, die dünnen Lippen und die üppigen Augenbrauen.

»Ein bisschen schon.«

Sie verdrehte die Augen. »Vielleicht ein klitzekleines bisschen.«

»Sind deine Kinder nicht da?«

»Nein.« Sie ging durch den Flur und griff nach einem Foto: ein Junge und ein Mädchen mit nordisch-weißem Haar und sonnengebräunter Haut. Der Junge war in Thomas' Alter, aber größer, und er sah besser aus. Er lächelte nicht, aber er wirkte selbstbewusst und hatte allen Grund dazu. Wahrscheinlich kannte er Mädchen in seinem Alter, hatte Ahnung von Musik und besuchte Konzerte und so was.

Das Mädchen war älter als Ella, nicht so hübsch, aber auch nicht so sonderbar und irre. Sie standen an einem weißen Strand mit einem kristallblauen Meer hinter sich, Schulter an Schulter. Freunde.

»Ist das in Südafrika?«

»In Plett, ja.« Sie trat einen Schritt zurück, wirkte misstrauisch. »Ja. Das Haus …«

»Oh«, Thomas sah das Bild noch einmal an. »Ich war nie da … ich hatte immer Schule.«

»Ist schön da, aber ich mag Frankreich lieber.«

»Ich mag Frankreich auch.« Er klang fast normal.

Sie lächelte ihn an. »Tut mir leid, wegen des Anrufs. Ich muss sehr … unfreundlich geklungen haben.«

Er dachte daran zurück und zuckte mit den Schultern. »Schon okay.« Er sah ins Haus hinein.

»Ich hab nicht damit gerechnet, dass du wirklich kommst … ich dachte, du wärst in der Schule.«

Er zuckte zusammen. »Die haben mich da weggeholt und nach Hause geschickt.«

»Warum …?«

»Hm?«

Sie seufzte. »Warum hat er das gemacht, Thomas?«

Thomas antwortete nicht. In Wirklichkeit war er davon überzeugt, dass Lars es getan hatte, um die anderen zu ärgern, ganz besonders die Geschäftsleute, die sich gegen ihn verschworen und dafür gesorgt hatten, dass er seinen Job verlor. Das war sein Stil. Er nahm sogar den eigenen Tod in Kauf, nur um ein einzelnes Match zu gewinnen. Aber er glaubte, Theresa wollte etwas anderes hören.

Er zögerte so lange, bis sie die Lücke für ihn füllte. »Er war dem Druck einfach nicht mehr gewachsen.«

Das war eine freundliche Auslegung. Er dachte, wahrscheinlich hatte sie gar nicht so viel von Lars zu sehen bekommen. Er kaute auf seiner Wange herum, spähte ins Innere des Hauses.

»Armer, armer Mann.« Sie nickte und folgte ihrerseits seinem Blick. »Thomas, ich weiß, dass du lange auf dem Internat warst und dass man da viel schneller erwachsen wird, aber sag mir eins …« Sie sprach sehr ernst. »Bist du schon zu alt für Pfannkuchen?«

Es war ein auf holländisch getrimmtes Pfannkuchenrestaurant mit Clogs und Tulpen auf den Holztischen. Alles war orange. Sie bestellte drei Mal schwarzen Kaffee für sich und Waffeln mit Sirup für ihn. Sie wolle nichts essen, sagte sie, aber sie würde ein Eckchen von ihm probieren, wenn sie Hunger bekäme. So, wie sie die Teller mit dem Essen beäugte, die durch den Raum getragen wurden, dachte er, dass sie bestimmt sehr wohl Hunger hatte, aber Diät machte.

Seine Waffeln kamen auf einem Teller mit dem Bild einer Windmühle drauf, aber sie waren köstlich, und seit dem Frühstück war viel Zeit vergangen. Beim Essen ließ er seine Mütze tief in die Stirn gezogen, und sie trank ihre Becher Kaffee schnell hintereinander weg.

Sie übernahm das Gespräch. Sie hatte Lars vor langer Zeit auf einer Party kennengelernt. Zuerst hatte sie ihn nicht gemocht. Ständig hatte er andere verbessert und zu laut geredet, und sie fand, er habe keine Manieren und verhalte sich flegelhaft. Sie hatte gerade gehen wollen und nach einem Taxi Ausschau gehalten, als er mit seinem Wagen angehalten und ihr angeboten hatte, sie nach Hause zu fahren. Sie hätte nie gedacht, dass sie ihn noch einmal wiedersehen würde und deshalb gesagt, er solle Leine ziehen, sie würde lieber nach Hause laufen als in seinen Wagen steigen. Am nächsten Morgen hatte er ihr Blumen geschickt, und von da an jeden Tag. Es wurde schon langweilig, sagte sie, und Thomas lächelte ungläubig. Doch, wirklich! Sie hatte gar nicht mehr gewusst, wohin damit! Sie hatte damals bei ihrer Schwester gewohnt, und das ganze Haus war voller welker Rosen gewesen. Sie hatten sich auf dem Teppich festgetreten und überall Flecken gemacht. Also rief sie Lars an, um ihm zu sagen, dass er damit aufhören sollte – und dann hatte eins zum anderen geführt. Sie wirkte beschämt. Lange Zeit hatte sie gar nicht gewusst, dass er verheiratet war, das hatte sie erst erfahren, als sie schon schwanger war. Vielleicht würde Thomas das alles besser verstehen, wenn er älter wäre, manchmal machte man eben Sachen, die von außen betrachtet völlig verkehrt erscheinen, aber sie hatte niemandem wehtun wollen.

Er nickte, den Tränen nahe, und sie hielt wieder sein Kinn hoch und zwang ihn, sie anzusehen. »Du weißt doch, was ich meine, oder?«

Er antwortete nicht, zog sein Kinn aber auch nicht weg.

»Manchmal«, sagte sie sanft, »tut es gut, sich mit jemandem zu unterhalten, der nicht zum eigenen unmittelbaren Umfeld gehört.« Dann strich sie ihm mit der flachen Hand über die Wange und ließ los. Ihre Hand war warm und weiß, und er wollte sie packen, als sie sie über den Tisch zog, wollte ihr von Sarah Erroll erzählen und sie fragen, was zum Teufel er bloß tun sollte.

Aber er tat es nicht. Stattdessen fragte er sie, wie sie sich gefühlt habe, als ihr klar wurde, dass Lars verheiratet war und bereits Kinder hatte. Theresa sagte, na ja, Kinder hatte er noch keine, Moira war schwanger gewesen, so wie sie. Sie sagte, sie habe es akzeptieren und mit ihrem eigenen Leben weitermachen müssen. Aber Thomas fragte, ob sie nicht wütend gewesen sei, weil er sie in eine solche Lage gebracht hatte? Sie zuckte mit den Schultern, manche Menschen machen einen zu Komplizen und man fühlt sich mitschuldig, sagte sie, aber es ist ein Fehler zu glauben, dass sie das absichtlich tun. Es geht gar nicht um einen selbst; manche Menschen sind einfach so.

Thomas hatte inzwischen aufgegessen, und sie hatte genug Kaffee getrunken. Er zahlte die Rechnung mit dem Geld aus

Lars' Brieftasche und sah, wie sie auf das dicke Bündel frischer Scheine starrte, so wie sie die Teller mit den Pfannkuchen fixiert hatte.

Dann gingen sie spazieren. Sie nahm ihn mit zu einem Möbelladen, den sie mochte, und danach gingen sie zu einem Antiquitätengeschäft und überlegten sich, was ihnen gefiel und was nicht.

Sie nahm ihn mit auf die andere Straßenseite in ein Gartencenter, und sie redeten über Gärten und rochen an den Pflanzen. Theresas Eltern waren begeisterte Gärtner. Sie hatten einen Ziergarten, den sie schon seit Jahren der Öffentlichkeit zugänglich gemacht hatten. Theresa meinte, sie selbst sei so ein schlechter Gärtner, bei ihr würde sogar Pfefferminze eingehen. Er wusste nicht genau, was sie damit meinte, aber er lachte trotzdem, weil sie lachte. Das war schön, als wären sie Freunde. Wenn sie seine Mutter gewesen wäre, hätte alles anders sein können. Vielleicht wäre er ruhig und cool und würde Skateboard fahren. Vielleicht hätte er Hobbies und wäre selbstbewusster im Umgang mit Mädchen.

Allmählich hatte er das Gefühl, dass sie genug von ihm hatte. Sie hatten fast anderthalb Stunden miteinander verbracht, und jetzt sah er, wie sie heimlich hinter den Bonsais auf die Uhr sah.

Weil er nicht länger bleiben wollte, als er willkommen war, ging er zu ihr, und sagte, er würde sich bald verabschieden müssen, er könne sie aber nach Hause bringen, und sie sagte, ja, das wäre schön und sehr charmant von ihm.

Auf dem Heimweg schob sie ihren Arm durch seinen und hakte sich bei ihm unter.

30

Das Walnut lag in einer kurvenreichen Straße zwischen riesigen Hochhäusern in der City of London, in der es keine Schaufenster, sondern ausschließlich Büros gab. Von der Straße wirkte der exklusive Club eher unscheinbar: ein kleines Schild an der Wand mit einer eingravierten Walnuss und eine Klingel. Sie stiegen eine düstere Treppe hinauf und traten durch eine Tür, die von einem Bodybuilder in einem adretten schwarzen Anzug bewacht wurde. Sein Akzent war gewählt, sein Auftreten bestimmt, aber gleichzeitig zuvorkommend.

Er überprüfte ihre Dienstausweise, rief kurz durch, um sich zu vergewissern, dass Howard Frederick sie erwartete, und ließ sie anschließend mit theatralischer Geste durch die samtbeschlagene Tür eintreten.

Der Club war winzig für eine öffentliche Kneipe, eigentlich war es einfach nur ein kleiner Raum. An der Wand standen drei halb runde, mit schwarzem Samt gepolsterte Sitzbänke, wie in einer fortlaufenden Welle miteinander verbunden. Alle Wände waren aus dunkelgetöntem Glas, wodurch der praktisch leere Raum ausgefüllt und warm wirkte. Ein kleiner Mann mit massivem Bauch saß auf der Bank ganz hinten, sein Arm ruhte auf der Rücklehne, und er lauschte gelangweilt einer sehr hübschen jungen Frau, die Weißwein trank und mit ihm plauderte. Vor jeder Bank stand ein niedriges Tischchen mit Milchglasplatte, die indirekt von unten beleuchtet wurde und in die jeweils eine Vertiefung für einen Champagnerkübel eingelassen war. Den Tischen zugewandt war eine kurze, gut bestückte Bar, ebenfalls mit viel Glas, ebenfalls indirekt beleuchtet, was die Frau, die dort bediente, in warmes Licht tauchte.

Sie war sehr korrekt gekleidet, trug eine weiße Bluse und eine schwarze Schürze, ihr blondes Haar hatte sie zu einem Pferdeschwanz gebunden. Morrow fand, dass sie Sarah ein bisschen ähnlich sah: schmales Gesicht, schlank, wenig Make-up. Sie lächelte die beiden Beamten an, staunte über Morrows und Wilders Anblick mit ihren schlechten Anzügen und provinziellen Haarschnitten, verbarg aber ihre Verwunderung und trat zur Begrüßung näher an die Bar heran, wo sie die Hände mit geöffneten Handflächen auf den Tresen legte.

Howard Fredrick kam aus dem Hinterzimmer gerauscht und fing Morrow und Wilder ab. Er schüttelte beiden überschwänglich die Hände, sah ihnen demonstrativ direkt in die Augen und neigte seinen Kopf, als wollte er sich unbedingt ihre Namen merken oder als hätte er schon ewig darauf gewartet, sie endlich kennenzulernen. Er winkte sie zu einer Tür seitlich der Bar und führte sie in sein Büro.

Es war ein hübsches Büro. Fast genauso groß wie die Bar selbst, mit zwei lang gestreckten Fenstern zur Straße hin, einem wunderschönen Schreibtisch aus Walnussholz und einem dazu passenden Stuhl, einem kleinen Safe und einigen Aktenschränken. Er hatte sie erwartet: Sarah Errolls Angestelltenakte lag neben einem Glas Wasser auf dem Tisch.

Er bot ihnen nichts zu trinken an, keinen Tee und auch sonst nichts, sondern dirigierte sie zu den beiden Stühlen, die vor seinem Schreibtisch standen und setzte sich selbst auf seinen Platz dahinter.

»Vielen Dank, dass Sie gekommen sind«, sagte er, möglicherweise aus Gewohnheit. »Sie interessieren sich für Sarah Erroll?«

»Ja«, sagte Morrow und fühlte sich in der Defensive, ohne recht zu wissen, wie sie das Ruder an sich reißen sollte und ob das überhaupt nötig war. »Sie hat hier gearbeitet?«

»Ich habe ihre Unterlagen da.« Er klappte die Mappe auf. »Sie hat sieben Monate hier gearbeitet, dann ist sie wieder nach Schottland gezogen, weil ihre Mutter krank wurde …«

»Wie viele Stunden die Woche war sie hier?«

Er sah in den Unterlagen nach. »Fünf Schichten die Woche, jeweils ungefähr sieben oder acht Stunden.«

»Welche Schichten hat sie übernommen?«

»Von acht bis zwei.« Fredrick sah Wilder an. »Wir haben eine Lizenz bis vier, haben aber selten so lange geöffnet.«

Wilder nickte, als seien sie deshalb gekommen und jetzt zufrieden.

»Sind Sie häufig selbst hier?«, fragte Morrow.

»Jede Minute des Tages.« Er lächelte, ein hohles Lächeln. Morrow hatte nicht das Gefühl, an seinen vorbereiteten Aussagen vorbeizukommen.

»Haben Sie sie gefickt?«

»Nein.« Die Frage warf ihn keineswegs aus der Bahn. »Ich ficke nicht mit meinen Angestellten.«

»Mit wem war sie sonst intim?«

Fredrick lehnte sich zurück, verschränkte die Hände vor dem Bauch und sah sie an. Morrow sah zurück. Er hatte die Haare schwarz gefärbt, möglicherweise um graue Ansätze zu überdecken, aber irgendwie stand es ihm. Seine Haut war recht dunkel, aber er stammte definitiv aus London, sein Akzent klang gerade genug nach Arbeiterklasse, um echt zu sein, aber nicht zu sehr nach Arbeiterklasse, wie bei denen, die sich diese Art zu sprechen antrainiert hatten. Für einen Mann jenseits der vierzig wirkte er fit, nicht dürr wie ein Raucher oder klapprig wie einer, der zu viel kokste, sondern muskulös und fit. Sie nahm an, er verbrachte einen Gutteil seiner Zeit im Fitnesscenter.

Fredrick verzog verächtlich den Mund, als er die Aktenmappe vor sich berührte. »Über solche Dinge führe ich normalerweise nicht Buch.«

»Könnten Sie es uns vielleicht aus dem Kopf sagen?«

»Nein«, sagte er, und sie hatte das Gefühl, dass er die Wahrheit sagte. »Ich betreibe diese Bar jetzt seit neun Jahren, wir stellen immer Mädchen ein, die alle mehr oder weniger genauso aussehen und, um ehrlich zu sein, nach einer Zeit verliert man den Überblick. Ich erinnere mich kaum an sie.«

Dabei beließ er es. Er verschränkte die Hände über seinem flachen Bauch und hob die Augenbrauen in Erwartung der nächsten Frage.

»Haben Sie eine Versichertennummer von ihr?«

»Sie hat behauptet, sie sei Studentin.« Er schob ihnen eine auf einen Zettel gekritzelte Nummer über den Tisch. »Das ist die Immatrikulationsnummer, die sie uns gegeben hat. UCL. Überprüfen Sie die ruhig.«

Sie hörte heraus, was er ihr mitzuteilen versuchte. »Das heißt, sie ist falsch?«

»Ja, ich hab heute Morgen bei der Uni angerufen, und es hat sich herausgestellt, dass jemand anders unter der Nummer eingetragen ist.«

»War Sarah mit einem der Mädchen befreundet?«

Er zuckte mit den Schultern und betrachtete die Akte. »Sie bekam den Job durch ihre Freundin Maggie, sie kannten einander aus der Schule.«

»Wie können wir Kontakt zu Maggie aufnehmen?«

»Sie steht gerade hinter der Bar.«

»Sie arbeitet noch hier?«

»Nicht *noch,* sondern wieder.«

»Und wo war sie zwischendurch?«

Er bohrte sich die Zunge in die Wange und guckte amüsiert. »Sie hat geheiratet. Einen Kerl, den sie hier kennengelernt hat. Hat sich aber als Vollidiot entpuppt. Also ist sie zurückgekommen. Vorübergehend.«

»Woher wissen Sie, dass es nur vorübergehend ist?«

Fredrick sah sie an, zum ersten Mal richtig. Er hielt inne, überlegte, das spürte sie, ob es klug war, frei von der Leber weg zu sprechen. »Um ehrlich zu sein, mir gefällt es nicht, wenn die Mädchen zu lange hierbleiben.« Er winkte unbestimmt mit der Hand. »Dadurch wird das Ganze irgendwie … schal.«

»Fangen die Mädchen an sich zu langweilen? Leidet die Arbeit darunter?«

»Nein, die Kunden langweilen sich. Sie wissen doch, wie Mädchen sind, wenn sie Tag für Tag in einem Raum zusammen sind, am Anfang halten sie noch die Klappe, aber dann fangen sie an zu quatschen, und plötzlich dreht sich alles nur noch um sie.«

»Worüber reden sie denn?«

»Ihre Probleme, ihre Freunde, ihre Familie, wen interessiert das schon?« Fredrick ganz offensichtlich nicht. Er wirkte schon bei der Aufzählung dieser Dinge gelangweilt. »Die Männer hier wollen was trinken und abschalten, viele haben Ehefrauen zu Hause, sie wollen sich hier nicht auch noch so einen Scheiß anhören müssen.«

»Was wollen sie hier stattdessen?«

»Trinken, ein bisschen Glamour und sich verwöhnen lassen.« Er streckte die Brust raus. »Wir sind eher ein Privatclub als eine Bar. Man kommt nur durch eine Empfehlung rein.«

»Gehörte Lars Anderson zu den Gästen?«

Die Frage ließ ihn erstarren. Er betrachtete Morrow und Wilder erneut, ihre Klamotten, ihre Schuhe, ihre rotgeränderten Augen. Dann blickte er zur Tür. »Rocco hat Ihre Ausweise geprüft, nicht wahr?«

»Der Türsteher?«, fragte Morrow.

»Ja.«

»Ja, das hat er.«

Er schnippte mit den Fingern. »Darf ich sie noch mal sehen?«

Sie zeigten ihm ihre Dienstausweise, und er überprüfte die Fotos, bat sie, die Karten aus den Brieftaschen zu nehmen, und betrachtete anschließend auch deren Rückseiten, versuchte Wilders zu biegen, um zu sehen, ob sie aus widerstandsfähigem Plastik war. Dann gab er sie zurück, wirkte zufrieden mit sich. »Wissen Sie, woher ich weiß, dass Sie keine Journalisten sind?«, fragte er und wartete auf eine Antwort. »Nein, Mr Fredrick«, sagte Morrow mit brennenden Augen und allmählich ungehalten, »woher wissen Sie, dass wir keine Journalisten sind?«

»Weil Sie das Sagen haben«. Er lächelte. »Wissen Sie, eine Frau. Noch dazu schwanger. Eine schwangere Frau.«

Er lehnte sich zurück, sehr zufrieden mit seiner Schlussfolgerung, wobei es ihr scheißegal war, dass sie keine Journalistin war, weil sie eine Frau oder sogar eine schwangere Frau war. Fredrick war Inhaber eines Clubs, dem viele Leute angehören wollten, und er verbrachte viel Zeit damit, in Gesellschaft zu trinken. Beides hatte offensichtlich dazu geführt, dass er sich irrtümlich für interessant hielt.

»Lars Anderson war häufig hier, nicht wahr?«, fragte Morrow und kündigte mit ihrem Tonfall an, dass sie allmählich ungeduldig wurde.

»Ja.«

Morrow sah ihn an. Er sah sie an. Sie hätte ihm auch in allen Einzelheiten aufführen können, wie ihr Tag bislang verlaufen war, dass sie um fünf Uhr aufgestanden war, um den Flug um halb sieben zu erwischen, dass ihr schlecht war, dass Wilder beinahe das Flugzeug verpasst hätte, weil er auf die Toilette musste, dass ihr die Hitze in der U-Bahn auf der Fahrt in die Innenstadt, der Lärm und das Chaos der Londoner Rush Hour zugesetzt hatten, alles nur um hier anzukommen und behandelt zu werden, als sei man von der Putztruppe. Sie hätte Fredrick erklären können, warum er ihr lieber sagen sollte, was er wusste, und welche Konsequenzen auf ihn zukamen, wenn er es nicht tat, aber schon der bloße Gedanke an einen solchen Vortrag ödete sie an. Also lehnte sie sich zurück.

»Verfluchte Scheiße«, murmelte sie und schüttelte den Kopf. »Spucken Sie's aus.« Das gefiel Fredrick, er lächelte. »Er und Sarah?«

Morrow nickte entschieden. »Sarah und er.«

»Die haben sich gut verstanden. Hab gesehen, dass er sie ein paarmal nach der Arbeit mit dem Wagen abgeholt hat.«

»Hat sie was darüber erzählt?«

»Nein. Das hätte sie nicht getan. Diskret. Nettes Mädchen.« Er nickte anerkennend.

»Haben Sie mal gesehen, dass sie von jemand anderem im Wagen abgeholt wurde?«

Er zog eine Schnute, dachte darüber nach. »Nein. Während ihrer Zeit bei uns hat sie bestimmt nicht als Escort gearbeitet.« Er versuchte Morrows Gesichtsausdruck zu deuten. »Sie wussten, dass sie als Escort-Mädchen unterwegs war?«

»Ja.«

»Als es damit richtig losging, hat sie hier aufgehört.«

»Woher wissen Sie das?«

Er klappte die Mappe zu. »Das war der Grund, warum sie gekündigt hat. Sie hat mit einem anderen Mädchen zusammengearbeitet, Nadia. Ich wusste, was sie wollte. Ich hab gesagt, hier nicht, Sarah, das geht nicht. Wenn du das machen willst, dann woanders, zieh Leine. Und das hat sie gemacht.«

»Wer ist Nadia?«

Er sah an ihnen vorbei zur Tür, zog erneut eine Schnute. »Ich ruf sie rein, wenn Sie möchten.«

»Warum sollten Sie?«, fragte Morrow, nur weil sie es wissen wollte.

Fredrick zuckte mit den Schultern. »Ich helfe der Polizei immer gerne, wenn ich kann«, sagte er, sah sie dabei aber nicht an.

Maggie, die Vorübergehend-hinter-die-Bar-Zurückgekehrte, schien Sarah Errolls Tod nicht übermäßig betroffen zu machen. Morrow fragte sich, ob sie begriffen hatte, dass ihre Freundin ermordet worden war, vielleicht hatte sie nur keine Zeitung gelesen, aber als sie ihr ein paar Fragen stellten, wurde schnell klar, dass Maggie durchaus Bescheid wusste. Sie sagte, was man so sagt: Das ist schrecklich, wie entsetzlich, aber ihr Gesichtsausdruck blieb leer und teilnahmslos.

Maggie hatte ihren Job gekündigt, um einen Geschäftsmann zu heiraten, den sie hier in der Bar kennengelernt hatte. Sie hatten eine Party auf einem Boot gefeiert und alle Walnut-Mädchen eingeladen. Er war zwei Jahre jünger als sie und schon Millionär. Sie hatte wirklich geglaubt, er würde es schaffen. Aber dann kam der Börsencrash, und er war ganz schlecht damit umgegangen, hatte den Absprung nicht geschafft, und jetzt hatte er nichts mehr, minus nichts, weil er auch mit seinem eigenen Geld gehandelt hatte. Sie war froh, dass sie ihren alten Job wiederbekommen hatte; Howard war ein guter Freund. Anscheinend hatte sie keine Ahnung, dass sie nur vorübergehend wieder eingestellt worden war.

Morrow fragte, wie sie Sarah kennengelernt hatte.

»Wir waren zusammen auf der Schule, ich war ein paar Jahre älter als sie. Hab sie bei meiner Schwester getroffen. Sie brauchte einen Job, sah ganz gut aus, und ich wusste, dass Howard noch Mädchen suchte. Also hab ich sie mitgebracht und ihr ein Bewerbungsgespräch besorgt. Sie hat noch am selben Abend angefangen.«

»Was war sie für eine Person?«

Maggie blickte ausdruckslos. »Nett, ruhig, fleißig, hilfsbereit …«

»Wie war sie in der Schule?«

»Still.« Sie korrigierte sich. »Eigentlich hab ich sie gar nicht gekannt, sie müssten sich mit meiner Schwester unterhalten.«

»Können Sie mir ihre Nummer geben?«

Maggie musste ihr Handy aus der Tasche fischen, um sie zu suchen. Nachdem Morrow die Nummer in ihr Notizbuch geschrieben hatte, sah sie wieder auf und merkte, dass Maggie hinten an die Wand des Büros blickte – Licht fiel seitlich auf ihre Wangenknochen. Sie hatte Lachfältchen und Falten auf der Stirn, aber die wirkten, als wären sie außer Betrieb, wie Spuren eines Gesichtsausdrucks, den sie wahrscheinlich niemals wieder aufsetzen würde. Plötzlich dämmerte es Morrow: Maggies Gesicht war gelähmt. Sie war keine eiskalte Schlampe: Sie hatte sich nur das Gesicht mit Botox vollgepumpt.

»Wie alt sind Sie?«, fragte sie.

Langsam zog Maggie die Schultern an die Ohren. »Siebenundzwanzig.«

»Noch sehr jung«, stellte Morrow entschieden fest und fragte sich, weshalb sie Maggie unbedingt vor sich selbst schützen wollte.

Tief in Maggies Blick glaubte sie einen Anflug von Verachtung zu erkennen. »Nicht wirklich«, entgegnete die junge Frau.

Fredrick war wütend auf Nadia, sehr wütend. Er schubste sie vor sich her in sein Büro, zog die Oberlippe verächtlich hoch, zeigte auf seinen Schreibtischstuhl und befahl ihr, sich zu setzen. Nadia ließ sich von ihm herumkommandieren, als wäre es ein erotisches Rollenspiel. Sie sah aus, als könnte sie ihn kaufen und verkaufen. Ihr Mantel war aus blondem Mohair, knöchellang, ihr Schmuck sparsam: Halskette und dazu passende Ohrringe aus strukturiertem Gelbgold. Ihr dunkler Teint war makellos und ihre Haare schwarz und dunkelbraun, nicht billig oder wie eine Perücke, so wie Jackie Hunters Haare, sondern dick und kräftig.

Als sie sich hinsetzte, schlug ihr Mantel auf und entblößte perfekte braune Knie, perfekte Beine und ein rotes Wollkleid. Sie lächelte Fredrick vorwurfsvoll an.

»Sind Sie Nadia?«, fragte Morrow und hatte das Gefühl, in ihren Augen sehr schlicht zu wirken.

Nadia wandte sich mit einem geübten Lächeln den beiden Polizisten zu. »Ich bin Nadia, ja. Howard hat mir gesagt, dass Sie mit mir über Sarah und ihre Geschäfte sprechen wollen?«

»Hmm, haben Sie Sarah gekannt?«

Nadia sah Fredrick ratsuchend an, und er blickte mürrisch zurück. »Nein, ich fürchte, Howard hat sich leider geirrt, ich kannte Sarah gar nicht.« Ihr Akzent klang nach Nahost oder Brasilien, Morrow war nicht sicher.

»Er hat behauptet, Sie hätten sie gekannt.«

Nadia sah ihn an, ein Lächeln spielte hinter ihren Augen.

»Hör verdammt noch mal auf«, sagte er. »Sie ist verflucht noch eins tot. Die wollen was von dir wissen.«

Nadia gab flirtend klein bei. »Okay, Howard, dann sage ich die Wahrheit: Ich hab sie gekannt, sie war eine Freundin von mir, okay?«

»Wie haben Sie sie kennengelernt?«

Sie winkte mit der Hand über die Schulter. »Bei einer Party. Sie hat Drinks serviert, Howard gibt den Mädchen manchmal Extrajobs …«

Sie sahen ihn an, damit er das bestätigte, aber er starrte Nadia nur böse an. »Wir sind uns begegnet, haben geredet. Sie war hübsch und knapp bei Kasse, und ich hab zu ihr gesagt, du kannst ins Geschäft einsteigen, ganz legal, übers Internet, niemand weiß, was du machst, alles privat. *Nur zum Spaß.*« Sie betonte den letzten Satz, als müsse sie sich vor Gericht verteidigen.

»Wie hat sie auf den Vorschlag reagiert?«

Nadia sah wieder Fredrick an. »Sie hat sich sehr gefreut …«

»Nein, hat sie nicht«, sagte Fredrick rundheraus. »Sie war fix und fertig.«

»Hat sie mit Ihnen darüber geredet?«, fragte Morrow.

Aber Fredrick sah Morrow nicht einmal an. »Nadia fällt es schwer, Fantasie und Wirklichkeit zu trennen. Das ist ein großes Problem.« Die junge Frau lächelte zuckersüß über den Schreibtisch hinweg. »Sie weiß selbst nicht mehr, ob sie lügt oder nicht.«

Nadja warf ihm einen Blick zu, alt und wissend, und Morrow begriff, dass Nadia mit Fredrick spielte und gewonnen hatte.

»Könnten wir bitte alleine mit Nadia sprechen?«

Das gefiel ihm nicht. Er überlegte, wie er das verhindern konnte, und stieß sich dann mit den Schultern von der Wand ab, stakste zur Tür, drehte sich um, wollte noch etwas sagen, überlegte es sich dann aber anders, öffnete die Tür und ging hinaus. Die Tür fiel zu.

Nadia zog einen Schmollmund, Fredricks Geste von vorher klang darin an.

»Er ist sehr emotional …«

»Ja, ja«, unterbrach Morrow. »Nadia, mir ist scheißegal, was da zwischen Ihnen beiden läuft, und mir ist genauso scheißegal, wie Sie Ihren Lebensunterhalt verdienen, klar?«

Nadia musterte sie, nahm ihren billigen Anzug und ihren schwangeren Bauch wahr, sah ihr ordentlich gekämmtes Haar und wusste, dass sie beide zu gegensätzlich waren, als dass hier irgendeine Gefahr bestand. Sie nickte leicht.

»Ich will zwei Dinge wissen: Wie hat sie damit angefangen und was hat ihr Lars Anderson bedeutet. Kapiert?«

Nadia zupfte ihr Kleid zurecht. »Lars war ein Freund von ihr, ein Gentleman und Freund.«

»Ein Kunde?«

Schulterzuckend signalisierte sie ein Ja.

»War er gut zu ihr?«

Sie riss die Augen auf. »Sehr gut.«

»Nein, ich frage nicht, ob er sie gut bezahlt hat oder ob er ihr Geschenke gemacht hat, ich meine, ob er gut zu ihr war?«

Sie zuckte wieder mit den Schultern, diesmal im Zwiespalt. »Er war ein reicher Mann, nicht besonders gut, aber auch nicht besonders schlecht. Sie kennen doch die Männer … wissen, wie die sind …«

»Misandrie«, sagte Morrow.

»Miss wer?«

»Misandrie. Das Gegenteil von Misogynie. Blinde Voreingenommenheit gegenüber Männern aufgrund ihres Geschlechts. So was ist nicht gesund, Nadia. Damit sind unglückliche Beziehungen vorprogrammiert.«

»Oh«, sagte sie höflich. »Das ist interessant. Ich kannte das Wort nicht.«

»Das sind die Langzeitschäden, die Ihr Beruf mit sich bringt, nicht wahr?«

Sie schüttelte den Kopf. »Ich weiß nicht …«

Morrow beugte sich zu ihr. »Werden Sie jemals wieder einem Mann vertrauen?«

Nadia merkte, dass Morrow sie ein kleines bisschen verstand. »Na ja, wissen Sie, man gerät da hinein wegen des Geldes …«

Morrow lehnte sich zurück. »Bergarbeiter kriegen eine Staublunge.«

Sie lächelten einander einen Augenblick lang an.

»Vielleicht sind Sie weniger beschädigt als ich: Ich bin Polizistin, wir vertrauen Frauen nicht.«

Nadia lächelte, dachte darüber nach und lachte kurz schnaubend auf. »Sogar Mädchen, die so was nicht machen … Ist ja nicht jeder für die Ehe geschaffen. Vielleicht bin ich einsam, aber wenigstens bin ich einsam und *reich.*«

»Wie war Sarah?«

»Nettes Mädchen. Erst wollte sie's nicht machen. Es war ihre Entscheidung, aber sie brauchte das Geld dringend. Ihre Mutter war krank, und sie konnte sich die Pflege nicht leisten. Sie hat mich gefragt, wie man anfängt. Ich hab's ihr gesagt.«

»Was haben Sie ihr gesagt?«

Bedauern flackerte um ihre Lippen auf. »Ich hab sie zu einer Party eingeladen, mit Partymädchen. Sie hat mit ein paar Kerlen gevögelt. So ist sie eingestiegen.«

»Hat sie das sehr mitgenommen? Fredrick meinte, sie sei fix und fertig gewesen.«

»Sie war nicht gerade glücklich darüber, aber es war ja keine Vergewaltigung. Sie hat nicht geheult. Sie hatte hinterher die Schnauze voll, aber wir haben alle hinterher erst mal die Schnauze voll, so ist das immer am Anfang. Ist ein harter Job. Deshalb will ihn ja auch nicht jede machen. Manchmal ist es schwer. Ein einsamer Job. Und er geht einem unter die Haut.« Sie sah Morrow an. »Miss Antrie?«

»Misandrie«, korrigierte Morrow. »Ist sie danach noch zur Arbeit erschienen?«

»Ein paar Schichten hat sie noch gemacht. Dann hat sie mit Howard drüber gesprochen. Der war total sauer auf mich. Hat mir gesagt, ich soll mich zum Teufel scheren, von seiner Bar fernhalten. Das ist wirklich albern, weil ich sie gar nicht hier kennengelernt hab, ich hab sie auf 'ner Party kennengelernt, aber er hat gesagt, keine Partys mehr mit den Mädchen, er könnte ja nicht wissen, wem die da begegnen und so.« Sie blickte zur Tür. »Er hält sie für so was wie Rassepferde, so wie er sie behandelt.«

»Seine Angestellten?«

»Nein, es ist nur ... dass ihm nicht gefällt, wie ich mein Geld verdiene.« Sie fasste sich ins Haar, eine Geste, die ihrer Beruhigung diente, und Morrow merkte, dass es ihr nicht egal war, was er von ihr dachte.

»Howard und Sie ...?«

Nadia runzelte kurz die Stirn und nickte über die eigene Schulter hinweg. »Wir standen uns mal eine Zeit lang sehr nah.«

»Er ist sehr wütend auf Sie.«

Sie sah zur Tür, um sich zu vergewissern, dass sie geschlossen war. »Die können mit mir ficken«, fauchte sie, das Gesicht hart und wütend, »aber deshalb gehöre ich ihnen noch lange nicht.« Sie lehnte sich zurück, lächelte Wilder an und fiel wieder in ihre Partypersönlichkeit zurück. »Ich mach die Kerle nun mal verrückt.«

Die Straßen in der Londoner City waren so menschenleer wie in Glasgow, wenn Celtic Glasgow gegen die Glasgow Rangers spielte. Einige wenige Touristen mit bunten Straßenkarten machten Schnappschüsse und filmten mit ihren Handys. Der spärliche Verkehr bestand hauptsächlich aus Bussen und Taxen.

Morrow war froh, wieder nach Heathrow fahren und in der Abflugslounge mit den anderen Leuten aus Glasgow sitzen zu können, die mit Sonnenbrand und Sommerklamotten Fremde anquatschten und mit offenen Mündern lachten, skeptisch beäugt von der Cabin Crew in ihren adretten Uniformen.

Wilder saß neben ihr und las mit feierlicher Miene eine Boulevardzeitung, als wäre es die Bibel, während sie sich Sarah Erroll auf einer Party vorstellte, wie sie auf dem Rücken lag und an ihre Mum und das Geld dachte, und wie ein rotgesichtiger Geschäftsmann über sie drüberrutschte. Es war ein schicksalhafter Zufall gewesen: Sarah hatte Geld gebraucht, war zufällig Nadia begegnet und hatte festgestellt, dass sie fertigbrachte, was von ihr verlangt wurde. Sie hätte genauso gut auch einen Börsenmakler kennengelernt und gemerkt haben können, dass sie für dessen Gewerbe Talent besaß.

31

Kay rüttelte an dem Schlüssel, aber es ging nicht. Sie steckte ihn ins Schloss, zog ihn wieder raus und pustete drauf. Das war noch nie passiert: Der Schlüssel steckte, ließ sich aber nicht drehen. Am liebsten hätte sie die Tür eingetreten, dagegen geschlagen, sie mit der Schulter aufgebrochen.

Sie atmete tief durch und ermahnte sich selbst, Ruhe zu bewahren. Die vorangegangene Nacht steckte ihr noch in den Knochen. Als sie endlich wieder zu Hause angekommen waren, hatte sie Marie und John bei ihrer Nachbarin abgeholt und direkt ins Bett geschickt. Dann hatte sie bis fünf Uhr morgens rauchend vor dem Fernseher gesessen. Sie wusste, dass ihre Kinder wach im Bett lagen und in die Dunkelheit blinzelten. Als sie um zehn vor vier auf die Toilette ging, hörte sie Joe und Frankie miteinander flüstern. Sie rauchte und trank Kräutertee, schämte sich zu sehr, um ins Bett zu gehen, dachte über ihre Familie nach und welchen Eindruck sie bei der Polizei gemacht haben mussten.

Sie wusste, dass man ihnen ihre Herkunft aus der Arbeiterklasse ansah; sie selbst wirkte manchmal ein bisschen zerzaust, aber sie hatte immer geglaubt, sie würden aussehen wie anständige Leute. Vielleicht stimmte das gar nicht. Vielleicht wirkten sie missgünstig und ordinär. Möglicherweise sah sie wirklich aus, als wäre sie zwischen fünfundvierzig und sechzig, Frankie war irgendwie verschroben und John ein künftiger Vergewaltiger. War Marie am Ende fett und Joe ein Schleimscheißer? Sie hatte nie zuvor an ihren Kindern gezweifelt. Diese Gedanken machten sie krank.

Um sich selbst zu beweisen, wie anständig sie war, stand sie nach nur drei Stunden Schlaf auf, weckte alle, machte Frühstück und schickte sie in sauberen, gebügelten Klamotten in die Schule. Dann zog sie sich selbst an, bürstete sich die Haare und nahm den Bus nach Thorntonhall. Sie stieg die Treppe hinauf aufs Oberdeck, lehnte den Kopf an die vibrierende Scheibe und schwor sich, Margery zuzuhören, ohne die Ereignisse der vorangegangenen Nacht zu erwähnen. Sie würde Margerys Hand tätscheln und ihr sagen, dass sie sich keine Sorgen zu machen brauchte. Sie würde sich selbst vergessen, ihre Arbeit gut und würdig verrichten.

Aber jetzt passte Margerys Schlüssel nicht. Als sie die Augen wieder öffnete, hatte sie mehrmals tief durchgeatmet, sich ein kleines bisschen entspannt und umgedreht, sodass sie jetzt auf die Glastüren der Küche blickte.

Margery beobachtete sie. Die Arme verschränkt. Sie trug ihre gelbe Hose, die teure, die sie hinterher bereut hatte gekauft zu haben, die sie aber liebte. Sie trug sie selten, hob sie für besondere Anlässe auf. Bananengelb mit ausgestellten Beinen, schon seit dreißig Jahren war so was nicht mehr modern.

Kay hob die Hand, winkte starr, aber Margery rührte sich nicht. Sie stand perfekt eingerahmt hinter der Tür, sah sie direkt an. Kay wartete darauf, dass sie eine Geste Richtung Haustür machen oder die Küchentür für sie öffnen würde. Stattdessen löste Margery ihre Arme und zeigte auf das Gartentor.

Kay drehte sich um. Das Tor war geschlossen, sie hatte es ordentlich zugemacht. Trotzdem blieb Margery stocksteif stehen, zeigte darauf und formte lautlos mit dem Mund das Wort »Geh«.

Irgendjemand war bei ihr da drin.

Kay ließ ihre Plastiktüte auf den Kiesweg fallen, eilte zur Fenstertür und rüttelte am Griff, zog, obwohl sie hätte drücken müssen, und versuchte sie aufzumachen. Als sie ihren Fehler bemerkte, drehte sie den Griff und stieß die Tür mit viel zu viel Schwung auf, sodass sie drinnen gegen die Arbeitsplatte knallte.

Margery wich zurück, hielt sich an der Spüle fest. »Raus hier!«

»Wer ist hier?«

Kay ging ins Wohnzimmer.

»Niemand.«

Sie blieb stehen. Lauschte. Sie kannte die Geräusche des Hauses, und außer Margery war niemand da.

»Raus hier.«

Kay schwitzte, keuchte, fühlte sich Margery gegenüber, die kühl an der Spüle lehnte, verletzlich. »Warum?«

Als handelte es sich um eine Angelegenheit, die keinerlei Aufschub duldete, ging Margery zum Tisch und rückte eine kleine Kristallvase mit einer einzelnen gelben Rose darin zurecht. Sie sah Kay an, verzog die Lippen zu einem mitleidlosen Lächeln. »Die Polizei war wieder da. *Sie wissen genau, warum.*«

Einen Augenblick lang hörte Kay nichts außer dem dumpfen Pochen ihres eigenen Pulses. Sie spürte das Blut in ihren Wangen, in ihren Augen und im ganzen Gesicht.

Sie sah Margery Thalaine, die in ihrer dreißigtausend

Pfund teuren Küche stand, und wusste genau, was Margery in ihr sah: eine Gescheiterte.

»Sie irren sich«, flüsterte sie, obwohl sie eigentlich hätte schreien mögen. »Das stimmt nicht.«

»Raus hier.« Margerys Stimme klang tonlos, sie sagte, Kay solle nie wiederkommen, später nicht und auch nicht in einem Jahr.

Kay hätte etwas sagen können, um Margery zu verletzen, sie hätte anführen können, dass sie ihre Freundin gewesen war, sich überaus freundlich ihr gegenüber gezeigt hatte. Sie hätte sagen können, dass sie ihr noch Geld für Wischmopps und Reinigungsmittel schuldete.

Aber sie tat es nicht, weil sie zu erschüttert war, um zu sprechen. Stattdessen ging sie zur Tür hinaus und schloss sie sachte hinter sich, dabei blickte sie auf den Türgriff, nicht in den Raum.

Sie ging zur Haustür, schob ihre Hand durch die Schlaufen ihrer Plastiktüte und zog sie an ihre Brust wie ein Kind. Dann schritt sie mit hoch erhobenem Kopf durch das Gartentor, bis zu den Mülltonnen um die Ecke. Dort zündete sie sich eine Zigarette an. Sie stellte sich mit dem Rücken zur Straße, um ihr Gesicht zu verbergen, solange sie rauchte.

Tiefe, kratzige Züge drängten die Tränen zurück, die sich in ihren Augen sammelten. Sie hatte den Rauch kaum ausgeblasen, als sie schon wieder zog. Sie geriet nicht in Panik, weil Margery gemein zu ihr war oder sie schlecht machte. Sie geriet in Panik, weil sie ihren Job verloren hatte und ihre vier Kinder Schuhe und etwas zu essen brauchten, weil die Miete bezahlt werden musste und die scheiß Steuern auch. Es ging nur ums Geld. Immer nur ums Geld. Ich kann mir einen anderen Job suchen, sagte sie sich und wusste, dass es kaum welche gab, und dass sie hier gut bezahlt worden war und ihr die Arbeitszeiten gepasst hatten. Eine andere Anstellung bedeutete, dass sie Nachtschichten bei Asda würde schieben müssen; sie wäre jeden Abend weg und die Kinder wären alleine zu Hause – Kay würde nicht einmal mitbekommen, ob sie da waren oder nicht. Oder wer bei ihnen war.

Sie zog erneut an ihrer Zigarette. Nein. Es musste auch noch andere Jobs geben. Und ihr blieben ja noch die Campbells. Vielleicht kannten die jemanden, der noch eine Putzfrau brauchte. Vielleicht.

Sie ließ die Zigarette fallen, ziemlich beeindruckt, dass sie es geschafft hatte, sie in nur vier Zügen zu rauchen. Sie trat sie aus, sammelte sich, strich sich die Haare glatt und ging zum Haus der Campbells, huschte durch den Garten, achtete darauf, nicht den Rasen zu betreten und erreichte die Hintertür.

Molly Campbell war in der Küche. Sie hatte auf sie gewartet, sie beobachtet, Kay spürte es. Margery war hier gewesen, hatte sich das Maul über sie zerrissen, und jetzt würde Molly sie bitten, ihr den Schlüssel zurückzugeben.

Molly lächelte gequält und öffnete die Tür.

»Hallo, Kay.« Sie neigte den Kopf zur Seite, seufzte, trat zurück, um Kay in die Küche zu lassen, und zeigte auf einen Stuhl, den sie unter dem Tisch hervorgezogen hatte, damit Kay sich setzen konnte. Kay setzte sich und versuchte zuzuhören, während Molly Campbell sie rauswarf, steuerliche Einzelheiten anführte und erklärte, warum es für alle Beteiligten besser sei, wenn Kay nie wieder herkam. Es lag an der Steuer: Margery hatte ihr erzählt, dass Kay die Stelle bei ihr »aufgab«, und ohne den anderen Job würde sich dieser hier nicht mehr lohnen. Es sei das Beste für alle Beteiligten. Sie stellte einen Teller mit Keksen auf den Tisch.

Kay gab sich alle Mühe zuzuhören, aber sie spürte den Verlust von Joy Erroll wie eine warme Welle der Trauer in ihrer Brust aufsteigen. Sie fühlte die knochige kleine Hand in der ihren und sah Joys vom Tee fleckige Zähne, wenn sie glücklich lachte. Als sie starb, hatte sie gerade noch fünf Zähne gehabt, kleine Stummel. Ihr Zahnfleisch war zurückgegangen, und sie hatte ihre falschen Zähne nicht mehr tragen wollen. Kay erinnerte sich an Joys Gewicht, wenn sie sie vom Klo hob, beide Arme um ihren dürren Körper geschlungen, Joys zierliche Arme um Kays Hals gelegt. Und dann hatte Joy gesungen, eine alte Bigband-Melodie, und so getan, als würden sie zusammen tanzen.

Kay brach in Tränen aus. Sie suchte ihre Sachen zusammen, stand auf, öffnete die Tür und trat hinaus in den Garten.

»Oh nein.« Molly Campbell streckte die Hand nach ihr aus. »Kay, es tut mir so leid, bitte kommen Sie …«

Aber Kay winkte ab. »Nein, mir geht's gut.«

»Bitte kommen Sie zurück und bleiben Sie noch einen Augenblick sitzen.«

»Nein, nein«. Sie fingerte in ihrer Tasche herum, noch immer weinend, sehnte sich nach der Wärme von Joys Körper, nach der tief empfundenen Liebe, die sie für immer verloren hatte, und sie fand den Schlüssel und legte ihn Molly in die ausgestreckte Hand.

»Das ist es nicht«, sagte sie, und kam sich albern vor, weil es nur um zwei Vormittage die Woche ging, zum Kuckuck. »Es geht nicht um den Job.«

Sie hastete davon, umrundete erneut den Rasen, hatte es furchtbar eilig fortzukommen und ihr Gesicht zu verbergen.

Sie rauchte an der Bushaltestelle, was sie sonst nie tat. Margery Thalaine hätte vorbeifahren und sie sehen können, aber das war ihr jetzt egal. Sie würde sie nie wiedersehen.

Sie schaffte es nicht zu weinen, verdrängte den Gedanken, dass sie wahrscheinlich zum letzten Mal hier war. Jetzt hatte sie keine Jobs mehr und würde ohne Zeugnis nicht einmal bei Asda arbeiten können. Vielleicht würde Molly ja doch noch ein schlechtes Gewissen bekommen und ihr eine Empfehlung schreiben.

Während sie wartete und ihr Gesicht in der feuchten Luft taub wurde, klingelte das Telefon in ihrer Handtasche, aber sie ging nicht dran, sondern wartete, bis der Bus kam und sie am Fenster saß.

Donald Scott wollte von ihr zurückgerufen werden, bitte, es ging um die Nachlassverwaltung der Errolls. Sie musste ihr Gedächtnis nach dem Namen durchpflügen: der Anwalt der Familie. Er war früher hin und wieder zum Haus gekommen und hatte Joy besucht. Hatte immer um Gebäck zum Tee gebeten und nie was davon gegessen. Die Nachricht klang herablassend, er sagte etwas von wegen Polizei, der Schale und der Uhr. Kay schüttelte den Kopf. Als ob eine Uhr und eine Schale irgendwas an dem Nachlass ändern würden. Aber ihr fiel ein, dass sie Scott anrufen und ihn um ein Zeugnis bitten konnte. Er wusste, dass sie gut für Mrs Erroll gearbeitet hatte. Mit einem guten Zeugnis würde sie vielleicht einen Job in einem Altersheim bekommen. Vielleicht sogar eine Ausbildung machen können.

Der Hoffnungsschimmer löste eine Lawine aus: Außerdem war Scott Anwalt, das war an sich schon eine Empfehlung. Kay sah raus auf die Straße, sah die vertrauten Hecken, Biegungen und Bäume. Sie war wieder einigermaßen ruhig und begriff jetzt, worin ihr Fehler bestanden hatte: Margery bereute, sich Kay anvertraut zu haben. Kay hatte ihr zugehört und die Grenze von der Angestellten zur Vertrauten überschritten, und es war leichter, Gemeinheiten gegenüber einer Vertrauten zu rechtfertigen. Wahrscheinlich hatte Margery schon lange nach einem Vorwand gesucht, sie rauszuschmeißen, als könne man Kay an den Schlaufen verknoten und in die Mülltonne werfen.

Mit dem Job wäre es sowieso bald vorbei gewesen. Margery war pleite, und von den Campbells allein hätte Kay kaum die Fahrtkosten finanzieren können, also hätte sie von sich aus dort aufgehört.

Sie lehnte sich zurück, spürte das Brennen von Zigarettenrauch und Trauer in ihren Lungen. Ein Neuanfang. Sie fühltc sich wieder fähig und kompetent. Eine vierfache Mutter. Einzig der vorangegangene Abend lastete auf ihrer Stimmung. Sie würden wieder zum Verhör geladen werden. Jederzeit, Tag oder Nacht, konnte es wieder so weit sein. Die Polizisten würde zu den Jungs in die Schule fahren und sie aus dem Unterricht holen. Sie konnten bei einem Freund zu Hause auftauchen und sie aus der Wohnung zerren, so was blieb ewig an einem haften. Sie dachte daran, dass die Lehrer ihre Jungs plötzlich in einem anderen Licht betrachten würden, dass Freunde sie bitten würden, nicht mehr zu kommen, dass man sie ausschließen würde.

Sie würde etwas dagegen unternehmen. Untätig zu bleiben hatte sie nie gelernt.

Sie war wieder zu Hause bei Frankie und Joe, die dicht zusammengedrängt an dem winzigen Küchentisch saßen. Joe und Kay hatten sich auf die Stühle gesetzt, während Frankie auf dem Tritthocker kauerte, der eigentlich zu hoch für den Tisch war.

»Also, ich bin heute Nachmittag weg«, sagte sie bestimmt und wusste, dass sie den Anschein erweckte, alles im Griff zu haben. »Ihr wisst ja, was ihr zu tun habt.«

Frankie sah auf seine Liste mit Aufgaben. »Ich finde nicht, dass du uns wegen dem Kram hier aus der Schule hättest holen müssen, Mum.«

»Genau«, sagte Joe und betrachtete seine Liste. »Die meisten von denen sind in der Schule. Ich muss sowieso warten, bis sie Schluss haben, bevor ich mit denen reden kann.«

»Jungs«, sagte sie, »erzählt das nicht den Kleinen, aber ich hab gestern Nacht einen Riesenschrecken bekommen und ich muss das *heute* in Ordnung bringen. Ich hab bei der Polizei angerufen, und wir fahren um fünf noch mal hin, deshalb müsst ihr um halb fünf wieder hier sein, dann gehen wir zum Bus.«

Joe beäugte seine Liste und sah Kay fragend an. »Wir wissen, dass du einen Riesenschrecken bekommen hast, Mum.«

»Wir haben alle einen Riesenschrecken bekommen«, sagte Frankie leise.

»Wieso bist du nicht arbeiten?«, fragte Joe.

Frankie war gar nicht aufgefallen, dass Kay um diese Zeit normalerweise bei den Thalaines war.

Kay griff nach einer Zigarette, überlegte es sich anders und sah ihre Söhne an. »Ich werde den Beruf wechseln. Ich werde Krankenschwester.«

Kay stieg an der Squinty Bridge aus dem Bus und überquerte den Fluss nach Broomielaw. Ein scharfer Wind wehte von Govan herüber und fegte durch die Häuserschluchten der

Wohnsiedlung. Selbst noch im tiefen Türeingang hob er ihren Mantelsaum und zerzauste ihr Haar. Die Autos rasten an ihr vorbei, die Fahrer glaubten sich schon auf der kaum fünfhundert Meter entfernten Autobahn.

Kay sagte sich, dass sie einen Fehler machte, drückte aber trotzdem auf die Klingel.

Oben meldete sich eine Frau. »Wer ist da?«

Kay sagte ihren Namen, und die Frau ließ sie ihn noch einmal wiederholen. Sie legte auf, und Kay wartete. Ein Bus fuhr vorbei, bremste ab und hielt hundert Meter weiter die Straße hinunter. Kay überlegte, ob sie ihm nachrennen sollte, doch dann knisterte es wieder in der Sprechanlage: »Kommen Sie rauf.«

Sie betrachtete die Glastür, erwartete ein Summen, aber es kam nichts. Also drückte sie mit den Fingerspitzen gegen die Tür, und sie ging auf.

Das hier waren teure Privatwohnungen, aber im Vergleich zu ihrem Haus war der Eingangsbereich dreckig. Sie schüttelte den Kopf über den schmierigen Fußboden und die Blumentöpfe voller Zigarettenstummel. Eigentlich hätte hier gar nicht geraucht werden dürfen, nicht in gemeinschaftlich genutzten Räumen. Jemand hatte sogar Löcher in die Blätter der künstlichen Pflanzen gebrannt. Die Kinder in ihrem Haus würden so etwas nicht machen. Die könnten was erleben.

Sie forderte den Fahrstuhl an, trat hinein, drückte auf den Knopf und drehte sich zur Tür, als diese sich schloss. Als der Fahrstuhl anfuhr, räusperte sie sich, glättete ihr Haar und betrachtete ihr Spiegelbild in der Tür. Sie sah alt aus, schäbig und mitgenommen, eindeutig 45 bis 60. Der Fahrstuhl hielt, die Tür zögerte, bevor sie aufging, und plötzlich wünschte Kay, sie wäre nicht hergekommen.

Zunächst glaubte sie, sie befände sich in einer weiteren Lobby, weil die Decke so hoch war wie in einem Flughafengebäude.

Vor ihr zog sich eine Fensterfront über zwei Stockwerke und öffnete den Blick auf den Fluss und zum Meer hin. Die Wände waren aus gelbem Sandstein, und es gab kaum Möbel, nur ein großes Sofa. Aber dann sah sie die Frau. Sie stand drei Meter entfernt auf der anderen Seite des Raums. Ein seltsamer Ort, um jemanden zu begrüßen, der aus einem Fahrstuhl stieg, der Blick fiel nicht automatisch dorthin. Offenbar wollte sie, dass die Leute nach ihr Ausschau hielten.

Blondierte Haare, rosa Lippenstift, hohe Absätze. Sie winkte wie ein Kind, wackelte mit der erhobenen Hand hin und her. »Hi.«

Kay nickte und sah sich nach einer weiteren Person um.

»Ich bin Crystyl.«

»Okay.« Kay hatte verflucht noch mal keine Zeit für so was. Sie wollte einfach nur machen, was sie jetzt schon für einen Fehler hielt, wieder verschwinden, nach Hause fahren und in Ruhe rauchen.

»Danny ist hier drin.« Crystyl gestikulierte in Richtung einer Tür neben dem Fahrstuhlschacht, und Kay wandte sich dorthin. Die Tür stand einen Spaltbreit offen, Kay drückte sie auf und die Frau humpelte auf ihren hohen Hacken eilig zu ihr hinüber, machte eine Riesenshow draus.

»Ich sag ihm Bescheid …«

Kay hob die Hand. »Geht schon, danke.« Sie trat in den Raum, schon um von dieser Crystyl wegzukommen, was auch immer mit der los sein mochte.

Der Raum war niedrig, wie eine Höhle. Blendende Halogenstrahler waren in die Decke eingelassen. Auf dem Boden lag ein dicker Teppich, an den Wänden standen Kieferregale und darin integriert eine große verspiegelte Bar. Der größte Fernseher, den Kay je gesehen hatte, bedeckte die Wand ganz hinten. Die Fußballer darin wirkten fast lebensgroß.

Danny McGrath war kaum gealtert. Er hatte sich nicht um Kinder mit plötzlichen Fieberanfällen kümmern oder die Nächte um die Ohren schlagen müssen, um noch auf den letzten Drücker Kostüme für Schulaufführungen fertig zu nähen. Er hatte nie Doppelschichten am Stück geschoben, die erste, um die Kinderbetreuung zu finanzieren, die zweite, um für die Miete aufzukommen. Er hatte nichts davon getan, sondern hatte es sich gut gehen lassen und für das gearbeitet, was er haben wollte, Dinge wie den großen Fernseher, vor dem er jetzt saß, den großen Ledersessel oder teuren Alkohol. Die Flaschen waren alle voll und glänzten auf dem gläsernen Regal hinter ihm. Er wirkte jung, frisch und ausgeruht.

Als er sie sah, richtete er sich im Sessel auf und stellte das Fußballspiel mit der Fernbedienung auf Pause. Er machte sich nicht die Mühe aufzustehen und ihr einen Platz anzubieten, rechnete nicht damit, dass es lange dauern würde.

»Kay, Liebes, wie geht's?«

Sie nahm die Hände nicht aus den Taschen und sah sich nickend im Raum um, betrachtete all seine Sachen. »Schön.« Aber Kay hatte ein gutes Auge und wusste, dass die Möbel billige Fabrikware waren und nicht lange halten würden.

»Was kann ich für dich tun?«

Es war ein Fehler, ein großer Fehler. Sie hielt die Luft an, starrte auf die Wand und sagte, was sie bereits in Gedanken im Bus geübt hatte: »Ich muss dich um einen Gefallen bitten.«

Sie sahen einander an. Danny nickte. »Worum geht's?«

»Deine Schwester«, sagte sie mit Blick auf seinen Bauch, der weiß wie Mondschein unter seinem T-Shirt hervorlugte, »du musst mit ihr reden. Sie will meine Jungs rankriegen, dabei sind das gute Jungs, die haben nichts gemacht.«

Danny räusperte sich. »Ich sehe Alex nie.«

»Sie will ihnen einen Mord anhängen. Die haben nichts damit zu tun.«

»Kay, Liebes, Alex und ich, wir sehen uns so gut wie nie. Ich lass sie in Ruhe, sie geht mir aus dem Weg.«

Aber Kay war den Tränen nahe. Es war dumm von ihr gewesen, herzukommen. Sie war in Panik geraten und hatte die falsche Entscheidung getroffen. »Man sollte meinen, wo sie guter Hoffnung …« Sie fing an zu weinen. Vor jemandem, den sie respektierte, hätte sie sich besser beherrschen können.

Danny sah sie weinen. »Ist sie wieder schwanger?«

»Zwillinge.«

»Ist mir nicht aufgefallen …«

»Man sieht's schon.«

Seine Augen wanderten zum Fernseher. »Ah, na ja, sie hatte einen Mantel an.«

»Du wirst ihr doch nichts sagen, oder?«

Danny schüttelte den Kopf und rutschte mit dem Hintern auf dem Ledersessel herum. »Ich hab mit Alex nichts zu tun. Wenn ich helfen könnte, würd ich's machen. Wenn ich irgendwas anderes für dich tun kann … ich zahl die Anwälte, falls es zum Prozess kommt, wie wär das?«

Kay gelang es, tief durchzuatmen. Unter ihr knirschte der dicke Teppichboden. Sie wollte raus hier. Sie hatte Danny nie um etwas gebeten, und es war ein Fehler gewesen, jetzt hierherzukommen.

»Okay.« Sie machte einen Schritt rückwärts zur Tür.

»Sechzehn?«

Kay holte Luft. »Hm?«

»Sechzehn ist er jetzt, oder?«

Sie hatte eine Hand an der Tür. »Welcher?«

»Joseph. Er ist sechzehn.«

Sie drehte sich zu ihm um. »Ja, Joe ist sechzehn.«

Sie sahen einander an. Langsam zog Danny die Augenbrauen hoch.

Jetzt schüttelte Kay den Kopf. »Bild dir bloß nichts drauf ein, Danny, aber Joe sieht echt gut aus.«

Aber Danny ließ sich nicht abwimmeln. Sie hatte es ihm nie gesagt, aber irgendwie hatte er immer gewusst, dass Joe sein Sohn war. Er sah weg und räusperte sich. »Was ist er für ein Junge?«

Er dachte an JJ. Kay sah Danny plötzlich zum ersten Mal richtig an. Seine Augen waren rotgerändert, er hatte eine Wampe und seine Fußknöchel wirkten aufgedunsen. Danny: 45 bis 60.

Kay trat auf ihn zu und legte ihm eine Hand auf die Wange, womit er nicht gerechnet hatte. Sie sagte: »Danny, Joe ist ein wunderbarer, lieber Junge.« Sie hielt sein Gesicht in beiden Händen, während Danny wie ein Kind gegen einen Weinkrampf ankämpfte.

Verlegen stand er auf, schob ihre Hände weg und wandte sich ab, trocknete sich schniefend das Gesicht am Ärmel.

»Danny«, sagte Kay. »Danny?«

Er konnte sich nicht mehr zu ihr umdrehen. »Was?«

»Ich hätte nicht kommen sollen.«

»Ach was. Mir geht's gut.«

Sie öffnete die Tür, wollte verschwinden, bevor er sich wieder gefasst hatte, aber er holte sie ein. Er wollte ihr ein Bündel Zwanzig-Pfund-Scheine in die Hand drücken.

Kay betrachtete das Geld, ließ die Hände aber in den Taschen.

»Halt dich von uns fern«, sagte sie und ging.

32

Sie aßen ihre Sandwiches in Bannermans Büro und gingen dabei die Gespräche im Walnut durch. Er hörte nicht zu. Von der Party erzählte Morrow ihm nichts, sie hatte das Gefühl, es sei zu persönlich, um es jemandem zu erzählen, dem Sarah Erroll offenkundig sowieso egal war. Er wartete darauf, dass Morrow ihren Bericht beendete, um ihr seine Theorie zu erläutern. Morrow konnte sehen, wie aufgeregt er war, weil er seine Idee für einen genialen Geistesblitz hielt. Er wollte nicht endlos Informationen sammeln, sich in Ermittlungen verheddern, ohne wirklich weiterzukommen, und seine Theorie war eine Möglichkeit, diesem Schicksal zu entgehen. Morrow schien die Theorie ihres Chefs allerdings sehr unwahrscheinlich.

Bannerman war der Ansicht, die Tat habe sich folgendermaßen abgespielt: Kay Murrays Jungs waren durch das Küchenfenster in Glenarvon eingestiegen, möglicherweise auf Anweisung ihrer Mutter hin. Der Einbruch sollte den Anschein erwecken, als habe sie nichts damit zu tun, da sie ja einen Schlüssel besaß. Sie hinterließen keine Fingerabdrücke und stiegen die Treppe zu Sarah Errolls Schlafzimmer hinauf, und Frankie, der Jüngere, ging ins Bad. Er berührte den Klodeckel mit dem Daumen und hinterließ dort einen perfekten Abdruck. Dann begingen sie die Tat und entledigten sich auf dem Heimweg ihrer Kleidung. Da sie das

Geld nicht gefunden hatten, ließen sie außer einer Emailleschale und einer Uhr nichts mitgehen. Der silberne Eierbecher war als Diebesgut inzwischen ausgeschieden, weil er gar nicht aus Silber war, sondern nur beschichtet, und laut Spurensicherung jahrelang auf dem Schrank gestanden haben musste.

Morrow schüttelte den Kopf: »Dass die Täter gewaltsam einbrachen, um es aussehen zu lassen, als hätten sie keinen Schlüssel, klingt ein bisschen konstruiert. Vielleicht hatten sie ja wirklich keinen Schlüssel.«

»Aber deshalb denken wir ja gerade, dass sie keinen hatten, obwohl sie einen hatten.«

»Ist das nicht ein bisschen zu raffiniert für Einbrecher, die wenig später so rasch die Nerven verlieren und ihrem Opfer den Schädel eintreten?«

»Sie sind in Panik geraten und haben die Uhr und die Schale mitgehen lassen.«

»Auch das ist ein bisschen zu durchdacht. Sie haben die Uhr in einer Socke unter dem Bett ihrer Mutter versteckt und die Schale als Aschenbecher benutzt.«

Bannerman merkte, dass sie ihm seine Theorie nicht abkaufte. »Kay Murray hat ausgesagt, dass die beiden Jungen nie im Haus gewesen sind.« Er schob ihr die Fotografie eines Fingerabdrucks zu. »Wir haben Frankies Abdruck auf dem Klodeckel gefunden.«

»Und sonst nirgends?«

»Nirgends. Vielleicht haben sie Handschuhe getragen.«

»Warum sollte jemand Handschuhe tragen und sie auf dem Klo ausziehen?«

Auf die Frage war Bannerman vorbereitet, das erkannte sie an seinem arroganten Grinsen. Er streckte eine Hand aus, die Handfläche nach unten, Daumen nach unten abgespreizt und tat, als würde er einen Klodeckel heben. Er zog die Augenbrauen hoch.

»Um zu pinkeln. Sie sind eingebrochen, das ist sehr aufregend. Sie müssen mal …«

»Nicht um zu pinkeln«, sagte sie und klang vage, weil sie nachdachte. Harris hätte gewusst, was sie meinte, aber Bannerman blieben ihre Worte unklar. Einbrecher erleichterten sich häufig in den Häusern, in die sie einstiegen, oft auch an ungewöhnlichen Stellen wie auf dem Wohnzimmerboden oder in der Küche. Das Adrenalin beschleunigte alles, auch die Blasenfunktion. Plötzlich merkten sie, dass sie kaum noch gehen konnten, weil sie so dringend aufs Klo mussten; oft schafften sie es nicht mehr bis ins Bad. Es handelte sich dabei nicht, wie viele Opfer glaubten, um ein Zeichen von Respektlosigkeit oder Verachtung. Damit war gar keine Aussage verbunden, es war einfach eine schlichte biologische Notwendigkeit. Dass jemand aufs Klo gehen, ordentlich spülen, Handschuhe aus und wieder anziehen und anschließend einen Mord begehen würde, schien ihr sehr unwahrscheinlich. Außerdem hatte man Abdrücke auf dem Telefon gefunden. Und die stammten nicht von Frankie. Wären es seine gewesen, hätte Bannerman es erwähnt.

Sie betrachtete das Foto des Abdrucks auf dem weißen Plastik. Es handelte sich nachweislich um Frankies Daumenabdruck: die Analyse, die hintendran getackert war, hatte sechzig übereinstimmende Punkte ergeben, und das schon nach einer ersten flüchtigen Untersuchung.

Bannerman setzte hinzu: »Wir haben ihre Aussage auf Video, dass ihre Jungs niemals im Haus waren.«

Er hatte recht, das hatte Kay behauptet. Trotzdem ließ sich

ein solcher Fall nicht auf dem Indiz eines einzigen Fingerabdrucks aufbauen.

»Shirley McKie«, sagte Morrow leise. Er sah sie an, als hätte sie gedroht, ihm in die Eier zu treten.

»Ich sag's ja nur«, sagte sie. »Das ist nur ein Abdruck, wir wollen nicht wieder damit anfangen.«

Der Fall von DC Shirley McKie galt als polizei-interne Horrorgeschichte. Der Daumenabdruck des weiblichen Detective Constable von der Strathclyde Police war am Tatort eines Mordes gefunden worden, an dem sie nie gewesen war. Es wäre völlig egal gewesen, aber auch gegen den Mordverdächtigen lag nur ein einziger kriminaltechnischer Beweis vor, nämlich ebenfalls ein Fingerabdruck am Tatort. Seine Verurteilung wurde in der Revision aufgehoben, und die Polizei geriet durch McKies umstrittene Suspendierung ins Schleudern: Wenn sie ihr nicht nachweisen konnten, dass sie gelogen hatte und in Wirklichkeit doch dort gewesen war, dann hätte man plötzlich die Beweiskraft sämtlicher Fingerabdrücke der vorangegangenen vierzig Jahre in Zweifel ziehen und unzählige Fälle neu verhandeln müssen. Es war eine Schande, aber die Verantwortlichen beschlossen, sich gegen ihre eigenen Leute zu stellen. Doch Shirley McKie nahm sich einen Anwalt und gewann, woraufhin alle mit angehaltenem Atem darauf warteten, dass nun eine Lawine an Revisionsklagen losbrach.

Bannerman blätterte in seinen Notizen, womit er anzeigte, dass er das Gespräch in andere Bahnen lenken wollte. »Leonards ›Freundin‹ …« Er hob den Blick. »Ist sie …?«

»Ist sie was?«, fragte Morrow angriffslustig, als hätte sie sich die Frage nicht selbst schon gestellt. »Freundlich?«

Er grinste und ließ die Bemerkung auf sich beruhen. »Die sehen einfach nicht aus wie im Film.«

»Sie meinen, sie befingern sich nicht gegenseitig mit großen falschen Fingernägeln? Was ist mit der Freundin?«

Die Unterstellung, er habe sich jemals Pornos angesehen, schien ihn zu irritieren. »Ich habe mit ihr telefoniert. Sie bereitet eine Präsentation vor. Wir haben die Fotos vergrößern lassen, und offenbar ist da ein Kratzer auf der Sohle eines der Schuhe. Sie denkt, sie kann die Bewegungen getrennt aufschlüsseln und nachvollziehen, wer was gemacht hat.«

»Gut. Wir können beide wegen Verschwörung anklagen, wenn Sie den Eindruck haben, dass sie sich im Zeugenstand gut machen würde.«

»Sie kichert viel.«

»Ah.« Das war schlecht.

»Sie klingt, als wäre sie fünfzehn.«

»Wie alt ist sie wirklich?«

»Dreiundzwanzig. Ich hab ein Bild von ihr im Netz gesehen.«

»Sieht sie sehr jung aus?«

»Ihr Profilfoto auf Facebook zeigt sie oben ohne am Strand. Aber sie wirkt wirklich sehr jung.«

Wenn sie jung oder albern wirkte, würden sie sie nicht als Sachverständige vor Gericht aufrufen können. Die Geschworenen würden sie nicht mögen, die Staatsanwaltschaft stünde schlecht da und die Zeitungen würden nur auf einen Vorwand warten, um ein Oben-ohne-Bild im Nachrichtenteil zu bringen. Wenn sich die Verdachtsmomente aber erhärteten und als Beweise vorlegen ließen, würden sie sie verwenden. »Gibt's sonst niemanden dort im Labor, den man herzeigen kann?«

»Nein, sie entwickelt die Technologie selbst. Klingt sehr interessant.«

»Warum«, überlegte Morrow laut, »haben wir bislang die Möglichkeit nicht in Betracht gezogen, dass sie von einem Kunden überfallen wurde?«

Er nickte, dachte ernsthaft darüber nach. »Etwas läuft schief; vielleicht ist es ein junger Mann; er kriegt keinen hoch, wird wütend, kommt zurück und bringt sie um?«

»Ist doch möglich, oder?«

»Nein, das ist bescheuert. Sie hat sich niemals mit einem Kunden zu Hause verabredet und die entsprechenden E-Mails schon lange nicht mehr beantwortet. Die Tatsache, dass sie zu Hause ermordet wurde, weist vielmehr darauf hin, dass es um etwas anderes ging.«

Ein Klopfen an der Bürotür unterbrach ihre Überlegungen, und Harris streckte den Kopf herein. Er konnte Bannerman nicht mal ansehen.

»Ma'am, da ist ein Journalist am Telefon. Er möchte mit einem Verantwortlichen sprechen.«

Morrow und Bannerman sahen Harris mit gerunzelter Stirn an. Dass ein Reporter bei ihnen anrief, war nichts Ungewöhnliches. Es gehörte zu Harris' Aufgaben, sie an die Abteilung für Medien und Presse weiterzuleiten.

»Er ist aus Perth.«

»Warum soll ich mit ihm sprechen?«

»Er behauptet, Sarah Erroll habe keine Unterhose angehabt, als sie starb.«

Greum – er buchstabierte es für sie – Jones klang wie ein Mann mittleren Alters, der sich aber durchaus noch für seinen Job begeistern konnte. Jones arbeitete für eine kleine Lokalzeitung. Er hatte auf Journalismus umgeschult, nachdem er eine Stelle verloren hatte, für die er sich ohnehin nie interessiert hatte. Verwandte von ihm waren bei der Polizei. Er hatte die Story noch nicht veröffentlicht, wollte die Information aber trotzdem sofort weitergeben, weil sie vielleicht nützlich sein konnte.

Er hatte an einem kleinen Artikel über die Schließung eines Gemeindezentrums gearbeitet. Normalerweise hätte er sich nicht die Mühe gemacht, selbst hinzugehen. Sie waren nur eine kleine Zeitung mit gerade mal vier Angestellten und hatten deshalb kaum Zeit für so was, aber seine Tante wohnte in der Nähe, und da hatte er gedacht, er könnte sie auf dem Weg gleich besuchen. Also war er hingefahren. In dem Gemeindezentrum fanden Tanztees für Rentner statt, was aber jetzt ein Ende hatte, da der Priester, der diese organisiert hatte, die Kasse entwendet und das Geld in Wodka investiert hatte. Hätte eine große Geschichte werden können.

Morrow fragte sich gerade, warum sie sich bereiterklärt hatte, den Anruf entgegenzunehmen, als Jones endlich zum Punkt kam: Er hatte den Priester aufgesucht und ihn ziemlich betrunken angetroffen. Der Mann hatte heulend mit der Zeitung in der Hand dagesessen und auf den Artikel über den Mord an Sarah Erroll gezeigt. Er hatte behauptet, sie habe schlafend im Bett gelegen, als ihre Mörder sie überraschten, und keine Unterhose getragen. Greum hatte daraufhin alle Zeitungsartikel zu dem Fall überprüft und in keinem von ihnen diesen Umstand erwähnt gefunden. Hatte der Priester recht? Hatte sie geschlafen? War sie untenrum nackt gewesen?

Irgendeiner aus dem Ermittlungsteam musste geplappert haben, so viel stand fest. Aber dafür kamen eine ganze Reihe von Leuten infrage: die Ermittlungsbeamten, ihre Chefs, die Leute von der Spurensicherung, die Sekretärinnen, die Kriminaltechniker und Ärzte, eigentlich alle. Sie konnten für Geld geredet haben, möglicherweise handelte es sich aber auch nur um ein kleines Machtspiel zwischen Bannerman und Harris.

Greum wiederholte die Frage: War sie wirklich von der Hüfte abwärts nackt gewesen? Morrow sagte, sie dürfe sich dazu nicht äußern.

Der Priester hatte außerdem behauptet, es sei nichts aus dem Haus gestohlen worden. Morrow machte sich Notizen, während sie zuhörte. Sarah Errolls Gesicht sei durch Tritte bis zur Unkenntlichkeit entstellt worden, daran sei sie gestorben. Ein Stück von ihrem Ohr habe sich gelöst und auf der Treppe neben ihrer Schulter gelegen.

Morrow stand abrupt auf, eilte über den Gang in den Ermittlungsraum und betrachtete die Tatortfotos an der Tafel, hielt Greum dabei in der Leitung und fragte ihn nach dem Namen des Priesters, wo er arbeitete und ob er gewohnheitsmäßig trank? Auf keinem der Fotos war das Detail mit dem Ohrläppchen zu erkennen. Sie ging zurück in ihr Büro und zog die komplette Fotomappe hervor. Es gab nur ein einziges Bild, das das Ohrläppchen zeigte. Die Aufnahme war entstanden, nachdem Sarah Errolls Leiche schon abtransportiert worden war. Keiner der Polizisten hatte diese Bilder gesehen.

»Greum, ich glaube nicht, dass wir so weiterkommen.« Sie versuchte, möglichst sachlich zu klingen. »Das sind allgemein bekannte Tatsachen.«

Er war enttäuscht, versuchte aber, sich wie ein Gentleman zu verhalten. »Ach was, wirklich?«

»Ich fürchte, ja. Aber vielen Dank, dass Sie sich gemeldet haben.«

»Ach, ich hatte Hoffnungen drauf gesetzt. Hatte gedacht, ich sei einer Story auf der Spur.«

»Na ja, da kann man nichts machen. Mir scheint, der Mann hat so schon genug Probleme.«

»Das ist allerdings wahr.«

Sie verabschiedeten sich, und er legte auf.

Morrow erinnerte sich an das Weihwasserbecken gleich hinter der Eingangstür in Glenarvon. Um sicherzugehen, dass Greum nicht doch noch in der Leitung war, wählte sie eine andere, als sie sich mit dem zuständigen Beamten in Perth verbinden ließ.

DS Denny war mürrisch und wenig hilfsbereit. Er würde zwei Kollegen losschicken, die sich mit dem Priester unterhalten sollten, aber er wusste, dass der Mann trank, und die Aussage eines betrunkenen Priesters sei ja wohl kaum etwas wert.

Sie legte auf und ging zu Bannerman.

»Sir«, sagte sie etwas außer Atem, als sie an seiner Tür ankam.

Bannerman blickte auf.

»In Perth gibt es einen Priester, der Sarah Errolls Verletzungen in allen Einzelheiten beschrieben hat …«

Bannerman lehnte sich zurück, zog fragend die Augenbrauen hoch, und sie wusste, wie die dazugehörige Frage lautete. »Nein, das war nicht in der Presse. Bestimmt nicht, selbst wenn Leonards Freundin nicht dichtgehalten haben sollte. Was er ausgeplaudert hat, ist auf den Fotos gar nicht zu sehen.«

»Glauben Sie das wirklich?«

Bannermans Laune schien sich deutlich verschlechtert zu haben, seitdem sie sein Büro vor vier Minuten verlassen hatte. Er war wütend, nicht auf Morrow, sondern auf eine ganz bestimmte andere Person.

Morrow seufzte und stützte sich am Türrahmen ab. Sie war nicht in der Position, ihn zurechtzuweisen, schon gar nicht wegen seiner Launenhaftigkeit, aber sie schüttelte den Kopf. »Ich fahre nach Perth …«

»Nein, das lassen Sie bleiben.«

»Ich kann die Ermittlungen nicht weiterführen, wenn …«

»Sie können, was ich Ihnen sage.«

Sie starrten einander so lange an, dass sich die Zwillinge zu regen begannen.

»Und was sagen Sie mir?«

»Wir werden die Murray-Spur weiterverfolgen, bis wir rausgefunden haben, was da passiert ist«, sagte er.

Morrow stellte sich eine luxuriöse Zimmerdecke über einem luxuriösen Bett vor. »Sir, ich werde den Hinweis mit Perth in meinen Bericht aufnehmen. Wenn sich herausstellt, dass da doch was dran ist, wird man Sie dafür verantwortlich machen.«

Bannerman bedeutete ihr mit einer abfälligen Handbewegung, dass sie sich verziehen sollte. »Ja, machen Sie das.«

Sie schloss die Tür hinter sich, bevor er es sich anders überlegen konnte. Draußen im Gang gestattete sie sich ein triumphierendes Lächeln.

33

Kay saß neben Frankie am Tisch und wartete. Sie sah sich in dem kalten Raum um, kalte Farben und kalte Einrichtung. Die Architektur des gesamten Gebäudes wirkte bewusst abstoßend, angefangen von den Stützpfeilern auf der Straße bis zur zellenartigen Schlichtheit des Büroraums, in dem sie warten mussten.

Frankie saß vornübergebeugt, sein Rücken war so krumm, dass er unnatürlich rund wirkte. Sie verfolgte den Bogen seiner Wirbelsäule, als wollte sie sich vergewissern, dass alles noch an seinem Platz war, vom Nacken bis zu den kleinen Speckröllchen auf seiner Hüfte. Das kam von der vielen Pizza. Im Moment aß er dreimal die Woche Pizza, freute sich über das Geld und die Arbeit, bekam ein Gefühl dafür, wie es war, ein Mann zu sein und sein Leben selbst in die Hand zu nehmen. Er war ein guter Junge. Sie strich ihm über den Rücken, korrigierte unter dem Vorwand einer zärtlichen Geste sanft seine Haltung. Er schüttelte sie ab und blickte zu der Kamera in einer Ecke des Raums.

»Nein.« Sie zeigte darauf. »Das Licht ist noch nicht an, Schatz. Die Kamera ist nicht eingeschaltet.«

Als er sicher war, dass sie ihre Hand zurückgezogen hatte, fläzte er sich noch weiter über den Tisch, die Hände ausgestreckt.

»Lass uns das ein für alle Mal hinter uns bringen«, sagte sie und glaubte fast selbst dran. »Dann können wir nach Hause fahren und wieder unser eigenes Leben leben.«

Er warf ihr einen Blick zu, suchte in ihrem Gesicht nach Anzeichen dafür, dass sie selbst glaubte, was sie sagte, und fand keine. Sie zuckte gereizt mit den Schultern.

»War deine Idee herzukommen«, sagte er.

Kay hob abwehrend die Hände. »Ich hab gedacht, wir können nervös zu Hause sitzen, uns verzweifelt in die Fäuste beißen und uns um zehn Uhr abholen lassen, oder aber wir kommen zu einer vernünftigen Uhrzeit selbst her und bringen es hinter uns.«

Aber das war's nicht. Sie war mit ihren Jungen hier, gewaschen und gebürstet, mit den Papieren, die sie vorbereitet und mit den Aussagen, die sie zusammengesammelt hatte, um zu beweisen, dass sie anständige Leute waren. Sie war schlau genug, um zu wissen, wem sie das zu beweisen hatte.

»Ich verpass meine Arbeit.«

»Ich weiß, Schatz.« Sie liebte ihn dafür. »Ich weiß. Aber es ist nur ein Abend.«

Sie hörten ein Geräusch hinter sich im Gang, drehten sich um und sahen den Mann, Bannerman, mit Alex Morrow im Schlepptau, die die Augen niederschlug und einen kleinen Packen Papiere vor der Brust hielt. Kay stand auf, um beide zu begrüßen, und schubste Frankie an, damit er es ihr gleichtat. Alex wirkte heute so klein und rund, wie sie da hinter ihrem großen schlanken Chef stand, und Kay fragte sich, ob er wusste, dass sie sie in ihrem eigenen Wagen nach Hause gefahren hatte. Wahrscheinlich nicht.

Er setzte sich, und danach setzte sich auch Alex Morrow, keiner von beiden sah sie oder Frankie an oder sagte auch nur Hallo oder Danke dafür, dass sie gekommen waren. Sie machten sich an den Kassetten zu schaffen. Eine Frau kam herein, überprüfte die Kamera und gab ihnen ihr Okay, dann ging sie wieder, ebenfalls ohne Kay in die Augen gesehen zu haben.

Das waren Ignoranten. Nur so konnte sie sich den Mangel an Freundlichkeit und Anstand erklären. Margery Thalaine, Molly Campbell, Alex Morrow und dieser Lulatsch hier am Tisch. Ignoranten.

Der Mann stellte sich erneut vor, Bannerman, als ob sie das vergessen hätten. Er sagte, es handele sich um ein informelles Gespräch und danke, dass sie erschienen seien, aber er wirkte keineswegs dankbar, und das Gespräch kam ihr auch nicht informell vor. Frankie hatte rosa Flecken im Gesicht, und er kratzte seinen Handrücken. Er wirkte schuldig.

Sie stieß ihm mit dem Ellbogen in die Seite, sodass er leicht zu ihr herübersackte, und gab ihm ein Zeichen, sich gerade hinzusetzen. Er warf ihr einen zornigen Blick zu. Schon besser.

»Zunächst einmal«, sagte Bannerman, als wäre dies eine völlig bedeutungslose Frage, »möchte ich wissen, was du für eine Schuhgröße hast.«

Frankie sah Kay an. »Ich hab vierzig.«

Bannerman notierte die Angabe. Er wollte noch einmal den Abend rekapitulieren, an dem Sarah Erroll gestorben war, wo genau Frankie gewesen war, von wann bis wann. Frankie überreichte ihm die funkelnagelneue rote Mappe, die Kay ihm gegeben hatte.

»Was ist das?«, fragte Alex.

»Äh«, Frankie schaute wieder zu Kay, und sie wünschte, er würde einfach nur die Frage beantworten. »Das ist Zeug, das mich meine Mum hat raussuchen lassen …«

Frankie war am Nachmittag bei Pizza Magic gewesen und hatte alle Auslieferungsbelege von jenem Abend fotokopiert. Dick Tam hatte ihm eine schriftliche Aussage gegeben, eigentlich eher eine Notiz, der zufolge Frankie den ganzen Abend mit ihm zusammen gewesen und den Wagen nie länger als zehn Minuten verlassen habe. Er hatte es auf die Rückseite eines Pizza-Bestellformulars geschrieben, auf billiges Papier, das normalerweise mit Kohlepapier unterlegt wurde und nicht sehr offiziell wirkte. Aber Tam hatte seine Aussage so schwungvoll unterschrieben, als könnte er dadurch deren Beweiskraft steigern. Er hatte außerdem behauptet, und dies unterstrichen, dass Frankies Bruder zu keinem Zeitpunkt mit ihnen im Wagen gesessen und sie ihn den ganzen Abend über nicht gesehen hatten.

Bannerman betrachtete Tams Aussage und verzog die Mundwinkel. Er faltete den Zettel auseinander und las weiter. Als er Tams riesige Unterschrift am unteren Rand entdeckte, schossen seine Augenbrauen nach oben.

»Das hier«, und er hielt den Zettel hoch, »ist weniger als wertlos. Sie können doch nicht rumlaufen und Leute überreden, Aussagen für Sie aufzuschreiben.«

Frankie legte eine schützende Hand auf die Mappe. »Wieso nicht?«

»Weil man das als Beeinflussung von Zeugen auslegen könnte.«

»Was soll ich denn sonst machen?«

»Lassen Sie uns unseren Job machen.« Er lächelte ihnen verbittert ins Gesicht, erst Frankie, dann Kay.

»Da, wo wir herkommen, ist die Polizei korrupt«, erklärte Frankie Alex, weil er sich jetzt ärgerte und seine eigene Sprache wiedergefunden hatte.

Alex reckte den Hals, um ihm Mut zu machen, blickte nach links, dorthin, wo die Kamera surrte und bedeutete ihm, weiterzusprechen.

»Wenn irgendwo bei uns in der Siedlung eingebrochen wird, dann schicken die einen Polizisten alleine rüber, der eine Aussage aufnimmt, sich die Türen anguckt und so was, und wir haben rausgefunden, dass das bedeutet, dass keine Strafanzeige gestellt wird, weil das bloß die Statistik drückt.«

Bannerman wollte nichts davon hören, er hatte die Augen weit aufgerissen.

»Inwiefern ist das relevant …?«

»Sie werden entschuldigen«, unterbrach ihn Frankie, fünfzehn Jahre und bereits ein Gentleman, »falls mich das ein bisschen misstrauisch macht, wenn Sie ›einfach Ihren Job machen‹. Bislang habe ich mit der Polizei nämlich vor allen Dingen schlechte Erfahrungen gemacht.«

Alex lehnte sich zurück. »Gibt es darüber etwas Schriftliches, Frankie?«

So, wie sie es sagte, hatte Kay das Gefühl, dass sie sich damit beschäftigt hatte und wusste, dass es Aufzeichnungen gab. Plötzlich überkam sie ein Schub von Dankbarkeit.

»Das gibt es auch schriftlich, ja, auf dem Polizeirevier …«

Bannerman beugte sich dazwischen. »Das ist hier nicht unser Thema.«

Frankie war ratlos und sah Kay an. Er hatte ihr wegen der Mappe vertraut, und es hatte nicht hingehauen. Sie wusste nicht, was sie jetzt machen sollten.

Bannerman fing noch einmal von vorne an: »Stehst du deinem Bruder nahe?« Aus seinem Mund klang das wie eine Drohung.

Frankie wirkte wieder nervös. »Ja.«

»Würdest du sagen, sehr nahe?«

Es klang gemein, und Frankie zögerte. »Ja, würde ich sagen.«

»Ihr verbringt viel Zeit zusammen? Unternehmt was zusammen?«

»Wir teilen uns ein Zimmer. Das geht nicht anders.«

»Ihr denkt ähnlich?«

Frankie zuckte mit den Schultern und wirkte verwirrt. »Nehm ich an.«

Bannerman nickte und schrieb etwas auf. Alex leckte sich über die Lippen.

»Ihr tragt dieselbe Kleidung?«

Frankie sah ihn an. Er sah alle an, dann seine Mum, und plötzlich fiel die Nervosität von ihm ab. Er lachte, jungshaft, glücklich.

Bannerman fiel nichts ein. »Was ist daran lustig?«

»Sie meinen wohl die Schuhe, die Sie uns abgenommen haben, die Sportschuhe?«

»Ja, ihr hattet dieselben Sportschuhe – zieht ihr euch gleich an?«

Frankie lachte wieder. »Ich bin fünfzehn«, sagte er und sah abwartend auf Kay. Auch sie lächelte jetzt, nicht weil irgendwas witzig gewesen wäre, sondern weil sie so erleichtert war, Frankie lächeln zu sehen.

»Mr Bannerman«, sagte sie, »ich bin ihre Mutter. Ich kaufe meinen Jungs die Klamotten.«

Er wirkte verlegen. »Wo haben Sie die Sportschuhe her?«

»Ich hab vier Paar bei Costco gekauft, für jeden ein Paar.«

Er notierte es. Kay sagte: »Eigentlich sind meine Kinder heilfroh, dass Sie die Schuhe einkassiert haben, weil sie sie nicht ausstehen können.«

»Mum, die sehen aus wie orthopädische Schuhe«, behauptete Frankie.

»Die sind gut verarbeitet«, erklärte Kay, »und wasserdicht sind sie auch.«

»Teenagern ist egal, ob Schuhe *wasserdicht* sind, Mum. Das sind Spießerschuhe.«

»Na gut.« Sie lächelten einander an, und Kay sah, dass Alex mit ihnen grinste. »Spießer kriegen keine nassen Füße.«

»Du hast keinen Stil, Mum. Deshalb geh ich arbeiten, damit wir uns anständige Klamotten kaufen können.«

Sie grinsten einander an. Er gab das Geld gar nicht für Klamotten aus. Er verjubelte es jede Woche, indem er seine Brüder oder seine Schwester ausführte oder runtergesetzte DVDs kaufte. Trotzdem war es gut, dass sie so locker miteinander redeten.

Bannerman übernahm wieder die Führung, fragte erneut nach Einzelheiten, aber der Bann war gebrochen. Frankie war wieder bei ihr und selbstbewusst, er war wieder er selbst.

Nein, er war noch nie in einer Gang gewesen. Er hatte keine Fehlzeiten in der Schule. Er würde auf jeden Fall kooperieren. Er war vollkommen damit einverstanden, dass sie ihn zu Hause besuchten, sich seine Sachen ansahen, wenn sie wollten, sich mit ihm unterhielten.

Alex fragte, ob er schon mal in Perth gewesen sei, was Kay seltsam fand. Bannerman erging es offensichtlich ähnlich, weil er ihr zuhörte und sich für Frankies Antwort zu interessieren schien.

Frankie war noch nie in Perth gewesen. Er ging nicht in die Kirche, obwohl er vor zwei Jahren mal bei einer Party des Oranier-Ordens gewesen war, aber nur weil ein Freund

Karten hatte, das zählte doch sicher nicht als Kirchenbesuch? Alex meinte, nein, das zählte nicht. Frankie war das peinlich, und er erklärte, jetzt würde er erst recht nicht mehr gehen, denn er hatte das Gefühl, es sei falsch. Er war Fan von Celtic, das konnten sie alle fragen.

Kay unterbrach: »Dürft ihr Fragen zur Religion stellen?«

»Ja«, sagte Alex freundlich. »Du denkst an Vorstellungsgespräche: Da sind Fragen zur Religion verboten.«

Bannerman wollte wissen, ob Frankie schon mal in Glenarvon gewesen sei? Nur einmal, sagte er. Wann war das? Na ja, das war in den Ferien, gerade als Mrs Erroll gestorben war und er keine Schule hatte. Er war mit zur Beerdigung gegangen, und sie waren vom Haus aus gestartet, weil noch Platz im Wagen war. Mrs Erroll hatte nicht viele Verwandte gehabt, und seine Mum war so traurig gewesen, dass sie ihn gerne bei sich hatte haben wollen.

Bannerman tat, als sei dies von enormer Bedeutung. »Wo warst du im Haus?«

Frankie konnte sich nicht erinnern. Sie hatten sich vor allem im Wohnzimmer aufgehalten …

»Warst du auch oben?«

Er nickte.

»Was?«, fragte Kay. »Wann bist du denn hoch gegangen?«

»Ich war auf dem Klo.«

»Oben?«

»Ich hab das andere nicht gefunden.«

Bannerman stellte ihm sehr intime Fragen: Wie benutzte er die Toilette, setzte er sich oder blieb er stehen? Frankie war das peinlich, weil seine Mum dabei war, aber er antwortete trotzdem: Er blieb stehen. War der Deckel heruntergeklappt, als er reinging? Daran konnte er sich nicht erinnern. Ob er vor dem Pinkeln normalerweise die Brille hochklappte? Ja, das machte er. Kay sah seine rechte Hand unter dem Tisch hervorstoßen, während er darüber nachdachte.

Sie brachen abrupt ab, führten Frankie nach draußen und holten dann Joe herein. Er setzte sich neben Kay.

Joe war unsicher, das merkte sie, weil er eine Charmeoffensive startete. Er reichte sowohl Alex wie auch Bannerman die Hand und erkundigte sich, wie es ihnen heute Abend ginge? Alex lächelte und erwiderte, es ginge ihr gut und ihm selbst? Joe missverstand die höfliche Frage und entgegnete, er sei ein wenig nervös und nach der vergangenen Nacht auch ein bisschen müde. Heute Vormittag nach der Schule sei ihm ein bisschen schwindlig gewesen.

Sie stellten ihm dieselben Fragen wie Frankie: Joe wusste seine Schuhgröße, zweiundvierzig. Er hatte den ganzen Abend mit ein paar Kumpels verbracht, und auch er hatte eine Mappe mit Aussagen dabei, eine blaue Mappe mit den Behauptungen beeinflusster Zeugen – was jederzeit gegen ihn verwendet werden konnte, sollte der Fall vor Gericht kommen. Bannerman erklärte ihm, ebenso wie Frankie, dass die Mappe ein Fehler gewesen sei.

»Wir wollten Ihnen nur Zeit sparen«, erklärte Kay und hoffte, es würde vernünftig klingen.

Bannerman blieb frostig, klappte die Mappe zu und schob sie dem Jungen wieder über den Tisch zu. »Mach so was nicht noch mal.«

Joe war nie Mitglied einer Gang gewesen, seine Mum hätte ihn umgebracht.

Morrow fragte: »Warst du schon mal in Perth?«

Er antwortete prompt: »Ja.«

Kay sah ihn an. »Wann?«

»Vor zwei Monaten«, erklärte er. »Ein Auswärtsspiel mit den Sevens.«

»Kann ich mich gar nicht dran erinnern.«

»Doch kannst du. Du hast mir Sandwiches geschmiert. Weißt du noch, wir haben uns wegen der Fahrtkosten gestritten, weil ich das Ticket nicht vorher gebucht hab und es im Bus keinen Platz mehr gab?«

»Nein.«

»Ich musste den vollen Preis für den Zug bezahlen, weil ich das Ticket nicht vorher gebucht hab, und du hast gesagt, das hätte mir doch klar sein müssen, dass da im Bus kein Platz mehr ist …«

»Das war doch Carlisle.«

»Ach, echt?«

»Ja. Das war Carlisle.«

»Also, warst du schon mal in Perth?«

Er sah Kay ratsuchend an. Sie schüttelte den Kopf.

»Nein«, sagte er. »Da war ich noch nicht.«

»Kennst du jemanden dort?«

»Nein.«

Er hatte nie etwas mit Religion am Hut gehabt, obwohl er Fan der Glasgow Rangers war und mal auf ein katholisches Mädchen gestanden hatte, aber ob das zählte? Nein, meinte Alex, eher nicht. Joe sagte, gut, er hätte sowieso nicht mal mit ihr gesprochen, und es wäre doch echt blöd, wegen Mordes verurteilt zu werden, nur weil man mal auf jemanden abgefahren wär, den man nur manchmal auf der Straße gesehen hatte. Er lachte, erwartete, dass die anderen mitlachen würden, und wirkte traurig und verängstigt, als sie es nicht taten.

Kay saß dabei und hörte zu, berührte ihn am Arm, wenn er verletzlich oder besorgt wirkte. Ihre Wut flaute allmählich ab. Sie begriff, dass Margery sich sowieso gegen sie gewandt hätte, unabhängig davon, ob Alex bei ihr aufgetaucht wäre oder nicht; Margery war ein Snob und eine komische alte Schachtel noch dazu. Wahrscheinlich hätte sie Kay sowieso schon bald an die frische Luft gesetzt. Sie konnte sich keine Putzfrau mehr leisten, schon gar nicht an fünf Tagen die Woche.

Sie sah, dass sich Alex hin und wieder an den Bauch fasste, auf den Pobacken rumrutschte und lächelte, wenn sich die Babies bewegten; Kays Blick glitt über die Tischplatte zu ihrem Bauch. Sie hatte nicht mehr die Energie, sie zu hassen. Und Joe hatte recht: Es war anständig von ihr gewesen, dass sie sie gestern Abend nach Hause gefahren hatte.

Als die Vernehmungen beendet waren, sie aus der Wache geführt und man ihnen den Weg zur Bushaltestelle gewiesen hatte, beschloss Kay, am nächsten Tag noch einmal zu Danny zu fahren und ihm zu sagen, er solle es einfach vergessen.

34

Moira und Ella lagen auf dem Bett und planten die Beerdigung. Sie hatten die Beine unter die Decke geschoben, Moira balancierte Stift und Notizblock auf den Knien, und Ella saß im Schneidersitz daneben, eine riesige Tüte Marshmallows zwischen den Oberschenkeln. Sie hatte eine Vorratskammer gefunden, so groß wie ein begehbarer Kleiderschrank, voll mit Lebensmitteln, die die Familie niemals zu sehen bekommen hatte und die die Angestellten für sich selbst besorgt haben mussten: billige Gebäckmischungen, Marshmallows und Chips.

Thomas wollte nicht mit den beiden auf dem Bett sitzen, obwohl dort noch Platz gewesen wäre. Es kam ihm falsch vor, deshalb wanderte er in weitem Bogen im Schlafzimmer seiner Eltern umher, ein unvertrautes Zimmer, in das er mal gespäht, das er aber nie intensiver erkundet hatte. Er war nie hier hereingebeten worden, und er hätte nicht sagen können, warum. Selbst jetzt fürchtete er noch, Lars könne plötzlich mit weit aufgerissenen Augen hereinspazieren und ihn anbrüllen.

Das große Schlittenbett aus gelbem Pappelholz stand mitten im Raum, das massive Fenster dahinter wirkte wie ein Teil des Bettgestells.

Moira hatte beschlossen, Lars in Sevenoaks zu beerdigen. Das kam Thomas ein kleines bisschen gemein vor. Er sagte, vielleicht wäre Lars lieber in der Stadt begraben worden, da sie umziehen würden, sobald das Haus verkauft war, und er habe die Stadt doch so sehr gemocht. Aber Moira wollte nicht nachgeben. Sie sagte, da er dieses Haus doch so sehr geliebt habe, sei es nur angemessen, aber in ihrem Blick lag ein gemeines Lächeln, als sie das sagte. Sie machte Lars zum Gefangenen an dem Ort, an dem er sie gefangen gehalten hatte.

Ella aß träge ihre Marshmallows, biss von jedem genau acht Mal ab, während Thomas durch den Raum tigerte, Dinge berührte, die Lars gehört hatten, und sich fragte, ob er genau dieselben Sachen auch in seinem anderen Haus gehabt hatte. Er sah zu Moira im Bett hinüber. Sie war glücklich, lag dort mit Ella, machte sich Notizen, schrieb auf, wer zur Beerdigung kommen und was passieren sollte. Sie tat ihm leid, weil er wusste, dass Theresa bald anrufen würde. Moira mochte es längst wissen, aber sie wurde nicht gerne mit unangenehmen Tatsachen konfrontiert. Vielleicht fing sie dann wieder an, Antidepressiva zu schlucken, und Ella und er würden sie erneut verlieren.

»Tom, willst du jemanden aus der Schule zu Daddys Beerdigung einladen?«

Thomas schüttelte den Kopf.

»Nicht mal Squeak?«

»Nein.« Er berührte eine Haarbürste. »Ist zu weit.«

»Hmm.« Früher hätte sie vielleicht sogar die Piper für Squeak losgeschickt, nur damit er für Thomas da war, aber die Zeiten hatten sich geändert. So etwas konnten sie sich jetzt nicht mehr leisten.

»Vielleicht schickt ihm sein Daddy ja ein Flugzeug?«

»Nein, lieber nicht.«

»Was ist mit Donny? Hast du ihn eingeladen?«

»Donny?« Er sah sie an, als hätte sie nicht mehr alle Tassen im Schrank.

Moira zog eine Schnute. »Donny, sein Stiefvater hat Krebs, du hast den Vormittag mit ihm verbracht …«

Thomas wurde rot, ihm war übel, und er fühlte sich entsetzlich, aber Moira glaubte, sie hätte ihn entlarvt, und lächelte, nickte dabei, als wollte sie sagen, sie wisse Bescheid.

»Du könntest sie einladen, wenn du möchtest, deine Freundin.«

Er schüttelte den Kopf und sah weg, verlegen, weil Theresa nicht seine Freundin sein konnte. Es war unheimlich, über so etwas nachzudenken, und trotzdem hatte er's getan. Im Zug nach Hause hatte er an kaum etwas anderes gedacht. Dabei hatte er sich eigentlich nicht mal vorgestellt, sie zu berühren. Er hatte eher warme verschwommene Gedanken an sie, an ihr dichtes Haar, daran, wie sie die Schultern rollte, wenn sie ging, wie sie zusammen nach einer gemeinsam verbrachten Nacht in dem blöden Pfannkuchenrestaurant frühstücken würden. Er ging auf die Zugtoilette und holte sich schnell einen runter, dachte dabei aber an etwas ganz anderes, an einen Film, den er mal gesehen hatte, sodass er schon bald wieder an seinen Platz gehen und von ihr träumen konnte.

»Willst du sie nicht einladen?«

»Nein.«

Moira beobachtete ihn. Plötzlich wurde sie ernst. »Du hast dich aber doch nicht mit Nanny Mary getroffen, oder?«

»Quatsch!«, fuhr er sie wütend an.

»Diese Frau hat Bilder von deinem Vater an die Presse verkauft.«

»Ich treffe mich nicht mit Nanny Mary, verflucht …«

»Die ist eine falsche Schlange.«

»Halt die Klappe, verfluchte Scheiße.«

Moira las in seinem Gesicht und sah, dass er es ernst meinte. Sie wandte sich wieder ihrem Notizblock zu.

Ella, erschöpft weil sie länger als anderthalb Minuten nicht im Zentrum der Aufmerksamkeit gestanden hatte, kauerte sich auf den riesigen Kissen zusammen. »Okay, was für Songs?«

»*Welche* Songs«, korrigierte Moira.

»Nein«, Ella trat mit ihren zarten Fersen aufs Bett, »ich glaube, man darf sagen, ›was für Songs‹.«

Jetzt machte sie auf niedlich, redete in einer Art Babysprache. Thomas hielt sich von ihr fern. Sie trug so dick auf, dass er kurz davor war, ihr eine runterzuhauen. Sie war furchtbar launisch – manchmal lachte sie ohne einen Grund laut auf oder stellte dumme Fragen wie: Wird's morgen regnen? Wie nennt man diese Farbe?

Er dachte an Phils und dessen Schwester, Bethany. Die waren bestimmt cool. Er stellte sich vor, wie es wäre, Phils zu sein, Skateboard zu fahren und in Chelsea aufzuwachsen. Thomas überlegte, ob es in seiner Klasse jemanden wie Phils gab, aber da gab es niemanden, weil Phils eine normale Schule besuchte, und da waren sowieso alle ganz anders. Und wenn Ella Bethany wäre, wäre sie auch cool. Sie würde zu Thomas-Phils ehrlich sein. Sie würde sagen, dass sie traurig war, weil ihr Dad tot war, und gleichzeitig auch froh. Bestimmt vertraute Bethany Theresa. Sie würde nicht so übertreiben oder Figuren aus Filmen nachmachen, nur weil sie sonst nicht wusste, wie sie sich benehmen sollte. Bethany würde es wissen.

»›Star of the Sea‹?«

»Nein«, sagte Ella, »was …« Ihr fiel das Wort nicht ein,

also fuchtelte sie mit den Händen in der Luft, als wollte sie Konfetti werfen, »Hoch!«

»Ergreifendes«, sagte Moira.

»Ja, was Ergreifendes. Ergreifend, ergreifend.«

»›Jerusalem‹?«

»Ist das denn ein Kirchenlied?«

Moira war nicht so sicher. »Hat ihm aber gefallen.«

Ella nickte. »Ergreifend.«

»Okay.« Moira notierte »Jerusalem«. »Und danach? Wollen wir einen Leichenschmaus machen?«

»Macht man das so?«

Thomas wusste es nicht so genau. Er war noch nie auf einer Beerdigung gewesen, aber er hörte zu.

»Na ja, wir können ein Catering bestellen. Aber würde überhaupt jemand kommen? Das steht ja gar nicht fest. Daddy war in ziemlichen Schwierigkeiten, und jetzt, wo niemand mehr vor ihm Angst haben muss …«

Weit weg, unten an der Treppe, klingelte leise das Telefon. Thomas war blitzschnell an der Tür. »Ich geh dran.«

»Nicht nötig.« Moira beugte sich zum Nachttisch und hob den Hörer ab.

»Hallo?« Sie lauschte, wirkte erst zufrieden, dann verwirrt. Thomas' Herz ballte sich zusammen. Er blickte auf die Nachttischuhr. Es war erst halb sieben, um eins hatte er sich von Theresa verabschiedet. Sie waren erst seit fünf Stunden getrennt, fünfeinhalb Stunden, und er konnte an kaum etwas anderes denken. Vielleicht war es ihr ja genauso ergangen. Vielleicht dachte sie genauso an ihn, und es war vorherbestimmt, und sie würden alle Hindernisse überwinden, die zwischen ihnen lagen, so wie Theresa und Lars sich darüber hinweggesetzt hatten, dass er noch eine andere Familie hatte.

Moira sah Thomas mit kalten klaren Augen an. »Einen Augenblick.«

Sie lächelte und hielt ihm den Hörer hin. »Für dich.«

Er nahm ihr das Telefon aus der Hand und zog sich auf die andere Seite des Raums zurück, bevor er es sich ans Ohr hielt.

Ein Keuchen traf die Muschel. Der Atem eines Mannes, nicht Theresa.

»Thomas. Bist du's?« Es klang gedehnt und müde, die Stimme eines gebrochenen Mannes. Lars, der mit veränderter Stimme aus dem Leichenschauhaus anrief, weil ihm der Strick die Luft abschnürte. »Bist du's?«

Thomas ging hinaus in den Flur, zog die Schlafzimmertür vorsichtig hinter sich zu. »Wer ist da?«

»Thomas, hier ist Father Sholtham.«

Thomas atmete tief durch. Ein Name von vor einer Million Jahren. Father Sholtham war der Schulpriester. Es hatte Gerüchte gegeben, dass er trank, dass er früher bei der Navy gewesen war, und Boxer, und dass er einen Mann getötet hatte. Er besaß Charisma und gab einen Scheiß auf Doyle oder sonst einen von denen: Thomas hatte ihn mal bei einer Elternversammlung auf der Bühne gesehen, er hatte sich in die Hosentasche gegriffen und völlig ungeniert am Sack gekratzt.

»Father?«

»Thomas, bist du noch dran?«

»Äh, ja, Father, das bin ich.« Er fühlte sich geschmeichelt, dass Father Sholtham ihn anrief. Am anderen Ende der Leitung entstand eine Pause, aber Thomas wollte nicht, dass er auflegte. »Haben Sie – woher haben Sie meine Nummer, Father?«

»Mr Doyle …«

»Ah, verstehe.«

»Thomas … ich weiß nicht, wie das ist …« Der Satz versandete in schwerem Atmen. Dann schniefte er, und es klang feucht, als weinte Father Sholtham, als steckte er in Schwie rigkeiten.

Thomas wollte nicht hier mit ihm sprechen, auf der Treppe im Flur, er wollte sich konzentrieren und mit ihm reden, ohne dabei die Schlafzimmertür im Auge behalten zu müssen. »Father, können Sie einen Augenblick dranbleiben, bitte?«

»Mach ich.«

Thomas hielt das Telefon fest und lief nach unten. Er wusste, dass Stimmen im Treppenhaus hallten: Er hatte gehört, wie sich Lars und Moira im Wohnzimmer entsetzliche Dinge an den Kopf geworfen hatten. Deshalb eilte er in die Küche und die Stufen hinunter in den Kühlraum, ließ das Licht ausgeschaltet und setzte sich im Dunkeln auf die unterste Stufe.

»Father?«

Father Sholtham weinte jetzt wirklich, schluchzte wie ein Kind. »Tom, Tommy? Kannst du mit mir sprechen?«

»Father, wieso weinen Sie?«

»Oh Gott!«

Thomas hielt sich das Telefon vom Ohr weg und begriff plötzlich, was los war: Der Priester war betrunken. Es war erbärmlich, enttäuschend.

»Thomas«, flüsterte Father Sholtham, »Ich *weiß*, was du getan hast.«

Thomas erstarrte. »Tut mir leid, Father, wovon sprechen Sie?«

»Was du ihr angetan hast, der Frau …«, er brach schluchzend ab. »Oh Gott, Allmächtiger.«

»Father, wo sind Sie?«

Er wurde ärgerlich. »Nirgends! Denk nicht mal dran ... ich will nicht, dass du denkst ...«

Er war wirklich sehr betrunken. Man würde ihn leicht aus dem Konzept bringen können.

»Sie sind ganz schön betrunken, Father.«

»Ja, das bin ich.« Lautes Schniefen. »Das bin ich.«

»Father, Sie dürfen doch gar nicht darüber sprechen.«

»Thomas, es gibt Sünden ...«

»Sie werden exkommuniziert, wenn Sie über Dinge sprechen, die Sie unter ganz bestimmten Umständen erfahren haben ...«

»Ich bin längst verloren, Thomas. Mir ist lieber, ich bin verloren, als du ...«

»Okay. Hören Sie. Ich denke, betrunken oder nüchtern, Sie brauchen Hilfe. Ich denke, Sie sollten sich geistlichen Rat suchen, Father, und zwar schnell.«

Der Priester atmete tief durch. »Stimmt, du hast recht.«

»Bislang ist ja noch nichts passiert, Father, ich werde dieses Gespräch vergessen ...«

»Nichts passiert?« Er konnte kaum sprechen. *»Es ist nichts passiert?«*

»Ich meine den Umstand, dass Sie darüber gesprochen haben.« Thomas klang sehr entschieden. »Sie brauchen Hilfe, dringend.«

»Das will ich ja, ich habe gewartet ...«

»Bis Sie mit dem Trinken aufhören? Na ja, vielleicht hören Sie erst auf, wenn Ihnen jemand hilft.«

Thomas beugte sich über seine Knie, presste sie sich fest an die Brust, quetschte allen Atem aus sich heraus und schloss die Augen.

»Thomas?«

»Hmm.«

»Ich habe Angst um dich.«

»Hmm.«

»Ich habe Angst, dass du nicht zur Beichte gehst.«

Das war lächerlich. »Wie wahrscheinlich ist es, dass ich jetzt hingehe, was glauben Sie?«

Father Sholtham hatte dazu nichts zu sagen.

»Father?«

»Ja?«

»Wann haben Sie davon gehört?«

»Warum?«

»Ich muss es wissen.« Der Priester blieb scheinbar ungerührt, schnaubte, sodass Thomas hinzusetzte: »Wenn Sie's mir verraten, geh ich zur Beichte.«

»Ehrlich?«

»Ja.«

»Denn Thomas, es genügt nicht zu beichten, du musst wahrhaftig bereuen ...«

»Father, wie könnte ich das nicht bereuen?«

Jetzt flüsterten sie, als säßen sie im Beichtstuhl, als befänden sie sich in einer Kirche nur einen Meter entfernt von allen möglichen neugierigen Wichsern.

»Ich kann dir die Beichte nicht am Telefon abnehmen, Thomas.«

»Ich weiß, ich geh hin, ich such mir jemanden. Wann haben Sie davon gehört, können Sie mir das sagen?«

Sholtham dachte einen betrunkenen Augenblick, der deutlich länger dauerte als ein normaler, über seine Verhandlungsposition nach. »Mittagspause. Chortreffen.«

»Das ist dienstags, oder?«

»Um zwölf, ja, wieso?«

»Waren Sie da auch betrunken?«

»Gott möge mir verzeihen, ja. Wirst du zur Beichte gehen, Thomas?«

»Ich gehe zur Beichte, wenn Sie auch gehen.«

Der alte Mann weinte. Er weinte lange, rezitierte Standardsprüche aus dem Repertoire eines Priesters: Gott segne dich, Gott gnade dir.

Thomas versuchte beruhigend auf ihn einzureden, ließ sich von ihm versprechen, zur Beichte zu gehen, und schwor, er selbst würde es auch tun.

Nachdem er aufgelegt hatte, blieb er zusammengekauert im Kühlraum sitzen, starrte auf den Betonfußboden und war vor Schreck wie gelähmt.

Als sie sich am Kiesstrand getroffen hatten, hatte Squeak es Sholtham längst gesagt gehabt. Er hatte Sholtham betrunken vorgefunden, ihm gebeichtet und gesagt, dass Thomas sie umgebracht hatte. Squeak hatte die ganze Zeit seinen Absprung geplant.

Thomas wollte jetzt nicht erwischt werden, nicht jetzt, wo Theresa anrufen würde. Was würde sie denken, wenn sie so etwas über ihn erfuhr? Sie würde Angst vor ihm haben. Sie würde ihn für ein Monster halten, und er würde ihr niemals erklären können, was in dem Haus geschehen war. Nicht einmal ihr.

Wenn man erst mal fertig war und am Boden lag, würde einem jeder so was antun, allen voran Squeak.

35

Brian Morrow betrachtete die Hecke, während die Waschmaschine den Waschgang beendete. Er hatte die Wäsche falsch reingestopft, und der letzte Durchlauf war viel zu laut, das Gewicht der Klamotten verschob die Maschine, und die Küchenfenster ratterten, weil sie so stark vibrierte. Die Hecke musste mal gedüngt werden. Die Blätter wurden schon gelb, dabei war das doch angeblich eine immergrüne Pflanze. Er wandte sich wieder seiner Liste auf dem Tisch zu, suchte einen Bleistift und schrieb auf: »um Hecke kümmern«. Er hielt inne und hakte die Sachen ab, die er bereits erledigt hatte: waschen, die Kommode mit der Bettwäsche aufräumen, Mittagessen. Inzwischen vergaß er nicht mehr zu essen, das Mittagessen hatte er nur mit auf die Liste geschrieben, damit er einen weiteren Punkt zum Abhaken hatte und sich das Gefühl geben konnte, etwas geschafft zu haben. Sein Therapeut hatte gesagt, es sei wichtig, jeden Tag etwas zu schaffen, und ihm geraten, jeweils am Abend vorher eine Liste zu schreiben, eine bescheidene Liste, und diese möglichst abzuarbeiten. Er würde das Gefühl bekommen, etwas Sinnvolles geleistet zu haben. Eigentlich brauchte er die Liste jetzt nicht mehr, aber sie machte ihm Spaß.

Der lärmende Schleudergang wurde leiser, und Brian hörte durch das Rattern hindurch die Türklingel. Er legte seine Liste auf den Tisch und ging in den Flur. Ein Schatten hinter der Glastür. Ein Mann, ohne Päckchen, also kein Lieferant. Ein stämmiger Mann.

Brian öffnete die Tür.

Der Mann war groß, ein bisschen dick und trug einen dunklen Sportanzug und ein Sweatshirt. »Kann ich Ihnen helfen?«

Er nickte, und Brian entdeckte plötzlich das Gesicht seiner Frau in dem des Mannes: Die Grübchen, das Kinn und die kurzen Stoppelhaare auf seinem Kopf waren von demselben vertrauten Honiggelb. Es war Danny McGrath. »Ich bin …«

»Ich weiß.« Brian schob die Tür ein kleines Stück wieder zu, teilte ihm dadurch mit, dass er hier nicht willkommen war. Er war zu einer Zeit aufgetaucht, zu der Alex arbeiten war, und er hatte gewusst, dass sie nicht hier sein würde, um ihn zu verjagen. Er hatte gewusst, dass Brian alleine zu Hause sein würde und auch, das spürte Brian, dass er einen psychischen Zusammenbruch erlitten hatte und anfällig war. In Gedanken ging er alle Räume durch: Sie bewahrten kein Geld im Haus auf, und Alex stand nicht auf Schmuck.

»Was willst du hier?«

»Mir ist da was zu Ohren gekommen«, sagte Danny. »Hab euch was mitgebracht.«

Er trat einen Schritt vom Eingang zurück. Hinter ihm stand eine riesige Kiste aus einem Babygeschäft, oben drauf war die Quittung mit Klebestreifen befestigt. Es war ein Buggy für Zwillinge. Sie hatten sich Buggys im Netz angesehen, und Brian wusste, dass es der teuerste war.

»Oh.« Aber er zog die Tür noch ein Stückchen weiter zu.

Alex wollte keine Kindermöbel im Haus haben, aus Angst, dass sie die Babies doch noch verlor. Und sie wollte nicht, dass Brian Danny begegnete. Sie würde sich darüber ärgern, dass er hier gewesen war.

Danny stellte sich wieder vor die Kiste und sah an Brian vorbei in den Flur. »Darf ich reinkommen und mit dir reden?«

»Nein, Alex würde das nicht wollen.«

»Nein? Will sie mich nicht hier haben?« Danny sah gereizt weg.

Brian blickte über seine Schulter auf die Straße. »Würde es dir gefallen, wenn sie zu dir nach Hause käme, wenn du nicht da bist?«

Danny antwortete nicht.

»Das würde dir nicht gefallen. Du wärst misstrauisch, wenn sie zu dir nach Hause käme, ausgerechnet dann, wenn sie wüsste, dass du nicht da bist.«

Danny legte den Kopf in den Nacken und blickte Brian an, die Mundwinkel nach unten gezogen, als fände er ihn abstoßend. Er rollte mit dem Kopf, wandte sich ab und blickte auf die Straße. »Geht's dem Kleinen gut? Ist er im Kindergarten?«

»Der Kleine?«

»Dein Sohn.«

»Willst du mir drohen?«

»Ich droh dir nicht«, Danny beugte sich vor, »ich hab nur gefragt, wie's deinem Sohn geht.«

Brian nickte. »Meinem Sohn?«

»Ja, wie heißt er noch? Gerald, oder?«

Brian starrte ihn an. *Wie heißt er noch?* Er starrte zu lange auf Dannys Mund. Er hatte Angst, aber schon wegen Gerald würde er sich nicht von Danny McGrath einschüchtern lassen. Es war ein Moment, den er der Zukunft gestohlen hatte, die Gerald und er niemals haben würden. Die Geste eines guten Vaters, der auch einen tollwütigen Hund mit einem einzigen Schuss niederstrecken, die Schulhofschläger verjagen und den gemeinen Lehrer in seine Schranken weisen würde. Brian zeigte auf die Kiste mit dem Zwillingsbuggy. »Schaff das weg.«

Erstaunt blickte Danny von der Kiste zu Brian und wartete auf eine Erklärung.

Brian nahm den Blick nicht von der Kiste. »Gerald ist gestorben. Vor zwei Jahren.« Die Kiste war marineblau und grau, darauf abgebildet war ein Foto von zwei lächelnden identisch aussehenden Babies. »Hirnhautentzündung. Kam ganz plötzlich.«

Danny konnte Brian nicht ansehen. Er hustete und bedeckte die Hälfte seines Gesichts mit der Hand.

»Ja«, sagte Brian, der das gewohnt war. »Du kannst dir ja vorstellen, wie nervös wir wegen dieser Schwangerschaft sind, zumal es Zwillinge sind. Ich möchte nicht, dass sich Alex aufregt. Wir kommen ohne das Ding klar.« Er zeigte auf Danny von Kopf bis Fuß, merkte wie beleidigend das war und richtete seinen Finger stattdessen auf den Buggy.

»Verstehe«, Danny sah die Kiste an. »Manche Leute haben nicht gerne Babysachen zu Hause, bevor es da ist.«

»Das ist es nicht allein«, sagte Brian. »Das Problem ist, dass du hergekommen bist. Was willst du hier? Lass uns in Ruhe. Geh.«

Aber Danny schüttelte den Kopf. »Ich kann nicht gehen«, sagte er schwerfällig, »ich brauche deine Hilfe.«

Sie saßen in der Küche, tranken löslichen Kaffee und aßen Malzmilchkekse. Danny zitterte, und Brian hatte es nicht übers Herz gebracht, ihn vor der Tür stehen zu lassen. Anscheinend ging es nicht um Gerald – Danny hatte ihn nie gesehen –, sondern um etwas anderes, das ihn sehr belastete.

Er schlürfte seinen Kaffee, den er schwach und mit drei

Stück Zucker trank. In der Küche wirkte Danny kleiner. Nicht bedrohlich, nur irgendwie vernachlässigt, als hätte ihm nie jemand gezeigt, wie man sich anständig anzieht. Er sah viel älter aus als Alex, nicht unbedingt in den Gesichtszügen, aber seine Haut wirkte schlaff und trocken. Die Haut eines Rauchers.

»Das ist ein schönes Haus.«

Brian sah sich in der Küche um. Es war ein einfaches Haus, eine Doppelhaushälfte aus den Dreißigerjahren mit einem runden Fenster im Flur und langen breiten Fenstern vorne und hinten.

»Ich hab mir immer gewünscht, in so einem Haus aufzuwachsen.«

Brian war in einem solchen Haus aufgewachsen. Deshalb hatte es ihm auch gleich so gut gefallen, als sie es sich angesehen hatten. Alex mochte es wegen des Lichts – der Garten lag Richtung Süden und sie befanden sich auf einer leichten Anhöhe, sodass Sonnenlicht hinten ins Haus strömte –, und die Gegend war sehr ruhig.

Sie hatten nichts dran gemacht, waren zufrieden gewesen mit dem, was da war, als sie einzogen: der Holzküche aus den Achtzigerjahren, dem schlichten Badezimmer, den orange gestrichenen Wänden im Flur.

»Ruhig ist es hier«, sagte Danny.

Brian schob ihm den Keksteller hin. Es war nur noch einer übrig. Danny sah ihn an, und Brian nickte ihm zu. Er nahm ihn. Es waren Kinderkekse. Sie kauften sie, weil Alex Verdauungsstörungen hatte.

»Sie will dich nicht hier haben.«

Danny biss noch einmal ab. »Ich will auch gar nicht hier sein.«

»Warum bist du's dann?«

Er kaute und nahm einen Schluck Kaffee. »Mein Sohn«, sagte er. Brian nickte. »Der kleine John?«

»Ja«, sagte Danny. »Sie muss mit der Frau sprechen, sie muss erfahren, was der Junge durchgemacht hat, und du musst Alex was von mir ausrichten …«

»Ich weiß nicht, ob ich das kann«, unterbrach ihn Brian.

Danny verstand, nickte. »Okay.« Er trank seinen Kaffee aus, stellte den Becher vorsichtig ab und drehte ihn auf der Tischplatte hin und her. »Sie hat mit einem Fall zu tun, und jemand, der darin verwickelt ist, war bei mir. Die Person war bei mir, weil sie wollte, dass ich Druck auf Alex ausübe, damit sie die Ermittlungen einstellt.«

Brian begriff nicht. »Willst du denn, dass sie das tut?«

»Nein«, sagte Danny aufrichtig. »Ich will Alex warnen. Wenn diese Person zu mir gekommen ist, dann geht sie vielleicht auch zu anderen. Ich möchte, dass Alex weiß, dass ich sie gewarnt habe und sie nicht weiter gegen die Murrays ermittelt.«

Brian ließ eine Pause entstehen, als würde er das, was er im Begriff war zu sagen, nur sehr widerwillig sagen: »Willst *du* sie warnen?«

Danny guckte skeptisch. »Ich bin nicht blöd, das würde doch sowieso nicht funktionieren.« Sie lächelten einander an, bis Danny sagte: »Sag ihr einfach: Da gibt's einiges, was sie nicht weiß. Die Murrays sind gute Jungs. Und jemand ist verzweifelt.«

Brian beobachtete durchs Fenster, wie der Audi davonfuhr. Es war ein Modell mit Vierradantrieb und getönten Scheiben, ein Gangsterschlitten. Brian sah ihm hinterher, als er langsam aus der Sackgasse herausfuhr, am Ende der Straße hielt, blinkte und Richtung Innenstadt verschwand.

36

Morrow ging Bannerman aus dem Weg, blieb in ihrem ruhigen Büro und verfolgte einige ungeklärte Hinweise. Sie lauschte dem Tuten des Telefons und erwartete fast, mit einem Anrufbeantworter verbunden zu werden, aber dann wurde der Anruf von einem Mädchen mit heller, singender Stimme beantwortet.

»Halloho?« Im Hintergrund dudelte klassische Musik im Radio.

»Oh, hallo, äh, mein Name ist Alex Morrow, Strathclyde Police, ich rufe an …«

»Oh Gott, Sarah! Ich hab's eine Minute lang vergessen, Sarah-Farah, Gott …«

»Könnte ich eine Minute mit Ihnen sprechen? Haben Sie kurz Zeit?«

»Ja …«

Morrow hörte, wie sie sich setzte und das Radio leiser drehte. »Ja, sicher.«

»Hm, ich wollte nur fragen, was für eine Person sie war.«

»Sarah?«

»Ja.«

»Hat Ihnen niemand von ihr erzählt? Sie müssen doch mit Leuten gesprochen haben, die sie kannten …?«

»Hmm.« Morrow war selbst nicht ganz sicher, was sie von ihr wollte.

»Entschuldigung, noch mal von vorne: Darf ich zunächst Ihren vollständigen Namen und Ihre Adresse haben, nur für die Akten? Bislang weiß ich nur, dass Sie Maggies Schwester sind …«

»*Halb*-Schwester. Maggie ist meine Halbschwester.«

»Okay.«

»Ich bin Nora, Nachname Ketlin. Sie heißt Moir mit Nachnamen. Verschiedene Väter.«

Sie schien sehr darauf bedacht, dies zu Protokoll zu geben, deshalb wiederholte Morrow die Namen noch einmal, als schriebe sie ausführlich mit. Tatsächlich aber notierte sie Noras Adresse, und sie tauschten auch E-Mail-Adressen aus, falls einer von ihnen beiden später noch etwas einfiel. »Sie waren also alle gemeinsam auf der Schule?«

»Mit Sarah?«

»Ja.«

»Ja, sie war in meinem Jahrgang. Aber nicht in meinem Haus. Wir hatten auf der Schule gar nicht so viel miteinander zu tun, unterschiedliche Grüppchen, aber danach haben wir uns besser kennengelernt, haben viel Zeit zusammen in London verbracht, uns überlegt, was wir machen wollen. So was in der Richtung. Auf der Schule wurden wir sozusagen auf ein Leben als Ehefrauen vorbereitet, dort ging's nicht sehr akademisch zu …«

»Wie war Sarah?«

»Sie war sehr nett.«

Morrow ließ den Bleistift fallen. »Nora«, sie rieb sich die Augen, »das höre ich immer wieder – dass Sarah nett war. Heißt das, sie war langweilig?«

Nora geriet darüber ins Stammeln. »Nein … sie … nein, sie war nicht *langweilig*. Sarah war …«

Sie hörten einander einen Augenblick lang beim Atmen zu.

»Sehen Sie«, sagte Nora und setzte sich auf, ihre Stimme leise und dicht am Telefon, »Sie müssen verstehen, wo Sarah herkam: keine alte Familie, aber eine gute. Sie war zurückhaltend. Hatte gute Manieren.«

»Wussten Sie, dass sie als Escortmädchen gearbeitet hat?«

»Ja, das wusste ich.«

Morrow war erstaunt.

»Gesagt hat sie's mir nicht, aber ich hab mal einen Buchladen auf ihrem Handy gesucht und bin über ihre E-Mails gestolpert. Wir haben uns deshalb auch gestritten.«

»Was hat sie gesagt?«

»Dass sie das Geld brauchte, nichts gelernt hätte und nicht besonders schlau wär, trotzdem wollte sie keinen blöden Wichser aus der City heiraten und um Geld anpumpen müssen. Sie sagte, sie könnte jederzeit wieder damit aufhören. Wenn sie wegen des Geldes heiraten würde, müsste sie sich verdammt noch mal ja auch wieder scheiden lassen. Und auf die Art würde das Geld ihr allein gehören. *Sie brauchte es für die Pflege ihrer Mutter …*«

»Sie hat dreimal so viel verdient, wie sie dafür brauchte.«

»Ich weiß. Als sie aufgehört hat, hatte sie schon eine Menge für ihr Leben danach gespart. Sie wollte nach New York ziehen und ganz neu anfangen. Verstehen Sie mich nicht falsch, sie war keine Märtyrerin. Sie hatte tolle Klamotten und ist immer erster Klasse gereist.«

Morrow musste lächeln. »Das klingt fast ein bisschen draufgängerisch.«

»Nein«, sagte Nora einfach, »das war sie nicht. Sarah war echt ehrlich. Sie meinte, das hätte sie von ihrer Mutter. Ihre

Mutter nannte die Dinge immer beim Namen. Das hatte wohl damit zu tun, dass sie schon älter war, als Sarah auf die Welt kam.«

»Hat sie ihre Mum geliebt?«

»Sie hat sie verehrt. Es schien, als wär sie die einzige Person auf der Welt, die Sarah wirklich wichtig war, außer, vielleicht na ja, …« Sie brach ab. »Sie standen sich wirklich sehr nahe.«

»Außer wem?«

»Na ja …«, Morrow konnte hören, wie sie davor zurückschreckte. »Hm, sie …«

»Lars Anderson?«

Nora schnaubte.

»Mussten Sie Sarah was versprechen?«

»Ja.«

»Versprechen nichts zu sagen?«

»Ja.«

»Sie wissen aber, dass er auch tot ist.«

»Ich hab's gesehen.«

»Glauben Sie, dass es da einen Zusammenhang gibt?«

»Nein. Lars war ein *Arsch.*« Sie rotzte das ungewohnte Wort heraus. »Der hat sich für niemanden interessiert außer für sich selbst. Ich kann mir nicht vorstellen, dass es ihm was bedeutet hat, ob sie lebte oder tot war, ganz ehrlich.«

»Aber sie hat ihn geliebt?«

»Hat ihn richtig geliebt. Das war ja das Widerliche an ihm – er hat jeder Einzelnen das Gefühl gegeben, dass sie die Einzige für ihn wäre, dass er wirklich unbedingt eine Rolle in ihrem Leben spielen wollte und dass er sie liebte. Das war ein billiger Trick. Ich hab ihr das damals auch gesagt, ich hab gesagt: ›Das ist ein Arsch, Sarah, ein fetter alter Arsch‹, aber sie wollte nichts davon hören. Ich denke, sie hat einfach jemanden gebraucht, den sie lieben konnte, und sich für ihn entschieden.«

»Hat sie Geld von ihm angenommen?«

»Nein. Sie hat nicht mal Schmuck von ihm behalten. Er sollte wissen, dass sie *ihn* liebte, nicht sein Geld. Und das wusste er. Er hat Geld abgezweigt und es ihr gegeben, damit sie es für ihn versteckte. Er wusste, dass sie es schon aus Prinzip nicht anrühren würde. Sie wollte sich abgrenzen.«

»Von wem?«

»Von allen. Den anderen Frauen, seinen Familien. Er hatte zwei Familien. Das stand zwar nicht in der Zeitung, aber trotzdem hat es jeder gewusst. Die eine hat er nach Sevenoaks abgeschoben und die andere lebt in London.«

»Hatte er Kinder?«

»Ja, vier, soweit ich weiß.«

»Auch Jungs?«

»Wahrscheinlich. Ich weiß, dass einer davon auf Lars' alte Schule in Schottland ging.«

»Wo in Schottland?«

»Perth, glaube ich.«

Sie sah, dass Harris sie vom Ermittlungsraum aus beobachtete, als sie über den Gang zu Bannerman ins Büro ging. Sie klopfte an die Tür und beugte sich noch einmal zurück, um Harris einen Blick und ein Lächeln zuzuwerfen. Er lächelte nicht zurück.

Bannerman rief sie herein. Er las gerade einen Bericht aus einer Aktenmappe.

»Sir«, sagte sie bestimmt, »erinnern Sie sich an den Priester in Perth?«

Er seufzte, unwillig noch einmal über Perth zu debattieren.

»Na ja«, fuhr sie fort, »Lars Anderson, der Mann auf den iPhone-Fotos? Er hatte zwei Söhne. Einer davon besucht ein Internat in Perth.«

Sie trat einen Schritt zurück und lächelte ihn an. Wartete. Sah, dass seine Augen glasig wurden. Er blickte erneut auf das Blatt vor sich.

»Ich möchte, dass Sie das Betrugsdezernat anrufen. Besorgen Sie uns ein paar Hintergrundinformationen über Anderson.«

Das Zusammentragen von Hintergrundinformationen war Aufgabe eines Detective Constable, lästige Routinearbeit.

»Sie wollen den Hinweis also nach wie vor ignorieren?«

»Morrow, Sie müssten jeden fragen, ob er oder sie schon mal in Perth war. Wir haben doch längst in Perth angerufen. Sarah Erroll ist nie dort gewesen und Sie haben bereits ausführliche Notizen über das Wenige angefertigt, was die Spur hergibt. Geben Sie's auf.«

Morrow ging rückwärts aus der Tür und ließ sie hinter sich zuknallen. Als sie sich umdrehte, sah sie Harris, der alles beobachtet hatte, in der Tür des Ermittlungsraums stehen.

Ein skeptischer Polizeibeamter ließ sich ihren Namen geben und sagte, er müsse sie über die Revierzentrale zurückrufen, um sich bestätigen zu lassen, dass sie tatsächlich Beamtin der Strathclyde Police war. Er klang sehr überzeugt von sich, keineswegs kollegial und ließ keinen Zweifel daran, dass die Informationen, die er mit ihr zu teilen bereit war, knapp bemessen sein würden und sie großes Glück hatte, überhaupt welche zu bekommen.

Er war erleichtert, als sie ihm seinerseits klarmachte, dass sie keine Einzelheiten über die Firma brauchte, und noch mehr, als sie sagte, dass sich möglicherweise Hunderttausende aus dem Nachlass von Sarah Erroll zurückfordern ließen.

»Also, was haben Sie in der Hand?«

»Äh«, sie überlegte krampfhaft, wie sie um den heißen Brei herumreden konnte, entschied sich dann aber doch anders und fragte: »Wie meinen Sie das?«

»Haben Sie belastende Dokumente? Quittungen für das Geld, Überweisungsnachweise, so was. Was haben Sie?«

»Kassenbelege?«

»Oder auch handschriftliche, die würden genügen.«

»So was gibt's nicht. Ist das schlecht?«

Er lachte sie aus. »Ja, das ist es. Ohne Beweise können wir kein Geld zurückfordern.«

»Verstehe, deshalb ist es wahrscheinlich da, wo's ist, hm?«

»Sie haben nichts?«

»Na ja, wir wissen, dass die beiden zusammen in einem New Yorker Hotel gesehen wurden.«

»Das bringt gar nichts. Können Sie ein Foto von ihr rüberfaxen?«

»Ja, haben Sie etwas, das Sie mir im Gegenzug geben können?«

»Hm, wie wär's mit Aufzeichnungen über fehlende Beträge?«

»Gut – besonders größere Beträge in Euro, die in New York abhandengekommen sind?«

Er zögerte. Sie konnte eine Tastatur im Hintergrund klappern hören.«

»Na ja, ich hab gleich Feierabend, aber auf die Schnelle

kann ich Ihnen sagen, dass in einer Bankfiliale in Manhattan mehrfach größere Eurobeträge abgehoben wurden.«

»Warum? Wieso hat er das Geld nicht einfach hier abgehoben?«

»Da drüben wird so etwas weniger streng überwacht, und er wusste, dass wir hier bereits ein Auge auf ihn geworfen hatten.«

»Also war New York der naheliegendste Ausweg?«

»Der sicherste wahrscheinlich. Aber er musste das Geld anschließend wieder nach Großbritannien zurückschmuggeln.« Er las etwas, sie hörte, wie er vor sich hin murmelte: »Mal sehen. Ja, das ist ein privates Konto. Ein Einlagenkonto für private Aufwendungen.«

»Was heißt das?«

»Schwarzgeld.«

»Schwarzgeld? Das ist aber viel für Schwarzgeld.«

»Sie würden kaum glauben, wie viel solche Leute heimlich abzwacken.«

»Ist das so was wie die Portokasse?«

»Genau.«

»Aber das waren Hunderttausende.«

»Ich weiß. Geschäftsleute weltweit räumen gerade diese Art von Konten. Niemand achtet im Büro so genau darauf. Normalerweise sind die Beträge auf diesen Konten für sie kaum mehr als Peanuts, deshalb gibt es so gut wie keine Sicherheitsschranken. Das Büro stockt nur regelmäßig die Beträge auf und achtet darauf, dass sich keiner in der Bank dran vergreift. Sofern er regelmäßig Geld abgehoben und das offengelegt hat, dürfte er wohl kaum überprüft worden sein.«

»Wenn wir keine Quittungen haben, was machen wir dann?«

»Sie halten sich aus unseren Ermittlungen raus. Wir hätten

aber gerne so viel wie möglich zum Fall Sarah Erroll: wo sich die beiden kennengelernt haben, wie oft sie sich getroffen haben und so weiter.«

Sie beendete das Gespräch und rief das Perth CID an, um sich nach dem betrunkenen Priester zu erkundigen. Man verwies sie von einer Abteilung zur nächsten. Morrow wusste, was das bedeutete: Niemand hatte sich drum gekümmert und ihn aufgesucht. Sie hing am Telefon und lauschte gereizt der klassischen Musik in der Warteschleife, als Harris kurz anklopfte, eintrat und die Tür hinter sich schloss.

Er glaubte, sie sei mit jemandem verbunden und signalisierte ihr mit großem Aufwand, dass er leise sein und warten würde, bis sie fertig war.

»Ich hör mir Vivaldi an.«

Er sah zur geschlossenen Tür. »Ma'am, Bannerman möchte wissen, was Sie machen.«

Sie legte auf.

Harris sah sie erwartungsvoll an. Bannerman hatte sich gegenüber Frankie und Joe zum Idioten gemacht, und jetzt markierte er vor den anderen den starken Mann. Besonders Morrow hatte er auf dem Kieker, damit es oberflächlich nach Gerechtigkeit aussah. Er schikanierte seine besten Leute und stellte alles in Frage, was sie machten. Die Ungerechtigkeit daran war zum aus der Haut fahren. Es schien ihm gar nicht in den Sinn zu kommen, dass Polizeibeamte, vielleicht mehr als Büroangestellte, Versicherungsagenten oder Vertreter sonstiger Berufe, ein angeborenes Gespür für das besaßen, was richtig war.

Harris zog die Augenbrauen hoch und murmelte leise: »Weißt du, du bist nicht die Einzige, der's so geht. Die Männer ...«

Sie hob abrupt die Hand. »Ah!« Sie wusste, wie es war, in die Streitigkeiten anderer hineingezogen zu werden, und hatte keine Lust darauf.

»Tut mir leid, ich hatte den Eindruck, dass du dich ärgerst.«

»Ich ärgere mich immer über irgendwas.« Sie stand auf. »Hier geht's nicht um Bannerman. Ich hab bis jetzt noch alle meine Chefs gehasst.« Sie nahm einen Stift und einen Notizblock vom Schreibtisch, stellte ihre Handtasche in die unterste Schublade und vergewisserte sich, dass das Schloss einrastete, als sie die Schublade zuschob.

Als sie wieder aufsah, nickte Harris immer noch. »Ich nicht.«

37

Thomas blieb eine Weile im Kühlraum und dachte über den Anruf von Father Sholtham nach. Er wusste nicht, wie lange er dort unten gesessen hatte, aber es kam ihm sehr lange vor.

Squeak war Messdiener, aber nicht besonders religiös. Er meinte immer, er würde nur wegen der Ausflüge mitmachen. Aber er war gottesfürchtig, so wie Lars. Für Lars war Religion so was gewesen wie die Mitgliedschaft in einem Country Club nach dem Tod: Er hatte alle Nichtkatholiken verachtet und wirklich geglaubt, dass sie in die Hölle kämen, und das fand er auch gut so. Thomas kämpfte gegen das reflexhafte Bedürfnis zu beten, ganz besonders jetzt, wo alles so schrecklich chaotisch war. Vielleicht ging es Squeak ja genauso. Vielleicht hatte er am Morgen danach dem betrunkenen Priester gebeichtet. Möglich, dass Squeak in einem verzweifelten Moment seinen Glauben wiedergefunden hatte. Thomas schüttelte den Kopf. Nein, Squeak führte etwas im Schilde, und das schon bevor sie sich am Seeufer getroffen hatten. Squeak wollte nicht erwischt werden. Er war ihm so weit voraus, dass Thomas schon verloren hatte, bevor der Kampf überhaupt begann.

Er stand auf und ging mit schweren Schritten zurück in die helle Küche.

Theresa hatte immer noch nicht angerufen. Thomas blickte auf die Wanduhr. Zehn nach sieben. Vielleicht rief sie ja noch an, aber offenbar hatte sie es nicht eilig damit. Er hätte sie schon vor Stunden angerufen, wenn es nach ihm gegangen wäre. Die Leichtigkeit des Vormittags in der Stadt fiel von ihm ab, und plötzlich erschien ihm alles wieder sehr trostlos.

Er schenkte sich ein Glas Cola aus einer Flasche im Kühlschrank ein, trank es in einem Zug aus und ging wieder nach oben. Auf dem Weg die Treppe hinauf sammelte er sich, legte sich seine Geschichte für Moira zurecht. Er würde behaupten, der Anruf sei vom Vater seiner Freundin in der Stadt gekommen. Er habe Thomas zur Rede gestellt, weil sie zu spät in die Schule gekommen war und der Vater einen Brief hatte schreiben und erklären müssen, warum sie in der Sportstunde gefehlt habe. Thomas nahm an, dass das in einer normalen Schule so gehandhabt wurde. Man musste wegen allem Möglichen etwas schreiben. Das Detail mit der Sportstunde machte die Lüge glaubhaft, fand er, und sie musste gut sein, weil Moira es gewohnt war, angelogen zu werden.

Er ging wieder ins Schlafzimmer und wusste sofort, dass eine Katastrophe geschehen war. Die beiden wirkten einander so fern, als würden sie sich tatsächlich in unterschiedlichen Räumen aufhalten.

Moira saß auf der Bettkante, das blasse, erschrockene Gesicht von Ella abgewandt, als sei etwas Entsetzliches vorgefallen. Er dachte an das depressive Mädchen aus Kiew in dem tristen Zimmer in Amsterdam.

Ella stand am Fenster hinter dem Bett und blickte auf den Rasen.

Moira musterte Thomas von oben bis unten. Sie war aschfahl und sagte zu ihm, warum ging er nicht mit Ella runter ins Familienzimmer, vielleicht könnten sie ja gemeinsam einen Film ansehen? Verwirrt setzte sich Thomas neben sie, legte ihr die Hand auf den Rücken und versuchte hinter das Entsetzen zu schauen.

»Mum?«

Moira lächelte unsicher. »Ella ist …« Aber sie wusste nicht, was Ella war.

Thomas stand auf und betrachtete das Spiegelbild seiner Schwester im Fenster, das sich mit der untergehenden Sonne gerade erst abzuzeichnen begann. Sie weinte, ihr Mund stand offen wie bei einer Maske aus einer griechischen Tragödie.

Sie begann mit ihrer rechten Hand zu wedeln, nur ein kleines bisschen, als hätte sie etwas zu Heißes gegessen, doch dann bebte sie stärker und schlug um sich, schlug immer heftiger mit dem Handrücken gegen die Scheibe. Es war Zeit, dass dieser Unfug aufhörte.

»Ella?«

Sie hörte nicht hin. Sie wollte etwas sagen, aber wegen ihrer donnernden Schläge gegen die Fensterscheibe verstand er sie nicht.

Thomas ging zu ihr, packte sie an der Schulter, drehte sie zu sich um und schrie: »Hör auf!« Doch sie machte trotzdem weiter. Sie weinte und schlug und trieb alle damit in den Wahnsinn. Thomas schrie noch einmal, jetzt lauter: »Ella! Hör verdammt noch mal auf! Wir sind alle traurig, Herrgott. Hier geht's nicht nur um dich!«

Er war zufrieden, weil genau darin das Problem bestand. Er hatte es perfekt formuliert. Sie zitterte, ihr ganzer Körper bebte jetzt, als würde sie sich in etwas hineinsteigern. Thomas hob die Hand und schlug ihr fest ins Gesicht.

Ella hörte auf zu zittern.

Thomas sah auf und sah sich selbst in der Fensterscheibe. Er war groß und hatte eine breite Brust, die Sehnen seiner

Arme waren gespannt, erhoben sich drohend über dem kleinen Mädchen. Sein Gesicht war vor Wut verzerrt. Er sah aus wie Lars.

Ella brach mit ausgestreckten Armen auf dem Boden zusammen. Er sah zu ihr hinunter. Ihre Handgelenke waren verkratzt, schlimme Narben und lange Kratzspuren zogen sich darüber.

Er versuchte, sie aufzuheben. Sie sackte erneut zu Boden und schlang sich schluchzend um seine Knöchel, Tränen kullerten ihr über die Schläfen ins blonde Haar, und ihre Wange war nach der Ohrfeige gerötet.

Thomas beugte sich hinunter, ging in die Hocke und wartete, bis Ella endlich müde wurde und aufhörte, sich auf dem Boden zu winden, bis sie mit leerem Blick seine Fußknöchel anstarrte. Er wusste, dass dies die wahre Ella war.

Plötzlich begriff er die besorgten Anrufe aus der Schule im Verlauf des vergangenen Jahres. Deshalb hatten Lars und Moira sie so viel häufiger besucht als ihn. Deshalb hatten sie ihre Stimmen gesenkt, wenn sie über sie sprachen. Deshalb hatten sie ihn möglichst von ihr getrennt. Sie war schon lange krank. Sie war wahnsinnig, unergründlich und unheimlich. Er sah Moira an und begriff, weshalb sie gewollt hatte, dass er als Erster nach Hause kam.

Sie hätten es ihm sagen sollen. Er hatte es nicht gewusst, hatte Ella für hochnäsig und verwöhnt gehalten, er hatte nicht gewusst, dass sie einen Dachschaden hatte. Das hätten sie ihm sagen sollen.

Er berührte Ella an der Schulter, so wie Doyle versucht hatte, ihn zu berühren, und sagte: »Tut mir leid, Ella, ich hab gedacht, du machst uns was vor.« Und danach sagte er gar nichts mehr.

Ella wartete, bis Moira im Badezimmer verschwunden war und die Tür zugemacht hatte. Dann stand sie langsam auf und blieb schlaff stehen, die ein oder andere Träne tropfte ihr von der Nase auf den Boden, grub kleine Vertiefungen in den dicken Teppichboden.

»Komm«, sagte er, nahm ihre Hand und führte sie aus dem Zimmer. Sie sah ihre eigene Tür, ihre eigene Schlafzimmertür und blieb stehen, zeigte mit einem Fuß darauf, zeigte auf den Türschlitz unten, und Thomas fragte: »Willst du da rein?«

Aber sie antwortete nicht, und er hatte Angst, sie alleine zu lassen. Also ging er mit ihr nach unten, half ihr auf der Treppe, ging voran und hielt sie an beiden Händen wie eine sehr alte Lady. Er sah die Furchen an ihren Handgelenken und sah, dass einige Narben sehr alt und weiß verheilt, andere so neu waren, dass noch Schorf auf ihnen lag.

Sie waren gerade am Fuß der Treppe angelangt, als Moira ihnen zurief, sie sei müde, wolle ins Bett gehen und sich am Morgen um alles kümmern. In Ordnung? Thomas? Schatz?

»Okay, Mum.« Er hörte, wie sie die Tür hinter sich zumachte, und stellte sich vor, dass sie auch abschloss, wobei er gar nicht genau wusste, ob in der Tür ein Schloss war.

Im Familienzimmer saßen Ella und er nebeneinander, dicht gedrängt Schulter an Schulter auf dem schneeweißen Sofa und sahen *Mission Impossible II*. Ella saß mit geöffneten Handflächen da, zeigte ihre Narben, und Thomas hätte am liebsten tadelnd den Kopf geschüttelt, weil die Geste so dramatisch wirkte, aber er schaute ihr ins Gesicht und merkte, dass es ihr scheißegal war, ob er die Narben sah oder nicht. Sie sagte nichts, aber sie nickte, wenn sich die Figuren im Film die Masken von den Gesichtern schälten.

»Dir geht's nicht gut«, sagte Thomas, als der Abspann lief.

Ella ließ den Kopf auf seine Brust sinken, als wäre sie sehr müde. Thomas glaubte nicht, dass er schon mal jemanden so traurig erlebt hatte.

»Ella?«

Sie sah ihn nicht an.

»Es wird alles gut. Von jetzt an kümmere ich mich um dich.«

Sie antwortete nicht, aber er wusste, dass sie ihn gehört und verstanden hatte und dass ihr das, was er gesagt hatte, etwas bedeutete. Das konnte er für sie tun. Er konnte Theresa für sie sein, so was wie Eltern, jemand, der immer da war und aufpasste, dass sie sich nicht wehtat.

Er führte sie die Treppe hinauf in ihr Zimmer, hatte sich bei ihr untergehakt und lenkte sie am Ellbogen. Sie gingen durch das rosafarbene Wohnzimmer zum Bett. Sie setzte sich auf die Kante, und er hob ihre kleinen Füße, damit sie sich hinlegte. Er setzte sich in das andere Zimmer und ließ die Tür offen, sah zu, wie sich ihre Brust hob und senkte, bis sie eingeschlafen war.

Dann machte Thomas das Licht aus, ließ aber eine Lampe im Wohnzimmer an und die Tür einen Spalt geöffnet. Er ging für einen Moment nach draußen. Durch die Tür des Elternschlafzimmers hörte er lautes Gelächter aus Moiras Fernseher. Er klopfte, aber sie reagierte nicht.

Und Theresa hatte immer noch nicht angerufen.

38

Morrow bog mit dem Honda in die steile Einfahrt, zog knirschend die Handbremse und ließ den ersten Gang drin. Bei dem Gefälle traute sie der Bremse nicht.

Die Vorhänge im Wohnzimmer waren vorgezogen. Orangefarbenes Licht drang an den Rändern strahlend hell und warm nach draußen in die Nacht. Auch im Flur brannte Licht. Das war ihr zweitliebster Moment des Tages, wenn sie zu Hause ankam und wusste, dass Brian auf sie wartete. Ihr liebster Moment aber war, wenn sie endlich ins Bett gehen konnte.

Sie schloss den Wagen ab und sah sich in der ruhigen Nachbarschaft um. Eine schöne Gegend für eine Familie. Sie ging zur Tür, steckte den Schlüssel ins Schloss und rief: »Hallo«, während sie ihren Schlüsselbund wieder in der Tasche verschwinden ließ und anschließend ihren Mantel in den Schrank hängte.

»Hi«, Brian kam ihr entgegen. »Wie war's in London?«

»Grauenhaft. Bannerman wollte nicht, dass ich Harris mitnehme, weil er ständig Meutereien wittert …«

»Wie war die Bar?«

»Gut aussehende Frauen, hässliche Männer. Ich hab aber auch Kay und ihre Jungs noch mal gesehen.«

»Und wie lief's?«

»Die haben sich echt gut geschlagen.«

Er stand halb im Flur, halb in der Küche und hielt sich am Türrahmen fest. Eine seltsame Haltung für ihn. Er wirkte verdruckst und verschämt, als wollte er ihr den Weg versperren, als wäre die Küche voller Leute und er wollte seine Frau mit einer Party überraschen.

Sie nickte ihm zu. »Was?«

Brian scheute Konflikte. Anders als er, hatte Morrow nichts gegen eine Auseinandersetzung, aber nicht zu Hause. Brian konnte Streitereien nicht ausstehen. Er holte tief Luft. »Komm rein.«

Sie folgte ihm in die Küche, erwartete eine Überraschung. Die Küche sah genauso aus wie immer. Derselbe Tisch, dieselbe langweilige Einbauküche, die ihnen das ältere Ehepaar überlassen hatte, der gewohnte Lappen hing zum Trocknen über dem Wasserhahn an der Spüle, die übliche Schüssel mit Essen wartete in der Mikrowelle auf sie.

Sie lächelte. »Was ist los?«

Brian wirkte besorgt. »Ich möchte, dass du dich hinsetzt.«

Sie nahm einen Stuhl.

Er setzte sich neben sie und kaute auf seiner Unterlippe. »Danny war heute hier.«

Sie sah sich reflexartig um, als könnte er immer noch da sein, und begann unwillkürlich zu flüstern. »Hier?«

»Ja.«

»Und du hast mit ihm gesprochen?«

»Ja.«

»Wann?«

»Am Nachmittag, ungefähr um fünf, halb sechs.«

»Warum hast du mich nicht angerufen?«

»Ich wollte dich nicht stören.«

Brian war nicht verletzt. Er wirkte nicht einmal verängstigt oder beunruhigt. Sie berührte seine Wange, und er lächelte sie an, merkte, wie sehr sie ihn beschützen wollte. Sie saßen dicht beieinander, aneinandergeschmiegt, argwöhnisch.

»Ich will nicht, dass er herkommt.«

»Ich weiß.«

»Ich will nicht, dass er dich kennt.«

Er nahm ihre Hand. »Mir geht's gut.«

Sie drückte seine Finger. »Tut mir leid.«

Er drückte ihre. »Kein Grund.«

»Ging's um JJ?«

»Ja, und Kay Murray.«

»Kay Murray?«

»Jemand sei bei ihm gewesen und habe ihn gebeten, dich zu warnen: Du sollst die Finger von Murrays Jungs lassen.«

»Er warnt mich?«

»Nein, er sagt, dass dich *jemand anders* warnen will.«

Sie schnaubte. »Der kann doch nicht einfach herkommen und mir sagen, was ich zu tun und zu lassen habe.«

»Hat er das denn gemacht?«

Morrow zuckte mit den Schultern. So etwas war noch nie vorgekommen. Sie lehnte sich zurück und ging sämtliche Möglichkeiten durch. Danny könnte die Wahrheit sagen, aber das würde ihm gar nicht ähnlich sehen. Wenn er log, musste sie sich fragen, weshalb er ihr eine bestimmte Lüge auftischte. Er wollte, dass sie die Finger von Kays Jungs ließ, wollte aber nicht sagen, warum. Dann dämmerte es ihr: Joe war sechzehn. Alex hatte damals den Kontakt zu den beiden längst verloren, aber Danny und Kay hatten bestimmt noch miteinander zu tun gehabt. Sie dachte einen Augenblick über die Möglichkeit nach, dass Danny Joes Vater war. Aber Joe sah Danny nicht sehr ähnlich. Auch benahm er sich kein bisschen wie Danny. Und dann erinnerte sie sich an die Wohnung: wie wenig Kay hatte, dass sie gleich vier Paar Schuhe bei Costco kaufte, viermal dieselben, nur weil sie wasserdicht waren und einen ganzen Winter lang halten würden. Sie ging putzen und arbeitete als Pflegerin; das Geld für sich und ihre Kinder verdiente sie ganz eindeutig alleine. Von Danny bekam sie nichts dafür. Aber Kay war auch stolz. Sie würde von Danny gar nichts annehmen.

Es könnte stimmen. Danny könnte sie warnen wollen, dass jemand anders, nicht er selbst, wusste, dass sie verwandt waren, und wollte, dass sie die Murrays in Ruhe ließ. Möglicherweise Kay selbst.

»Sie vertraut uns nicht«, sagte sie.

»Wer vertraut uns nicht?«

»Kay Murray. Sie traut der Polizei nicht über den Weg.« Alex schüttelte den Kopf und blickte hinunter auf die Tischplatte. »Ob Danny Joes Dad ist? Joe ist ein prima Junge.«

»Ist er das? Kennt er Joe?«

»Klang nicht so.«

»Wieso, was hat er gesagt?«

Brian zuckte mit den Schultern. »Die Murray-Jungs, er nannte sie immer die Murray-Jungs. Jemand will, dass du die Finger von ihnen lässt.«

Einen Augenblick lang verlor sie sich in ihren Gedanken, bis Brian sagte: »Ich hab leckeren Lammeintopf gemacht. Soll ich ihn heiß machen?«

»Bitte.«

Brian stand auf, schloss die Tür der Mikrowelle, stellte sie auf drei Minuten ein und beobachtete, wie sich die Schüssel darin drehte, während er mit einem Löffel in der Hand davor wartete. Morrow sah sich selbst und Kay auf der Straße, wo sie sich das erste Mal begegnet waren, und wie Kay sich gefreut hatte, dass sie Polizistin geworden war, und wie sie wohl danach nach Hause gegangen oder sich in den Zug gesetzt und an sie gedacht haben musste, daran, dass sie Beamtin war und dass das vielleicht eine Alternative für ihren Sohn sein könnte.

Vielleicht war Joe ihr Neffe. Sie lachte in sich hinein. Wenn sie um vier Ecken mit Kay verwandt war, dann hätte sie das gerne gewusst. Sie hätte gerne einen Vorwand gehabt, um den Kontakt zu ihr zu halten.

Die Mikrowelle klingelte, Brian öffnete die Tür, rührte, machte die Tür wieder zu und schaltete sie noch mal ein. Als er sich hinsetzte, lächelte er.

»Er sieht dir ähnlich.«

»Findest du?«

»Ja«, er berührte ihre Lippen, »dasselbe Kinn.«

»Er kann mich nicht davon abhalten …«

»Alex.« Brian beugte sich vor, legte seine Hand flach auf ihren Bauch. »Er hat dich nicht gewarnt. Er wünscht sich einen Waffenstillstand.«

»Du kennst ihn nicht …«

»Nein, aber ich hab kapiert, dass er dich um Hilfe bittet und du sie ihm verweigerst.«

39

Thomas saß mit dem Telefon in der Hand unten im Familienzimmer und sagte sich, verfluchte Scheiße, vor hundert Jahren sind Leute in meinem Alter ausgewandert. Sie haben ihr Geburtsdatum gefälscht, sind zur Armee gegangen und haben im Ersten Weltkrieg gekämpft. So ein großes Ding war das nicht. In der Schule wurde ständig von Widerstandsfähigkeit gesprochen, vom Jugendförderprogramm des Duke of Edinburgh und dass man Zähigkeit entwickeln muss und so'n Scheiß. Das hier war auch so ein Programm. Eigentlich sollte er eine Duke-of-Edinburgh-Medaille dafür bekommen.

Er beschloss, dass er am Morgen einen Arzt für Ella rufen würde. Und zumindest wusste er jetzt, dass Moira, mit und ohne Medikamente, zu nichts zu gebrauchen war. Er hielt den Hörer in der Hand, damit er vor Moira drangehen konnte, wenn es klingelte, hielt ihn schon so lange, dass der eigentlich kalte, metallene Hörer Körpertemperatur angenommen hatte.

Theresa lag nicht viel daran, mit ihm zu sprechen. Sie hätte längst angerufen, wenn es so wäre. Er wünschte sich immer noch sehr, dass sie sich meldete und mit Moira sprach, wollte, dass sie Moira die Nachricht überbrachte, dass sie gar nicht so verflucht einzigartig war, wie sie glaubte. Sie war keine Auserwählte, die den Nervenzusammenbruch einer

Zwölfjährigen ignorieren und sie einfach ins Internat oder zum Fernsehen ins Wohnzimmer schicken durfte.

Er stand auf, ging in den Flur und fand die Jacke, die er am Morgen getragen hatte. In der Innentasche, einmal zusammengefaltet, steckte der steife, geprägte Notizzettel von Lars' Schreibtisch mit Theresas Adresse und Telefonnummer. Er blieb am Fuß der Treppe stehen und lauschte. Aus Ellas Zimmer drang kein Geräusch. Moiras Fernseher lief immer noch, immer noch laut.

Er stahl sich, unnötigerweise auf Zehenspitzen, in den Kühlraum runter, machte Licht, blieb in der schwirrenden Wärme der Ventilatoren sitzen und wählte die Nummer.

Er lauschte, und als es tutete, schlug ihm sein Herz bis in die Kehle.

Ein Junge ging dran. »Ja?«

Thomas machte den Mund auf, aber es dauerte einen Augenblick, bis sich die Worte gebildet hatten. »Ist da Phils?«

»Ja. Wer ist da?«

»Thomas Anderson.«

Sie hörten einander eine Weile beim Atmen zu, Halbbrüder, jeder wartete darauf, dass der andere etwas sagte. Dann ließ Phils den Hörer sinken und sagte mit schleppend vornehmer Idiotenstimme »Mummy, das ist dieser Junge – der *Sohn.*«

Theresa nahm das Telefon. Sie klang kurz angebunden. »Woher hast du die Nummer?«

Er blickte auf den Zettel. »Hab sie mir gestern Abend von der Auskunft geben lassen.«

»Wozu?«

Er wusste nicht, was sie meinte. Sie war wie ausgewechselt. Er hatte sich nur unterhalten wollen, sie fragen, wie ihr Tag gewesen war, um sich schließlich höflich zu erkundigen, weshalb sie Moira noch nicht angerufen hatte. Er hatte ihr die Möglichkeit lassen wollen, sich herauszureden, vielleicht war sie einfach zu müde gewesen? Keine Sorge, sie würde es morgen tun.

»*Wozu*, Thomas? Was hast du vor?«

»Nichts, du hast gesagt, du würdest meine Mum anrufen …«

»*Deine Mum?* Warum soll ich *die* anrufen?«

»Na ja, ich weiß nicht, du hast gesagt, du würdest …«

»Eine Frau«, sie klang wütend, »die so mit sich selbst beschäftigt ist, dass sie sich freiwillig zur Komplizin eines Kindesmissbrauchs macht?«

Einen Augenblick lang dachte Thomas, Phils sei missbraucht worden, von Lars, aber das ergab keinen Sinn. »Was …«

»Hast du mit deiner Nanny gevögelt, ja oder nein?«

Sie klang, als würde sie mit einer anderen Person reden und auch, als wäre sie jemand anders. Aber sie wartete auf eine Antwort.

»Theresa?«

»Kennst du Mary Morrison oder kennst du sie nicht?«

»Nanny Mary?«

»Sie hat mit dir gevögelt, oder willst du das leugnen? Sie sagt, Lars hat es ihr befohlen. Er hat ihr gedroht, falls sie es nicht tut. Was seid ihr bloß für Menschen? Ruf hier nie wieder an.« Sie legte auf.

Thomas starrte zu Boden, das Telefon noch am Ohr, doch er hörte nur noch das Brummen des Freizeichens. Was zum Teufel war passiert?

Er dachte an ihre Verabschiedung – hatte er etwas getan, das sie verärgert haben könnte? Hatte er etwas über sich selbst erzählt, etwas über Lars, das sie abstoßend hätte finden können? Sie hatte eingeräumt, dass Lars schon ein ganz schöner Arsch sein konnte, und er hatte ihr zugestimmt. Na ja, eigentlich hatte er nicht zugestimmt, aber er hatte ihn auch nicht verteidigt. Vielleicht war es das. Vielleicht hatte sie erwartet, dass er ihr widersprach. Vielleicht war sie darüber enttäuscht. Er dachte an ihren wunderschönen unordentlichen Flur und ihre hübschen runden Titten, und was auch immer er getan haben mochte, es tat ihm leid.

Sie hatte sich auf Nanny Mary bezogen. Nanny Mary musste bei ihr gewesen sein und ihr Sachen erzählt haben, vielleicht hatte sie Geld gewollt, aber das war Blödsinn. Schon möglich, dass Lars sie dafür bezahlt hatte, dass sie mit ihm fickte, aber er hätte ihr nicht gedroht. Und außerdem war er fünfzehn, er war kein Kind mehr.

Er stand auf und machte das Licht aus. Als er hinauf in die Küche stieg, klingelte das Telefon erneut.

»Hallo?«

Theresa, immer noch knapp und unfreundlich. »Pass auf«, sagte sie, »ich hab noch mal nachgedacht. Wir müssen das klären.«

»Niemand hat Mary gedroht.«

»Du bist noch ein Kind, Thomas.«

»Ich bin fünfzehn.«

»Du bist trotzdem noch ein Kind.«

»Ja.« Er dachte an sie, wie sie den Baseballschläger weggestellt und die Arme verschränkt hatte, wie ihn ihre Nippel gestreift hatten, als sie gemeinsam die Straße entlanggingen. »Hat dich auch nicht davon abgehalten, mir deine Titten vor die Nase zu halten.«

Daraufhin hielt sie inne, schien es irgendwie einzugestehen und sprach vertraulich weiter. »Die Sache mit Mary stellt deine Mutter in ein sehr schlechtes Licht. Bis jetzt nimmt man ihr ab, dass sie das Opfer ist, aber wenn die Leute *wüssten ...*«

»Und außerdem wolltest du mir einen Baseballschläger überziehen, bevor du kapiert hast, dass du mich kennst, wie passt das damit zusammen, dass ich noch ein armes kleines Kind bin?«

Sie hörte den Stahl in seiner Stimme und schrie: »Phils und Betsy werden ihre Schulen nicht verlassen, darauf kannst du wetten.«

»Ich hab nie gesagt, dass sie ...«

»Und ich will einen Anteil vom Verkauf des Hauses.«

»Welches Haus?«

»Das, in dem du dich gerade befindest.«

Thomas hatte ihr erzählt, dass sie verkaufen würden. Plötzlich begriff er, dass sie ihn den ganzen Vormittag über nur ausgequetscht hatte. Sie hatte gesagt, wie seltsam es sei, dass sich nun alles schlagartig geändert habe, und wohin sie jetzt wohl in Urlaub fahren würden? Welche Schule die Kinder besuchen würden? Würden sie im Ausland studieren? Sie hatte sogar Mitleid geheuchelt, als er erzählt hatte, dass ihnen nur die Piper geblieben war. Wahrscheinlich hatte sie Nanny Mary schon vorher gekannt, alles über ihn gewusst, und ihn von Anfang an nur ausgehorcht.

»Sag deiner Mutter, dass sie zu gegebener Zeit von meinem Anwalt hören wird.«

»Sag ihr das verdammt noch mal selbst, The*re*sa«, zischte er und legte auf.

Er ließ das Telefon auf die Arbeitsplatte fallen und trat einen Schritt zurück, starrte es an. Schlampe. Verfluchte Schlampe. Sarah Erroll war statt ihrer gestorben, und das war nur ihre verdammte Schuld.

Was hatte er ihr sonst noch erzählt? Er wusste nicht, was er tat, er konnte sich nicht um Ella kümmern oder sich wegen Squeak Sorgen machen, er hatte keine Ahnung, was er tun sollte. Er sah zur hohen Decke hinauf und spürte, wie sich das Gefühl von Niederlage wie Frost in ihm ausbreitete. Er war nur ein Kind. Er wusste nicht, was er tat. Noch war seine Trauer privat, aber schon bald, wenn Theresa zu einem Anwalt ging und die Zeitungen davon Wind bekamen, würde alles öffentlich werden. Ständer.

In Panik ging er nach oben zu seiner Mutter. Ihr Fernseher lief immer noch, aber er trippelte auf Zehenspitzen an Ellas Tür vorbei und klopfte leise bei Moira an. Plötzlich verstummte der Fernseher und das Licht unter der Tür erlosch.

Thomas drehte den Türgriff und stellte fest, dass nicht abgeschlossen war. Er sah nicht hinein, weil er Angst hatte, sie könnte nackt sein oder so.

»Moira?«, flüsterte er.

Nach einer Pause antwortete sie, täuschte eine verschlafene Stimme vor: »Hmmm?«

»Ella … schläft jetzt.«

Moira war wild entschlossen, die Nummer durchzuziehen: »Hmm?«

»Was …? Was hast du gesagt, mein Schatz?«

Theresa hatte ihn den ganzen Vormittag angelächelt und ihn ausgehorcht. Er hatte wirklich geglaubt, dass sie ihn mochte. Moira konnte dagegen nicht einmal überzeugend so tun, als hätte sie schon geschlafen.

Wütend griff er ins Zimmer und machte Licht.

Moira war angezogen, saß mit dem Aschenbecher im Schoß auf dem Bett, eine Rauchsäule schlängelte sich in die

Luft. Er staunte. Er hatte gar nicht gewusst, dass sie rauchte. Einen Augenblick lang vergaß er, was er sagen wollte.

Sie lächelte müde. »Ich muss wohl eingenickt sein …«

»Ella schläft.«

Sie versuchte zu lächeln, aber es wirkte verbittert. »Das solltest du auch tun.«

Sie sagte es wie eine Bilderbuchmutter.

»Was hat Ella?«

Sie wirkte überrascht, als hätte sie eigentlich noch gar nichts gemerkt.

»Sie hat nicht mehr alle Tassen im Schrank«, sagte er vorsichtig. »Was ist das, was sie hat?«

»Ella ist … nervös.«

»Ihr geht's wirklich nicht gut.«

Moira lächelte, ihr Blick wich seinem aus, doch dann sah sie ihn an. Sie wirkte jetzt noch trauriger als zuvor. Sie bemühte sich. Er sah, dass sie sich bemühte und schon sehr lange eine sehr hohe Dosis einnahm.

Thomas hätte ihr am liebsten alles erzählt. In Schottland war eine Frau gestorben. Ella ist nicht ganz dicht. Theresa ist Dads andere Frau. Sie ist gerissen. Nicht dumm. Sie hat runde Titten und hübsche Kinder. Sie wird dich vor unseren Augen mit Haut und Haaren fressen, und ich kann dich nicht retten, weil ich noch ein Kind bin.

Aber das sagte er nicht. Stattdessen sagte er, was Moira hören wollte: »Gute Nacht, Mum.«

Ein warmes dankbares Lächeln machte sich auf ihrem Gesicht breit, und sie rutschte ein bisschen tiefer auf dem Bett. »Gute Nacht, Schatz.«

Vorsichtig zog Thomas die Tür zu und stand wieder alleine im dunklen Flur.

40

Es ließ ihr keine Ruhe. Als Morrow aus der Haustür in den kühlen Morgen hinaustrat, zum Wagen ging, ihn aufschloss und sich langsam und unelegant mit ihrem unförmigen Körper hinter das Lenkrad klemmte, noch schnell den Mantel hereinzog, bevor sie die Tür zuschlug, lastete etwas Namenloses auf ihr. Sie ließ den Motor an und benutzte nur den Spiegel, um rückwärts auf die Straße zu fahren, da Drehungen aus der Hüfte bereits sehr unbequem für sie waren.

Am Fuß der Steigung hielt sie an. Atmete durch, schüttelte den Kopf und fragte sich, was nicht stimmte. Ein Gefühl von Unbehagen, aber nicht das Übliche, das hier war anders. Sie fuhr wieder an, die Straße entlang, langsamer als sonst. Aus dem Radio blubberten Staumeldungen und Kindergeburtstage, vage Angaben über einen Unfall auf der M8. Sie drehte am Knopf, schaltete das Radio aus und fuhr in die Stadt. Es war noch sehr früh und auf den Straßen war nicht viel los.

Sie kam sich vor, das wurde ihr jetzt klar, als säße sie mit jemandem im Auto, mit dem sie gestritten hatte. Aber sie war alleine. Wie blöd.

Sie konzentrierte sich auf den Verkehr, die roten Ampeln, beachtete die Vorfahrt, bremste vorbildlich ab, wenn Fußgänger gedankenlos die Straße überquerten oder andere Fahrer ungeschickt ausscherten.

Als sie auf der Wache ankam, wusste sie, dass sie wütend

auf sich selbst war, aber nicht warum. Es lag nicht daran, dass Danny bei ihr zu Hause aufgetaucht und Brian begegnet war, sie fühlte sich dadurch nicht beschmutzt. Es lag an Perth, es hatte mit Perth zu tun.

Sie parkte im Hof, stieg die Rampe hinauf, durchquerte den Empfangsbereich, rief den Jungs von der Nachtschicht ein »Hallo« zu und versuchte, den roten Faden ihres Gedankens nicht zu verlieren. Sie betrat den CID-Trakt und fand dort Bannermans Tür offen, das Licht eingeschaltet und ihn selbst Zeitung lesend.

»Sir?«

»Morrow? Sie sind früh dran …«

»Sie auch.«

Er wartete, dass sie etwas sagte, aber sie wusste nicht, was.

»Wollten Sie was von mir?«

Sie wusste es nicht. »Ähm. Perth. Die Sache mit Perth lässt mir keine Ruhe.«

Er seufzte leise und tippte ungeduldig auf die Zeitungen vor sich, wollte weiterlesen. »Schön, rufen Sie an und vergewissern Sie sich, was da los ist.«

»Ja«, sagte sie und fragte sich, warum es ihr falsch vorkam, »ich ruf an, ja …«

»Würden Sie mich jetzt wieder alleine lassen?«

»Entschuldigung.«

Sie zog sich zurück, schloss die Tür und betrachtete sie. Er würde behaupten, es läge an ihrer Schwangerschaft. Alles, was sie tat und anderen nicht gleich schlüssig erschien, wurde plötzlich auf ihre Schwangerschaft geschoben. Sie ärgerte sich inzwischen nicht mal mehr darüber.

»Ma'am?« Sie drehte sich um und sah Harris auf dem Weg in den Ermittlungsraum.

»Ganz schön früh dran.«

»Ja, mein Ältester fährt mit der Schule nach Frankreich. Hab ihn ganz früh schon zum Bus gebracht.«

Immer noch besorgt und ein wenig abwesend, sah sie ihn im Zimmer verschwinden. Sie ging in ihr Büro und warf den Computer an, um sich die Kontaktdaten für Perth herauszusuchen. In ihrem Postausgang fand sie neben dem üblichen abteilungsinternen Blödsinn auch eine E-Mail von N. Ketlin. Eine nummerierte Datei war kommentarlos angehängt. Sie lud die sehr große Datei herunter und klickte sie an.

Es handelte sich um ein vierundzwanzig Sekunden langes Video von Sarah Erroll, die lebendig bei jemandem im Garten an einem Tisch saß. Eine dicke graue Katze fläzte sich vor ihr auf dem Tisch und hatte ihren Schwanz um Sarahs Handgelenk gewunden.

Sarahs Gesicht war kaum zu erkennen, weil es so sonnig war und die Schatten so tief, aber sie lächelte und sang der schnurrenden Katze, die sich auf dem Rücken räkelte und der sie den Bauch kraulte, etwas vor: You are my sunshine, my only sunshine.

Sarah sah aus wie ein Kind, und sie bewegte sich wie ein Kind, mit der seltsamen Eleganz eines Mädchens, das noch nicht zur vollen Blüte erwacht war. Neben ihr auf dem Tisch lagen eine gelbe Tüte Kettle-Chips und das iPhone, das sie auf dem Bett gefunden hatten.

Als sie fertig gesungen hatte, beugte sie sich vor und küsste der Katze ins Fell, dann lehnte sie sich wieder zurück und bemerkte, dass sie gefilmt wurde. Sie ließ die Schultern hängen und rief: »Nora! Zieh Leine mit deinem scheiß Handy!«

Hinter der Kamera lachte Nora glucksend, und Sarah blickte direkt in die Linse und lachte zurück. Dann erstarrte das Bild.

Morrow legte sich eine Hand auf den Mund. Sie fühlte Galle in ihrer Brust aufsteigen. Beinahe hätte sie Sarah für einen Waffenstillstand mit Danny eingetauscht, für Frieden mit Bannerman, hätte ihre Zeit abgesessen und die Dinge laufen lassen.

Sie holte tief Luft, erhob sich, riss die Tür auf und rief nach Harris.

Der tauchte verdutzt im Türrahmen auf, als hätte er erwartet, sie auf dem Boden niederkommen zu sehen.

»Hol deinen scheiß Mantel, Harris. Wir fahren nach Perth.«

41

Thomas stand in der Küche, als der Summer vom Tor draußen ertönte. Er eilte zum Monitor an der Haustür und sah einen blonden Mann, der halb aus dem Fenster seines Mercedes hing und in das Mikrofon schrie.

»Hallo?«

Thomas senkte die Stimme, um älter zu klingen. »Wer ist da?«

»Hier ist Dr. Hollis.« Er wirkte skandinavisch, groß, der Wagen diskret und schwarz. »Ich habe einen Termin mit Mr Anderson.«

Thomas drückte auf den Öffner und sah das Tor aufschwingen.

Der Arzt sank zurück in seinen Wagen und fuhr aus dem Bildausschnitt heraus.

Thomas ließ die Kamera hin und her schwenken. Sonst war niemand zu sehen. Es hätte ihn nicht allzu sehr überrascht, wenn sich eine Gruppe wütender Demonstranten vor dem Tor versammelt hätte, jetzt wo Lars' Selbstmord von den Titelseiten verschwunden war, aber anscheinend hatten sie schon ein neues Hassobjekt gefunden. Es gab nicht mal neues Graffiti. Während er noch dort stand, hörte er den Wagen vorfahren, hörte eine Tür auf- und wieder zugehen und Ledersohlen über die Stufen schlurfen. Er öffnete die Tür.

»Mr Anderson?« Dr. Hollis hatte weißes Haar und weiße Augenbrauen, obwohl er noch jung war. Außerdem hatte er einen Schnurrbart, aber einen coolen Schnurrbart und ein winzig kleines Bärtchen unter der Unterlippe. Dazu trug er Slipper, einen grauen Tweedmantel mit dezent aufblitzendem rosa Innenfutter und ein schickes weißes Hemd. Er wirkte sauber und freundlich.

Thomas machte die Tür weit auf. »Danke, dass Sie so früh gekommen sind.«

»Kein Problem.« Hollis säuberte sich die Schuhe an der Matte und trat ins Haus. »Wie geht's?«

»Gut«, sagte Thomas argwöhnisch, weil er fürchtete, der Psychiater könne in seine Vergangenheit oder seine Zukunft blicken.

Dr. Hollis versuchte nicht, ihn zu durchschauen. Stattdessen ließ er seine Tasche fallen und den Mantel von den Schultern gleiten.

»Meine Schwester ist oben.« Thomas ging voran, nahm zwei Stufen auf einmal.

Dr. Hollis folgte, eilte ihm hinterher. »Hast du sie heute Morgen schon gesehen?«

Thomas nickte. »Ja.«

»Hat sie gegessen?« Thomas blieb oben an der Treppe stehen, betrachtete den fitten Bergsteiger hinter sich. »Nein.«

Hollis nahm die letzten drei Stufen auf einmal. »Du hast am Telefon gesagt, dass du glaubst, ihr Zustand sei chronisch, wie kommst du darauf?«

Thomas wollte es nicht sagen. Alles, was er an Ella hasste, hatte ihn drauf gebracht: die vielen Besuche seiner Eltern in ihrer Schule, dass sie mitten im Schuljahr nach Hause kommen durfte, mit in den Urlaub gefahren war, bei dem niemand ihn, Thomas, dabeihaben wollte. Er war nicht sicher, ob er das alles über die Lippen bringen würde, ohne wie ein verbittertes Arschloch zu klingen. Also sagte er: »Na ja, sie hat Narben«, und er gestikulierte auf sein Handgelenk.

»Sonst nichts?«

Thomas zuckte mit den Schultern. »Sie ist halt komisch.«

Hollis nickte, als würde er ihn nicht verstehen, sich aber darum bemühen.

»Und euer Vater hat sich erst kürzlich …«

Thomas lehnte am Treppengeländer und nuschelte: »… da gibt's keine schonenden Worte für …«

Also sagte Hollis es auf die harte Tour: »… umgebracht?«

»Ja.« Thomas war sich bewusst, dass er beim Sprechen kaum die Lippen bewegte.

»Am Montag.« Er blickte auf den Teppich und wusste nicht, was er sonst noch sagen sollte. »Also …«

Hollis wartete einen Augenblick und nickte dann kurz, machte keine große Sache draus. Er brummte, sah zu Thomas auf und signalisierte ihm auf diese Weise, dass er bereit war, fortzufahren.

Sie traten an die offene Tür zu Ellas Schlafzimmer und sahen ihre winzige Gestalt in dem großen Bett. Thomas klopfte und wartete, drehte sich um und erklärte: »Falls sie wieder bereit ist, zu reden …«

Aber das war sie nicht. Er schob die Tür weiter auf.

Ella lag auf der Seite und drehte ihnen den Rücken zu. Es war nicht zu erkennen, ob sie wach war.

Hollis betrachtete den Raum, das große Fenster und die Möbel. Er war so beeindruckt, dass ihm der Mund offen stehen blieb. Schönes Haus. Thomas musste ihn mit einer Geste Richtung Ella daran erinnern, weshalb sie hier waren.

Hollis ging um das Bett herum und zog sich einen Stuhl heran.

»Hallo, Ella, mein Name ist Jergen. Ich bin Psychiater.« Er hatte den Tonfall geändert, die Stimme gesenkt. Sie hatte jetzt etwas Besonderes, eine Freundlichkeit, die Thomas unglaublich rührend fand. Er musste sich die Tränen aus den Augen blinzeln und trat ans Fenster, wo ihn Hollis nicht sehen konnte, es sei denn, er drehte sich um.

»Ella, ich glaube, wir kennen uns noch nicht, oder?«

Sie sagte nichts und rührte sich auch nicht, aber sie musste ihm irgendetwas signalisiert haben, das er als ein Nein auslegte.

»Hast du schon mal mit einem Psychiater gesprochen?«

Wieder konnte Thomas keine Antwort erkennen.

»Und wer war das?«

Sie nuschelte etwas. Hollis schrieb es auf und zeigte ihr den Zettel. Er korrigierte das Geschriebene und zeigte es ihr erneut. »Wenn du möchtest, kann ich veranlassen, dass er kommt und dich noch mal besucht.« Er gab ihr einen Moment, um zu blinzeln, zu klopfen oder was auch immer. »Oder soll ich sehen, ob ich dir helfen kann. Was ist dir lieber?«

Er beobachtete sie lange, verschiedene Ausdrücke flackerten über sein Gesicht, als würde er ein stummes Gespräch mit ihr führen. Dann beugte er sich vor, sagte leise etwas und stand auf, sah zu Thomas und ging ums Bett herum.

Im Flur erklärte Hollis Thomas, dass es seiner Schwester nicht gut ging und er gerne die Erlaubnis hätte, die Ärzte zu kontaktieren, die sie zuvor behandelt hatten, um mehr Einzelheiten zu erfahren.

»Was ist los mit ihr?«

»Das kann ich nicht sagen. Weißt du, ob sie Medikamente nimmt?«

»Das weiß ich nicht. Aber bei ihr geht alles durcheinander, sie lacht viel. Dann höre ich sie mit Leuten reden, die gar nicht da sind. Ständige Stimmungsschwankungen …«

»Und deine Mutter?«

»Die ist auch ein bisschen verrückt.«

»Nein, ich meine, wo ist sie?«

»Oh, sie ist mit dem Taxi nach Sevenoaks gefahren.«

Hollis nickte. »Verstehe. Ich brauche ihr Einverständnis, um Ellas Krankheitsakte einsehen zu dürfen. Wann wird sie zurück sein?«

»Sie organisiert die Beerdigung. Ich weiß es nicht.« Thomas wollte nicht, dass Hollis dachte, er sei im Stich gelassen worden, und ganz gewiss wollte er kein Mitleid. »Dads Beerdigung ist in drei Tagen …«

Aber in Hollis' Gesicht war sowieso keine Spur von Mitleid zu erkennen.

»Wir alle haben Bedürfnisse«, sagte er sehr ernst. »Das muss für euch *alle* eine sehr schwere Zeit sein.« Er sagte es genau so, mit der Betonung auf *alle,* aber Thomas wusste, dass er das sagte, damit sich Thomas nicht ausgeschlossen fühlte. Er klang ein bisschen wie Theresa, weil er einfach das Richtige zur richtigen Zeit sagte. Thomas fühlte sich unwohl. Plötzlich dachte er, dass Hollis auch ein verdeckt arbeitender Journalist sein könnte, der sich als Psychiater ausgab, um im Haus herumschnüffeln und heimlich Fotos zu machen. Wahrscheinlich war das nicht, aber er wollte ihn trotzdem loswerden.

Er richtete sich auf und wandte den Blick ab. »Wollen Sie gehen …?«

»Bitte komm mit mir nach unten.«

Diesmal ging Hollis vor, den langen Flur entlang und die Treppe hinunter. Er beeilte sich, als wäre er in einem Krankenhausflur auf dem Weg zu einem dringenden Termin. Am Fuß der Treppe wartete er auf Thomas, sah sich um und versuchte sich zu orientieren. Thomas zeigte auf die Eingangstür, aber Hollis sagte: »Ich möchte mich mit dir unterhalten.«

Thomas führte ihn in den großen blauen Tagesraum, und sie setzten sich an eine Ecke des riesigen weißen Esstischs.

»Thomas«, sagte Hollis, »deiner Schwester geht es sehr schlecht. Was weißt du über die Narben an ihren Handgelenken?«

»Nichts.«

»Wie alt bist du?«

»Fünfzehn.«

»Ich muss sofort mit deiner Mutter sprechen. Hast du ihre Handynummer?«

»Sie hat kein Handy.«

»Na schön, wie heißt denn der Bestatter?«

»Ich weiß nicht. ›Gebrüder‹. Irgendwas mit ›Gebrüder‹.«

Dr. Hollis suchte mit seinem Handy nach »Bestattungsunternehmen«, »Gebrüder« und »Sevenoaks«, dann wählte er eine Nummer, fragte nach Moira und fand sie.

»Mrs Anderson, hier ist Dr. Hollis, ich bin hier bei Ihrem Sohn. Ich fürchte, Sie müssen sofort nach Hause kommen.«

Während sie antwortete, krochen Hollis' Augenbrauen langsam die Stirn hinauf.

»Ich brauche Ihr Einverständnis und die Krankenakte … verstehe … ja … das ist … verstehe. Könnten Sie … verstehe, ja.« Er sah auf seine Uhr.

»Um fünf? Aber Thomas ist jetzt alleine. Kann jemand anders …« Er wandte sich von Thomas ab und der Wand zu. »Er ist viel zu jung dafür. Nein … ja, das ist er. Er ist *viel* zu jung, um mit dieser Situation allein gelassen zu werden … nein.« Plötzlich klang er sehr bestimmt. »Ich kann nichts unternehmen, bevor ich nicht die Krankenakte gesehen habe … das ist mir wirklich egal, Mrs Anderson. Die Beerdigung Ihres Gatten spielt für mich keine Rolle. Sie müssen sofort nach Hause zu Ihren Kindern kommen.«

Sie legte auf. Thomas konnte das Tuten hören. Hollis hielt den Hörer an sein Ohr und tat einen Augenblick lang so, als wäre sie noch dran. Dann betrachtete er den Hörer, schüttelte fassungslos den Kopf und wurde leicht rot im Gesicht.

»Thomas, ich habe deiner Mutter gesagt, dass du zu jung bist, um mit dieser Situation alleine fertigzuwerden. Das ist … das ist wirklich nicht gut.« Er wirkte wütend. »Sie kommt nach Hause, so schnell sie kann.«

Er blickte um sich, sog frustriert Luft durch die Zähne, klatschte sich mit den Händen auf die Oberschenkel. Thomas begriff. Er sagte leise: »Hören Sie, Sie können ruhig gehen.«

»Ich muss mich um eine andere Patientin kümmern«, erklärte Hollis. »Aber ich muss dir sagen, wenn deine Schwester hier nicht von einer erwachsenen Person beaufsichtigt werden kann, dann werde ich sie zur Beobachtung ins Krankenhaus einweisen, weil ich keinem Kind die Verantwortung für ein anderes selbstmordgefährdetes Kind überlassen kann.«

»Hören Sie, das ist schon in Ordnung.«

»Nein, das ist es *nicht*. Du verstehst mich falsch. Ich bitte dich nicht um Erlaubnis, ich sage dir: Das ist nicht in Ordnung. Vielleicht muss ich das Sozialamt informieren. Ella geht es nicht gut. Sie hat bereits einen Selbstmordversuch hinter sich, einen ernsthaften. Sie hat versucht, sich die Pulsadern aufzuschneiden. Sie weiß, was sie macht.«

Thomas hörte nichts anderes als »Sozialamt«. Man würde sie wegbringen. Die Zeitungen würden davon erfahren. »Sie wird sich nicht umbringen.«

Hollis stand auf, bereit zu gehen. »Weißt du, wenn sich ein Elternteil umbringt, ist die Wahrscheinlichkeit sehr viel größer, dass es ein Kind ebenfalls tut. *Sehr viel größer.*«

»Bitte …« Thomas' Stimme klang viel zu hoch und flatterte, »rufen Sie nicht das Sozialamt an …«

Ärgerlich fixierte Hollis Thomas, als hätte er Ella etwas angetan. »Ich möchte dich bitten, bei deiner Schwester zu bleiben, bis ich wieder da bin. Ich komme zurück, so schnell ich kann.«

42

Morrow wollte Harris den Ausflug nicht erklären und auch nicht, welche Konsequenzen er für sie haben konnte. Sie wollte ihn nicht mit in die Sache hineinziehen und verhindern, dass die Fahrt in ein endloses Ablästern über ihren Chef ausartete. Allerdings schien er heilfroh zu sein, dem Büro zu entrinnen. Er freute sich so sehr, dass er fast ein bisschen aufgeregt wirkte und ein paarmal sagte, Gott, ist das gut, mal rauszukommen. Er schien zu wissen, dass sie gegen Bannermans Anweisungen handelte, und wirkte ein bisschen nervös.

Als sie durch die flache Talsohle von Stirling fuhren, leuchtete der weite Himmel über ihnen bilderbuchblau. Morrow sah aus dem Fenster auf die Burg, die gerade auf den schartigen Felsen hinter einem Hügel auftauchte, und fragte sich, warum sie nicht öfter mal aufs Land hinausfuhr. Sie hatte das Telefon in der Hand und wusste, dass es jede Minute klingeln konnte, dass Bannerman außer sich vor Zorn sein würde und sie sich gegen ihn behaupten und trotzdem nach Perth weiterfahren musste. Ein solches Verhalten würde nach ihrer Rückkehr in die London Street weitreichende Folgen haben. Selbst wenn sie heute Nachmittag im Alleingang eine ganze Mörderbande zur Strecke brachte, würde sie trotzdem den Arsch versohlt bekommen, aber das machte ihr nichts aus. Sie wusste, dass sie das Richtige für Sarah tat. Man würde sie eventuell für die Restdauer ihrer Schwangerschaft suspendieren, dann würde sie zu Hause sitzen und die Füße hochlegen. Dagegen war nichts einzuwenden.

Harris sah, dass sie auf ihr Handy blickte. »Wartest du auf einen Anruf?«

»Ja.« Sie sah weg.

»Ich hab einen entsetzlichen Durst«, sagte er. »Kann ich …?« Er sah nach vorne zur Tankstelle.

»Ja, fahr ruhig raus.«

Er ging in den Laden und kaufte zwei Dosen Limo und eine Tüte Sahnebonbons. Nur ein schmaler Grünstreifen trennte die Autobahn von den Zapfsäulen, die Lastwagen rauschten mit 120 Stundenkilometern an ihnen vorbei und wirbelten dabei eine Menge Wind auf. Es war ein kalter, aber schöner und klarer Tag, hell genug, um ins Licht zu blinzeln.

Morrow nahm ein Bonbon und trank ihre Orangenlimonade.

»Du solltest so einen Scheiß gar nicht essen«, sagte Harris über das Autodach hinweg. »Du solltest was Vernünftiges zu Mittag essen.«

»Das Schönste am Schwangersein, ist …«, sagte sie und musste den Gedanken gar nicht zu Ende formulieren, weil Harris sowieso wusste, was sie meinte.

»Dass jeder eine Meinung dazu hat.« Er kaute.

»Später wird's noch schlimmer«, sagte sie, »wenn einen alle begrapschen wollen.«

Er nickte die Straße runter, zurück nach Glasgow. »Ich frag mich, was uns bei unserer Rückkehr erwartet?«

Sie zuckte mit den Schultern, war sich des schweigenden Handys in ihrer Jackentasche bewusst. »Da wird die Kacke am Dampfen sein. Hab gedacht, ich müsste längst einen Anruf bekommen haben.«

Sie nahm noch ein Bonbon aus der Tüte und sah zur Straße rüber. Das Tal war flach, grün und üppig, die Straße schlängelte sich an dem alten Fluss entlang und bahnte sich ihren Weg zwischen unvermittelt steil aufragenden Hügeln hindurch.

Keiner von ihnen beiden hatte Lust, wieder in den Wagen zu steigen und weiterzufahren, aber Morrow brummte schließlich: »Oh, Gott, komm schon, quälen wir uns wieder ins Auto.«

Sie schnallten sich gerade an, als Harris sagte: »Ma'am?« Er wartete, zwang sie, ihm zu antworten.

»Was?«

Er blickte auf die Hügel in der Ferne.

»Harris? Was ist?«

Er atmete tief durch. »Wir dürften eigentlich gar nicht hier sein, oder?«

»Mach dir deshalb keine Sorgen.«

»Bannerman …«

»Den Anschiss krieg ich.« Sie holte tief Luft. »Weißt du, es ist egal …«

»Die Männer … die können ihn nicht ausstehen.«

Sie schnaubte. »Die müssen sich nur an ihn gewöhnen.«

»Du wirst keinen Anruf bekommen.«

Ihr wurde schlecht, sie wollte es gar nicht wissen und versuchte, einen Witz draus zu machen: »Hast du ihm einen Auftragskiller auf den Hals gehetzt, Harris?«

Er wollte es ihr gar nicht sagen und sah weg. »Safecall.«

»Ihr habt Bannerman bei Safecall angezeigt?«

Er ließ den Motor nicht an, schien Angst zu haben, sich zu

rühren. Er blieb einfach sitzen, die Ellbogen auf den Knien, die Finger unten am Lenkrad, und starrte auf den Tacho.

Morrow sah ihn an. »Mein Gott, Harris.«

Safecall war eine anonyme Notrufleitung für Beamte, die schikaniert wurden oder Korruptionsfälle anzeigen wollten, ohne sich selbst in Gefahr zu bringen. An sich war das eine tolle und vernünftige Idee, aber für viele hatte sie eine erschreckende dunkle Seite. Anzeigen konnten zur sofortigen Suspendierung, Degradierung oder Entlassung führen, ohne dass die Ankläger dabei auch nur bekannt wurden. Selbst wenn sich eine Anzeige als unbegründet herausstellte, war für die Betroffenen hinterher nichts mehr wie zuvor, sie gingen verbittert, paranoid und zerrüttet aus der Sache hervor.

»Wer hat Safecall angerufen?« Im gleichen Moment fiel ihr ein, dass ihr die Frage gar nicht gestattet war. Harris hätte Safecall anrufen und Morrow anzeigen können, weil sie sie gestellt hatte. »Oh, scheiße, vergiss es.«

»Verschiedene …« Er zögerte. »Viele. Er hat einen Laptop mit nach Hause genommen und nie wieder zurückgebracht …«

»Bannerman und klauen? Mach keinen Scheiß!«

»Das ist noch nicht alles …«

»Das ist lächerlich, begegnet ihm wenigstens direkt und auf Augenhöhe.«

»Er ist ein Tyrann, Ma'am.«

Sie drehte sich um und schrie ihn an: *»Er ist dein Chef!«*

Harris sah weg zum Fenster hinaus. Das war ein mieser Trick. Sie wusste nicht, was sie sagen sollte. »Verdammt. Lass den Motor an, wir fahren nach Perth.«

Das tat er, fuhr wieder auf die Autobahn, beschleunigte und zog in letzter Sekunde auf die Überholspur rüber, kurz vor einem Lastwagen, der einen anderen zu überholen und damit beide Spuren zu blockieren drohte. Sie nahm sich noch ein Bonbon und wickelte es ärgerlich aus. »Das hättest du mir nicht sagen sollen. So was will ich gar nicht wissen.«

Er erwiderte nichts, aber sie sah ihm an, dass er froh war, es ihr erzählt zu haben. Schon die ganze Zeit hatte er es ihr sagen wollen. Er bezog sie mit ein, und das tat er nur, weil er wusste, dass das Ende längst in Sicht war. Sie war für sein Team vorgesehen.

Als sie in den Schatten zwischen zwei Hügeln fuhren, versuchte sich Morrow das Revier ohne Bannerman vorzustellen. Und es gelang ihr nicht.

Es fiel ihr schwer, nicht zu vergessen, dass Glasgow nicht dasselbe wie Schottland war. Morrow war in Glasgow aufgewachsen, lebte und arbeitete dort, aber das hier war das Schottland außerhalb des sonst so im Fokus der Aufmerksamkeit stehenden Zentralgürtels: Hier gab es graue, flache Steinbauten, die elegant an breiten Straßen standen und vor Geschichte nur so strotzten.

Sie bogen falsch ab und überquerten den Tay, kamen an hübschen Brücken und öffentlichen Gebäuden mit mächtigen, geriffelten Säulen und Ziergiebeln vorbei. Sie wünschte, Leonard wäre da, um ihnen zu erklären, was sie sahen.

Es war nach der Mittagszeit, und der Verkehr war jetzt so dicht, dass sie eine ganze Weile brauchten, um die Innenstadt zu durchqueren. Das Präsidium war in einem weißen würfelförmigen Gebäude aus den Sechzigerjahren untergebracht, Fenster durchstießen die Fassade, die Kanten abgerundet und die Proportionen fast schon absurd. Harris fuhr hinein und parkte auf einem reservierten Parkplatz neben der Eingangstür.

Morrow zog die Augenbrauen hoch.

»Die müssen doch wissen, dass wir kommen.« Harris machte die Tür auf und stieg aus.

Sie warteten zwanzig Minuten am Empfang, nur um sich erklären zu lassen, dass DCI Denny derzeit unabkömmlich sei, ein anderer Beamter aber gerne mit ihnen sprechen wolle. Der Diensthabende am Empfang verzichtete darauf, einen Namen zu nennen. Fünfzehn Minuten später kam er wieder zu ihnen, hob die Absperrung und bat sie, ihm zu folgen. Ein rothaariger DC mit winzigen Augen führte sie durch lange Gänge und ein Treppenhaus nach oben in einen kleinen Raum. Er setzte sich an einen Schreibtisch und präsentierte ihnen einen dreiminütigen Bericht, den er von einem maschinebeschriebenen Blatt ablas.

Father Sholtham sei von seinen Beamten aufgesucht worden und nicht in der Verfassung gewesen, befragt zu werden. Er habe keine Fragen über Sarah Erroll beantworten können.

»War er betrunken oder hat er geschlafen?«

»Das steht hier nicht.«

Morrow war genervt, musste aber freundlich bleiben. Sie kamen aus Glasgow, von ihnen wurde erwartet, dass sie unhöflich und aufdringlich waren.

»Schade, dass Sie's nicht noch einmal bei ihm versucht haben«, sagte sie, »denn wir sind wirklich der Ansicht, dass er über bedeutende Informationen verfügt.«

Der DC sah sie ausdruckslos an. »Wir waren noch einmal dort. Sogar zweimal. Insgesamt waren wir drei Mal da und drei Mal war er entweder bewusstlos oder besoffen.«

»Hatten Sie vorher schon mal mit ihm zu tun?«

»Oh«, plötzlich, sobald es um inoffizielle Tratschgeschichten ging, kam Leben in ihn, »er ist bekannt hier. War lange Zeit nüchtern, ein guter Mann.«

»Wie lange war er nüchtern?«

»Ungefähr zehn Jahre.«

»Hat sonst noch jemand irgendwelche Informationen?«

»Worüber?«

Harris seufzte hörbar, und Morrow beschloss, das Gespräch abzukürzen. »Wo können wir ihn finden?«

Der DC erklärte, Sholtham habe aus dem Pfarrhaus in ein Gästehaus für durchreisende Geistliche umziehen müssen. Er kicherte. »Schätze mal, seine Vorgesetzten wollten nicht, dass Gemeindemitglieder auf der Matte stehen und von einem betrunkenen Priester begrüßt werden, der in Unterhose durchs Haus spaziert.«

»Wirklich eine saukomische Vorstellung«, sagte Morrow trocken. »Sie waren uns eine große Hilfe.«

43

Es war eine moderne soziale Wohnbausiedlung, hübsche kleine Häuschen, wie Puzzleteilchen aneinandergefügt und aus demselben Grau erbaut wie die älteren Häuser in der Stadt.

Ein junger Mann mit sehr kurzen Haaren und ruhelosem Blick empfing sie. Er trug eine lange Hose und ein Hemd, die ihm beide nicht besonders gut passten. Er führte sie in die Küche und bestand darauf, ihnen Tee in einer Metallkanne und einen Teller mit cremegefüllten Keksen vorzusetzen. Father Sholtham sei oben und würde gleich runterkommen. Er wisse, dass sie da seien.

Dann ließ er sie alleine.

Wenig später hörten sie Schritte auf der Treppe, das Schlurfen von Pantoffeln. Draußen vor der geöffneten Tür hielten sie kurz inne, dann kam Father Gabriel Sholtham herein und stellte sich vor.

Morrow stand auf, nannte ihm ihrerseits ihren und Harris' Namen und gab ihm die Hand. Sie blickte hinunter: Seine Hände waren groß und weich, und sie sah eine blaue Schwellung auf seinem rechten Handrücken, wo er gegen etwas sehr Hartes geschlagen haben musste.

Er hatte ein breites Gesicht mit ausgeprägten Zügen, die Art von Gesicht, das bei einem gesünderen Mann Vertrauen und Gehorsam hervorgerufen hätte, ein Polizistengesicht.

Aber er wollte keinen von beiden ansehen und hielt den Blick gesenkt, schenkte sich schwarzen Tee aus der Kanne ein und gab zwei Stück Zucker hinein, während sie erklärten, weshalb sie von Glasgow hergekommen waren.

Er trug einen grauen Pullover über einem grauen T-Shirt, eine schwarze Hose und blaue Pantoffeln. Die Schuhe sprachen Bände. Sie waren aus Wildleder und mit getrockneten Flecken und Spritzern übersät. Morrow wollte erst gar keine Mutmaßungen anstellen, was da verspritzt worden war.

Er zog einen dritten Stuhl an den Tisch und setzte sich.

»Wir ermitteln im Mordfall Sarah Erroll«, sagte Morrow. »Soweit wir wissen, verfügen Sie diesbezüglich über Informationen.«

Father Sholtham blinzelte in seinen Tee, ein Mikro-Tic. Sie wusste nicht genau, ob der Auslöser ein stechender Augenschmerz und damit der Kater war, unter dem er offenkundig litt, oder die Erwähnung des Namens Sarah Erroll. Als er sprach, klang seine Stimme wie ein leises Knurren, Westküste mit einem Hauch Irisch. Was er sagte, klang sehr überlegt, als würde er eine Zeugenaussage vor Gericht machen.

»Ich hab das alles in der Zeitung gelesen. Und drüber geredet. Das war dumm. Ich habe Ihre Zeit verschwendet, weil Sie wegen mir herkommen mussten. Das tut mir leid.«

»Verstehe«, sagte Morrow. Sie wusste nicht, wie ernst sie diese Aussage nehmen sollte. Er wirkte sehr spröde. »Das genügt uns nicht, Father, denn Sie wissen Dinge über den Tod des Mädchens, die gar nicht in der Zeitung gestanden haben.«

Auch das war ihm längst klar. Er schlürfte hörbar seinen Tee und vermied es weiterhin, sie anzusehen.

»Also«, sagte sie leise, »entweder waren Sie an ihrer Ermordung beteiligt, oder Sie kennen jemanden, der es war.«

Er sah in ihre Richtung, wandte den Blick aber rasch wieder ab, versteckte sich hinter seinem Tee.

»Vielleicht habe ich einen Anteil an dem Verbrechen«, sagte er. Eine tiefe Traurigkeit flackerte in seinen Augen auf, und er nahm einen Schluck von dem heißen Tee, um sie niederzuzwingen.

»Anteil daran?«

»Ja«, nuschelte er in seinen Becher.

Das war interessant. Morrow hatte eine Begabung, Lügen und Lügner zu enttarnen. Sie wusste, wie man jemandem eine Falle stellte, der so tat, als würde er die Wahrheit sagen. Man bat ihn um Einzelheiten und fragte später noch einmal danach, um ihn anschließend, wenn derjenige seine Antworten längst wieder vergessen hatte, mit den Unstimmigkeiten zu konfrontieren. Sie wusste, wie man erkannte, ob jemand leicht beeinflussbar war, ob jemand log, aber gar nicht wusste, dass er log. Man musste der Person nur abseitige Fragen stellen und sehen, ob sie bereit war, den Mord an Kennedy zu gestehen. Aber dieser Mann hier versuchte es mit einer anderen Art von Täuschung. Er wählte den theologischen Ansatz, bewegte sich sehr vorsichtig, trippelte auf Zehenspitzen um eine dicke fette Riesenlüge herum und hätte sich lieber unter Mordanklage stellen lassen, als davon abzurücken. Sie hatte das Gefühl, er würde die Wahrheit sagen, wenn sie ihm nur die richtige Frage stellte.

»Was haben Sie getan?« Ihre Stimme war sehr sanft, rücksichtsvoll gegenüber seinem Kater. »Father, was haben Sie getan?«

Er legte die Stirn in Falten und schüttelte den Kopf.

»Welchen ›Anteil‹ haben Sie an dem Verbrechen?«

Auf diese Frage hatte er keine Antwort. »Ich weiß nicht.«

»Dann gehen wir's durch: Sind Sie in das Haus eingebrochen?«

»Nein.«

»Haben Sie sich durch das Haus geschlichen, bis hinauf in das alte Kinderzimmer?«

»Nein.« Seine Stimme war ausdruckslos, aber sein Blick jagte über den Tisch. Er versuchte, sich über alle Facetten der Fragen bewusst zu werden, den Hinterhalt ausfindig zu machen.

»Haben Sie sie schlafend im Bett angetroffen und sie geweckt, nachdem sie den ganzen Tag gereist war, und haben ihr Angst gemacht?«

»Nein, auch das nicht.«

»Haben Sie sie die Treppe hinuntergejagt, bis sie hinfiel?«

»Nein.«

»Haben Sie über ihr gestanden und immer wieder zugetreten, direkt ins Gesicht?«

»Nein.

»Haben Sie Ihr gesamtes Körpergewicht aufgebracht, um ihr die Nase zu brechen, so fest zugetreten, dass ihre Augäpfel platzten …«

Er weinte und flüsterte. »Nein, das habe ich nicht getan. Nein.«

Sie ließ ihn weinen. Harris presste die Hände fest aneinander. Morrow reichte Father Sholtham ein Taschentuch. Er nahm es, dankte ihr und schnäuzte sich die Nase. Sie fing noch einmal an.

»Okay: Haben Sie den oder die Täter mit dem Auto vom Haus abgeholt?«

»Ich kann nicht fahren, hab meinen Führerschein verloren …«

»Wer auch immer es war, er hatte gerade brutal eine unschuldige Frau ermordet. Ich glaube nicht, dass der Betreffende erst mal Ihren Führerschein verlangt hätte.« Sie nahm einen Keks und biss hinein. Kauend wandte sie ihm weiterhin ihr unschuldig dreinblickendes Gesicht zu. »Also, haben Sie die Täter im Auto kutschiert …«

»Nein. Das hab ich nicht. Ich war nicht … ich war im Krankenhaus, als es passiert ist. Hab mir die Zähne ziehen lassen.«

»Haben Sie das Krankenhaus zu irgendeinem Zeitpunkt …«

»Nein. Mir wurden acht Zähne gezogen. Ich stand unter Vollnarkose. Das war eine ambulante Operation, um acht Uhr abends haben sie mich wieder entlassen.«

»Wo sind Sie dann hin?«

»Nach Hause ins Pfarrhaus. Da hab ich noch dort gewohnt …«

Sie biss noch einmal in ihren Keks, kaute, beobachtete, wie er sich über das Gesicht fuhr. Er rieb sich so fest die Augen, dass das Taschentuch zum Schluss kaum noch größer war als ein Pfefferminzbonbon.

»Darf ich Sie auf Ihr Alkoholproblem ansprechen?«

Er nickte.

»Hatten Sie früher schon Probleme mit dem Trinken?«

»Hatte ich.« Er schien sich dafür tiefer und aufrichtiger zu schämen, als für seine vermeintliche Beteiligung an dem Mord. Seine Stimme war jetzt kaum mehr als ein Flüstern, und er wirkte fast zu traurig, um die Lippen zu bewegen.

»Aber Sie haben lange nicht mehr getrunken?«

»Das ist richtig. Sehr lange nicht.«

»Wie lange?«

»Achteinhalb Jahre.«

»Das ist eine teuflische Sache, nicht wahr?«

Er sah ihr in die Augen, suchte nach Mitgefühl und fand keins. Enttäuscht konzentrierte er sich erneut auf die Tischplatte.

»Wann haben Sie wieder angefangen?«

»Vor ein paar Tagen.«

»Vor wie vielen Tagen?«

Er versuchte zu antworten, kam aber nicht drauf. »Was für einen Tag haben wir heute?«

»Donnerstag.«

Sie sah, dass er rückwärts rechnete. »Ich glaub, am Dienstag hat's angefangen.«

»Am Tag nach dem Mord an Sarah?«

»Ist das so? Ich hab wieder getrunken, wegen der Operation … ich hatte Beruhigungsmittel bekommen … ich war ganz durcheinander.«

Er wusste, dass seine Ausrede Blödsinn war, und er wusste genau, dass es der Tag nach dem Mord an Sarah gewesen war. Morrow warf ihm einen vorwurfsvollen Blick zu, und er schlug beschämt die Augen nieder.

Sie beobachtete ihn einen Augenblick lang, und er spürte ihren Blick, schlürfte seinen Tee und schmatzte mit den Lippen, weil er so bitter war. Ganz eindeutig ein von Gewissensbissen geplagter Mann. Er wollte jemanden schützen, und sie wusste nicht, warum er das tat, und war genervt.

Sie tippte mit der Fingerspitze auf den Tisch und sagte: »Warten Sie hier.«

Sie stand auf und gab Harris ein Zeichen, ihr zu folgen.

Auf dem Flur kam ihnen der junge Mann, der sie hereingelassen hatte, durch das Wohnzimmer entgegen und winkte, versuchte Blickkontakt aufzunehmen und zu plaudern, doch Morrow zog die Haustür von draußen zu. Sie gingen zurück zum Wagen und stiegen ein.

»Er lügt, weil er jemanden schützen will«, sagte sie. »Ich glaube, einen anderen Priester.«

»Nein«, sagte Harris sehr überzeugt. »Er hat jemandem die Beichte abgenommen, dann hat er getrunken. Es ist ihm rausgerutscht, und jetzt versucht er, seine Seele zu retten, indem er sich selbst belastet.«

»Woher willst du das wissen?«

Harris lächelte. »Ich bin Katholik.«

Sie wusste nicht, was sie sagen sollte. Bei so was konnte man leicht ins Fettnäpfchen treten, und was Taktgefühl anging, war ihre Weste nicht gerade blütenrein. »Na ja … schön für dich.«

Harris lachte, weil die Bemerkung völlig absurd war. Aber er merkte, dass sie sich Mühe gab.

Sie hob die Hände. »Ich weiß nicht, was ich sagen soll, das hab ich nicht gewusst.«

»Ja, na ja«, sagte er verlegen. Er wusste ebenfalls nicht, was er sagen wollte.

»Schön für dich«, sagte sie wieder. »Also … wie funktioniert das? Er muss die Schuld auf sich nehmen, weil er jemandem die Beichte abgenommen hat?«

»Nein. Er hat geschworen, niemals zu wiederholen, was ihm bei der Beichte anvertraut wird. Aber er hat es getan, und diesen Schwur zu brechen ist eine schreckliche Sünde. Eine Todsünde. Er versucht, es wiedergutzumachen, indem er zum Märtyrer wird.«

»Kann er sich nicht damit rausreden, dass er besoffen war?«

»Seit wann zählt Besoffensein als Ausrede?«

Sie sahen wieder zum Haus. Father Sholtham stand am Küchenfenster und beobachtete sie.

»Nein, aber es wirkt strafmildernd, oder nicht?«

»In so einem Fall nicht.«

»Also, Mr Katholisch, was machen wir jetzt?«

Harris griff nach seinem Sicherheitsgurt. »Wir finden raus, wer gebeichtet hat.«

Morrow drehte sich beim Losfahren noch einmal um und sah, dass Father Sholtham ihnen nachblickte: Ein großer trauriger Mann an einem Panoramafenster, das ihm bis zu den Knien reichte. Mit schlaff herunterhängenden Armen erwartete er sein Urteil.

Das Pfarrhaus war sehr viel vornehmer als Sholthams aktuelle Bleibe in der Wohnsiedlung. Es stand direkt neben der Kirche im Stadtzentrum, der schmale spitze Kirchturm fand sich architektonisch in den schmalen spitzen Fenstern und dem spitzen Giebel über der Tür wieder. Nur war das Haus nicht aus dem heimischen grauen Stein gebaut wie die Kirche, sondern rot mit weißen Spitzenvorhängen an den Fenstern.

»Hast du dich mal mit Leonard unterhalten?«, fragte sie, als sie aus dem Wagen stiegen.

»Einige Male.«

»Was hältst du von ihr?«

»Nett. Aufgeweckt.« Er verlor kein Wort über Leonards sexuelle Präferenzen, und Morrow gefiel das. »Sie kennt sich mit Gebäuden und Antiquitäten aus.« Morrow fiel im

Gleichschritt neben ihm ein und wartete, um die stark befahrene Straße überqueren zu können. »Sie hat was im Kopf.«

Zwei steile Stufen führten zur Eingangstür hinauf. Harris griff nach oben und klingelte an der Tür. Die Glocke klang wie die Ankündigung eines Todes.

»Meinst du, sie ist eine Kandidatin für eine Beförderung?«

Harris wollte nicht antworten. »Denke schon.«

»Bannerman wird wegen der gegen ihn geäußerten Verdachtsmomente suspendiert werden, und wir werden jemanden brauchen, der die Stelle des DS übernimmt«, sagte sie und bezog sich auf ihr Gespräch an der Tankstelle. »Ich hätte dich gerne gehabt, aber du weißt …« Sie ließen die Tür nicht aus den Augen.

Harris räusperte sich. »Ich verdiene jetzt mehr … mit den Überstunden.«

»Ich weiß.« Sie hörten jemanden durch den steinernen Flur auf sie zukommen. »Hast du dir das nicht vorher überlegt, bevor du so einen Coup lostrittst? Dass es keinen gibt, der den Laden übernimmt?«

»Wie meinst du das?«

»Na ja, ich bin dann im Mutterschutz. Wir brauchen einen DS. Die Sache mit … Safecall.« Hinter der Tür klapperte das Schloss. »Die werden jemanden von außen holen. Und du weißt nicht, wer das sein wird, oder? Damit entsteht ein Machtvakuum.«

Harris lächelte. »Das ist Wort für Wort das, was Leonard gesagt hat. Sie meinte, genau das sei passiert, als Napoleon an die Macht kam.«

Eigentlich erzählte er nur von einer interessanten Bemerkung, die Leonard gemacht hatte, gab damit aber zu, dass er mit anderen Beamten über Safecall gesprochen hatte. Damit wurde die Angelegenheit zur Kampagne. Sie sahen einander an.

»Also gibst du zu, dass es ein Coup war?«, fragte sie.

Harris guckte ängstlich.

Die Tür ging auf. »Kann ich Ihnen helfen?« Eine kleine, ältere Frau mit einer Bluse aus Kunstseide und einem wenig schmeichelhaften Faltenrock sah ihnen entgegen.

»Strathclyde Police«, sagte Morrow. »Wir würden uns gerne mit Ihnen über Father Sholtham unterhalten.«

Die Haushälterin war nur allzu gerne bereit, ihnen in allen Einzelheiten zu erzählen, was Father Sholtham am Tag nach dem Mord an Sarah gemacht hatte. Sie war sehr wütend auf ihn, wobei sie allerdings wie jemand wirkte, der schon morgens wütend aufwachte. Sie fragte immer wieder, was einen Mann der Kirche und des Glaubens nur dazu brachte, so zu saufen. Warum tat er das? Warum machte er sich nur zum Gespött der Leute?

Der nüchterne Father Sholtham hatte gefrühstückt und nebenan um acht Uhr die Morgenmesse zelebriert. Nach der Messe hatte er keine Beichte, die gab's erst ab fünf Uhr nachmittags, und er hatte noch an jenem Vormittag mit dem Trinken angefangen. Ihr war aufgefallen, dass er sich seltsam benahm, aber er hatte gesagt, er habe die Grippe. Dann war er zu einer Besprechung in einer nahegelegenen Schule gefahren. Er hatte wackelig gewirkt. Das Mittagessen hatte er in der Schule eingenommen, dann war er nach Hause gekommen und hatte in seinem Zimmer gebetet. Er hatte keine Telefonanrufe entgegengenommen, das wusste sie genau, weil das Telefon im Flur stand. Morrow wollte unbedingt weitere Einzelheiten über die Beichte am Nachmittag erfahren, aber die

Frau redete immer weiter über die Gebete in seinem Zimmer, vielleicht hatten die etwas ausgelöst, warum trank jemand nur so, warum tat er sich das an … Morrow fiel ihr ins Wort.

»Wer kam zur Beichte?«

»Father Haggerty.«

»Sonst niemand?«

»Nein«, Harris schaltete sich ein, »meine Kollegin möchte wissen, wem Father Sholtham die Beichte abgenommen hat?«

»Niemandem«, sagte die Frau. »Niemandem. Father Haggerty hat die Beichte abgenommen.«

»Nicht Father Sholtham?«

»Nein. Er wäre um fünf Uhr dran gewesen, aber er ging vorher spazieren, und als er wiederkam, war er ganz offensichtlich sehr betrunken. Er hatte keine Grippe. Er hat Mitch angelogen. Father Haggerty hat ihn gefunden, als er sich zur Beichte umziehen wollte, und ihn hergebracht. Wir haben ihn ins Bett gesteckt. Seitdem war er nur noch blau.«

Sie konnte ihnen keine Auflistung mit den Namen der Leute geben, die an dem Morgen, bevor Father Sholtham wieder mit dem Trinken angefangen hatte, zur Messe erschienen waren. Sie kam erst um neun, und obwohl sie häufig selbst morgens vor der Arbeit zur Messe ging, war sie ausgerechnet an jenem Morgen nicht dort gewesen.

Als sie rauskamen, erklärte Harris Morrow, dass es bestimmt einen festen Kern von Menschen gab, die täglich zur Morgenmesse gingen, und vielleicht könnte man diese fragen, ob jemand den Priester beiseitegenommen oder ausführlicher mit Sholtham geredet hatte.

Zur Schule fuhren sie nur auf gut Glück.

44

Laut GPS befand sich St. Augustus außerhalb der Stadt, vierzehn Minuten über die Autobahn, die über eine Hügelkette in ein fruchtbares Tal mit üppigen Feldern, Äckern und hübschen Häuschen führte, die sich an Baumgruppen schmiegten.

Als sie den Gipfel des Hügels hinter sich gelassen hatten, erhob sich ein Regenvorhang, der im Sonnenlicht dahinter gelb leuchtete. Sie konnten förmlich sehen, wie das Unwetter durchs Tal raste, dicke Tropfen klatschten auf die Dächer und Motorhauben der Autos und wuschen den Staub der Straße ab. Hinterher wirkte alles strahlender.

Das GPS führte sie von der Autobahn runter auf Straßen, die sich gefällig durch die Landschaft schlängelten, an einem dichten Wald entlang und um einen kleinen Hügel herum. Schließlich fuhren sie über eine einspurige, aus einheimischem Gestein erbaute Brücke, und von dort aus auf eine gewundene Straße, die an Cottages mit tiefen Fenstern und schweren schwarzen Reetdächern vorbeiführte. Dann tauchte allmählich eine hohe rote Mauer hinter den Bäumen auf.

Sie mündete in einen weiten Bogen, der von identischen Torhäuschen auf beiden Seiten flankiert wurde, zwischen denen sich schwarze Eisentore öffneten.

»Verfluchte Scheiße«, sagte Harris, als er in die Einfahrt

einbog, obwohl er normalerweise keine Kraftausdrücke verwendete.

Hinter dem Tor schlängelte sich die rote Kieseinfahrt zunächst durch einen Wald, dann über makellose Rasenflächen zu einem großen eleganten Haus. Das Haus stand nicht dem Tor zu-, sondern von ihm abgewandt, fast ein bisschen scheu. Es bestand aus drei Stockwerken, mit einem bescheidenen säulengetragenen Eingangsportal, und wirkte gleichzeitig herrschaftlich und behaglich. Es gab einige Anbauten, aber die neuen Gebäude gruppierten sich sämtlich dahinter, damit sie die Aussicht nicht verdarben.

Vor dem Haus erstreckte sich eine leicht abschüssige Rasenfläche bis zu einem Bach mit einer kleinen gewölbten Brücke, die zu den Sportplätzen dahinter führte.

Harris brachte den Wagen zum Stehen. Die Tür am Haupteingang war geschlossen, und es parkten auch keine anderen Autos davor. Als er sich nach Hinweisschildern für einen Parkplatz umsah, entdeckte Morrow eine Gruppe kleiner Jungs, die gerade über die Brücke kamen. Sie trugen Sportklamotten, Trainingsanzüge und dicke blaue Fließjacken darüber, alle waren sie rot und erhitzt, einige hatten schweißnasse Haare. Die Sportgeräte waren für die Zehn- und Elfjährigen zu groß, als dass sie diese so ohne Weiteres hätten tragen können. Sie mühten sich mit den Hürden ab, hielten sie hoch bis ans Kinn und hievten sie sich auf die Schultern.

»Hier muss doch ein Parkplatz sein«, murmelte Harris. »Oder gibt's noch eine andere Zufahrt aufs Gelände?«

Jetzt, da die kleinen Jungs näher kamen, konnte Morrow sehen, wie aufgeregt sie waren. Sie plauderten und eilten in Grüppchen quer über den Rasen zu den Umkleideräumen auf der Seite.

»Kinder sind halt Kinder, oder?«, sagte Morrow zu sich selbst.

Ein Junge, kleiner als die anderen, kam hinter dem Wagen angerannt und beeilte sich, seine Freunde einzuholen. Er lief außer Atem mit rosa Gesicht an ihnen vorbei und ruderte dabei mit den kleinen Armen, um schneller voranzukommen. Als er den letzten seiner Gefährten hinter der Tür verschwinden sah, verdoppelte er noch einmal seine Anstrengung, warf die Füße hinter sich hoch in die Luft und ließ roten Kies regnen.

Die Sohlen seiner Sportschuhe wiesen das bekannte Muster mit den drei Kreisen auf. Morrow sprang so schnell sie konnte aus dem Wagen und rief ihm hinterher: »Kleiner!«

Er drehte sich um, rannte dabei, wenn auch etwas langsamer, rückwärts weiter.

»Komm mal her.«

Das tat er nicht. Aber er blieb draußen vor den Umkleideräumen stehen, sah zur Tür und sprach mit einem anderen Jungen, der sich den Dreck seitlich von den schwarzen Schuhen kratzte. Der Junge rief etwas in die Umkleideräume hinein. Eine stämmige Frau in einem roten Trainingsanzug kam heraus. Um den Hals trug sie eine Trillerpfeife und eine Stoppuhr.

Morrow zeigte ihren Dienstausweis. »Wir sind von der Strathclyde Police. Diese Schuhe, gehören die zur Schuluniform?«

»Ja.«

»Wir würden gerne den Direktor sprechen, bitte.«

Sie stutzte, fragte aber nicht warum. »Ich bringe Sie zu ihm«, sagte sie und führte sie durch die Tür.

Harris und Morrow folgten ihr durch einen Gang an den

Umkleideräumen vorbei. Die Lehrerin hielt den Blick gesenkt, als sie im Türrahmen haltmachte und wie ein Feldwebel schrie: »McLennan!«

Eine piepsig hohe Stimme antwortete: »Miss Losty?«

»Du trägst hier in den nächsten zehn Minuten die Verantwortung!«

»Jawohl!«

Miss Losty legte eine ungeheure Selbstbeherrschung an den Tag, als sie sie durch die schmalen Korridore hinauf in das Büro der Schulsekretärin führte. Kein einziges Mal fragte sie, warum Morrow und Harris gekommen waren, sondern übergab sie der kompetenten Obhut einer Dame in einer hellbraunen Bluse, lächelte und ging.

Die Sekretärin bat sie, im Gang zu warten, und schloss die Tür, während sie telefonierte. Wenige Augenblicke später führte sie sie durch einen langen dunklen Korridor mit Schachbrettmuster auf dem Boden zu einem Büro mit einem Schild an der Tür, auf dem stand: »Mr Doyle – Schulleiter.«

Sie klopfte, öffnete die Tür, beugte sich in den Raum und sagte, die Polizei sei da.

Wallis Doyle kam zur Tür, schüttelte ihnen die Hände und stellte sich vor, anschließend musterte er die Fotos auf ihren Dienstausweisen und ließ sie endlich in sein kleines Büro eintreten.

In dem Raum roch es nach Lufterfrischer und neuem Teppichboden. Es war sehr aufgeräumt. Auf dem Fensterbrett stapelten sich reihenweise Papiere und Mappen, aber alle Stapel wirkten sortiert und schienen genau dort zu liegen, wo sie hingehörten. In einer Ecke standen sogar unterschiedliche Müllbehälter fürs Recycling, selbst angefertigt aus leeren Chipskartons mit runden, unterschiedlich farbig markierten Öffnungen: eine für Zeitungen, eine für Dosen und der letzte für Glas. In allen Kisten lag der Recyclingmüll so ordentlich aufeinander, als sei er gar nicht verwendet worden, sondern nur zu Demonstrationszwecken dort gelandet.

Er war sehr höflich, platzierte sie auf bequemen Stühlen und bot ihnen Tee an. Sie lehnten dankend ab, und die Sekretärin verließ den Raum. Nachdem Doyle gesehen hatte, wie sich die Tür hinter ihr schloss, stellte er sich neben seinen Schreibtisch und verschränkte die Hände ineinander. »Nun, willkommen in St. Augustus«, sagte er, als wollte er ein Elternpaar begrüßen. »Was kann ich für Sie tun?«

»Mr Doyle«, sagte Morrow, »Verzeihung, Mr Doyle ist doch richtig? Nicht Father Doyle?«

»Nein, nein«, er lächelte angesichts der Vorstellung und zeigte ihnen seinen Ehering, »Mr Doyle.«

»Wir wollten uns nach Father Sholthams Besuch hier am Dienstag erkundigen.«

»In Hinblick auf …?« Er spitzte ein Ohr.

Harris sah Morrow an.

»Um wie viel Uhr kam er hier an, mit wem hat er gesprochen, wann fuhr er wieder weg?«

»Und warum fragen Sie das?«

Morrow räusperte sich. »Weil ich es wissen möchte.«

Sie starrten einander an, Doyles Gesichtsausdruck wurde kälter. Er löste die Hände voneinander, steckte sie in seine Taschen und lehnte sich mit dem Hintern an seinen Schreibtisch. »Father Sholtham kam um zwölf Uhr fünfunddreißig an. Er ging in die Kapelle und teilte dem Chor mit, dass die Finanzierung des geplanten Ausflugs nach Malawi gesichert war: Ein Elternpaar hat sich bereiterklärt, das Budget aufzustocken. Auf jeweils tausend bereits gesammelte Pfund legen sie noch einmal tausend drauf …«

»Sind Sie sicher, was die Zeit betrifft?«

»Wir hatten um zwölf Uhr mit ihm gerechnet, aber er war spät dran. Der Bus hatte Verspätung.«

»Was ist dann passiert?«

»Wir haben die gute Nachricht bei einer Tasse Tee gefeiert, und anschließend ist er gegangen. Ich habe ihn zur Tür gebracht.«

»Wie hat er auf Sie gewirkt?«

Er dachte darüber nach. »Wunderbar, ein bisschen unpässlich vielleicht. Ich nehme an, die Sache hier hat mit seinem Alkoholproblem zu tun, aber ich muss sagen, dass er zu dem Zeitpunkt ganz gewiss nicht betrunken war. Er hatte am Tag zuvor eine Vollnarkose bekommen und war noch nicht wieder richtig auf dem Damm, aber er roch nicht nach Alkohol. Eine halbe Stunde später hab ich ihn noch mal gesehen, als er zum Bus gegangen ist, und auch da schien alles in Ordnung.«

»Augenblick«, unterbrach Harris. »Sie haben ihn nach draußen begleitet, und dann haben Sie ihn eine halbe Stunde später erst gehen sehen?«

»Ja, er kam aus dem blauen Zimmer. Das liegt im ersten Stock, und dann habe ich ihn an der Einfahrt gesehen.«

Harris runzelte die Stirn. »Warum die Verzögerung?«

»Die Busse fahren unregelmäßig. Er wollte unten im Eingang warten. Es hat geregnet.«

»Hat er jemandem die Beichte abgenommen?«

»Nein.«

»Mit wem kann er gesprochen haben, als er unten gewartet hat?«

»Mit niemandem.«

»Hätte nicht zufällig jemand vorbeikommen können?«

»Oh doch, natürlich. Der Bereich ist frei zugänglich, bis der Unterricht um Viertel nach eins wieder beginnt. Die Jungs können kommen und gehen, aber sie hätten ihn schon da unten suchen müssen. Normalerweise halten sie sich nicht in diesem Teil der Schule auf. Die Aufenthaltsräume und Schlafzimmer befinden sich auf der anderen Seite des Campus.«

Harris nickte. »Sie haben ihn nicht mit jemandem gesehen oder mitbekommen, dass ihn jemand angesprochen hat?«

»Nein.«

»Die Beichte«, Harris verlagerte sein Gewicht auf dem Stuhl, »ist nicht mehr so wie damals, als ich klein war. Man kann jetzt überall beichten …«

Doyle sagte nichts, lächelte aber verwirrt. Er hatte angenommen, sie seien wegen des Priesters hier.

»Die Beichte«, sagte Harris, »ist gültig, wenn man den Priester sieht, auch wenn sie nicht in einem Beichtstuhl stattfindet …«

»Sicher. Natürlich bleibt die Beichte ein heiliges Sakrament, aber wenn der Priester bestimmte Formalitäten beachtet, kann er die Beichte überall abnehmen. Viele Priester ziehen heutzutage einen ungezwungeneren Rahmen vor, besonders bei jüngeren Menschen.«

»Einen, der weniger einschüchternd wirkt«, schlug Harris vor.

»Genau.« Er blickte fragend von einem zum anderen.

Morrow lehnte sich vor. »Am Tag davor, am Montag Nachmittag, haben da Schüler im Unterricht gefehlt?«

Er versuchte sich zu erinnern. »Nein.«

»Hat es an diesem Tag Schulausflüge nach Glasgow gegeben? Sportveranstaltungen, Debattierrunden oder Ähnliches?«

»Nein. Würden Sie mir sagen, worum es hier eigentlich geht?«

»Haben Sie von Sarah Erroll gehört?«

Doyle blinzelte nervös mit den Augen. »Nein. Hier sind keine Jungen mit dem Namen Erroll eingeschrieben. Ich kann mich täuschen. Manchmal haben die Eltern heutzutage andere Namen, die Mütter … Worum geht es? Wer ist diese Sarah Erroll?«

Morrow konnte ihn nicht leiden. Seine Einstellung gefiel ihr nicht, ihr gefiel nicht, dass er eine Privatschule leitete, und sein Büro, das so rein war wie das Gewissen eines Priesters, gefiel ihr erst recht nicht. »Mr Doyle, ich glaube, Sie sind nicht ganz ehrlich zu mir. Sie wissen, wer Sarah Erroll ist.«

Er zuckte mit den Schultern. Irritiert. »War sie mal zu Besuch hier in der Schule?«

»Sie beantworten meine Fragen nicht. Hören Sie auf, selbst welche zu stellen.«

Doyle war kein Mann, der Widerspruch gewohnt war. Er bleckte die Zähne, verzog den Mund zu einem kalten Lächeln, stieß sich von der Schreibtischkante ab, ging um den Tisch herum und setzte sich auf seinen Stuhl, sodass die breite Eichenplatte jetzt zwischen ihnen lag.

Morrow zeigte auf den Turm mit den Chipskartons. »Da liegen Zeitungen drin, die ausführlich über die Geschichte berichtet haben. Ich denke, Sie beantworten meine Fragen nicht, weil sie fürchten, der Fall könnte ein schlechtes Licht auf die Schule werfen.«

Doyle blickte schuldbewusst auf die Chipskartons. »Ich erinnere mich nicht an diese Geschichte.«

»Die Uniformen, die die Jungen tragen«, sagte Harris. »Sind das für jede Jahrgangsstufe dieselben?«

»Ja.«

»Die Sportschuhe: Woher stammen die?«

»Welche Sportschuhe?«

»Die Schuhe, die die Jungen im Sportunterricht tragen, die schwarzen Wildlederschuhe.«

»Das sind ganz normale Schuhe. Ich weiß die Marke gerade nicht ...«

»Woher bekommen die Jungen ihre Uniform – aus einem Spezialgeschäft?«

»Nein. Von Jenner's.«

»In Edinburgh?«

»Ja. Aber hören Sie, jeder Teil der Schuluniform wird völlig unabhängig von uns produziert und frei vertrieben. Nur die Aufnäher auf den Blazern und die Abendjacketts werden speziell für uns hergestellt. Die Sportschuhe kann jeder kaufen.«

»Das ist nicht sehr hilfreich, Mr Doyle.«

Sie blieben schweigend sitzen. Morrow sah sich im Büro um, Harris starrte Doyle an. Doyle war der Einzige im Raum, der sich unwohl fühlte.

Dann stand er unvermittelt auf. »Nun, vielen Dank, dass Sie gekommen sind. Ich werde die Klassenbucheintragungen für jenen Tag noch einmal durchgehen und sehen, wer, wenn überhaupt jemand, in Glasgow gewesen sein könnte. Unseren Jungen ist es nicht gestattet, eigene Autos mitzubringen, also könnte es sich für Sie lohnen, die örtlichen Bahnhöfe zu überprüfen.«

»Ich weiß, was ich zu tun habe.« Morrow blieb ungerührt sitzen.

»Ich kann Ihnen die Klassenbücher zugänglich machen, aber ich muss Sie jetzt bitten zu gehen.«

Harris sah Morrow an. Morrow sah Doyle an und ließ sich Zeit mit der Entscheidung. »Ich werde Sie in drei Stunden anrufen. Wenn ich dann nicht die Informationen bekomme, die ich brauche, oder wenn ich den Eindruck habe, dass Sie nicht kooperieren, komme ich mit einer uniformierten Einheit wieder und wir machen eine Hausdurchsuchung. Ist das klar?«

Doyle wies mit der Hand Richtung Tür.

Morrow stand auf, und Harris folgte ihr. Doyle versuchte an ihr vorbei als Erster zur Tür zu eilen, aber Morrow war schneller und öffnete sie selbst. »Wir finden alleine raus.«

»Nicht nötig«, sagte Doyle, führte sie hinaus, zog die Bürotür zu und schloss hinter ihnen ab.

Das Schloss rastete bestimmt und im stillen Korridor deutlich vernehmbar ein.

Er machte ihnen Zeichen voranzugehen und führte sie schweigend den dunklen Gang entlang, weg vom Büro der Sekretärin, durch eine große Tür in einen ovalen Saal, der sehr kalt und leer war, abgesehen von einem glänzenden großen Holzflügel und einem leeren weißen Marmorkamin. Im Stockwerk oben befand sich eine ebenfalls ovale Galerie, überdacht von einem Glasfenster.

Doyle gab ihnen zum Abschied die Hand, mied jedoch ihren Blick und wies ihnen den Weg über eine Doppeltreppe, die sich jeweils seitlich nach unten zur Haupteingangstür wand. Er blieb oben stehen und sah ihnen nach.

Als Morrow die Eingangstür hinter sich schloss, hörte sie das Schloss fest einrasten. Der Wagen parkte direkt vor der Tür, und Harris hatte den Schlüssel schon in der Hand. »Nach Hause?«

Aber Morrow zögerte. »Wo ist die Kapelle?«, fragte sie und drehte sich noch einmal zum Haus um.

Sie sahen sich suchend um und liefen die drei Meter zur Tür der Umkleideräume. Die Kapelle lag dahinter, eine hohes, helles Gebäude, das im Verhältnis zur Fassade des Haupthauses nach hinten versetzt gebaut war, mit roten Glasfenstern, die nach oben hin spitz zuliefen wie jene des Pfarrhauses. Harris sah zur Eingangstür zurück und hielt nach Doyle Ausschau.

»Komm, wir sehen uns mal um«, sagte Morrow.

Die Anbauten folgten einem logischen Zeitablauf: Die zuerst gebauten und am stärksten mitgenommenen Gebäude befanden sich direkt hinter dem Haupthaus. Ein holzgetäfelter Flur und ein Saal, die aussahen, als wären sie während des Krieges zurechtgezimmert worden, verbanden die Gebäudeteile. Dahinter befanden sich die roten Backsteinbauten der vergangenen Jahre, in denen offensichtlich Klassenräume und ein Schwimmbad mit großen Schiebefenstern untergebracht waren. Ganz weit hinten, fast versteckt, befand sich ein weißer Betonbau, der mit seinen gleichförmigen Fenstern und den durchgängig identischen marineblauen Vorhängen die Atmosphäre eines Billighotels verströmte.

Dahinter stand das jüngste Gebäude. Eine beeindruckende Reihe rostiger Stahlrechtecke, Schiffscontainer, zwei Stockwerke hoch, jedes in unterschiedlichen Weißtönen besprüht, und davor eine graue Metalltreppe, die nach oben und um das Gebäude herum führte. In jeden der Container waren Fenster eingelassen, teilweise aus Milchglas, um Privatheit zu garantieren, aber sie sahen, dass ganz unten ein Gemeinschaftsraum untergebracht war: Fünf Jungen fläzten sich in ein paar Sesseln, und an der Wand hingen eine Dartscheibe und ein Flachbildfernseher. Darüber und drumherum befanden sich fröhlich eingerichtete Klassenräume mit bunten, recycelten Plastiktischen und Stühlen. Ein Junge saß auf einem Stuhl am Fenster im ersten Stock, sah zu ihnen hinunter und zeigte auf sie.

In seinem Block ging eine Tür auf, und ein großer dünner Mann trat hinaus auf den Steg im ersten Stock. Er rief hinunter: »Kann ich Ihnen helfen?« Harris rief zurück: »Strathclyde Police.« Er zeigte seine Dienstmarke. »Wir waren gerade bei Mr Doyle. Wir wollen uns nur mal auf dem Gelände umsehen.«

Der Lehrer verschwand wieder im Klassenraum, und durch die Glaswand sahen sie, dass er den Jungen etwas sagte, das sie veranlasste, aus dem Fenster zu starren. Die Jungen, die weiter hinten saßen, kamen ans Fenster gerannt, um besser sehen zu können.

Morrow und Harris traten näher an den Gemeinschaftsraum heran.

Jetzt sahen sie, was dort stand: Auf einem Schild wurde mitgeteilt, dass die Gebäude ausschließlich aus recycelten Materialien erbaut und CO2-neutral waren, mit Sonnenenergie beheizt wurden und von Sir Lars Anderson gestiftet worden waren.

Morrow und Harris eilten wieder zurück zum Hauptgebäude, fanden die Vordertür aber verschlossen. Morrow drückte auf die Klingel, konnte es im Innern aber nicht läuten hören.

»Umkleideräume«, sagte Harris, und ging wieder zurück in die Richtung, aus der sie gekommen waren.

»Da verlaufen wir uns«, sagte Morrow. Dann sah sie einen Jungen, der hinten bei den Anbauten um die Ecke gerannt kam, groß, ungefähr sechzehn Jahre alt, hektisch um sich blickend und ganz offensichtlich auf der Suche nach etwas.

Er blieb stehen und musterte sie. Er war dünn, hatte eine Stupsnase und Kulleraugen wie ein Baby. Sein Haar war kurz geschoren, seine Haut von der Sommersonne gebräunt. Morrow hatte ihn im Klassenzimmer des neugierigen Lehrers gesehen. Er war ans Fenster gelaufen, um zu schauen, was los war.

»Hey, Junge«, sagte Morrow. »Wie kommen wir wieder rein? Wir müssen Mr Doyle sprechen.«

»Mr Doyle bringt Ihnen nichts«, keuchte er. »Sie wollen zu mir.«

45

Thomas saß auf einem Stuhl und hörte Moira unten die Haustür aufschließen. Sie hatte Schwierigkeiten, versuchte es zweimal mit dem falschen Schloss und schaffte es schließlich, den richtigen Schlüssel ins richtige Schloss zu stecken, sodass die Tür aufging. »Hallo? Jemand da?«

Thomas ließ sie zappeln. »Hier oben«, sagte er leise.

»Thomas?« Sie trat unten an den Fuß der Treppe. »Thomas? Bist du da?«

Er spürte, wie sich die Härchen auf seinen Armen und in seinem Nacken aufstellten.

»Tom?« Sie lächelte, als würden sie Verstecken spielen, blieb aber unten an der Treppe stehen. »Hallo-ho?«

Sie waren beide ganz still, Thomas auf dem Stuhl draußen vor Ellas geöffneter Tür, Moira unten. Sie bewegte sich, und er hörte ein leises Geräusch, das durch den Hall im Treppenaufgang verstärkt wurde, es war das Knistern von Einwickelpapier. Seidenpapier in einer Tüte.

»Hier oben«, sagte er mit ausdrucksloser Stimme.

»Oh.« Sie machte einen zögerlichen Schritt vorwärts, misstrauisch wegen seines Tonfalls und weil er nicht zur Treppe gelaufen kam, sodass sie ihn sehen konnte. Sie spürte den Zorn in seiner Stimme. Aber sie kam trotzdem, und noch immer hörte er das leise Knistern des Seidenpapiers in der Tüte, als sie die Treppe hinaufstieg. Sie murmelte: »Du lieber Himmel, der Verkehr in der Stadt war entsetzlich«. Und: »Die Treppe kommt mir jedes Mal steiler vor …« Sie plauderte, als wäre nichts gewesen, tat demonstrativ so, als wären sie einfach gute Freunde, die sich über irgendeinen Blödsinn unterhielten.

Oben angekommen sah sie, dass er vor Ellas Tür wachte. Sein Blick fiel auf die Tüten. Sie hatte gleich einen ganzen Strauß an Tüten dabei, edle Papiertüten mit Kordeln statt Henkeln aus vornehmen Boutiquen.

»Für die Beerdigung.«

Er sagte nichts.

»Runtergesetzt … von meinem eigenen Geld …«

Thomas sah weg und verschränkte die Arme vor der Brust. Sie rührte sich nicht, schob mit einer seltsamen Bewegung ihre Hüfte nach vorne und öffnete den Mund, um zu sprechen, aber es kam nichts heraus. Stattdessen kicherte sie nervös und blickte zur Schlafzimmertür. Er wusste, dass sie in ihr Zimmer gehen und ihre neuen Sachen anprobieren wollte, aber sie hatte Angst, an ihm vorbeizugehen.

»Sitzt du schon lange da …?«

Thomas drehte sich wieder zu ihr um. »Was zum Teufel stimmt nicht mit dir?«

Sie zuckte zusammen, wirkte verletzt und zog defensiv eine Schulter hoch. »Die Beerdigung deines Vaters …«

»Sie ist selbstmordgefährdet, Moira. Du bist weggegangen und hast sie hier mit mir alleine gelassen.«

Moira ließ die Tüten fallen. »Tom, du weißt nicht …«

»Es ist nicht in Ordnung, dass ich mich alleine um sie kümmern muss.« Jetzt schrie er und war froh, dass er schrie, fühlte sich dadurch erleichtert.

»Darling, du hast doch gar keine Ahnung.«

»Da hast du recht, du blöde Schlampe.« Er sprang auf die Füße. »Der Arzt war da, ich weiß nichts über ihren Zustand, und ich rede mit ihm wie ein totaler Vollidiot. *Verdammt, wie steh ich denn da?«* Beide erstarrten. Das war Lars' Formulierung. Thomas hätte an dieser Stelle aufhören sollen, aber die Scham trieb ihn an: »Was bist du eigentlich für eine beschissene Mutter?«

»Ich musste mich um die Beerdigung deines Vaters kümmern, die Beerdigung meines Mannes!«

Sie war weinerlich, stand oben am Treppenabsatz und traute sich nicht weiter, die Tüten an ihren Füßen kippten unter dem Gewicht ihres Inhalts um, und er sah, dass sie tat, was sie immer getan hatte, wenn sie sich mit Lars stritt: Sie ließ die Schultern und den Kopf hängen, schob ihm die Rolle des Bösen zu.

Er stampfte auf sie zu. »Ich konnte dich nicht mal anrufen …«

Jetzt wandte sie sich ihm zu, Tränen strömten über ihr Gesicht, und sie jammerte: »Stell dir doch mal vor, wie ich mich fühle, Tommy: Ich bin beim *Bestatter,* alle gaffen mich an. Die wissen, wer ich bin. Und dann ruft er dort an und verlangt mich zu sprechen.«

»Ich hab keine Handynummer …«

»Warum?«, schrie sie und ruderte mit den Armen. »Warum? Warum hast du keine Handynummer von mir? Weil ich alle meine Handys wegwerfen musste. Ständig haben Journalisten angerufen. *Ich kann mir nicht mal mehr erlauben, ein Handy zu haben.* Was glaubst du, wie das ist?«

Er stand jetzt dicht vor ihr und sah, wie nah sie mit den Fersen an den Stufen war und wie tief sie fallen würde. »Ist dir in deinem kleinen Gehirn nicht ein einziges Mal aufgegangen, dass du einfach nicht drangehen brauchst, wenn Journalisten anrufen? Auf dem Display steht ›Unbekannt‹, wenn jemand anruft, den du nicht kennst. Du musst nicht das scheiß Handy wegwerfen.«

Moira blickte auf ihre Füße und war sich plötzlich bewusst, wie tief die Stufen hinter ihr abfielen. Sie warf Thomas, der einen Meter von ihr entfernt stehen geblieben war, einen vorwurfsvollen Blick zu und drehte den Rücken zur Wand.

Sie funkelten einander böse an. Thomas kam ihr bedrohlich nahe, Moira tastete hinter sich nach der Wand, das Gesicht ihm abgewandt.

»Wozu zum Teufel bist du überhaupt zu gebrauchen?«, fragte er und gab ihr damit das Stichwort loszulaufen.

Moira bedeckte ihr Gesicht mit den Händen, spreizte die Finger, sodass sie gerade noch sehen konnte, drehte sich um und rannte nach unten, aber die Kleidertüten lagen vor ihren Füßen, und sie blieb mit dem Absatz an einer dicken blauen Kordel hängen, verhedderte sich und stolperte ungeschickt.

»Thomas?« Ein zartes Stimmchen hinter ihm, Ella stand an der Tür, versteckte sich hinter dem Türrahmen. Sie trug noch immer die Sachen vom Vortag, noch immer klebten ihr rosa und weiße Marshmallowreste vorne am T-Shirt. Sie sah Moira ausrutschen und fallen, ihre Arme glitten an der Wand entlang, ihre Finger griffen ins Leere und suchten Halt.

Thomas drehte sich um und hörte einen dumpfen Knall. Moira lag vor ihm auf dem Boden, auf der Seite, der Kordelgriff der Tüte um ihren Absatz gewunden, die Tüte klaffte absurd weit auf.

Schwarzes Seidenpapier riss laut hörbar auseinander, und

eine braune Lederhose fiel heraus, entfaltete sich langsam, als sie die Treppe herunterpurzelte, und blieb liegen.

Wie ein Signal am Rundenende eines gepflegten Boxkampfs ertönte das leise, sanfte Klingeln des Haustelefons.

Moira zog sich selbst hoch und sah zum Ende des Flurs Richtung Schlafzimmer. »Wenn das der Arzt ist, bin ich nicht da.« Ella sah Thomas an, ein Auge lugte hinter dem Türrahmen hervor, an den sie sich klammerte, und flehte ihn an.

Thomas lächelte gequält, ging an Moiras Bett, nahm den Hörer und sagte: »Hallo?«

»Hallo, Thomas, ist deine Mutter da?« Dr. Hollis war es nicht.

Wie betäubt ging er zu Moira in den Flur. Sie saß jetzt auf der obersten Treppenstufe, löste die Kordel von ihrem Absatz und blickte auf, als er ihr den Hörer entgegenhielt. Sie ließ sich trotzdem Zeit, stand langsam auf, glättete sich das Haar und nahm das Telefon entgegen. »Hallo?«

Sie lauschte. Theresas Stimme am anderen Ende klang grob, laut und unerbittlich. Moiras Gesichtszüge verhärteten sich, während sie lauschte. »Hat er das?«, sagte sie irgendwann und warf Thomas einen wütenden Blick zu. Sie lauschte dem Monolog bis zum Ende, wartete und kniff den Mund zusammen. »Ist das alles, was Sie zu sagen haben?«

Sie lauschte erneut. Thomas sah hinter sich den Flur entlang, wo Ella immer noch im Türrahmen stand und sie beobachtete, neugierig und selbstvergessen. Er lächelte, als er sie so sah, sie ihn direkt anblickte und ein bisschen zurücklächelte. Sie wusste, dass er bei ihr geblieben war und dass das etwas zu bedeuten hatte. In diesem Moment war Thomas stolz auf sich.

»Hmm«, sagte Moira, als hätte man ihr etwas nur mittelmäßig Interessantes mitgeteilt. »Nun, wenn sich das tatsächlich so verhält, dann tun Sie und Ihre Kinder mir leid.«

Die Stimme am anderen Ende schrie, aber Moira sprach noch lauter und übertönte sie. »Denken Sie dran, meine Liebe: Huren gibt es überall auf der Welt, aber in England kann man nur eine Ehefrau haben.«

Sie legte auf und reichte Thomas das Telefon zurück, als gehörte es ihm. Sie musterte ihn von oben bis unten und nahm dann ihre Einkaufstüten.

Als sie aufstand, wirkte sie gealtert. »Ich habe Kopfschmerzen, und ich gehe in mein Zimmer, ihr Lieben. Vielleicht könnt ihr euch alleine um den Arzt kümmern.«

46

Sein Name war Jonathon Hamilton-Gordon. Er stand vor den Umkleideräumen, die Augen auf den Horizont gerichtet, und erzählte ihnen die Geschichte: Er und sein Freund Thomas Anderson hätten sich nach dem Sport verdrückt. Sie waren nach Glasgow gefahren, nach Thorntonhall. Dort brachen sie in das Haus von Sarah Erroll ein, durch das Küchenfenster. Sie hatten ihr eigentlich nur einen Schrecken einjagen wollen, aber seinem Freund seien die Nerven durchgegangen und er habe sie ins Gesicht getreten und getötet. Jonathon stand da, atmete ungleichmäßig, fasste sich an die Brust.

»Hast du Asthma?«, fragte Harris.

»Ein bisschen«, sagte der Junge.

Harris ließ ihn sich vornüberbeugen und fragte, ob er einen Inhalator habe, hatte er aber nicht. Als er den Jungen an der Schulter festhielt und wartete, dass dieser wieder zu Atem kam, warf Harris Morrow einen vielsagenden Blick zu.

So hatten sie sich das nicht vorgestellt. Ihr Adrenalinspiegel war hochgeschossen, es kribbelte ihnen in den Fingerspitzen, sie waren bereit, auf die Jagd zu gehen, aber jetzt war der Fuchs freiwillig gekommen und hatte sich vor ihren Augen selbst erschossen.

Der Junge richtete sich auf; er atmete jetzt gleichmäßiger. Morrow suchte nach einem Funken Gefühl in seinem Gesicht, fand aber nichts.

Harris war der Erste, der etwas sagte: »Wo war sie, als ihr ins Haus eingebrochen seid?«

»Sie hat geschlafen«, sagte er jetzt völlig ruhig. »Oben. In einem runden Zimmer.«

»Hast du sie dort getötet?«

»Nein, nein, nein.« Er trat einen Schritt zurück, und Harris sprang auf ihn zu, dachte, er wolle wegrennen, doch der Junge hob die Hände und signalisierte, dass er sich ergeben wolle. »Nein, ich meine, *ich* hab's nicht getan.«

Harris formulierte seine Frage mit exakt derselben Betonung noch einmal: »Hat *dein Freund* sie dort getötet?«

»Nein.« Der Junge sprach zu Harris, und Morrow nutzte die Gelegenheit, um sich hinter ihn zu stellen und ihm den Fluchtweg zu versperren. Warum, wusste sie nicht, sie war sowieso in keinem Zustand, in dem sie ihm hinterherrennen oder ihn hätte niederringen können.

»Sie ist nach unten gerannt. Da hat er's gemacht, unten an der Treppe.«

»Woher sollen wir wissen, dass du die Wahrheit sagst?«

»Mein Wagen. Ich hab feuchte Tücher mit ihrem Blut dran.«

Sie drehten sich alle zu dem Geräusch um: Ein großer stämmiger Mann in einem grauen Anzug stürmte auf sie zu, offenkundig in der Absicht, die Angelegenheit in die Hand zu nehmen.

»Hamilton-Gordon, geh wieder rein.« Er schob sich mit einer Schulter zwischen Harris und den Jungen. »Was machen Sie noch auf dem Schulgelände? Mr Doyle hat Sie längst aufgefordert, zu gehen.«

Morrow holte tief Luft. »Verzeihung, Sie sind …?«

»Mr Cooper.«

»Gut, Mr Cooper. Wir werden den Jungen jetzt mit nach

oben nehmen und uns mit ihm unterhalten. Mr Doyle oder Sie dürfen dabei gerne anwesend sein.«

»Nein.« Cooper hielt ihr seine Riesenhand flach vors Gesicht. »Ich sage Ihnen, wie das läuft …«

Morrow war bis zu den Haarspitzen voller Adrenalin und enttäuscht darüber, dass ihre Jagd ein so schnelles Ende gefunden hatte. Sie redete so laut, dass Harris und der Junge zusammenzuckten.

»Wir nehmen den Jungen wegen Mordverdachts an Sarah Erroll fest. Sie dürfen im weiteren Verlauf bei den Vernehmungen anwesend sein. Sollten Sie es vorziehen, nicht daran teilzunehmen, werden wir einen anderen verantwortlichen Erwachsenen finden, der den Vorgang verfolgt. Die Aufgabe dieser Person wird darin bestehen, uns darin zu unterstützen, den Ablauf der Ereignisse Schritt für Schritt aufzuklären. Haben Sie das verstanden?«

Coopers Hand sank. Er blickte von Morrow zu dem Jungen. »Jonathon, ich benachrichtige deinen Vater …«

»Wir sind's gewesen«, sagte Jonathon, aber er konnte Cooper nicht ansehen. »Wir waren's, Sir.«

»Du …?«

»Und Thomas Anderson.«

Oben in Doyles Büro wirkte der Junge schüchterner. Er ließ sich über seine Rechte belehren, nickte, als hätte er das alles längst gewusst. Dann redete er weiter. Er saß tief über seine Knie gebeugt, schlang die Arme um den eigenen Oberkörper und erklärte die Einzelheiten. Dabei verschwendete er keine Zeit mit der Schilderung seiner Gefühle oder mit dem Versuch, sich in ein besseres Licht zu stellen, sondern hielt sich an die nackten Tatsachen: was, wie und wo.

Morrow hatte Zeit, den Jungen genau zu beobachten, denn er war offenbar der Ansicht, Harris sei der Chef, weshalb er sich vor allem an ihn wendete. Das Geständnis klang einstudiert. Er zögerte nicht, überlegte nicht, musste sich nicht erst sammeln und erinnern. Das beunruhigte sie.

Doyle schob ihr einen Zettel mit der Privatanschrift von Thomas Anderson zu. Sie reichte ihn an Harris weiter, und der schlüpfte hinaus in den Gang, um sich mit den vor Ort zuständigen Polizeikräften in Verbindung zu setzen.

Morrow ließ alle schweigend sitzen, bis er wiederkam, schon um die Spannung zu steigern. Bei seiner Rückkehr wirkte Harris erleichtert, er nickte ihr zu, und sie bedeutete ihm, mit der Befragung fortzufahren.

»Wie seid ihr dorthin gekommen?«

»Ich hab ein Auto ...« Doyle und Cooper richteten sich auf, »im Dorf.«

»Wo da?«

»In einer Garage hinter dem Supermarkt.«

»Wo hast du den Wagen her?«

»Dad hat ihn mir besorgt.«

Doyle war wütend. »Du bist sechzehn Jahre alt!«

»Na ja, Dad hat ihn mir besorgt.«

Cooper sah Doyle mit geblähten Nüstern an. Morrow nahm sich vor, ihn später nach dem Vater zu fragen.

»Jonathon«, sie setzte sich neben ihn. »Hast du jemandem davon erzählt? Nachdem es passiert war, hast du mit jemandem darüber gesprochen?«

Der Junge blickte auf, seine Augen waren rot, weil er sie auf seine Knie gepresst hatte, und er sah an Morrow vorbei zum Fenster hinaus. »Das hab ich«, sagte er, »ich hab's Father Sholtham gebeichtet.«

»Und was hat er gesagt?«

»Er hat gesagt, ich soll Thomas anrufen und ihn dazu bringen, sich gemeinsam mit mir zu stellen.«

»Kann Father Sholtham das bestätigen?«

Fast lächelte er. »Na ja, ich weiß nicht, ob er wiederholen darf, was ich gesagt habe, aber er wird bestätigen, dass ich mit ihm gesprochen habe.«

»Hast du Thomas angerufen und ihn aufgefordert, sich zu stellen?«

Er starrte in die Ferne und kaute an seinen Fingernägeln.

»Jonathon, hast du Thomas angerufen?«

»Nach dem ersten Mal ist er nicht mehr drangegangen. Er ist der Schuldige von uns beiden. Er wollte sich nicht stellen. Wenn Sie sein Handy überprüfen, werden Sie feststellen, dass ich ihn immer wieder angerufen habe.«

Sie blickte auf seine Füße. Er trug Lederschuhe, Unterrichtsschuhe, keine Sportschuhe. »Hast du Sportschuhe?«

Er zuckte mit den Schultern. »Ich hab neue bei Mrs Cullis in der Kleiderkammer bestellt. Sie müssten jeden Tag ankommen. Vielleicht sind sie heute schon da.«

»Verstehe. Welche Größe hast du?«

»Zweiundvierzigeinhalb. Sie wird einen Beleg dafür haben. Sie musste es aufschreiben.«

»Gut.« Morrow nickte, betrachtete sein Gesicht und entdeckte einen Ausdruck in seinen Augen, der von Triumph oder Erheiterung zeugte, sie war nicht ganz sicher.

»Was ist mit den alten passiert?«

»Hab sie verloren.«

»Wann?« Er grinste. »Irgendwann diese Woche.«

»Und die neuen hast du auch gleich diese Woche bestellt?«

»Ja.«

Harris fragte: »Hat Thomas dieselben Schuhe?«

»Ja, hat er.« Die Antwort kam zu schnell, viel zu schnell. »Seine Schuhe stehen bei mir im Zimmer.«

Morrow unterbrach ihn. »Warum in deinem Zimmer?«

»Oh, ich muss seine genommen haben, weil ich dachte, es wären meine, und dann waren meine weg, deshalb hab ich neue bestellt. Sein Name steht drin, aber das hab ich erst gemerkt, als ich sie schon in meinem Zimmer hatte.«

»Verstehe«, sagte sie trocken. »Darf ich die Schuhe mal sehen, die du gerade trägst?« Sie streckte die Hand aus. Er zögerte, ließ sich Zeit. Dann beugte er sich hinunter, öffnete die Schnürsenkel, zog einen Schuh aus und gab ihn ihr.

Die Ledereinlage war abgetragen, aber sie konnte es trotzdem noch lesen. Größe 44.

»Welche Größe hatten deine alten Sportschuhe?«

»Das weiß ich nicht mehr.«

»Hat Mrs Cullis einen Vermerk darüber?«

»Nein. Ich hab sie im Sommer bei Jenner's gekauft.«

»Verstehe.« Sie beugte sich vor. »Du würdest doch keine Schuhe in der falschen Größe bestellen, nur um uns in die Irre zu führen, oder?«

»Nein.« Er schien erstaunt, dass sie ihn durchschaut hatte. »Das würde ich … nie tun.«

»Du würdest doch nicht die Schuhe deines Freundes nehmen und deine eigenen verschwinden lassen, damit ihm die alleinige Schuld zugeschoben wird?«

»Nein.« Auch das kam zu schnell.

»Jonathon«, sagte sie langsam, »wir werden dich mit nach Glasgow nehmen, um dich dort offiziell zu verhören. Möchtest du deine Eltern anrufen oder soll Mr Doyle sie verständigen?«

»Mr Doyle.«

»Ein Erwachsener muss dich zur Vernehmung begleiten. Wer soll das sein?«

Ohne darüber nachzudenken, zeigte er direkt auf Doyle. Er brauchte keine Zeit, um es sich zu überlegen, weil er es sich längst überlegt hatte. Jonathon wusste, dass das unvorsichtig von ihm gewesen war; er sah sich um, wollte wissen, ob es jemand gemerkt hatte, und sein Blick traf den von Morrow.

»Sehen Sie, weil mein Dad in Hongkong ist«, sagte er ein bisschen rot im Gesicht, »aber nächste Woche ist er wieder da …«

Morrow sah ihn durchdringend an. »Wo steht der Wagen?«

Die Garage war klein und befand sich hinter einem Haus am Ende eines Gartengrundstücks, aber ein Pfad führte zur Straße, und die Tür an der Seite war vor fremden Blicken geschützt. Jonathon gab ihnen den Schlüssel, sie schlossen auf, und er erklärte, der Lichtschalter befände sich an der Seite, höher als man ihn vermutete. Morrow machte Licht.

Harris blieb mit dem Jungen draußen stehen, während Morrow hineinging und sich umsah. Sie steckte die Hände in die Taschen, um nicht aus Versehen doch etwas zu berühren – es geschah leicht, dass man nicht daran dachte. Der Wagen war ein schwarzer Audi Compact. Ein A3 mit verchromten Radkappen. Brandneu. Sie trat einen Schritt zurück und betrachtete ihn. Eine echte Versuchung für einen jugendlichen Raser, aber sie wusste, dass ein Vater mit schier unendlichen Geldvorräten den Wagen für klein halten würde, für einen bescheidenen Anfang.

Sie warf einen Blick in den Innenraum. Auf der Beifahrerseite im Fußraum lagen braun verschmierte Tücher, auch die Fächer in der Tür waren damit vollgestopft. Die Fahrerseite war sauber.

Hinter ihr wurde laut ratternd das Garagentor geöffnet. Der plötzliche Lichteinfall erschreckte sie. Draußen standen die Kollegen von der Tayside Police mit einem Abschleppwagen, den sie ihnen zur Verfügung stellten, um das Auto ins Labor zu bringen. Morrow wandte sich erneut dem Fahrzeug zu, sah vorne durch die Windschutzscheibe, wobei ihr auffiel, dass die dünne Staubschicht auf dem Armaturenbrett nur bis zur Mitte reichte. Jemand hatte die Fahrerseite sauber gewischt.

Harris kam lächelnd herein, nickte Richtung Audi. »Was meinst du?«

Morrow zuckte mit den Schultern.

Er reagierte leicht genervt. »Oh, bloß nicht so überschwänglich.«

»Irgendwas riecht hier verdammt komisch.«

47

Thomas saß auf dem Sofa in Ellas Wohnzimmer, dem großen Fenster zugewandt. Ein brutaler Lichtstrahl schien vom Rasen herein. Ab und zu überlegte er, ob er sich rühren sollte. Aufstehen, was zu trinken holen. Hunger hatte er auch. Aber es gab so viel zu tun, dass er sich nicht bewegen konnte. Er hätte ins Schlafzimmer gehen und mit Ella reden sollen. Es musste etwas geben, das er sagen konnte, etwas, um sie da rauszuholen. Er konnte sie anflehen aufzustehen oder anschreien, damit sie aufhörte, blöd rumzuliegen. Es musste doch etwas geben, das helfen konnte, aber er war nicht in der Lage, klar genug zu denken, um dahinterzukommen, was es war. Und er musste mit Moira sprechen, sich dafür entschuldigen, dass er von Theresa gewusst hatte, musste sie dazu bringen, dem Anwalt Bescheid zu geben, damit er sie vor ihr schützte. Auch Squeak hätte er anrufen sollen, rausfinden, was er sich dabei gedacht hatte, Sholtham alles zu erzählen. Er hätte Dr. Hollis hinterhertelefonieren und fragen können, wann er Ella wieder besuchen würde. Er konnte doch nicht den Rest seines Lebens vor ihrer Schlafzimmertür Wache halten.

Allesamt nur kleine Aufgaben, aber sie erschienen ihm unlösbar. Er konnte sich nicht gut genug konzentrieren, um auch nur eine einzige davon in Angriff zu nehmen.

Bitte bring dich nicht um, Ella. Aber das würde nicht

funktionieren. Du würdest Moira damit sehr wehtun. Nein, das auch nicht. Ganz plötzlich fiel ihm ein Satz ein, der aus seinem tiefsten Herzen kam: *Bitte lass mich hier nicht allein.* Er fing an zu weinen, riss stumm den Mund auf. *Ich kann nicht mehr.*

Er befahl sich, an etwas anderes zu denken.

Dann saß er da, blinzelte in das blendende Licht, das vom Rasen herüberkam, und lauschte dem sanften Murmeln des Fernsehers in Moiras Räumen. Werbung.

Jetzt wusste sie von Theresa. Und sie wusste, dass er es auch wusste. Bestimmt saß sie da drin vor dem Fernseher und heulte, kratzte sich die Kopfhaut mit den Fingernägeln blutig, fühlte sich von Lars und ihm und einfach allen im Stich gelassen. Gewiss rauchte sie, vielleicht hatte sie auch ein Fläschchen mit Antidepressiva in der Hand. Es würde schlimmer werden. Theresa war schlau und gemein. Sie würde Moira vor Gericht zerren und das ganze Geld bekommen. Andere Leute mussten auch davon gewusst haben, nicht nur er. Lars musste Theresa mit zu irgendwelchen Empfängen genommen haben, und allen musste es gegangen sein wie ihm: Er mochte Theresa lieber.

Er blickte durch die Tür in Ellas Schlafzimmer. Sie lag bewegungslos auf dem Bett, auf dem Rücken, er konnte ihre nackten Füße sehen.

In dem Moment, in dem er aufs Klo ging oder einschlief, würde sich Ella nach unten stehlen, die Pistole nehmen und sich erschießen. Lars hatte ihnen gezeigt, wo der Safeschlüssel lag. Wahrscheinlich würde sie es nicht mal richtig machen, sich nur ein Auge herausschießen und dann verbluten, sich die Nase abschießen oder so was. Die Leute würden darüber lachen und behaupten, dass sie überhaupt nichts richtig hinbekämen, die ganze Familie nicht, nicht mal gescheit erschießen konnten die sich. Ständer.

Früher sind Leute in seinem Alter schon ausgewandert. Es lag an ihm. Zorn und Selbstekel ließen ihn den Kopf heben, bis er direkt in die Sonne blickte. Er starrte hinein, bis es in seinen Augen weiß blitzte und sie schmerzten. Es lag an ihm. Er stand auf und verließ das Zimmer.

Mit verschwommenem Blick fuhr er mit der Hand an der Wandleiste entlang bis zur Treppe, stieg hinunter und hielt sich bis ganz unten am Geländer fest. Er blinzelte mehrmals, um wieder richtig sehen zu können.

Lars' Büro war eine Oase der Ruhe. Thomas trat ein, sah von links nach rechts, was albern war, weil er genau wusste, wo sich der Safe befand. Er ging darauf zu und war schon fast da, als er am Schreibtisch vorbeikam, davor stehen blieb und mit den Fingern über die Tischplatte strich, genau an der Stelle, an der Lars' Hände ebenfalls den Tisch berührt haben mussten, bevor er raus auf den Rasen ging. Es ging ihm ein wenig besser. Als hätte ihm Lars seine Zustimmung gegeben.

Er trat an das Bücherregal und stellte sich vor die Buchattrappe, die sich optisch von den echten Büchern kaum unterschied, schon weil diese ebenso selten gelesen wurden. Er drückte auf das himmelblaue Leder mit der goldenen Aufschrift, und der Buchrücken sprang auf. Die Schlüssel lagen in einem kleinen grünen Filzfach.

Zwei Schlüssel, nicht groß, altmodisch und von einem Ring zusammengehalten. Thomas nahm sie heraus und merkte, dass er schwitzte, eigentlich grundlos, und sein Mund füllte sich mit Speichel, als müsse er sich übergeben. Er fragte sich, ob sich Lars ebenso gefühlt hatte, als er seine Brieftasche in die Schreibtischschublade gelegt und seinen gemeinen Abschiedsbrief geschrieben hatte, in dem er Moira die Schuld dafür gab, dass er es vorzog, sich einfach davonzustehlen, anstatt sich den bevorstehenden Jahren in Demut zu stellen.

Thomas klappte den Rücken wieder zu, damit man nicht gleich sah, dass er die Schlüssel genommen hatte; nur für den Fall, dass Moira hereinschauen und merken würde, dass er am Safe gewesen war. Er trat zum Schreibtisch, ging in die Hocke und hob eine Ecke des Teppichs, unter der ein ins Parkett eingelassener Messinggriff zum Vorschein kam. Er griff danach, zog die Holzdiele heraus und legte sie beiseite.

Dort war er, der beigefarbene Metalldeckel mit den roten Fingermulden aus Plastik. Thomas hob ihn an wie den Deckel einer Keksdose; darunter wurde der Safe sichtbar. Auch der war aus beigefarbenem Metall und mit einem billig wirkenden braunen Plastikgriff versehen, das Schlüsselloch in der Mitte sah aus wie ein Nabel. Er steckte den Schlüssel hinein, drehte ihn und nahm die Abdeckung ab, dann beugte er sich tiefer hinab und fuhr mit der Hand in die schmale Öffnung des zirka sechzig Quadratzentimeter großen Hohlraums. Papiere. Ein Buch. Etwas Schmuck in Wildlederhüllen. Thomas griff noch tiefer hinein, beugte sich so weit runter, dass sein ganzer Arm vom Boden verschluckt wurde, und spürte die scharfen Kanten einer Kiste. Ehrfurchtsvoll, mit beiden Händen, zog er sie heraus und klappte sie auf. Zum Vorschein kam die stupsnasige Astra Cub, eine solide, schwere Handfeuerwaffe, der Griff und der Lauf aus einem Guss. Daneben, wie Brautjungfern, zwei passende, zusätzliche Magazine.

Eine alberne Pistole. Eine Mädchenpistole. Er betrachtete den Lauf: Guernica, stand darauf, Made in Spain. Er sah Picassos Gaul gen Himmel schreien, wie er ihn in einem Schulbuch gesehen hatte, Beany hatte ihnen das Bild gezeigt, aber Thomas hatte damals nicht richtig zugehört. Er erinnerte sich nur an den Gaul, und er wusste, dass der Gaul mit den comicartigen Augen am Verrecken war, dass er die Schrecken des Zweiten Weltkriegs nicht mehr erleben würde und dass das irgendwie von Bedeutung war, eine Gnade.

Er setzte sich auf die Unterschenkel und betrachtete die Waffe. Guernica. Wie ein Filmcowboy stand er auf, steckte sich die Pistole hinten in die Hosentasche und ging ein paar Schritte: breitbeinig, höhnisch grinsend, gerade aufgerichtet. Er zog die Waffe, ganz langsam – er wusste nicht, ob sie entsichert war –, hielt sie in beiden Händen, auf die Tür zum Flur gerichtet.

»Ptschjuh«, sagte er und hob die Hände in Zeitlupe wie nach einem Rückstoß. Er lächelte. Schon besser. Dann machte er dasselbe gleich noch einmal. »Ptschjuh.«

Noch immer milde lächelnd, betrachtete er die kleine schwarze Pistole. Höllisch schwer. Ein solider kleiner Freund. Er legte sie auf den Schreibtisch und beugte sich vor, klappte den Safedeckel wieder zu, verschloss ihn aber nicht, sondern ließ den Schlüssel im Schloss stecken und schob die Abdeckung und das Stück Parkett unter den Schreibtisch.

Die Ersatzmunition ließ er wohl besser auch nicht rumliegen, falls es irgendwo noch eine andere Pistole gab. Er steckte sich je ein Magazin vorne in die Taschen seiner Jeans. Schwer. Sechs Patronen in jedem Magazin? Vielleicht auch acht, zusätzlich zur Munition, die in der Pistole steckte. Die Pistole. Er nahm sie noch einmal genauer unter die Lupe.

Der Abzugshahn war silbern und so stabil wie ein Messer. Er drückte ganz leicht dagegen und spürte, dass er an einen bestimmten Punkt kam, den Schießmechanismus berührte, dann ließ er ihn wieder zurückschnappen.

Tu's nicht, fiel ihm von irgendwoher ein, einem Film oder einer Reportage oder so, du darfst deine Ellbogen nicht verkrampfen, sonst bricht dir der Rückstoß die Knochen. War das ein Science-Fiction-Film gewesen? Vielleicht galt das für Laserkanonen. Er würde sowieso die Ellbogen ganz entspannt halten, wenn er einen Schuss abfeuerte, was er ja gar nicht vorhatte.

Plötzlich hielt er inne und stieß ein leises erstauntes Lachen aus. Warum sollte er die Pistole abfeuern? Er hatte sie ja nur an sich genommen, damit Ella sie nicht in die Finger bekam. Er sah zu Boden, schüttelte den Kopf. Was hatte er sich nur dabei gedacht?

Sein Blick fuhr hektisch über die Maserung und die Astlöcher der Schreibtischplatte aus Pappelholz. Er dachte daran, jemanden zu erschießen. Ein Teil von ihm dachte darüber nach. Ein Teil ganz tief in ihm drin. Dabei wusste er nicht mal, wie man schoss.

So schwer konnte das nicht sein. In Uganda kämpften Kinder als Soldaten in der Armee. Sie hatten Gewehre, erschossen Menschen, schnitten ihnen Arme und Beine ab, dabei waren sie betrunken oder hatten Klebstoff geschnüffelt. So schwer konnte das nicht sein.

Er blieb hier hängen, so wie er oben auf dem Sofa hängen geblieben war. Sein Blick klebte an einem Apostroph auf der Schreibtischplatte. *Ich kann das nicht.* Aber er konnte es. Er hatte Ella vor der Pistole gerettet. Er konnte es.

Er blickte auf die Waffe in seiner Hand.

Solide. Ein Knopf war dran, ein Schiebeknopf direkt neben dem Abzug, und er vermutete, dass das die Sicherung war. Er schob sie nach oben und spürte, wie sie einrastete, schob sie runter und wieder rauf, runter, rauf, runter. Dann steckte er die Waffe in seine Gesäßtasche.

Besser. Er fühlte sich besser. Allerdings war seine Hose jetzt ziemlich schwer. Er machte ein paar Schritte auf die Tür zu und fand das Gewicht beim Gehen angenehm. Eigentlich sogar besser als ohne. Er spürte sich mit dem Boden verbunden, als würde er in die Erde sinken.

Er stand an der Tür des Arbeitszimmers, die Hände wie ein Pistolenheld seitlich an den Oberschenkeln, die Ellbogen leicht gebeugt, damit ihnen der Rückstoß nichts anhaben konnte.

Von unten kamen leise Geräusche, Stimmen und Musik aus Moiras Fernseher.

Ich mach das, dachte Thomas und ging wieder nach oben.

48

Als sie auf dem Revier eintraf, wurde sie direkt in Bannermans Büro beordert. McKechnie wollte sie darüber in Kenntnis setzen, dass gegen Grant Bannerman ermittelt wurde.

Er stellte klar heraus, dass keinerlei Beweise gegen ihren Chef vorlagen. Der Laptop sei zwar bei ihm zu Hause sichergestellt worden, aber man könne ihm keine Diebstahlsabsicht nachweisen. Die anderen Vorwürfe wogen allerdings schwerer: Schikane, schlechte Behandlung jüngerer Beamter, er habe Kollegen losgeschickt, um Mittagessen zu holen … Morrow riss der Geduldsfaden.

»Wen?«

»Wen was?«, fragte McKechnie neugierig, in der Hoffnung, einen neuen Hinweis zu erhalten.

»Wen hat er Essen holen geschickt?«

Er sah in seine Unterlagen. »Das steht hier nicht.«

»Er hat jeden Tag Brote von zu Hause mitgebracht. Seine Schublade ist voll mit gesunden Energieriegeln, verflucht …« Sie atmete tief durch. »Hören Sie, Sir, da oben sitzen zwei, die ich dringend in die Mangel nehmen muss, und außerdem glaube ich das alles sowieso nicht. Können wir später darüber sprechen?«

Er klappte die Mappe zu. »Ja.«

»Wo ist er jetzt?«

»Suspendiert.«

»Er sitzt zu Hause, guckt fern, und ich muss alles alleine machen?«

McKechnie riss die Augen auf. »Es gibt gesetzliche Verbindlichkeiten, Morrow.«

»Außerdem muss ich nach London, um den anderen Verdächtigen zu vernehmen.«

»Die Leute haben ein Recht auf Sicherheit am Arbeitsplatz …«

»Sicherheit? Bannermann hat kein Verbrechen begangen, er hat sich nur unbeliebt gemacht, Sir.«

»Wir müssen der Sache trotzdem nachgehen, den Beschwerden …«

»Bei allem Respekt, Sir, die Beschwerden sind Blödsinn. Er kommt ja doch nicht wieder her. Danach. Selbst wenn er vollkommen unschuldig ist, wird er nicht wiederkommen. Wenn Sie keinen Kollegen von außerhalb anfordern, bin ich die einzige ranghöhere Beamtin, und ich gehe bald in Mutterschutz.«

Das wusste McKechnie bereits. Morrow stand wild entschlossen auf.

»Ich werde …«, sie unterbrach sich, »… jetzt meine Arbeit machen.«

McKechnie stand ebenfalls auf, ein Anflug von Entschuldigung umgab ihn. »Morrow, so ist die Welt heutzutage nun mal.«

»Ja.« Sie öffnete die Tür und trat in den Besprechungsraum. Alle waren da. Die Beamten von der Nachtschicht waren eingetroffen, die von der Tagesschicht waren noch ein bisschen länger geblieben, um sich den Tratsch nicht entgehen zu lassen. Alle sahen Morrow an, und die meisten lächelten, weil sie glaubten, ihr einen Gefallen getan zu haben.

Morrow sah sich um. »Ihr feigen Wichser«, sagte sie und

stellte sich vor, wie ihre Worte vor einem Disziplinargericht verlesen wurden, riss sich zusammen und drückte sich anschließend betont vage aus. »Ihr habt kein Verständnis für eure Chefs, weil ihr nie zu uns gehören werdet.« Sie sah von einem zum anderen, sah, dass die Männer weiterhin grinsten, dies aber möglichst hinter Händen und Bechern versteckten. »Wir werden bald eine Armee von Soldaten sein, weil keiner von euch aufsteigen will.«

Sie blickte in die Runde, um zu sehen, ob sie die Kollegen erreichte. Es war ihr nicht gelungen. Innerlich schnappte etwas in ihr ein. »Harris?«

Er stand ganz hinten auf. »Ma'am.«

»Komm mit rauf«, sagte sie und plötzlich auflodernder Zorn ließ sie hinzufügen: »Du blödes Arschloch.«

Obwohl Jonathon Hamilton-Gordon darum gebeten hatte, von Doyle begleitet zu werden, hatte sich seine Familie eingeschaltet und stattdessen einen Freund geschickt, den Jonathon angeblich persönlich kannte. Der Mann ließ sämtliche Alarmglocken bei Morrow schrillen. Seine Kleidung war viel zu adrett, und er sah dem Jungen nicht einmal direkt in die Augen. Die beiden saßen am Tisch nebeneinander, aber ihre Körpersprache war kalt. Sie war sicher, dass der Mann Anwalt war. Die Aufgabe des Erwachsenen hätte eigentlich darin bestehen sollen, dem minderjährigen Verdächtigen die Abläufe zu erklären, was die großen Worte bedeuteten, oder ihm die Dinge vorzulesen, die er unter Umständen nicht selbst lesen konnte, weil er zum Beispiel unter einer Lernbehinderung litt. Es ging nicht darum, raffinierte juristische Ratschläge zu erteilen oder Tipps zu geben, wie man einer Anklage entging.

Morrow beobachtete die beiden über den Bildschirm im Nachbarraum und war ein wenig nervös, weil sie gleich mit Harris da rein musste. Leonard stand hinter ihr; auch sie wirkte beunruhigt.

»Der Pullover da ist aus Kaschmir«, sagte sie und betrachtete die schicke Aufmachung des Mannes.

Morrow musterte den Pulli. Er wirkte gewöhnlich. Grün mit Rundhalsausschnitt. Darunter trug er ein Hemd. »Sie haben wohl Röntgenaugen?«

»Man erkennt es daran, wie er fällt«, erklärte sie. »Kaschmir ist dünner. Der hat mindestens zweihundert Pfund gekostet.«

»Nein! Pullis können keine zweihundert Pfund kosten.«

Aber Leonard nickte, sie war sich ganz sicher.

Morrow sah erneut hin. »Die behaupten, der Kerl sei ein Freund der Familie. Ich glaube, die haben sich im Leben noch nie gesehen, was meinen Sie?«

Der Junge und der Mann hätten Fremde sein können, die im Bus zufällig nebeneinandersaßen. In London.

Harris tauchte hinter ihnen auf, wich ihrem Blick mit verkniffenem Mund aus. Morrow, immer noch wütend, drehte sich um und baute sich vor ihm auf. »Und?«

Er sah auf den Bildschirm. »Gehen wir rein?«

»Ja«, sagte sie. »Komm.« Sie rauschte an ihm vorbei und durch den Gang.

Das Vernehmungszimmer war groß und karg.

Der Mann saß an der Wand, der Junge auf der Außenseite. Als Morrow und Harris eintraten, erhoben sie sich und gaben ihnen die Hand. Jonathons war trocken. Er wirkte sehr ruhig.

Sie ließ Harris auf der Innenseite Platz nehmen, legte ihre

Mappe auf den Tisch vor sich und bestückte den Rekorder mit Kassetten. Dann begann sie mit der Aufnahme und beschäftigte sich mit der Videokamera. Niemand bat darum, etwas erklärt zu bekommen und niemand wollte wissen, wie lange es dauern würde oder was als Nächstes geschehen sollte. Als Morrow vorlas, was dem Jungen vorgeworfen wurde, bat der Mann um keinerlei Präzisierung, und der Junge schien bei seiner Rechtsbelehrung kaum zuzuhören.

Eine Weile blieben alle schweigend sitzen, bis Morrow den Mann ansah, als hätte sie eben erst gemerkt, dass er überhaupt da war. »Verzeihung, wie war Ihr Namen noch mal?«

»Harold.«

»Woher kommen Sie, ›Harold‹?«

Er blinzelte. »Stirling. Ich wohne in Stirling.«

»Richtig, Ihre Adresse wurde ja unten bereits aufgenommen, nicht wahr?«

Wieder blinzelte er.

»Schönes Fleckchen da draußen. Schön. Was machen Sie beruflich?«

Harold seufzte und gab Jonathon mit einem bösen Blick zu verstehen, dass er sich gefälligst einschalten sollte, was er auch tat: »Müssten Sie nicht eigentlich mich verhören?«

Sie neigte ihren Kopf. »Müsste ich das?« Ihr Blick wanderte zurück zu Harold. »Hast du wirklich noch mehr zu sagen, nach allem, was du in Gegenwart von Mr Doyle bereits ausgesagt hast? Nach allem, was du uns erzählt hast und den handfesten Beweisen, die du uns gegeben hast …«

Harris grinste spöttisch, was den Jungen ganz offensichtlich wütend machte.

»Ich will das hier ein für alle Mal hinter mich bringen«, sagte er und bemühte sich, hilfsbereit zu wirken.

Morrow blätterte träge durch ihre Notizen. »Junge, weißt du eigentlich, was hier los ist? So bald wirst du das nicht ›ein für alle Mal hinter dich bringen‹.«

»Das habe ich auch gar nicht gemeint«, sagte Jonathon. »Ich meinte die Fragen. Die will ich endlich hinter mir haben.«

»Was, glaubst du, passiert, wenn wir mit den Fragen fertig sind?«

Er zuckte gleichgültig mit den Schultern und blickte dabei auf Harolds Hände, die dieser sachte ineinanderfaltete. Harold blickte sie direkt an, stolz und herausfordernd. Er glaubte ernsthaft, Jonathon auf Kaution freizubekommen. Was er ihm unprofessionellerweise sogar gesagt hatte. Allerdings hatte Jonathon ihm da noch nichts von dem Wagen erzählt oder von seiner Aussage, das wurde ihr jetzt klar.

»Hmm.« Sie blätterte weiter in ihren Notizen. »Siehst du dir öfter mal Krimis im Fernsehen an?«

Jonathon vergewisserte sich bei Harold, ob er antworten sollte, und Harold nickte ihm zu. »Nein. Ich bin im Internat, wir dürfen nicht oft fernsehen.«

»Ihr dürft auch keine Autos mitbringen.« Sie lächelte ihn an. Er lächelte nicht zurück. »Nein, ich frage, weil ich wissen will, ob du schon mal was von einem sogenannten ›Gefangenendilemma‹ gehört hast?«

»Ist das eine Krimiserie?«

»Nein.«

Jonathon schien sich über seine eigene Antwort zu amüsieren, stieß sich vom Tisch ab und schaukelte auf zwei Stuhlbeinen. »Was denn sonst?«

»Zwei Jungs werden in zwei Räumen zu denselben Ereignissen befragt.«

Er nickte.

»Beide wollen nichts sagen. Zum Beispiel, weil sie etwas sehr Schlimmes gemacht haben.« Sie sah ihn streng an. »Kannst du dir ein solches Szenario vorstellen?«

Er sog Luft durch die Zähne, als wollte er ein Grinsen zur Strecke bringen.

»Diese beiden Jungs in den beiden Räumen haben etwas sehr Schlimmes zusammen gemacht. Und sie wurden erwischt …«

»Oder sie haben sich gestellt«, sagte er.

»Was macht das für einen Unterschied?«

»Na ja, in dem einen Fall drücken sie sich«, erklärte er spöttisch. »In dem anderen – na ja, Sie wissen schon – da haben die beiden selbst die Entscheidung getroffen.«

»Verstehe.« Sie nickte Harold zu. »Interessante Unterscheidung. Also, die beiden Jungen sitzen in unterschiedlichen Räumen und keiner von beiden weiß, was der andere über das Geschehene aussagen wird. Sie geben verschiedene Versionen zu Protokoll. Zum Beispiel behauptet einer, er sei die ganze Zeit über gar nicht im Zimmer gewesen.« Sie senkte die Stimme und lächelte verschwörerisch, als würde sie ein altes Familienrezept verraten: »Die Widersprüche in den Aussagen geben uns Aufschluss darüber, was wirklich passiert ist.«

Er ließ seinen Stuhl wieder auf alle vier Beine herunter. »Schieben die sich nicht einfach nur gegenseitig die Schuld in die Schuhe?«

»Na ja, das kann vorkommen, ja, ein klassischer Fall.« Sie nickte zufrieden. »Sie verraten sich gegenseitig. Der eine sagt: ›Er hat alles alleine gemacht, ich bin unschuldig.‹ Der andere behauptet: ›Nein, er war's, *ich* bin unschuldig.‹ Sie geben der Polizei Rätsel auf. Dann müssen wir uns auf die sichergestellten Spuren und Beweise verlassen und möglichst daraus den Ablauf rekonstruieren. Wenn der Fall vor Gericht kommt, kostet das natürlich mehr, wenn alle auf unschuldig plädieren, das rächt sich.« Sie schmatzte hörbar mit den Lippen. »Die Gefängnisstrafen fallen höher aus. Man hat das Gefühl, dass alles drei- oder viermal umgedreht, untersucht, auseinandergenommen und wieder zusammengesetzt wird …«

Jonathon lächelte, fuhr sich mit der Zunge über die Lippen, schob den Stuhl zurück und fing erneut an zu kippeln. »Machen wir das hier gerade?«

»Nein. Hier sagst du, dass er's war, und zufällig hast du auch 'ne Menge handfeste Beweise dafür. Deiner Version zufolge hast du gar nichts gemacht, und sämtliche Anhaltspunkte dafür, dass du etwas getan haben könntest, fehlen. Ist das nicht ein Glück? Offensichtlich hast du die ganze Zeit nur still in der Ecke gestanden und gebetet.«

Er beugte sich vor und nickte ernst. »Okay.«

Sie sah erst ihn an, dann Harold, und fand, dass beide ziemlich selbstgefällig aus der Wäsche guckten. Sie blätterte eine Seite in ihrem Notizbuch um. »Oh.« Betrachtete die Seite genauer. »Ach, du liebe Zeit. Zwei verschiedene Paar Fußabdrücke wurden auf Sarahs Gesicht gefunden.« Sie blickte auf und lächelte. »Was für eine Art von Gebet mag das sein? Ich bin nicht religiös, deshalb …«

Jonathons Oberkörper schoss nach vorne. »Nein.«

»Okay.« Harold stand auf. »Wir machen eine Pause.«

Morrow guckte irritiert.

»Das«, sagte er, »ist ein aggressives, einschüchterndes Verhör eines Minderjährigen.«

Morrow stand sehr langsam auf, hielt ihren Bauch und schenkte ihm ein wölfisches Lächeln. »Harold, sind Sie etwa Anwalt?«

Harold schnaubte empört durch die Nase. »Wir verlangen eine Pause.«

Morrow klappte die Mappe zu. »Nehmen Sie sich Zeit, so viel Sie möchten. Ich bin fertig. Jonathon wird nach unten gebracht und unter Anklage gestellt.«

Jonathon stand auf. »Darf ich dann nach Hause?«

Morrow sah Harold mit weit aufgerissenen Augen an. »Nein, Jonathon, du kommst vor den Haftrichter, und der wird das entscheiden.«

»Aber der lässt mich doch nach Hause?« Plötzlich panisch blickte er weinerlich von Harris zu Morrow und anschließend zu Harold.

Keiner antwortete. Als vorübergehend Stille herrschte, sah Morrow etwas in Jonathon Hamilton-Gordons Augen sterben.

Sie wich seinem Blick aus, weil sie sich über die Freude schämte, die sie beim Anblick versiegender Hoffnung in den Augen eines Kindes empfand. Sie nahm ihre Mappe. »Du wirst jetzt nach unten gebracht und des Mordes an Sarah Erroll angeklagt …«

49

Eine Wand, eine graue Wand, nicht der Wagen. Nicht mehr im Wagen, er war raus aus dem Wagen. Eine graue Wand in einer kahlen Zelle. Nichts darin außer einer schmalen, an der Wand befestigten Pritsche. Als er sich daraufsetzte, blickte er direkt auf die Tür mit dem Knauf und dem Schloss, einem großen, fest verschraubten Schloss, und auf den Sehschlitz, aber das wollte er alles gar nicht sehen, deshalb machte er die Augen zu und guckte gar nicht mehr, merkte, dass er atmen konnte. Der Raum war klein. Thomas nickte vor sich hin. Es war ein kleiner Raum.

Draußen auf dem Gang gingen Menschen umher, er hörte Schritte, manchmal redeten sie. Das war zu viel. Er glitt ab.

Die Schritte kamen an seine Tür, eine Hand fuhr über das Metall, kündigte an, dass ein Schlüssel ins Schloss gesteckt würde. Thomas saß mit geschlossenen Augen da und schauderte.

Die Tür ging auf, Licht brannte sich in ihn hinein, sein Kinn bebte bei dem entsetzlichen Gedanken, dass er angesehen wurde, und eine herrische, väterliche Stimme sagte: »Raus, mein Freund. Komm schon.«

Er zitterte. Seine Hände waren mit der Pritsche verschweißt und seine Knöchel wurden weich bei der Vorstellung aufzustehen, hinaus in die Welt zu treten und gesehen zu werden. *Ich kann das nicht.*

»Komm schon, *raus.*«

Thomas stand auf. Einmal stolperte er, fing sich aber wieder, öffnete die Augen immer nur so weit, dass er auf den Boden vor sich blicken konnte. Er schlurfte über die Schwelle in den Tag, in den Gang mit den Menschen.

»Die warten oben auf dich. Aus Schottland. *Zwei Frauen.*« Er sagte das, als hätte Thomas Schwein gehabt, als hätte er großes Glück, von zwei Frauen befragt zu werden. Thomas stand still. Anscheinend sah ihn der Mann an, denn seine Schuhspitzen zeigten auf ihn. »Ein Erwachsener wird dabei sein und dir erklären, was vor sich geht.«

Der Polizist starrte ihn an. Thomas hatte das Gefühl, ihm beweisen zu müssen, dass er nicht verrückt war. Er sah ihn an, ein dicker Mann, und hörte sich erstaunt sagen: »Okay.«

Erleichtert schob ihn der Beamte zu einer Seitentür und ließ Thomas vorangehen. Er zeigte ihm den Weg durch den Gang in den Raum, zeigte ihm die Richtung mit seinem dicken Zeigefinger.

Wieder rein in einen Raum, einen größeren Raum, ohne Fenster, eine Kamera auf einem Eckregal aus Sperrholz ganz oben. Ein Mann saß am Tisch. Graue Haare, graues Gesicht, graue Fingernägel.

Der Mann roch nach Zigaretten. Er hielt sich genauso krumm wie Thomas. Thomas setzte sich neben ihn, gab sich Mühe, nicht mit den Knien gegen die Tischbeine zu stoßen. Beide wandten sich voneinander ab. Thomas fiel es schwer, zuzuhören. Er wurde von Beamten der Strathclyde Police zu einem Mordfall befragt. Ganz egal, ob er antwortete oder nicht, sie würden ihn sowieso verurteilen. Er hatte eine Pistole und Munition in der Tasche gehabt. Das war schlimm. Er würde es erklären müssen. Erklären. Der Zigarettenmann, der nach abgestandenem Rauch stinkende, depressive Mann neben ihm sollte ihm helfen zu verstehen, was passierte. Thomas hörte nicht mehr zu. Als er sich wieder einschaltete, teilte ihm der Mann gerade mit, dass er Fragen stellen dürfe. Er wusste nicht so genau, welche Fragen von ihm erwartet wurden, und seine Lippen waren ohnehin zu träge, als dass er um weitere Erläuterungen hätte bitten können.

»THOMAS!« Der Mann verlangte seine Aufmerksamkeit. Thomas schenkte sie ihm. »Verstehst du mich?«

Seine Zähne waren so gelb wie Bücklinge, als hätte er seine Zigaretten gelutscht, sie in gelben Wein getaucht, den braunen Teer herausgesogen und seine Zähne darin gespült. Er war widerlich. Seine grauen Augenbrauen hatte er fragend hochgezogen. Thomas nickte, nur damit er aufhörte, ihm Fragen zu stellen. Er nickte und nickte, und dann wusste er, dass es zu viel war und er hörte auf damit.

Der Mann stand langsam auf, ging zur Wand hinter Thomas und zog einen Stuhl heran. Thomas drehte sich nicht um, hörte aber, dass er sich an die Wand setzte. Als er sich zu dem Mann umdrehte, sah er, dass dieser einen Spiralblock auf der ersten Seite aufgeschlagen hatte und einen Stift schreibbereit darüberhielt. Er lehnte seinen Kopf an die Wand und schloss die Augen. Thomas wandte sich wieder ab.

Sie warteten lange in dem stillen Raum.

Ella war gekommen, um sich von ihm zu verabschieden. Die Polizei war eingetroffen. Moira hatte sie ins Haus gelassen, nach oben geführt und gesagt: »Da ist er« oder »Hier ist er«. Irgendwas ganz einfaches, und sie hatte sich vor ihn gestellt und eine Art monotones Gebet aufgesagt. Sie hatten darauf gewartet, dass er reagierte, und dann hatten sie ihn mitgenommen, ihn an den Ellbogen von Ellas Sofa gezerrt und gesagt: »Hoch mit dir« und »Komm schon, auf die Füße«.

Es schien so richtig, dass sie gekommen waren. Wie ältere Schüler, die einen verirrten Schulanfänger im Gang finden und zurück in den Klassenraum bringen. Wie ein Kind, das ohne Begleitperson reist und die Hand einer hübschen Stewardess hält. Es war viel zu viel für ihn gewesen, die ganzen Flugtafeln, wo er doch noch gar nicht richtig lesen konnte, die ganzen Zeitzonen, weil Mexiko City ganz schön weit weg war und er keine Ahnung hatte, wann er was essen sollte. Lars war am Tag von Thomas' Ankunft aus geschäftlichen Gründen abgereist.

Die älteren Schüler hatten gesehen, dass seine Hose runterhing. Was hast du da in der Tasche? Entschuldigung, breite mal die Arme aus, ja, einen Augenblick, nein, bleib so. Danke. Sonst noch was? Irgendwelche Spritzen einstecken?

Ella war aus dem Bett gekrochen. Sie hatte in der Tür zwischen ihrem Wohn- und ihrem Schlafzimmer gestanden und ihn angesehen, ihre Blicke hatten sich getroffen, und sie hatte gesehen, dass er war, wo sie auch war, aber er war nicht mehr dazu gekommen, es ihr zu sagen. Sie hatte ihm in die Augen gesehen, und sie hatten miteinander gesprochen, während ihn die beiden fremden Männer in Uniform abgetastet und dabei die Munition gefunden hatten. Sie hatte gesehen, wie sie ihm die Waffe aus der Tasche zogen, war sich mit der Zunge über die Lippen gefahren und hatte ihm anschließend wieder in die Augen gesehen. Sie hatte verletzt gewirkt, zu niedergeschlagen für Beschönigungen. Aber sie hatte geblinzelt, die Lippen aufeinandergepresst, ein bisschen vorwurfsvoll, ein bisschen entschuldigend geguckt.

Moira hatte sich umgezogen. Sie hatte die Lederhose von

der Treppe an und dazu eine cremefarbene Bluse mit Rüschen vorne. Sie hatte nach Luft geschnappt und an den Rüschen herumgezupft, auf dem Rücken hing noch das Preisschild.

Sie könne nicht mitkommen, hatte sie der Polizistin erklärt, da ihre Tochter schwer krank sei, sie den Arzt gerufen habe und er jeden Moment eintreffen müsse. Sonst sei niemand da, der Thomas hätte begleiten können. Es gebe niemanden. Sie hatte so fest an den Rüschen ihrer Bluse gezupft, dass ihr BH darunter sichtbar wurde und eine Falte auf ihrem Bauch, die wie ein Lächeln aussah. Es gebe sonst niemanden.

Dann war er plötzlich draußen gewesen, an der frischen Luft, eine Hand auf dem Kopf, die ihn runtergedrückt und seine Knie in die Beuge gezwungen hatte, bis er auf dem Rücksitz saß und die Tür zugefallen war. Er hatte zurück zur Haustür gesehen und sie dort entdeckt. Ella. Winzig. Sie hatte in dem riesigen Eingang gestanden und ihm nachgesehen, der Mund schlaff, Tränen waren ihr über die Wangen gekullert. Moira hatte hinter ihr gestanden, ihr eine Hand auf die Schulter gelegt, und Ella hatte wie wild mit den Zähnen nach Moiras Hand geschnappt.

In dem stillen Raum ging die Tür auf. Zwei Personen kamen rein – die eine rund wie der Nikolaus, die andere schlank. Er blickte auf. Zwei Anzüge, marineblau und schwarz. Die schlanke war klein, hatte eine große Nase, hübsch. Die andere war blond, groß, hatte breite Schultern und Grübchen im Gesicht. Wirkte amazonenhaft. War schwanger. Und streng.

Sie legte eine Mappe auf den Tisch. Eine grüne Mappe mit linierten Blättern, handschriftlich beschrieben. Fotos von irgendwas. Die Bilder lugten ein kleines Stück heraus.

Vorstellen. Namen. Kassetten. Er hatte noch nie eine gesehen. Raus aus der Zellophanhülle, rein in die Maschine. Ein wespenartiges Summen erfüllte den Raum, und die Schwangere fragte ihn nach seinem Namen.

»Thomas Anderson.« Er war überrascht, wie gut das gegangen war, das Sprechen. Seine Stimme klang ausgezeichnet.

Sie stellte ihm eine weitere Frage: Ob er wisse, worum es ging, und er sagte, ja. Aber dann erkundigte sie sich nach Daten und nach jenem Montag, und er wusste nicht so genau, was sie eigentlich von ihm wissen wollte.

Die Sätze waren zu lang, er konnte deren Anfang nicht im Kopf behalten, bis die Frau am Ende angekommen war.

Sie sahen einander eine Weile lang schweigend an. Dann fragte sie ihn, ob es ihm gut gehe. Er sagte, ja.

»Kennst du Jonathon Gordon-Hamilton?«

Er holte Luft und zuckte mit einer Schulter.

»In der Schule wird er«, sie sah in ihren Aufzeichnungen nach, »›Squeak‹ genannt.«

»Ich bin mit ihm auf der Schule.«

»Kennst du ihn?«

Er sah die Frauen an. Die Schwangere blickte ihn durchdringend an, blaue Augen mit schweren Lidern. Die Hübsche schaute auf den Tisch. Die Frage war wichtig. Seine Zukunft hing am seidenen Faden, aber er konnte sich nicht konzentrieren. Das war eine Falle.

»Nein. Ich kenne ihn nicht.« Das war eine Falle Falle Falle.

»Er sagt, er kennt dich.«

»Wir kennen uns nicht.« Das war die Wahrheit.

»Hast du mit ihm gesprochen, seitdem du die Schule am Dienstag verlassen hast?«

»Nein.«

»Ihr habt nicht miteinander telefoniert?«

Sag einfach nein. Sag nein. »Nein.«

»Hat er dich angerufen?«

Die Sim-Karte lag in der Toilette auf dem Biggin Hill Flugplatz. Sie konnten nicht beweisen, dass Squeak ihn angerufen hatte oder dass das überhaupt seine Handynummer war. Sie lag im Klo.

»Wir kennen uns nicht.« Aber Donny McD hatte dieselbe Nummer gehabt. Lüg sie an. Sag einfach Nein. »Er hat mich angerufen, aber ich kenne ihn nicht, ich bin gar nicht drangegangen. Ich kenne ihn nicht.« Das war die Wahrheit. Zum Teil war das die Wahrheit.

»Du kennst ihn nicht?«

»Nein.« Er sagte es mit völliger Gewissheit; er wusste, dass er sich auf sicherem Boden befand, wusste, dass es stimmte.

»Woher weißt du, dass er dich angerufen hat, wenn du nicht drangegangen bist?«

»Na ja …« Woher wusste er das? »Na, sein Name stand auf dem Display.«

»Was stand da?«

»Da stand ›Squeak‹.« Thomas wurde rot, weil damit die nächste Frage auf der Hand lag:

»Du kennst ihn nicht, aber du hattest seine Nummer in dein Handy eingespeichert und sogar unter seinem Spitznamen eingetragen?«

Thomas wurde rot und schauderte. Ständer. Verletzbar. Was zu verbergen. Erwischt. Er spürte, wie er seitlich wegsackte, als würde er schmelzen, als hätte ihm die Gluthitze seiner Scham das halbe Gesicht weggebrannt, als würde er seitlich durch den Raum fließen wie eine Lache Quecksilber, die sich der Berührung entzieht. Aber die Fragen gingen weiter, während er abwärtsfloss, Fragen über Montagnacht und Sarah Erroll, bis er merkte, dass ihm die Worte aus dem Mund purzelten.

»Ihre Adresse war in Lars' Handy eingespeichert.«

Pause. »Seit wann hattest du sie?«

»Seit Januar.«

»Also schon seit Monaten. Warum bist du zu ihr gefahren?«

»Lars ...«

»Lars hat dich geschickt?« Jetzt, da sie Antworten bekam, war sie hungrig geworden, unterbrach ihn, wenn er ganz tief unten nach einem Satz angelte. Er sah auf ihre Hände, verdrehte die Augen, um ihr mitzuteilen, wie schwer das war, das Reden, und sie lehnte sich zurück, ließ ihm Raum.

»Lars ist mit mir weggegangen. Am Sonntag. Am Sonntag vor dem Montag. *Eis essen.*«

Lars war mit ihm Eis essen gegangen. *Eis essen.* Als ob er Ella wäre. Und in der Eisdiele waren andere Männer in Anzügen mit Kindern gewesen, unglückliche Männer und unglückliche Kinder, die sich entfernt ähnlich sahen, wie in einem Kuppelsalon für inzestuöse Pädophile. Thomas war mit Abstand der Älteste gewesen. Lars hatte ihm den größten Eisbecher bestellt, und da hatte er gewusst, dass es schlechte Neuigkeiten gab. Er hatte gedacht, Lars hätte Krebs. Aber Krebs war es nicht.

»Was hat er an jenem Sonntag zu dir gesagt?«

Die Erinnerung ließ Thomas so schwer werden, dass er kaum noch mit den Achseln zucken konnte.

Bei den Schokostreuseln: Ich hab noch eine Frau. Als er sich durch das Vanilleeis und die rote Sauce grub: auch noch andere Kinder. Ich möchte, dass du sie kennenlernst. Philip.

Dann ein Foto, ein lachender Philip. Strandlachen. Unten beim sinnlosen Obst, als ob der Schaden, den das viel zu süße Eis, von dem einem schlecht wurde, durch Dosenananas gelindert werden könnte, die klein geschnitten wie Strahlen in einer Sirupsonne lagen: Er kommt nach St. Augustus. Du und er, ihr werdet Freunde werden. Und alle werden wissen, dass du ein dummer Wichser bist. Und alle werden dir ins Gesicht lachen, dich auslachen, weil du nie der einzige Sohn warst, der Eingeborene in deines Vaters Schoß. Und Thomas hatte seinen Vater gefragt, Vater, warum hast du mich verlassen? Und sein Vater hatte gesagt, sei nicht kindisch, und die Kellnerin herangewunken, damit sie die Rechnung brachte.

In der Gegenwart, in dem Raum, sahen ihn die Frauen an, reckten die Hälse, um seine Gedanken zu hören. Er sagte:

»Er hatte noch eine Familie. Noch einen Sohn. Der sollte auf *meine Schule* gehen. Ich war geschockt. Ich hab gedacht, dass sie das war.« Er sah auf die grüne Mappe. »Sarah.«

»Hast du Squeak davon erzählt?«

»Nur weil er den Wagen hatte. Wir kennen uns nicht.« Und das stimmte auch. Sie kannten sich wirklich nicht.

»Bist du hingefahren, um sie umzubringen?«

»Nein. Ich wollte sie erschrecken. Lars.« Er nuschelte Bruchstücke von Worten, die richtungslos durch den Raum trieben – wollte Lars beeindrucken – mich wehren – mir nicht jeden Scheiß gefallen lassen – wusste, dass ihm das gefallen würde.

Hat er Sarah Erroll getötet?

Worte trieben davon, eine Wolke aus Gemurmel, eine Gewitterwolke, aus der Wörter fielen und auf den Tisch klatschten, und ein Schrei – *Hast du Sarah Erroll getötet?*

Thomas blickte die schwangere Frau an, diese heilige Jungfrau, erfüllt von dem Versprechen auf ein neues Leben, wie Maria aus der Weihnachtsgeschichte, und er fing an zu weinen, und er sagte, was er dachte. »Schlimmer. Dagestanden. Zugesehen. *Nichts* getan. Das ist schlimmer.«

Sie zeigte ihm Fotos vom Haus, aus dem Schlafzimmer, der Küche, von Sarah Erroll am Fuß der Treppe, ohne Gesicht, ihr Kopf war verschwunden, ihr Leben hatte sich in nichts aufgelöst, und er dachte an den Gaul in Guernica, und er dachte an die Wespen, die Glück hatten und starben, und dann waren alle seine Worte weg. Außer einem. Und er sagte das eine immer und immer wieder, immer mit derselben Betonung, ein Singsang: *Schlimmer.*

Und dann brachten sie ihn wieder in den kleinen Raum und ließen ihn schlafen.

Morrow stand in der Schlange vor den Sicherheitskontrollen am Flughafen Gatwick, etwa siebzig Leute standen noch vor ihr, aber sie war bereit, hielt ihren Laptop in der Hand und eine wiederverschließbare Plastiktüte mit einem einsamen Fettstift und wartete. Der letzte Flug nach Hause. Sie hatten Glück. Leonard stand hinter ihr, die Aufzeichnungen in der Hand. Die Babies sprangen auf ihrem Becken herum, leidenschaftliche Cheerleader, die ihr sagten, sie solle nicht aufgeben, sich nicht runterziehen lassen.

Es war die schwerste Vernehmung, die sie je geführt hatte. Sie hatte sich schon nicht gut gefühlt, bevor sie anfing, war müde gewesen, hatte die Verzweiflung in Thomas Anderson gesehen und gewusst, was er dachte, obwohl er nur sehr wenig sagte. Lars hatte ihn bei einem Eis getötet. Lars hatte seine Bedeutung und seine Identität bei einem Eis zunichtegemacht. Er hatte die Bedeutung seiner Mutter ausradiert.

Da war noch eine andere. Er hatte seine Bedeutung ausradiert, indem er ihm noch einen Sohn präsentierte, einen anderen Sohn liebte, und sie wusste aus eigener Erfahrung, dass Thomas wahrscheinlich nichts so sehr quälte wie der Verdacht, sein Vater könne den anderen Sohn mehr lieben, freundlich zu ihm sein und stolz auf ihn. Danny hatte denselben Ausdruck in den Augen: den Verdacht, dass es auf der Welt Kinder gab, die geliebt wurden, nur er nicht. Und das war auch der Grund, weshalb sie ihn nicht ansehen konnte. Sie hatte es all die Jahre vermieden.

Die Schlange bewegte sich nur sehr langsam voran. Um Morrow herum fingen Leute an auszupacken, Gürtelschnallen zu lösen, Schnürsenkel aufzuziehen.

Ihr Vater war an dem Blutbad schuld. Lars Anderson war schuld, nicht Thomas und nicht Danny. Man hatte ihnen in zu jungen Jahren mitgeteilt, dass sie keine Rolle spielten, dass ihre von ihnen vergötterten Mütter nur zum Ficken gut waren. Thomas war nicht schuld am Tod von Sarah Erroll. Er konnte nicht schuld daran sein, weil er zu jung war, um zu wissen, dass er sich nur dadurch hätte wehren können, dass er den Kreislauf der gegenseitigen Verletzungen durchbrach, indem er all dem ein Ende setzte und den anderen Jungen zu seinem Bruder machte.

Die Schlange bewegte sich immer näher an die Sicherheitsschranken heran, und Leonard beugte sich zu ihr rüber. »Hat er die Wahrheit gesagt?«

Sie verlor keine überflüssigen Worte. Morrow gefiel das. Sie zuckte mit den Schultern. »Ich glaube schon. Und Sie?«

Leonard wich wieder ein Stück zurück, schmatzte mit den Lippen, dachte einen Augenblick nach. »Sie denken, er hat nur zugesehen?«

»Was glauben Sie?«

»Ich weiß es nicht … ihm könnte eine Sicherung durchgebrannt sein.«

»Seine kleine Schwester ist auch krank, hat der zuständige Beamte gesagt.« Plötzlich sah Morrow sich selbst als Kind und wie Danny sie auf dem Spielplatz mit diesen gequälten Augen beobachtet hatte, und sie fing an zu weinen wie ein kleines Mädchen, legte die Hand über den Mund, schluchzte und versuchte die Tränen mit ihrem Ärmel zu verscheuchen. »Verfluchte Scheiße.«

Leonard reichte ihr ein Päckchen Taschentücher und tat, als hätte sie nichts davon mitbekommen.

Nachdem sie den Metalldetektor passiert hatten, nahm die Sicherheitsbeamtin Morrow zum Abtasten beiseite. Sie hatte sonnengegerbte Haut, eine mütterliche Frau Mitte fünfzig, und sie strich ihr vorsichtig über den Bauch. Morrow sah, dass sie ihr in die roten Augen blickte. Als sie sich bückte, um ihr mit langen, betont nicht-sexuellen Handbewegungen über ihre Beine zu streichen, fragte sie: »Geht's Ihnen gut?«

»Ja, geht schon.«

Die Frau stand auf und sah auf ihren Bauch. »Wie weit sind Sie denn?«

»Fünfter Monat.«

Sie fixierte Morrows Blick, glaubte ihr nicht, dachte, sie würde sich an Bord schleichen wollen, um ihr Baby im Flugzeug zu bekommen.

»Zwillinge«, erklärte Morrow.

»Oh«, lächelte die Frau. »Kein Wunder, dass Sie weinen.«

Das Abtasten endete mit einem Schulterklopfen und einem hinterhergerufenen »Viel Glück«, und Morrow nahm ihre Tasche vom Band. Sie gingen in das Café, das ihrem Gate am nächsten war.

»Kaffee?«, fragte Leonard.

»Bringen Sie mir einen Tee mit. Ich muss mal telefonieren.«

Leonard zog los, und Morrow holte ihr Handy aus der Tasche. Niemand ging ran. Es war schon spät, deshalb sprach sie eine Nachricht auf:

»Hallo, hier ist Alex Morrow, das ist eine Nachricht für Val MacLea. Ich habe es mir anders überlegt und würde gerne mit Ihnen über John McGrath sprechen … meinen Neffen, John McGrath. Wenn Sie glauben, dass ich behilflich sein kann, dann unterhalte ich mich gerne mit Ihnen, jederzeit. Bitte rufen Sie mich zurück.«

50

Thomas saß in der Bibliothek und las ein Buch über den Zweiten Weltkrieg, als sie ihn holen kamen.

»Anderson, Thomas«, schrie McCunt von der Tür aus.

Thomas stand sofort auf, fast reflexhaft, und wandte sich in die Richtung, aus der der Ruf gekommen war. McCunt war ein netter Mann, sie nannten ihn liebevoll so, um nicht durchblicken zu lassen, dass sie ihn mochten, weil er nie so tat, als wäre er etwas anderes als ein Gefängnisschließer, und er sie immer erst mal verwarnte, bevor er Meldung machte, ihnen damit eine Chance gab.

»Raus«, sagte McCunt, trat einen Schritt zurück und machte Platz für ihn.

Eine Hand glitt über den Tisch zu Thomas und bat um das Buch, das er las.

Thomas schob es über den Tisch. Der andere Junge hatte sich den Schädel rasiert, um mit den Narben auf seinem Kopf anzugeben. Sie lasen beide dasselbe Buch, saßen aber nicht oft zusammen in der Bibliothek, und heute war Thomas als Erster hereingekommen. Sie hatten sich über das Buch unterhalten, aber Thomas vermutete, dass sie es aus unterschiedlichen Gründen lasen, sich auf unterschiedliche Seiten schlugen.

»Beweg dich«, sagte McCunt, diesmal lauter.

Thomas ging zu ihm, verschwand im dunklen Gang und

drehte sich in der Hoffnung, weitere Anweisungen zu bekommen, wieder zu ihm um. McCunt schloss die Tür, lauschte auf das Einschnappen des Schlosses und nickte ihm freundlich zu, was wie eine angedeutete Kopfnuss aussah.

Thomas sah nach links und nach rechts. »Wohin, Sir?«

McCunt nickte links. »Besuch, mein Sohn.«

Es war keine Besuchszeit, aber Thomas wollte nicht ungehorsam erscheinen und machte ein paar Schritte den Gang entlang, bevor er sagte: »Aber jetzt ist doch gar keine Besuchszeit.«

McCunt knurrte und ging ihm hinterher, führte ihn den Gang entlang. »Aber du wirst trotzdem im Besucherraum verlangt.«

Thomas' Magen zog sich zusammen, und er blieb stehen. McCunt wäre fast gegen ihn gestoßen. »Es ist doch nicht meine Mum, oder?«

»Nein«, versicherte ihm McCunt, »nein, du hast Besuch von einem Anwalt, Junge, nur ein Anwalt.«

»Oh.«

Thomas ging weiter den Gang entlang und hielt dabei die Augen gesenkt. Der Linoleumfußboden war von der Putztruppe glänzend geschrubbt, aber der schwere Geruch der Desinfektionsmittel, die sie ins Wischwasser kippten, hing immer noch an den Fußleisten. Im Untersuchungsgefängnis roch es überall penetrant nach Scheiße, Pisse oder Wichse, nach Zwiebeln, Hackfleisch oder Kiefernholz, alles konzentriert, überwältigend, verschlingend. Er hatte den Geruch gehasst, als er hierhergekommen war, hatte das Gefühl gehabt, im Gestank zu ertrinken, aber jetzt mochte er ihn.

Bei Thomas hatte sich kein Anwalt angekündigt. Sein Pflichtverteidiger war faul und lustlos. Irgendwas musste passiert sein. Er fragte sich, ob Squeak sich vielleicht umgebracht hatte.

Sie gingen den Gang bis ans Ende, bis zur hintersten Tür, kamen an einem Lüftungsschacht aus der Küche vorbei, liefen durch eine Wolke aus eierlastigem Rührkuchenduft. Der warme, feuchte Frühling war auch hier drinnen spürbar, der eigentümliche Geruch von sprießendem Gras machte sich breit. Auf der anderen Seite der Betonwand liefen junge Häftlinge im Kreis. Zum Donnern ihrer Füße stellte sich Thomas Squeak vor, der sich erhängt hatte und jetzt am Boden lag, blutete, und er tat ihm leid, war froh um alle anderen, aber traurig wegen Squeak, dumm, gebrochen, der hündische Squeak. *Ich sag keinem, was du getan hast,* als ob sie selbst nicht genau wüssten, wer Sarah Erroll was angetan hatte, als wäre Moral ein Katz- und Mausspiel und als könnte Squeak den Schwarzen Peter weitergeben, indem er einfach etwas behauptete. Sein Gedankenfluss wurde von dem Trainer unterbrochen, der durch die Wand hindurchbrüllte.

Sie kamen zu dem verschlossenen Raum am Ende des Gangs, und McCunt rief überflüssigerweise: »Halt!«

Thomas lächelte und drehte sich um, sah die Andeutung eines Schmunzelns um McCunts Mund herum, als er auf den Knopf drückte und in die Kamera sah.

Der Türsummer brummte, und McCunt zog die Tür auf, trat zurück und ließ ihn durch. Ein schönerer Gang. Weniger Gestank, weniger gnadenlos geschrubbt, weil sie hier beim Putzen schnell machen mussten und sich keine Zeit lassen durften, weil der Bereich nicht so sicher war.

Blassgraue Wände, Fenster mit Blick über den grasbewachsenen Hof, weniger abblätternde Farbe.

Sie gingen zu den Besucherräumen. Ganz hinten war ein

gemeinschaftlicher Besucherraum, dessen Türen extra gesichert waren, weil man über ihn direkt aus dem Gefängnis herausgelangen konnte. Davor befanden sich fünf Türen, alle in demselben Grau und mit einem übergroßen Fenster, das bis zur Hüfte reichte, teilweise aber undurchsichtig milchig war.

McCunt zog die Schlüssel aus seiner Hosentasche, tastete an der Kette an seinem Gürtel entlang, entriegelte die Tür mit der Aufschrift »3« und hielt sie für ihn auf.

Thomas blieb im Türrahmen stehen. Es war nicht sein graugesichtiger zerknitterter Anwalt. Am Tisch saß Squeaks Vater, so groß, gesund und wohlhabend, dass er fast den ganzen Raum ausfüllte.

Er stand auf. »Thomas.« Keine Spur von Tränen in seinen Augen, keine roten Ränder, kein ausdrucksloses, trauerndes Starren. Squeak war nicht tot. »Hallo«, sagte er, seine Stimme ein Grollen aus Zigarrenrauch, so reichhaltig wie Brandysauce, und der Akzent ein ungewohnter, vornehmer Singsang. Hier drinnen sprachen alle abgehacktes Cockney-Englisch oder den Dialekt aus Manchester, andere rollten ihre Rs wie an der Westküste von Afrika, wieder andere klangen nach Karibik, aber niemand hörte sich hier an wie ein Nachrichtensprecher.

McCunt nickte in den Raum hinein. Thomas ging zwei Schritte weiter, und die Tür fiel hinter ihm zu, wurde verschlossen, aber McCunts Schatten blieb hinter der Scheibe sichtbar.

»Sie sind nicht mein Anwalt.«

»Setz dich.«

Thomas ging um den Tisch herum, setzte sich auf den Platz, auf den Mr Hamilton-Gordon gezeigt hatte, schon weil er es inzwischen gewohnt war, zu gehorchen. Er ging hin, wohin man ihn schickte, blieb so lange sitzen, wie man es von ihm verlangte. Er war jetzt vollkommen konditioniert.

Mr Hamilton-Gordon war ja auch Anwalt, fiel Thomas wieder ein.

»Ach, Sie *sind* ja Anwalt«, sagte er.

Mr Hamilton-Gordon setzte sich jetzt ebenfalls. »Wie geht es dir, Thomas. Gut, hoffe ich doch?«

Es war schön, seinen geschmeidigen Akzent zu hören, das sanfte lyrische Timbre seiner Stimme. Thomas hatte Squeaks Vater fast sein ganzes Leben lang gekannt, hauptsächlich durch Fotos. Er wirkte immer ein bisschen verärgert und passte seine Kleidung auch nie dem Klima an. Er trug Tweedjacketts beim Essen auf St. Lucia, auf Jachten vor Monaco ebenso wie in Hongkong. Er war dick, aber die Anzüge waren maßgeschneidert, was seiner Figur enorm schmeichelte. Heute hatte er ein grünes Tweedjackett und eine rosafarbene Hose an. Keine Krawatte. Wochenendkleidung. Sein Haar war silbrig weiß mit einem gerade noch erkennbaren Hauch von Schwarz, aber es war dicht und kräftig und für einen Unternehmensanwalt ziemlich lang und üppig. In dem tristen grauen Raum wirkte er viel zu bunt.

Er betrachtete Thomas nachdenklich. Seine Augenbrauen wuchsen gen Himmel, waren aber von einem Friseur gekürzt worden: drahtige Geweihe, gestutzt.

»Sie sind nicht mein Anwalt«, sagte Thomas noch einmal.

»Nein, das bin ich nicht.« Er verschränkte die Arme.

»Was wollen Sie hier?«

»Mit dir sprechen. Das …«, er zeigte mit dem Finger zwischen ihnen beiden hin und her, »gibt nur böses Blut. Das hat keinen Sinn. Wir müssen zusammenhalten. Die Sache unter uns klären.« Er schlug ein Bein über das andere, pferchte

Thomas damit auf seiner Seite ein. Langsam neigte er den Fuß von links nach rechts, wie das Pendel einer alten Uhr.

»Einverstanden? Thomas?«

Reflexhaft antwortete dieser: »Ja, Sir«, zackig und rasch, aber Mr Hamilton-Gordon war kein Aufseher, Thomas musste nicht »Sir« zu ihm sagen, das war ein blöder Fehler. Er sagte: »'tschuldigung«, und der große elegante Mann nickte, blickte dabei finster auf die Tischplatte vor sich, als würde er ihn verstehen. »Armee«, sagte er, irgendwie unnötigerweise, aber Thomas verstand ihn tatsächlich – Squeaks Dad stellte einen Bezugsrahmen her, mit dem er etwas anzufangen wusste.

»Thomas, lass mir dir zunächst sagen, wie leid mir die Sache mit deinem Vater tut.«

Er hatte eine Hand auf den Tisch gelegt, das Bein, das Thomas den Weg versperrte, lag auf der anderen Seite, er umfing ihn wie mit einer sehr förmlichen Umarmung. »Er war ein beeindruckender Mann.«

»Haben Sie ihn gekannt?«

»Das habe ich«, sagte er traurig. »Das habe ich allerdings.«

»Woher?«

»Aus der Schule.«

»Ach ja.«

»Ich war zwei Jahrgangstufen unter deinem Vater auf St. Augustus. Er war schon immer ein außergewöhnlicher Mann. Nicht ohne Fehler.« Er sah durch seine Augenbrauen auf, um sich zu vergewissern, dass Thomas ihm die Bemerkung nicht übel nahm. »Das war er, nicht ohne Fehler.« Er tippte mit dem Zeigefinger auf die Tischplatte. »Seine Mutter war sehr krank, als ich ihn kannte.«

»War sie das?« Weder Lars noch Moira hatten je viel für

Familienerinnerungen übriggehabt. Er wusste nichts über Lars' Mutter, außer dass sie tot war.

»Sie hat sich umgebracht«. Er sah Thomas unter seinen gestutzten Augenbrauen hindurch streng an.

»Das wusste ich nicht.«

»Dein Vater war jünger, als du es jetzt bist. Damals war er in der Schule. Das war sehr schwer für ihn.« Er beobachtete seinen Finger, der immer noch einen Rhythmus klopfte, dann aber aufhörte. »Ich will nur sagen, behalte deinen alten Herrn nicht in allzu schlechter Erinnerung. Er hatte seine Fehler, aber er musste selbst auch mit vielem fertigwerden. Und er hat es geschafft. Ganz hervorragend.«

Thomas nickte aus Höflichkeit, dachte aber, ganz egal, was Lars durchgemacht hatte, er war trotzdem ein blödes brüllendes Arschloch gewesen.

»Denk dran, womit er fertigwerden musste.«

»Ja«, sagte Thomas. »Okay.«

»Bist du wütend auf ihn?« Er schenkte ihm ein freudloses Lächeln.

Thomas dachte über die Frage nach. »Ich denke jetzt eigentlich gar nicht mehr an ihn.«

Er lächelte erneut, ließ Zähne aufblitzen, Zahnfleisch, die Augen blieben unbeweglich. »Ja. Aber selbst geht es dir gut?«

»Mir geht's gut«, sagte er und fragte sich, was mit Squeak war, ob es ihm gut ging? Ob er tot war? »Warum?«

»Na ja«, der Atemzug verließ den Körper des großen Mannes geräuschvoll durch den Dschungel seiner Nasenhaare, »Selbstmord liegt ja in der Familie, nicht wahr?«

»Wirklich?«

»Ja.« Das war sachlich. Eine wissenschaftlich begründete Bemerkung. »Wird von Generation zu Generation weitergegeben. Wenn der Gedanke erst mal da ist, ist es immer möglich, dass …« Es klang, als würde Mr Hamilton-Gordon Thomas nahelegen, sich doch auch umzubringen.

»Ich werd's nicht tun«, sagte Thomas und wartete auf eine Reaktion. Es gab keine.

»Ich habe mit deiner Mutter gesprochen. Sie macht sich große Sorgen um dich.«

»Ich bin im Gefängnis und eines abscheulichen Mordes angeklagt. Sie hat allen Grund, sich Sorgen zu machen.«

»Sie macht sich außerdem große Sorgen um deine Schwester. Ella hat die Neuroleptika abgesetzt.«

»Oh, Gott sei Dank.« Unter dem Einfluss der Medikamente hatte sie nicht mal sprechen können. Thomas hatte sie einmal die Woche angerufen, die Krankenschwester hatte ihr das Telefon gehalten, sie hatte geatmet, und nur aufgrund ihres Atems hatte Thomas gemerkt, wie traurig sie war.

»Sie wurde in eine Privatklinik verlegt.«

»Und die Ärzte dort haben die Medikamente abgesetzt?«

»Das ist eine Privatklinik. Sehr teuer. Einer meiner Kollegen ist dort im Vorstand.« Er blickte wieder auf. »Deine Mutter ist im Moment mittellos, ich weiß nicht, ob dir bewusst ist, in welcher Situation sie sich befindet …«

»Sie redet nicht mit mir.«

»Hmm.« Das überraschte ihn nicht.

»Haben Sie mit ihr gesprochen?«

»Ja. Es geht ihr den Umständen entsprechend gut, jetzt wo du hier bist und Ella so krank …«

Thomas schmunzelte. Moiras Hauptsorge hatte nie ihm oder Ella gegolten, das war ihm jetzt klar. Moiras Hauptsorge hatte immer nur Moira gegolten. Und doch sehnte er sich noch immer nach ihrer Aufmerksamkeit. Obwohl sie nicht ans Telefon ging und sogar auflegte, wenn sie merkte, dass er am Apparat war. Obwohl er wusste, dass es keine Entschuldigung dafür gab, dass sie ihn im Stich gelassen hatte. Hier saßen Jungen wegen sexueller Straftaten in Untersuchungshaft, und sogar die bekamen ab und zu Besuch von ihren Familien. Sie hatte es nicht mal wahnsinnig weit. In einem Augenblick der Sehnsucht hatte er die Fahrtzeit genau ausgerechnet.

»Ellas Behandlung ist sehr teuer. Sie muss vielleicht länger dort bleiben.«

»Wer hat das veranlasst?«

»Das war ich.«

»Danke …«

»Ich bin sehr wütend auf dich, Thomas.« Das kam unerwartet, aber seine Stimme blieb ausdruckslos. »Ich bin sehr wütend, weil du Jonathon in dieses Haus mitgenommen hast. Das kannst du doch verstehen, oder?«

Thomas sah, dass Squeaks Vater gar nicht wütend auf ihn war. Er war wütend auf Squeak. Er war so wütend, dass er sogar leicht schwitzte. Winzige Schweißperlen traten aus den vergrößerten Poren auf seiner Stirn. Sein Zeigefinger trommelte erneut ein flottes Tänzchen auf der Tischplatte. »Du hättest ihn nicht in deine privaten Probleme mit hineinziehen dürfen, Thomas. Das gehört sich nicht.« Er hörte auf zu reden, grunzte leicht ganz hinten in der Kehle, hielt das, was er nicht sagen durfte, zurück. Und atmete tief durch. »Aber jetzt ist es nun mal so gekommen. Wer wird dich vertreten?«

»Wann?«

»Wer ist dein Anwalt?«

»Warum fragen Sie mich das?«

Langsam hoben sich seine Augenbrauen. »Du brauchst einen guten Anwalt. Man braucht immer einen guten Anwalt. Habt ihr einen Rechtsbeistand, der die Familie vertritt?«

Thomas war sicher, dass sie ihn sich nicht leisten konnten, selbst wenn sie einen hatten.

»Ich glaube nicht, nicht mehr, nein.«

»So was ist teuer.«

»Wahrscheinlich.«

»Deine Mutter verkauft doch das Haus, oder?«

»Ich denke schon.«

»Es wird erst mal einige Monate lang angeboten werden. Auf dem Markt bewegt sich derzeit nicht viel. Es gibt nur wenige Käufer für große Häuser, die lassen sich derzeit nicht so gut verkaufen.«

»Ja.«

Mr Hamilton-Gordon beugte sich zu ihm vor, sehr intim, der Finger trommelte immer noch dicht neben Thomas' nacktem Arm auf dem Tisch. »Lass uns über mögliche Resultate sprechen«, sagte er ernst. »Bei einer Anklage wie dieser beträgt der Unterschied für jemanden mit einem guten Anwalt im Vergleich zu einem Angeklagten, der von einem Stümper verteidigt wird, zwölf Jahre. Ist dir das klar?«

»So viel?« Thomas täuschte Erstaunen vor, und Mr Hamilton-Gordon erwiderte voller Wärme: »Ja, zwölf Jahre Gefängnis ohne Chance auf Bewährung. Statt mit fünfundzwanzig Jahren würdest du erst mit sechsunddreißig entlassen werden.« Mr Hamilton-Gordon lehnte sich zurück. Er räusperte sich und bereitete seinen nächsten Schachzug vor. »Thomas, ich werde dir einen guten Anwalt besorgen. Und für Ellas Behandlung aufkommen. Im Gegenzug möchte ich, dass du etwas für mich tust. Ja?«

Thomas guckte ausdruckslos.

»Ja?« Ein kleiner Schubser in die richtige Richtung. Hamilton-Gordon blickte auf Thomas' Mund, als könnte er durch Willenskraft seine Lippen dazu bringen, Zustimmung zu signalisieren. Thomas sagte nichts. In der Ferne, durch Wände und Türen, quietschte ein Handwagen wie ein abgestochenes Schwein.

»Was?«, fragte Thomas.

»Du wirst sagen, dass du für den Mord verantwortlich bist. Dass du Jonathon dorthin gebracht hast. Dass er nur danebengestanden und versucht hat, dich davon abzuhalten. Hast du das verstanden? Im Gegenzug werde ich mich um Ella und um deine Mutter kümmern, deine Familie unterstützen, bis du selbst in der Lage bist, es zu tun. Allem Anschein nach bist du ja ein aufgeweckter junger Mann, und das muss noch lange nicht das Ende bedeuten – du hast eine Zukunft, mach dir da mal keine Gedanken. Ist das ein faires Angebot?«

»Ist es.« Und das war es wirklich, ganz bestimmt. Er hatte Squeak dorthin gebracht, also war er auch irgendwie verantwortlich. Die Sache schien fair zu sein, auch wenn ihn irgendwas daran beunruhigte. Ihm wollte nicht einfallen, was es war, aber es war lästig, beharrlich, zwingend wie eine entzündete alte Wunde.

»Nun, Thomas, ich bin froh, dass wir diese Vereinbarung getroffen haben. Ich denke, du wirst feststellen, wenn du später im Leben zurückblickst …«

Er redete, doch Thomas wurde von einer kleinen Bewegung auf dem Kopf seines Gegenübers abgelenkt: Mr Hamilton-Gordons Haare bewegten sich.

Eine dicke silberne Strähne löste sich links aus seinem Scheitel, ganz von alleine. Er saß vollkommen still, schilderte mit seiner leisen, grollenden Stimme, wie sinnvoll die Verabredung für alle Beteiligten sei und dass alles gut werden und schon bald überstanden sein würde.

Die Strähne stellte sich langsam auf, wie eine Autoantenne und zeigte zur Decke. Das sah so bizarr aus, dass Thomas nicht mehr hörte, was Gordon-Hamilton sagte.

»... viele Männer von Format, die auf Fehltritte in ihrer Jugend zurückblicken ...«

Und dann, während Thomas die Strähne anstarrte, entdeckte er sie.

Eine Wespe kroch durch sein dichtes Haar.

Mr Hamilton-Gordon sah, dass Thomas auf seinen Kopf starrte, spürte plötzlich, dass sich dort etwas bewegte und geriet in Panik. Er klatschte sich mit der Hand auf den Kopf, schlug sich selbst. Ein kleiner schwarzgelber Körper purzelte mit zappelnden Beinchen herunter. Die Wespe landete auf seiner Schulter, prallte ab und fiel unter den Tisch. Thomas konnte sie hören: Bzzzbzz.

Er stand abrupt auf, ließ seinen Stuhl hinter sich umkippen und blickte auf den Boden, auf die Wespe, die sich benommen wieder aufrichtete. Bzzzbzzbzz. Konnte nicht wegsehen.

Ein Schlag auf den Tisch. Hamilton-Gordon war sehr wütend. »... Ich versuche hier ein sehr ernstes Gespräch mit dir zu führen ...«

Thomas grinste und blickte auf Squeaks Vater herunter. Plötzlich wurde ihm bewusst, dass er dem mächtigen Mann Angst einjagte. Er streckte langsam den Arm aus und schlug jetzt selbst laut auf die Tischplatte, sodass seine Handfläche brannte.

Hamilton-Gordon erhob sich, um ihm auf Augenhöhe zu begegnen. Aber er war nicht so groß wie Thomas, er reichte ihm nur bis zum Kinn, und Thomas sah immer noch auf ihn herunter. Irgendwie hatte er darauf gewartet, noch eine Wespe zu sehen; als würde alles aufhören, wenn sie wiederkämen, als würde diese Zeitblase endlich platzen, Sinn ergeben. Aber die Wespe war einfach nur eine Wespe. Keine übersinnliche Erscheinung, nicht mal eine Analogie.

»Thomas!«, schrie Mr Hamilton-Gordon. »Das war nur eine Wespe.«

Thomas fing an zu lachen. Es hatte nichts zu bedeuten. Das alles war nur Willkür und Tod. Er lachte und lachte, bis Squeaks Dad an die Tür hämmerte und darum bat, herausgelassen zu werden. Er lachte den ganzen Weg zurück zur Bibliothek.

Und selbst, als er an jenem Abend im Bett lag, machte sich kurz vor dem Einschlafen ein warmes Lächeln auf seinem Gesicht breit, weil nichts von all dem irgendetwas bedeutete. Alles war reine Willkür.

51

Leonards Freundin hatte Monate gebraucht, um ihre Befunde zu den Blutspuren zusammenzustellen. Sie hatte ihnen eine DVD mit einem vierzigseitigen Anhang überlassen, der gleichzeitig ihre Abschlussarbeit war. Jeder einzelne Punkt war mit Fußnoten versehen, sämtliche Bezugsquellen genauestens aufgeführt. Sie hatte der DVD und der Abschlussarbeit sogar ein Begleitschreiben angefügt, in dem sie erklärte, dass sie ihr Graphikprogramm von der Abteilung für Computerspiele zur Verfügung gestellt bekommen hatte und beizeiten eigene Graphiken entwerfen würde, aber zum Zweck der Zeitersparnis und zugunsten des vorliegenden Falls auf diese zurückgegriffen hatte …

Morrow ließ Brief und Arbeit in ihrem Posteingangsfach liegen und schob die DVD in ihren Computer.

Eine Maske erschien auf dem Bildschirm, die ihr verschiedene Kapitel vorschlug. Außer der ersten mit der Aufschrift »Fall 1*« konnte sie die allerdings nicht anklicken.

Eine Fotografie von der Treppe in Glenarvon erschien, vom Fuß der Treppe aus betrachtet, bearbeitete Fassungen der Tatortfotos, von denen Sarahs Leichnam entfernt und durch einen Grünton ersetzt worden war. Einen Augenblick blieb das Bild auf dem Schirm unbeweglich, dann erschien eine Luftaufnahme der Treppe mit drei verschiedenen Paar Fußabdrücken. Nackte Füße: Sarah, direkt am Geländer, die

Zehen tief in den Teppich gesunken, gut von den Sohlen der anderen zu unterscheiden. Auf der anderen Seite der Treppe, direkt an der Wand, ein paar Abdrücke mit den drei Kreisen der St.-Augustus-Schuhe. Ein Schnitt quer über eine Sohle, die linke. Dicht hinter Sarah, zwischen ihr und den angeschnittenen Schuhen, ein weiteres Paar. Bei diesem Paar war deutlich ein Punkt an einer der Fersen zu erkennen. Morrow wusste, was das war: ein schwarzer Kieselstein von der Einfahrt in Glenarvon. Sie hatten ihn in Thomas' rechtem Schuh gefunden, dem Paar, das Jonathon sorgsam in einer Plastiktüte verstaut und in seinem Zimmer versteckt hatte.

Als Sarahs Füße plötzlich von der Treppe abhoben, zuckte sie zusammen und sah sich verlegen in ihrem Büro um.

Als sie sich wieder dem Bildschirm widmete, geschah alles in Zeitlupe: Sarahs Füße flogen die Treppe hinunter, zwei Stufen auf einmal, und dann, aus dem Nichts, fielen Haare von ihrem unsichtbaren Kopf, sie konnte es nicht sehen, aber Morrow spürte, wie Sarahs Kopf zurückgezerrt wurde, als sie jemand an den Haaren packte und ein Büschel ausriss, das anmutig zu Boden fiel. Die Schuhe mit dem Schlitz hatten sie an den Haaren gepackt, und dann hatte sich Sarahs jetzt unsichtbarer Po auf dem Teppich abgezeichnet, ihre Füße hatten sich verdreht und sie war mit dem Rücken auf den Stufen gelandet, wie ein Geist, der in grünem Marzipan versinkt.

Die Füße waren bei ihr, traten, bespritzten den Teppich mit roten Flecken, die sich wie Tücher übereinanderlegten. Und ein Paar bewegte sich neben ihr, hielt die Balance, während das Gewicht verlagert wurde, sie wieder eine Stufe hinaufstiegen und sich am Geländer festhielten. Das andere

Paar Füße stieg langsam herunter, hielt sich an der Wand, sehr dicht an der Wand.

Jonathon Hamilton-Gordons Fersen klebten an der Fußleiste, hielten so viel Abstand wie möglich, versuchten irgendwann, vorbeizukommen und sich zurückzuziehen, während Thomas Anderson unermüdlich auf Sarah eintrat, bis sie nicht mehr war.

52

Kay wartete im Vorzimmer, auf einem Sofa, das zu niedrig war, als dass man darauf hätte würdevoll wirken können. Die Empfangsdame war nett, aber Kay wusste genau, dass sie sich für was Besseres hielt: besser gekleidet, besser frisiert. Dabei waren sie ungefähr gleich alt, 45 bis 60.

»Darf ich Ihnen einen Tee anbieten? Oder Kaffee?

Kay winkte ab. »Nein, danke.«

Sie wollte rein und wieder raus und dann nichts wie weg.

Das Büro war aber trotzdem schön: Holzvertäfelungen überall, und der Teppichboden war hübsch, schlicht. Es wirkte sehr ruhig, was Kay gefiel, die ganze Atmosphäre war leicht gedämpft. Sie hatte eine Gnadenfrist bekommen und die Schale vorläufig behalten dürfen. Als Aschenbecher wollte sie sie sowieso nicht mehr benutzen.

Sie griff mit der Hand in ihre offene Handtasche, das Gesicht noch immer unschuldig dem Fenster zugewandt, doch mit den Gedanken und mit dem Herzen war sie bei ihren Fingerspitzen. Sie fuhr über den gewundenen Spiraldraht aus Silber, über die Flächen aus leuchtendem Blau und Rot, einem Rot so tief wie eine Umarmung, so tief wie Blut, so tief und hell leuchtend wie die Liebe. Ihre Fingerspitzen sprangen über die runden Punkte an der Oberkante, und sie dachte an eine Frau, eine Waschfrau oder eine Bäuerin, die mit kalten, müden Händen nach Hause kam, dieses Muster auf ihre Läufer stickte und sie am Morgen betrachtete und wusste, dass sie schön waren, dass sie etwas Schönes geschaffen hatte. Sie dachte an eine große Frau, die in großen Stiefeln und grauen Kleidern über einen Sandweg kam, die einen langen, schlammverkrusteten Rock trug und auf deren Gesicht sich ein glückseliges Lächeln zeigte, weil ihr etwas Schönes gelungen war. Sie wusste, dass es etwas Gutes und Göttliches war, und ihr gefiel, was das über sie aussagte, weil sie mehr war, als das Vieh auf Erden oder die Mühsal des Lebens. Diese Frau würde nichts dagegen haben, dass ihre Arbeit von anderen kopiert und sie selbst vergessen wurde, sie würde hell erstrahlen in ihrer Kreativität. Sie musste es nicht besitzen, damit es weiterhin existierte. Sie hatte etwas Schönes in eine hässliche Welt gebracht.

Kay zog die Finger aus der Tasche und versteckte ihr Gesicht, bis die Traurigkeit vergangen war. Autos fuhren unter dem Fenster vorbei, auch ein Bus; dann quälte sich ein Mann auf einem Fahrrad den Hügel hinauf und keuchte, als er an der Ampel haltmachte.

»Miss Murray?« Kay drehte sich zu der Empfangsdame um. »Wenn Sie jetzt durchgehen möchten …«

Sie nahm ihre Sachen, ihre Plastiktüte, ihren Mantel und ihre Handtasche. Sie wollte die Schale noch einmal berühren, nur noch einmal, aber sie sagte sich, das sei jetzt genug. Die Empfangsdame stand an ihrem Schreibtisch und streckte die Hand in den holzvertäfelten Gang hinter sich.

»Die erste Tür«, sagte sie und beobachtete Kay, vergewisserte sich, dass sie die Tür auch fand. Sie stand offen, und Mr Scott stand an seinem Schreibtisch, war sich selbst treu geblieben, ein geschniegelter Blödmann, jeglicher Ausdruck hinter den Gläsern seiner affigen Brille verborgen.

Er reichte ihr die Hand wie ein Arzt. »Miss Murray, wollen Sie sich nicht setzen?«

Kay wollte nicht. Sie ließ ihre Tüte auf den Stuhl fallen und griff in ihre Handtasche, zog zunächst die Uhr heraus. Sie hatte sie in Küchenpapier eingewickelt, damit sie sie nicht noch einmal ansehen musste, weil sie sie an Joy und den Tag erinnerte, an dem diese gestorben war. Sie hätte nicht gedacht, dass sie wegen der Uhr hier so traurig werden würde, hier in dem dunklen kleinen Büro, in dem sie das letzte Stück, das ihr von Mrs Erroll geblieben war, abgeben sollte. Sie mochte die blöde Uhr nicht mal.

Und dann atmete sie tief durch, sah die derbe russische Bäuerin tröstend lächeln und griff in die Tasche nach der Schale. Sie stellte sie auf den Tisch, ohne sie anzusehen, zog die Hand weg und räusperte sich.

»War's das?«

»Miss Murray.« Mr Scott schien zufrieden, dass alles so weit glattgelaufen war, dass es kein Gerangel um die Gegenstände gegeben hatte. »Miss Murray, ich habe überraschende Neuigkeiten für Sie.«

Sie sah ihn an, sah den Ansatz eines glücklichen Lächelns auf seinem Gesicht. Er atmete tief durch. »Joy Erroll hat Ihnen alles hinterlassen.«

Sie verstand nicht. »Was alles?«

»Oh, das Haus, das Geld, Sarah hat eine Menge Ersparnisse hinterlassen, eine *sehr* große Summe Geld wurde in ihrem Haus gefunden, sämtliche bewegliche Habe, die Besitzrechte an dem Land, das an die Hundezüchter vermietet wurde, Joys Sparguthaben, das ebenfalls nicht unbeträchtlich …«

Kay konzentrierte sich auf die gegenüberliegende Wand,

während er sprach. Sie weinte, die Tränen strömten ihr über das Gesicht, sie war praktisch blind und sah nichts vor sich außer Joys Gesicht.

»Laut Joys Testament fällt Ihnen – im Falle, dass Sarah stirbt, ohne ihrerseits ein Testament zu hinterlassen – das gesamte Vermögen zu.«

Nein. Nein, nein, das war nicht möglich. »Joy Erroll war nicht bei Verstand.«

»Sarah hatte Handlungsvollmacht, und sie hat das Testament im ersten Jahr, in dem Sie dort gearbeitet haben, mitunterzeichnet. Sie bekommen alles.« Er rutschte auf seinem Stuhl herum, ein gieriges Lächeln im Gesicht. »Da haben Sie vielleicht Glück gehabt, nicht wahr?« Mit dem Zeigefinger zeichnete er eine Acht in die obere Ecke des Dokuments, das vor ihm lag.

Kay zeigte auf die Schale. »Und das?«

»Das gehört zum Vermächtnis.«

Kay griff danach, ihre Hand schwebte über dem Rand. Sie nahm sie, ohne sie anzusehen und hielt sie fest.

Eine derbe russische Frau brach auf einer Sandstraße zusammen, vergrub ihr Gesicht in ihren schlammverspritzten Röcken und schluchzte hemmungslos.

Danksagung:

Vielen lieben Dank an Jon, Jade und Reagan, die die zweite Hälfte dieses Buchs sortiert haben – sie war zugegebenermaßen etwas, ähem, durcheinander. Außerdem danke ich allen bei Orion dafür, dass sie mich bei Laune gehalten haben sowie Peter und Henry für ihre harte Arbeit und die Unterstützung.

Vielen Dank auch an Stevo, Edith, Fergus und Ownie.

Mit Bestsellern reisen

Für unterwegs
immer das richtige Buch!

Großes Gewinnspiel
mit attraktiven Buchpaketen

Machen Sie mit! Im Internet unter
www.heyne.de/reisen-und-lesen-Bestseller

Teilnahmeschluss ist der 16. Mai 2012

Viel Glück wünscht Ihnen Ihr
Wilhelm Heyne Verlag

Eine Teilnahme ist nur online unter
www.heyne.de/reisen-und-lesen-Bestseller
möglich. An der Verlosung nehmen
ausschließlich persönlich eingesandte
Antworten teil. Mehrfacheinträge (manuell
oder automatisiert) sind nicht zugelassen.
Der Rechtsweg ist ausgeschlossen.